Les Japonais

DU MÊME AUTEUR

Histoire du manga, Tallandier, 2010.

KARYN POUPÉE

LES JAPONAIS

Nouvelle édition revue et augmentée

TEXTO
Le goût de l'histoire

SOMMAIRE

Deuxième partie
UNE SOCIÉTÉ RIGIDE.
CONVENTIONS HÉRITÉES DU PASSÉ
ET CONTRAINTES NATURELLES
FORCENT LE RESPECT

Troisième partie
INNOVATION ET CONSOMMATION,
LES DEUX POUMONS DE L'ÉCONOMIE

Quatrième partie
UNE SOCIÉTÉ DÉSÉQUILIBRÉE

Conclusion

Prologue

Loin des yeux de l'Occident

11 mars 2011 : le monde entier a les yeux tournés vers le Japon. À 14 h 46, heures locales, le nord-est de l'archipel fut secoué comme jamais. Séisme de magnitude 9 au fond de l'océan Pacifique, les trépidations furent terriblement ressenties jusqu'à Tokyo, mégapole qui vécut alors sa plus horrible journée depuis les bombardements à la fin de la seconde guerre mondiale. Sendai, Ishinomaki, Minamisanriku, Rikuzentakata, pour la première fois, les téléspectateurs de tous pays virent sur leurs écrans de télévision des images de ces villes du littoral japonais, les pires scènes qui leur furent données de voir. Ces cités côtières disparurent en direct ou presque, emportées par un tsunami dévastateur consécutif aux déformations telluriques. Le lendemain, une série inimaginable d'avaries se produisit à la centrale nucléaire Fukushima Daiichi, l'une de celles qui alimentent Tokyo, submergée par la vague. La triple tragédie, dont le Japon est loin de voir le bout, a fait quelque 20 000 morts. Il aura fallu ce drame pour que les regards reviennent, un temps seulement, vers le Japon, pour quelques semaines d'actualité exceptionnelle, sensationnelle. Les envoyés spéciaux depuis sont repartis.

Peu importe qu'il souffre encore et pour longtemps après ce drame, peu importe sa puissance économique toujours réelle, le Japon n'est plus, aux yeux de l'Occident, le pôle d'attraction en Asie, même si ses *manga* et dessins animés enthousiasment les jeunes étrangers ou si ses *sushi* régalent des gourmets. Le « miracle japonais », qui faisait bâiller d'admiration et se perdre en conjectures les économistes du monde lorsque l'archipel, ambitieux, reconstruit, se propulsa au rang de deuxième puissance économique mondiale à la fin des années 1960, a vécu. Quand ils ne sont pas focalisés sur les chiffres de la mirobolante croissance de l'empire du Milieu, et surtout sur la manne de main-d'œuvre et le gigantesque marché potentiel qu'il englobe, les projecteurs se braquent sur l'Inde ou se tournent inlassablement sur les statistiques macroéconomiques exemplaires ou alarmantes des États-Unis. Comme si – de peur d'être éblouis – les observateurs européens n'osaient plus regarder à l'extrême est, là où le rouge soleil se lève, sinon pour se gargariser des insolites « gadgets » nippons ou s'effrayer des parts de marché mondiales avalées chaque année par les champions automobiles japonais, Toyota, Honda ou Nissan, au grand dam des constructeurs locaux hier protégés, aujourd'hui aveuglés par leurs exploits passés ou techniquement à la traîne.

Parce qu'elle affiche une population dix fois supérieure à celle de l'archipel, qu'elle émerge rapidement du sous-développement, la Chine peut, il est vrai sans mal, aligner des chiffres de croissance à donner le tournis avec lesquels le Japon ne peut rivaliser. Pourtant rapportons ces données au nombre d'habitants et au niveau de vie, et les comparaisons prennent une autre tournure.

À bien y réfléchir, le modèle des Chinois n'est-il pas précisément le Japon ? Qu'on ne s'y trompe pas en effet, l'archipel, sorti exsangue de la Seconde Guerre mondiale et devenu en l'espace de quelques décennies la deuxième puissance économique mondiale, constitue un exemple de réussite pour ses voisins asiatiques. Les jeunes Chinois rêvent de travailler pour une firme nippone ou d'y faire leurs classes. Ils apprennent assidûment la langue japonaise, dévorent les *manga*, s'assourdissent de J-Pop, adulent les starlettes de l'archipel. Les logos et produits du pays du Soleil-Levant sont le « Graal » de la « *China Inc.* » qui, bien que bénéficiant d'une source inégalable de petites mains laborieuses, de cerveaux de mieux en mieux formés, et disposant de technologies de plus en plus éprouvées, n'a pas encore réussi à élever une marque au niveau de reconnaissance d'un Sony, d'un Toyota ou d'un Canon. La Chine est en outre loin d'avoir résorbé les inégalités et éradiqué l'extrême pauvreté. Neuf Chinois restent à quai quand un grimpe dans le wagon de première classe. Quant aux droits de l'homme…

Alors questions ? Pourquoi la valeur Japon est-elle aujourd'hui à ce point mésestimée en Occident ? Pourquoi l'archipel est-il autant oublié, critiqué ou moqué ? Plusieurs raisons expliquent ce regrettable état de fait : le Japon souffre d'une incompréhension. Il fascine les étrangers autant qu'il leur fait peur. Maladroits quand il s'agit de mettre en avant les atouts de leur société, dirigés par des hommes politiques dont aucun ne parvient à prendre une stature internationale, même dans les pires moments pourtant censés faire émerger des personnalités d'exception, les soit trop humbles, soit trop présomptueux Japonais ont le plus grand mal à se débarrasser d'une série impressionnante d'étiquettes dépréciatives qui leur collent à la peau depuis l'époque où l'on brocardait leur soif de conquête du monde, militaire et impérialiste au début du XXe siècle, économique après la Seconde Guerre mondiale. Ils impressionnent par leurs traditions, leur créativité et leur avance technologique, mais suscitent parallèlement les sarcasmes, la risée, la méfiance, la jalousie voire le mépris des étrangers. Ils en sont marris, s'en savent en partie responsables, mais commettent des impairs et peinent à corriger le tir. En se rapprochant des autres, ils craignent de perdre leur identité et de voir fondre leur singularité.

De fait, géant économique, puissance industrielle, pionnier des innovations technologiques, référence culturelle, creuset artistique, le pays du Soleil-Levant demeure un nain politique et diplomatique. Sa voix ne porte pas. Pas assez grand ? Trop loin ? Trop isolé ? Trop timoré ? Trop suiviste ? Trop présomptueux ? Trop menaçant ? Trop arrogant ? Trop naïf ? Trop imbu ?

Cette dichotomie, entre d'un côté une valeur à la corbeille, un rayonnement technique ou culturel (que révèle l'engouement pour les *manga* ou l'animation japonaise), et de l'autre une influence mondiale étriquée, reflète l'ambivalence polymorphe de la civilisation nippone. Le Japon, qui cultive les paradoxes, qui s'enorgueillit à juste raison de marier harmonieusement modernité et traditions multi-séculaires, paraît à bien des égards illisible. Pour tenter de le comprendre, il faut aux étrangers des années d'efforts, parfois vains, pour apprendre la langue, s'imprégner des mœurs, adopter les règles, car les Japonais eux-mêmes, à leur corps défendant, ne les aident pas forcément, convaincus pour certains d'entre eux qu'un cerveau moulé par une autre civilisation et élevé *via* une autre langue maternelle ne peut totalement appréhender les leurs. On ne saurait leur donner absolument tort. Mais puisqu'ils ne parviennent pas seuls à se portraiturer objectivement, faute de recul et de points de repère extérieurs, peut-être est-ce alors aussi le rôle des *gaijin* – littéralement « gens du dehors » – vivant au Japon, forts de leur expérience sur l'archipel, capables de comparaisons, de présenter à leurs compatriotes la réalité, reluisante ou non, de cette société unique, vue, appréciée ou subie de l'intérieur, d'en présenter différemment ses qualités et ses défauts. Car il est un autre Japon que celui, machiste et impitoyable, dépeint par Amélie Nothomb dans son roman *Stupeur et tremblements*, un autre Japon que celui raillé par Sofia Coppola dans son film *Lost in Translation*, œuvres devenues les nouvelles références probantes pour qui veut à tout prix trouver des raisons de se gausser des Japonais, à défaut d'approcher le fond de vérité à l'origine de ces caricatures. Quand le trait est trop grossi, le modèle du portrait finit par s'estomper. Le dessin n'est plus drôle, il est méchant.

Oui, il existe un Japon où il fait bon vivre, un Japon aimable, émouvant et surprenant, un Japon qui réfléchit, un Japon porteur de fortes valeurs, un Japon qui innove, un Japon qui ne renonce pas face à la montée en puissance de ses gigantesques voisins asiatiques, un Japon qui se projette dans l'avenir, un Japon qui s'apprête avec clairvoyance à faire face à des défis majeurs (vieillissement de la population, déclin démographique inéluctable, dépendance à l'égard des approvisionnements extérieurs), un Japon qui lutte sans relâche, mais avec respect, contre toute la panoplie des caprices insidieux de dame nature, un Japon qui veut jouer sa partition dans le concert des nations, un Japon qui n'est certes pas parfait, qui a d'immenses efforts à faire pour redresser ses travers, pour éliminer ses tumeurs malignes, pour aplanir ses inégalités, pour éviter de prêter le flanc à la critique, un Japon qui n'est sans doute pas un modèle de société universellement transposable, mais qui, à tout le moins, mérite mieux que l'indifférence ou les clichés, négatifs ou positifs, fondés ou non, auxquels il est hélas, par méconnaissance sinon malentendu, trop souvent réduit. Dès lors que le Japon apparaît comme une source d'inspiration pour la Chine et ses voisins, il est indispensable d'en analyser certains aspects socio-économiques et de retracer son évolution récente pour se préparer à vivre en syntonie avec une Asie de plus en plus forte et dont il espère rester la figure de proue.

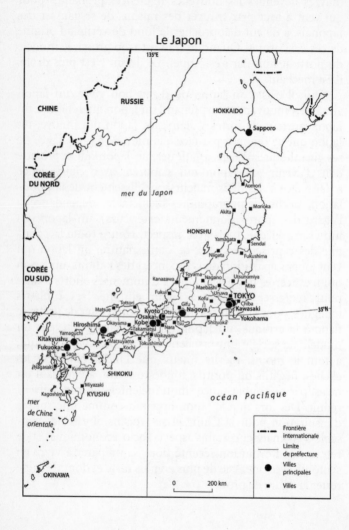

Le Japon

CHINE
RUSSIE
HOKKAIDO
Sapporo
CORÉE
DU NORD
mer du Japon
Aomori
Akita
Morioka
HONSHU
Yamagata
Sendai
Niigata
Fukushima
CORÉE
DU SUD
Kanazawa
Toyama
Nagano
Utsunomiya
Mito
Fukui
Maebashi
Uruwa
TOKYO
Kofu
Tottori
Kyoto Otsu
Gifu
Chiba
Matsue
Osaka
Nagoya
Kawasaki
Hiroshima
Kobe
Nara
Yokohama
Okayama
Tsu
Shizuoka
Yamaguchi
Takamatsu
Wakayama
35°N
Kitakyushu
Matsuyama
Tokushima
Fukuoka
Kochi
Saga
Oita
SHIKOKU
Nagasaki
Kumamoto
Kagoshima
Miyazaki
océan Pacifique
mer
KYUSHU
de Chine
orientale
OKINAWA

0   200 km

Frontière
internationale
Limite
de préfecture
Villes
principales
Villes

Première partie

1945-2011
DU DÉNUEMENT AU SURDÉVELOPPEMENT

INTRODUCTION

15 août 1945. Plus de trois millions de morts nippons, dont 700 000 victimes des bombardements. Sept millions de civils et militaires expatriés. Le Japon capitule. Le Japon a perdu. Le Japon est défait, humilié, ruiné, pulvérisé. Hiroshima et Nagasaki atomisées. Tokyo pleure, piteuse capitale impériale meurtrie, au quart réduite en cendres sous les centaines de tonnes de bombes larguées en deux heures vingt-deux minutes, en pleine nuit, par plus de trois cents B-29 américains. La population survivante végète dans des baraques de bric et de broc. Des pauvres gosses en guenilles hantent les trottoirs et dorment sous les ponts, ou ce qu'il en reste : pas grand-chose. Les entreprises nippones sont faillies. 13 millions de désœuvrés dans tout le pays pour une population de 72 millions d'âmes. La nourriture et le minimum vital manquent, cruellement, pour combien de temps ?

10 juin 1969. Le Japon est officiellement reconnu comme étant devenu, l'année précédente, la deuxième économie du monde. Il l'est resté jusqu'en 2010, année durant laquelle il fut mécaniquement dépassé par la Chine dont la population est dix fois plus importante. En 1969, le chômage culminait à moins de 2 % de la population active : plein emploi. Il n'aura pas fallu un quart de siècle au vaincu pour se relever, pour se surpasser. Un miracle ? Non. Les *kami sama* – entités divines – n'y sont concrètement pour rien.

La source de ce spectaculaire rebond se trouve au contraire dans l'extraordinaire abnégation, l'incroyable vitalité, le pragmatisme et la solidarité dont ont fait preuve les citoyens, dans la motivation des travailleurs pour produire et innover, dans l'audace et la témérité des entrepreneurs, dans la vision de quelques dirigeants pour impulser l'industrie et imposer des mesures parfois impopulaires mais finalement efficaces. Certes ce redressement frappant a pris appui dans un premier temps sur des réformes structurelles initiées par l'occupant américain, touchant l'État, les entreprises, les banques, l'éducation ou le secteur agricole. Mais sans cette volonté collective nationale de s'en sortir, sans une claire conscience d'un rôle individuel à tenir et sans un élan de fraternité, aucune mesure, de quelque puissance qu'elle fût venue, n'aurait à elle seule pu conduire à ce résultat proprement inimaginable. Les contre-exemples sont nombreux.

Les Japonais sont fiers de leur exploit, on le serait à moins. Ceux qui ont vécu la phase la plus remarquable des soixante dernières années, celle de la haute croissance, de 1955 au premier choc pétrolier de 1973, en gardent un souvenir indélébile. Ils évoquent volontiers ce passé vertueux sans précédent avec une lueur de nostalgie, sachant qu'un tel bond en avant est désormais impossible à réitérer, tout en souhaitant qu'il demeure une référence pour éviter tout défaitisme face à des situations de crise, comme celle qui a marqué les années 1990. Ils se remémorent la larme à l'œil les prouesses d'une époque bénie pour affronter les enjeux et défis qui se profilent aujourd'hui.

Comment, en vingt-trois ans, un pays a-t-il pu à ce point se transformer ? Quelles sont les clés de ce saut prodigieux sans équivalent à l'échelle mondiale ? Sans retracer toute l'histoire de la seconde partie de l'ère Showa, période de règne de l'empereur Hirohito (1926-1989), il est indispensable pour comprendre le Japon actuel et ses habitants de décrire cette évolution depuis 1945, d'en disséquer les ressorts, d'étudier de quelle façon et pourquoi le Japon est progressivement passé d'une décennie de reconstruction cahoteuse (1945-1955), en grande partie sous occupation américaine, à une période de croissance inédite (1955-1973). Par quels moyens il a, mieux que l'Occident, surmonté les crises pétrolières. Comment il s'est ensuite laissé emprisonner dans une bulle spéculative et financière (1980-1991). Quelles plaies l'ont conduit à affronter plus de dix années de descente aux enfers et d'instabilité (1991-2002) avant de prendre, peut-être, aujourd'hui, un réel nouveau départ dans un monde chamboulé, dans une Asie en ébullition. Passer en revue cette série d'événements est d'autant plus instructif que nombre d'épisodes ne sont pas sans rappeler ce qui, aujourd'hui, se joue en Chine.

Chapitre premier

IMMÉDIAT APRÈS-GUERRE CAHOTEUX
SOUS OCCUPATION

Retour en arrière

L'ambassade des États-Unis a été épargnée, pas le Kabukiza, emblème de la culture populaire nationale, haut lieu du théâtre traditionnel kabuki. Ce monument culturel et chef-d'œuvre architectural avait la poisse. Un pillage, un incendie et le *Kanto daishinsai*, séisme meurtrier de magnitude 7,9 qui ravagea l'est du Japon en 1923, l'avaient déjà mis à terre. Reconstruits à l'identique, les complexes mécanismes de la scène avaient repris du service, les acteurs de nouveau foulé les planches du *hanamichi*, pont reliant le fond de la salle à la scène, siège d'apothéose théâtrale. Mais en ce 10 mars 1945, le Kabukiza est parti en noire fumée. Comme une grande partie de Tokyo qui n'est plus que débris, cramée par le déluge de 190 000 bombes américaines. Une pluie foudroyante qui pulvérisa quelques 270 000 habitations, jeta dans la rue un million de personnes, en anéantit près de 100 000 autres et en estropia des dizaines de milliers de plus. Toutes les grandes et moyennes villes subirent le même sort. Cadavres de femmes et enfants calcinés amoncelés, corps charriés par le fleuve dans lequel des centaines d'habitants de la *Shitamachi* – ville basse – s'étaient jetés dans l'espoir d'échapper aux flammes, ces scènes tokyoïtes apocalyptiques, peu connues, sont aussi terribles que celles, souvent censurées, de l'horreur des déflagrations atomiques d'Hiroshima (6 août 1945) et de Nagasaki (9 août). Deux explosions nucléaires, 135 000 tués supplémentaires, averses incessantes de bombes sur les cités, plus de cent trente campagnes de bombardements sur Tokyo, et enfin, le 15 août à midi, l'empereur Hirohito annonce à la radio au peuple nippon la capitulation du Japon sans condition, une décision impériale transmise la veille aux Alliés. Les quatre chefs d'État américain, britannique, chinois et russe avaient prévenu, par la proclamation de Potsdam, initialement signée le 26 juillet 1945 par les trois premiers, rejoints ensuite par le quatrième : ils s'étaient engagés, au nom de leur peuple, et avec le soutien des forces alliées, à donner l'assaut final sur le Japon jusqu'à ce que l'ennemi cesse de résister. Ils avaient jeté du ciel des milliers d'imprimés pour avertir les citoyens :

« La pleine utilisation de la puissance militaire aura pour conséquence inévitable la destruction complète des forces armées japonaises et la dévastation du territoire nippon. [...] Le temps est venu pour le Japon de décider s'il veut continuer d'être contrôlé par des conseillers militaires déterminés dont les mauvais calculs ont conduit l'empire du Japon à être menacé d'anéantissement, ou s'il choisit le chemin de la raison. [...] Nous appelons le gouvernement japonais à proclamer maintenant la reddition inconditionnelle de toutes ses forces armées et à apporter toutes les assurances appropriées de sa loyauté dans cet acte. Sinon, le Japon s'expose à une rapide et totale destruction. » Les mots étaient durs, les actes à l'avenant.

30 août 1945, 14 heures 5, casquette vissée, lunettes de soleil sur le nez aquilin, pipe protubérante à la bouche, main droite glissée dans la poche arrière de son pantalon à pinces, le charpenté et photogénique général Douglas

MacArthur, dépêché par le camp des vainqueurs, embrasse l'horizon d'un regard panoramique du haut de l'escalier de son C-54 *Bataan*. L'homme débarque en terrain conquis, prend son temps, descend les marches d'un pas assuré et serre les mains des siens, souriants. Le 2 septembre, marchant péniblement, jambe raide, à l'aide d'une canne, le ministre des Affaires étrangères du Japon, Mamoru Shigemitsu, chapeau haut de forme, lunettes en roues de bicyclette et costume queue-de-pie, grimpe sur le pont du navire de guerre américain *USS Missouri*. Assis devant une table rectangulaire, il tend son chapeau et sa serviette à un acolyte, se soulève, se penche et appose, au nom de l'empereur, son paraphe sur le document de reddition, face au même MacArthur, regard tendu, debout, devant un micro, maître de cérémonie droit dans ses bottes. À peine provisoirement installé dans une chambre de l'hôtel New Grand à Yokohama, ce dernier ordonne l'arrestation du personnage qui symbolise le militarisme japonais : le général et ex-Premier ministre Hideki Tojo. La traque commence. Tojo tente de se suicider lorsque, le 8 septembre 1945, se présentent à la porte de son domicile tokyoïte cerclé de journalistes les envoyés de MacArthur. Il sera sauvé *in extremis*. Une centaine de criminels de guerre dits de « classe A » (militaires, hommes politiques, diplomates, financiers, idéologues et dirigeants de diverses organisations) sont placés sous les verrous. Moins que ce que souhaitaient les forces alliées. Certains ont réussi à mettre fin à leurs jours avant de tomber aux mains des vainqueurs.

Arrivés par mer et air, les GI envahissent les rues des villes et villages japonais. La foule incrédule se range au bord des routes pour regarder. Des volées d'enfants galopent derrière les camions et Jeep de ces grands étrangers au long nez qui leur distribuent des bonbons comme on donne des miettes à des pigeons. Conformément à la proclamation de Potsdam, l'occupation, la première de la longue histoire du pays Yamato, commence : « Jusqu'à ce que soit établi un nouvel ordre et tant que ne seront pas réunies les preuves de la destruction intégrale des capacités du Japon à mener une guerre, des points du territoire japonais pourront être occupés par les Alliés pour garantir l'accomplissement de ces objectifs. [...] Après quoi les forces d'occupation quitteront le Japon. [...] La souveraineté du Japon sera limitée aux îles Honshu, Hokkaido, Kyushu et Shikoku, ainsi qu'à certains îlots que nous déterminerons. »

Le GHQ, quartier général des forces étrangères commandées par MacArthur, représentant en chef des alliés victorieux, emménage au cœur de Tokyo, face au palais Impérial, dans l'immeuble réquisitionné de la société d'assurance Dai-Ichi Seimei Hoken Shogo. Le reste des troupes investit quelque six cents bâtiments de la capitale encore d'aplomb, et plante ses tentes dans les parcs urbains. Les panneaux en anglais fleurissent dans les villes, le long des voies ferrées, la toponymie est transcrite en caractères latins, sur ordre du GHQ, marques lisibles d'une direction étrangère. Tout ce qui reste de l'armement nippon est détruit par les forces américaines : chars dynamités, avions aspergés d'essence incendiés, navires éventrés, coulés, fusils et munitions pilonnés par des bulldozers ou jetés à la mer. Des autochtones crèvent de faim dans les quartiers défigurés. Les Tokyoïtes vont au marché noir monnayer quelque nourriture. Les plus courageux grimpent jusque sur les toits des trains bondés qui font la navette vers la campagne dans l'espoir d'aller y emplir des sacs de légumes. Les quelques revues et journaux distillent tant bien que mal des recettes de pseudo-cuisine à base d'herbes et autres ingrédients innommables qu'on aurait jamais imaginé devoir avaler pour apaiser les estomacs douloureux, vides. Des orphelins à Tokyo en 1945, que les images tournées par les militaires américains ne montrent pas, ont les mêmes visages émaciés, ventres anormalement bombés et peau du fessier plissée que les Éthiopiens qui s'afficheront trente ans plus tard sur les écrans des télévisions du monde développé. Faute d'avoir de quoi ériger une maison, on creuse pour se créer un abri surmonté d'un monceau de terre ou d'un vague toit de bois dans le meilleur des cas. Certains y resteront trois ans. Jamais les Japonais, qui s'étaient acharnés à rattraper leur retard technique et économique sur l'Occident en puisant dans ses savoir-faire depuis la restauration de l'empereur Meiji en 1868, n'ont connu de période aussi rude. Et pourtant, regardez-les, ils sourient devant les objectifs des caméras des soldats américains. Ils sont en vie, la guerre, officiellement, est finie. Le gouvernement, à la botte de l'Oncle Sam, le répète alors à l'envi : c'est un nouveau départ, il faut y croire.

Le procès de Tokyo

Outre l'omniprésence des troupes yankees, le contesté tribunal de Tokyo, du 3 mai 1946 au 12 novembre 1948, pendant de celui de Nuremberg, entretenait toutefois le sentiment que tout n'était pas soldé. Sur la centaine de criminels de guerre de « classe A » arrêtés par les Américains, vingt-huit furent déférés devant des juges venus de onze pays, sous cinquante-cinq chefs d'inculpation. La liste des accusés fut proclamée le 29 avril 1946, le jour même de l'anniversaire de l'empereur. Ce dernier n'en faisait pas partie, MacArthur ayant fortement fait valoir que la mise en accusation d'Hirohito risquait d'anéantir le moral du peuple ou de conduire à une insurrection monstre incontrôlable, et de miner dans les deux cas la relation des occupants avec le peuple, obérant ainsi sa tâche de remise sur pied du pays. Il eut gain de cause. Sur vingt-huit accusés, les noms de vingt-cinq furent cités dans l'acte de jugement, 300 000 mots, 1 211 pages en anglais dont la lecture dura sept heures réparties sur deux jours, en novembre 1948. Deux accusés étaient entre-temps morts et un troisième, hospitalisé dans un établissement psychiatrique, irresponsable. Les juges devaient se prononcer sur onze chapitres pour chacun : coupable ou non. Les prévenus défilèrent un à un le 12 novembre pour entendre dans un casque audio la traduction du verdict énoncé en anglais : « Accusé Hideki Tojo, attendu les actes dont vous êtes convaincu, le tribunal vous condamne à mort par pendaison. » Six autres écopèrent de la même sanction définitive, conduits au gibet le 23 décembre suivant. Seize furent punis d'une peine de prison à perpétuité, un de vingt années de réclusion et le dernier, l'ex-ministre des Affaires étrangères boiteux, Shigemitsu, de sept ans de geôle. MacArthur pouvait ainsi se satisfaire d'avoir réussi à faire instruire devant le peuple nippon le procès des responsables de ses malheurs, même si cette volonté de justice internationale n'est pas exempte de reproches. L'avis de quelques juges (dont celui du baraqué indien Pal qui réfuta la culpabilité de tous) demeure incompris et continue de donner lieu à des ouvrages d'analyse. Les Américains ont par ailleurs réussi à faire le tri dans ce qu'il fallait juger ou non pour préserver leurs intérêts et éviter que certains aspects fassent jurisprudence à leurs dépens. Quelques 5 702 autres Japonais, criminels de guerre dits de « classes B et C » furent par ailleurs jugés par des tribunaux en Asie : 991 furent condamnés à mort, 475 à la prison à vie, 2 945 à des peines d'enfermement de durée variable et 1 019 relaxés.

Parallèlement au désarmement et à ce procès de Tokyo qui reste controversé, MacArthur, ferme à l'égard des politiques et compréhensif vis-à-vis des citoyens, força le gouvernement, coopératif, à œuvrer à la reconstruction du pays et à la réforme de son organisation, points de départ fondamentaux pour remplir les conditions posées par les Alliés. Des wagons de mesures structurelles – amélioration du statut des femmes qui devinrent électrices et éligibles, promotion des syndicats, réforme de l'éducation, mise en œuvre de l'économie libérale, suppression des privilèges – furent promptement lancés sur les rails, dès les premiers mois d'occupation. Ce grand lessivage des règles institutionnelles et administratives nippones d'avant-guerre bouleversa le fonctionnement du pays, le transformant progressivement en démocratie moderne, sur la base d'une nouvelle Constitution, facteur clé des changements de paradigme.

Constitution écrite en une semaine

Un pays dont le régime monarchique avait provoqué autant d'atrocités, désormais tenu par les Alliés, ne pouvait pas, pour recouvrer sa souveraineté, ce qui un jour devait arriver, conserver en l'état ses institutions. MacArthur chargea donc le gouvernement en place de préparer une nouvelle Constitution. Un Comité d'étude constitutionnel fut établi dès le mois d'octobre 1945 pour reformuler la loi fondamentale. Par ailleurs, divers groupes indépendants d'universitaires et autres spécialistes du droit se constituèrent pour émettre des propositions. Le résultat des travaux des experts japonais fut loin des attentes du général américain. Et pour cause, il ne modifiait qu'à la marge les modalités du régime fondé sur la précédentes charte Dainippon teikoku kenpo – Constitution du Grand Japon impérial – en vigueur depuis 1890. Le GHQ reprit les choses en mains et mandata ses avocats, militaires et juristes pour rédiger un texte inspiré des lois fondamentales de divers pays, en s'appuyant pour partie sur la Charte antérieure et sur les diverses contributions la modifiant, versées par les groupes d'étude nippons. Il proposa sa nouvelle formulation, en anglais, au comité nippon, à charge pour lui de la traduire en langue japonaise. Ce texte d'origine américaine, dont on dit qu'il fut écrit en une semaine, donna lieu à plusieurs débats. En effet, les Américains avaient dans un premier temps suggéré un régime parlementaire reposant sur une seule chambre, ce qui déplut aux Japonais, lesquels eurent finalement le dernier mot. En revanche, l'empereur perdit ses prérogatives politiques contrairement au souhait initial des constitutionnalistes nippons. Compromis trouvés sur tous les aspects litigieux, la nouvelle Constitution fut promulguée en novembre 1946. Elle entra en vigueur le 3 mai 1947, devenu depuis jour férié. À l'époque, les citoyens nippons ignoraient qu'elle était bâtie sur un socle en grande partie rédigé par les Américains et que le gouvernement du pays vaincu fut forcé d'accepter, n'obtenant que quelques concessions qui ne remettaient pas en cause la philosophie pacifique de l'ensemble. Les critiques ne vinrent qu'après, « Constitution imposée par l'occupant », s'agacent encore aujourd'hui les milieux nationalistes. Ce n'est qu'en partie vrai, répliquent les plus objectifs qui soulignent d'une part que le texte proposé par les Américains a tenu compte de l'avis des Japonais pour modifier plusieurs points de désaccord, et d'autre part que ladite Constitution a été adoptée par le Parlement après des élections générales au suffrage universel.

La plus pacifiste et rigide des Constitutions

Cette Constitution, qui n'a pas subi une seule retouche en plus de soixante ans, tient en 103 articles. Elle définit un régime démocratique parlementaire représentatif bicaméral difficile à classer dans les catégories existant par ailleurs. Ce n'est ni une monarchie, bien que l'empereur y trouve sa place, ni une république, bien que construit sur la distinction des pouvoirs législatif, exécutif et juridique ainsi que sur la séparation entre la religion et l'État. Son préambule résume la teneur du texte qui lui-même pose les conditions du pouvoir conféré au peuple japonais à travers ses représentants élus. Souverain, le peuple dit aspirer à la sécurité et à la paix universelles fondées sur l'égalité et le respect des droits imprescriptibles de l'homme, la liberté d'opinion et d'expression, la justice, la non-discrimination, l'entraide internationale et le bannissement de la tyrannie, de l'esclavage, de l'oppression et de l'intolérance.

Le corps du texte constitutionnel est quant à lui divisé en onze chapitres. Le premier précise le rôle de l'empereur, « symbole de l'État et de l'unité du peuple » dont les seules attributions politiques sont d'ordre protocolaire. Le deuxième est constitué du seul article 9, le plus connu car le plus emblématique, « *Senso hoki* » – « Renonciation à la guerre » : « Aspirant sincèrement à une paix internationale fondée sur la justice et l'ordre, le peuple japonais renonce à jamais à la guerre en tant que droit souverain de la nation, ou à la menace, ou à l'usage de la force comme moyen de règlement des conflits internationaux. Pour atteindre le but fixé au paragraphe précédent, il ne sera jamais maintenu de forces terrestres, navales et aériennes ou autre potentiel de guerre. Le droit de belligérance de l'État ne sera pas reconnu. »

Le troisième chapitre constitutionnel définit les droits et devoirs des citoyens, le quatrième formule le rôle du Parlement, le cinquième détaille les prérogatives du gouvernement, le sixième encadre la justice, le septième s'intéresse à l'administration financière, le huitième concerne les pouvoirs des autorités locales, le neuvième chapitre indique les conditions de réforme constitutionnelle, de façon toutefois insuffisamment précise. Le dixième détermine le caractère dominant de la Constitution sur toute autre loi, décret, ordonnance et autres actes du gouvernement ou de la maison impériale, lesquels ne doivent en rien violer les dispositions des articles constitutionnels. Le onzième est un chapitre complémentaire qui détaille les modalités d'entrée en application du texte.

Selon cette Constitution, l'empereur doit obtenir l'aval du gouvernement pour toutes ses actions exercées à ce titre dans le strict cadre des dispositions qu'elle impose. Il n'a aucun pouvoir politique, se contentant d'officialiser la nomination du Premier ministre désigné par le Parlement, ainsi que celle du président de la Cour suprême choisi par le gouvernement. L'empereur promulgue également, au nom du peuple et sur proposition et approbation du gouvernement, les amendements constitutionnels, les lois, décrets et traités. Il annonce, toujours et exclusivement à titre protocolaire, sans pouvoir d'en décider, la convocation du Parlement et les élections générales de la Diète, prononce la dissolution de la Chambre basse, atteste les nominations et démissions des ministres ainsi que divers autres actes officiels. Le pouvoir exécutif revient au cabinet à la tête duquel se trouve un Premier ministre, désigné par le Parlement. Le pouvoir législatif relève de la Diète (les deux chambres parlementaires dont le nombre d'élus est précisé par des lois). Les élus à la Chambre basse lors d'élections législatives bénéficient d'un mandat de quatre ans et ceux choisis comme conseillers à la Chambre haute (Sénat) siègent six ans, cette dernière assemblée étant renouvelée par moitié tous les trois ans. La Diète vote et contrôle l'utilisation du budget national sur proposition du gouvernement. La Chambre basse, la plus importante, peut être dissoute sur décision du Premier ministre, lequel est parallèlement à la merci d'une censure.

Une loi votée en première lecture par les représentants, mais retoquée par le Sénat, peut être néanmoins adoptée si elle recueille les deux tiers des voix des membres présents à la Chambre basse en deuxième lecture. Le gouvernement doit toutefois éviter autant que faire se peut de recourir à cette mesure de passage en force qui heurte le consensus démocratique. Cette modalité exceptionnelle vaut aussi pour les nominations revenant au Parlement sur proposition du gouvernement, à l'exception de quelques postes à hauts risques. Les gouverneurs de préfecture et maires sont également élus par le peuple pour quatre ans. Le pouvoir juridique appartient à la Cour suprême et aux tribunaux inférieurs créés par des lois conformément à la Constitution. Les amendements à cette dernière requièrent un vote à la majorité des deux tiers au sein de chaque chambre puis l'approbation par plus de la moitié du peuple par référendum spécial organisé spécifiquement ou convoqué simultanément à un autre scrutin. Telles sont les grandes dispositions de la peu malléable Nihon koku kenpo.

Parce qu'il donne un rôle symbolique à l'empereur et proclame le renoncement de l'ex-Japon colonialiste à la guerre comme moyen de régler les dissensions entre pays, ce socle constitutionnel instilla un nouvel état d'esprit dans la population, laquelle y vit surtout un motivant message, sinon une garantie de paix. Et ce, même si le premier objectif inavoué de l'occupant était d'affaiblir politiquement le pays. Mais peu importait, l'entrée en vigueur de cette nouvelle loi fondamentale fut fêtée dans les villes et villages comme le vrai signe de la fin de la guerre et le début d'une nouvelle ère, d'une remobilisation, pacifiste, pour rebâtir le pays.

Maintenu par MacArthur en dépit d'un vent de protestations extérieures, Hirohito, auréolé d'un rôle symbolique mais déchu de sa stature divine et *persona non grata* dans nombre de pays, tint son rang aux côtés du peuple. Le *Tennô Heika* – Sa Majesté l'empereur – fit la tournée des régions nippones, 33 000 kilomètres à travers l'archipel, prenant des bains de foule, sous les *banzai* – dix mille ans à l'empereur, longue vie. Avec empathie, il écouta et encouragea la population. On l'entendit même prononcer des « *ah so !* » – « ah bon, c'est donc cela ! » – dans les mines, découvrant la pénible condition des ouvriers. Cette expression compatissante maintes fois répétée lui valut d'ailleurs le sobriquet de « monsieur *Ah so* ».

Difficile convalescence

D'un point de vue économique, l'immédiat après-guerre se traduisit pourtant par un redressement de façade accompagné d'une inflation affolante. Ce double mouvement était alimenté par le très fort soutien public apporté aux industriels et abondé d'aides américaines. Revers de la médaille, il apparut assez vite à l'occupant, peu désireux de s'éterniser, que cette économie s'appuyait trop sur des jambes artificielles. Nombre de sociétés relancées ou nées dans ce contexte n'étaient en réalité pas viables. Les subventions distribuées à tout-va avaient créé une économie virtuelle. Les pouvoirs nouveaux octroyés aux syndicats sans contrepartie pour le patronat, corseté après le démantèlement des oligarchiques *zaibatsu* – conglomérats touche-à-tout archipuissants d'avant-guerre –, aboutirent en outre à un profond déséquilibre, lequel dégénéra en grèves violentes.

En dépit de progrès réels, le Japon, sous la conduite de plusieurs Premiers ministres successifs, dont Shigeru Yoshida, était encore trois ans après la fin du conflit convalescent, boiteux. Les États-Unis, pressés de voir l'archipel tenir debout tout seul, posèrent fin 1948 plusieurs principes pour atteindre une stabilité économique, alors que l'inflation, devenue ingérable, soulevait la colère de la population. Les grèves se multipliaient : 1 035 (4,4 millions de participants) en 1947 et 1 517 en 1948 (6,7 millions d'individus). Afin d'appuyer ce dispositif, les Américains dépêchèrent, en 1949, le patron de la banque de Detroit, Joseph Dodge. Ce financier à poigne, sans états d'âme, qui avait déjà jugulé la hausse des prix en Allemagne, vint remettre de l'ordre dans les flux financiers et poser les piliers d'une économie structurée, non sans arrière-pensées géostratégiques. Il prodigua un remède de cheval au pays jusqu'alors perfusé. Un traitement qui en apparence fit d'abord plus de mal que de bien, du point de vue des habitants encore sonnés. Les mesures Dodge achevèrent dans la douleur les sociétés mal en point et firent de nouveau grossir les rangs des chômeurs. Toyota fut même forcé de remettre à plus tard ses projets de développement d'automobiles pour particuliers, faute de crédits, les banques se montrant soudain réticentes à accorder les sommes colossales requises. Mais rétrospectivement, nul ne conteste que la « ligne Dodge » a permis une rationalisation économique, placé les entrepreneurs et l'État devant leurs responsabilités, et mis fin à la flambée handicapante des prix, entraînant même temporairement l'inverse, la déflation. Cette situation explosive déclencha des grèves sans précédent. Mouvements qui furent cassés à la suite de sabotages de voies ferrées imputés aux communistes. Ces derniers furent alors la cible d'une chasse aux sorcières, « la purge des rouges », dans l'administration, les entreprises, les syndicats, les journaux, vaste éradication qui réduit au silence le PC japonais pour longtemps.

Indépendance et souveraineté recouvrées sur le papier

Ce sont à vrai dire les gros besoins matériels de l'armée américaine sur le front coréen qui firent rebondir l'économie du Japon, lequel servit de base arrière et de fournisseur de matériels, denrées diverses et services. Les Américains, préoccupés par l'aggravation du conflit coréen, décidèrent alors qu'était venu le moment pour eux de mettre fin à l'occupation de l'archipel, jugeant remplies les conditions posées par la proclamation de Potsdam. MacArthur fut soudainement rappelé par le président Truman au printemps 1951, après avoir outrepassé son rôle par des propos inopportuns sur les moyens d'arrêter la guerre de Corée. Il quitta le pays du Soleil-Levant le 16 avril, salué par quelque 200 000 Japonais alignés le long du parcours jusqu'à l'aéroport d'Haneda. Le Japon recouvrit sa souveraineté l'année suivante après la signature par quarante-neuf pays du traité de paix de San Francisco, le 8 septembre 1951. Parallèlement, Tokyo et Washington scellèrent un traité de sécurité bilatéral qui imposait le maintien de troupes américaines sur le territoire nippon. Indépendance de façade, protestaient les citoyens, qui ne virent dans l'immédiat guère de différences, les uniformes des soldats yankees restant bien trop visibles à leurs yeux. Ce tournant ouvrait aussi la voie au réarmement du Japon et au retour sur le devant de la scène des purgés, figures politiques, idéologues, militaires et hommes d'affaires mis au ban de la nation durant l'occupation. Gyaku cousu – chemin inverse, demi-tour – craignait la population pour qui le retour de la souveraineté eut sur le coup un goût amer. Les citoyens, devenus farouchement pacifistes, avaient en outre du mal à comprendre le Premier ministre Yoshida lorsqu'il déclara au Sénat en mars 1952 que « la possession d'armement dans un but défensif était compatible avec la Constitution ». Ce point de vue, contesté alors et toujours objet de tergiversations sémantiques, a néanmoins prévalu. Le Japon, qui conclut également en 1954 avec les États-Unis un acte d'assistance mutuelle, recommença à se doter la même année d'un arsenal et d'une Agence de défense Boeicho contrôlant des forces d'auto-défense (FAD) terrestres, navales et aériennes. Le réarmement avait été décidé en concertation avec les Américains, ces derniers estimant nécessaire que le Japon puisse assumer en partie sa propre défense pour alléger le fardeau supporté par les États-Unis et leur servir de soutien logistique en pleine guerre froide, sans toutefois que la puissance militaire nippone fasse peser une menace offensive extérieure, comme le stipulait l'article 9 de la Constitution japonaise. Le traité de sécurité nippo-américain stipulait qu'il était « souhaitable que le Japon augmente graduellement sa prise de responsabilité pour se défendre face à une invasion directe ou indirecte ». Dans l'acte d'assistance et de sécurité mutuelles, le souhait est devenu un devoir. La signature en 1954 de ces accords de défense, qui comportent des clauses confidentielles, déclencha des débats houleux. Cependant, paraphé en même temps que trois autres documents portant sur les prix d'achat d'excédents agricoles, les mesures d'ordre économique et les garanties d'investissement, il réjouissait le monde des affaires, et notamment les groupes d'industrie lourde et autres sociétés capables de produire les équipements requis, par exemple des avions sous licence américaine. Ces perspectives tombaient à point alors que les effets des commandes américaines de biens pour l'armée en Corée prirent naturellement fin avec le conflit en 1953, plongeant le Japon dans une nouvelle récession.

Chapitre II

1955-1973
LA HAUTE CROISSANCE, UNE VINGTAINE D'ANNÉES
QUE LES JAPONAIS NE SONT PAS PRÊTS D'OUBLIER

La période indubitablement la plus passionnante, la plus troublante et la plus riche d'enseignements pour qui cherche à comprendre la société japonaise contemporaine est celle qui s'étendit de 1955 à 1973, appelée *Kodo keizai seicho* – Haute croissance économique. Près d'une vingtaine d'années au cours desquelles moult singularités du peuple nippon sont apparues et se sont amplifiées, parfois même de façon excessive, pour forger une nouvelle mentalité. Si l'expression *Kodo keizai seicho* se borne littéralement à une acception macroéconomique (forte augmentation du produit intérieur brut, le PIB), ces deux décennies furent également, voire surtout, celles de multiples et profonds bouleversements sur les plans sociologique et culturel.

Le « régime de 1955 »

Un tournant politique majeur se produisit en 1955. Il constitua la colonne vertébrale de la conduite du pays depuis. Après la réunification, en octobre, des ailes droite et gauche du Parti socialiste japonais (PSJ) divisées depuis

1951, le Parti démocrate (Minshuto) et le Parti libéral (Jiyuto) fusionnèrent en décembre pour former le Parti libéral démocrate (PLD). Cette restructuration du paysage politique aboutit à un système bipartisan appelé « régime de 1955 » (« *55 taisei* »). Toutefois, les deux grandes forces en présence, PSJ et PLD, n'étaient pas équilibrées : le second, bien que traversé de plusieurs courants et clivages transversaux, jouissait d'une écrasante majorité. Il existait alors deux principaux clans au sein du PLD : l'un, conservateur et nationaliste, privilégiant l'idéologie politique ; l'autre réformiste, plus préoccupé par les questions économiques. Ces deux visions allaient par la suite alterner au pouvoir au gré de jeux internes de factions rivales et des difficultés rencontrées par les unes sitôt mises à profit par les autres pour leur succéder à la tête du pays. Quant à l'opposition constituée par le PSJ, elle ne fit pas le poids dans les urnes face à cet omnipotent PLD.

Auparavant, durant son règne coupé en deux de 2 616 jours, entre mai 1946 et 1954, Yoshida, « *one man* », critiqué pour sa politique solitaire, avait posé les bases de ce qui allait par la suite constituer les piliers de la puissance économique japonaise : le triangle administration/entreprises/finances. Il affaiblit les pouvoirs des organisations syndicales dans la fonction publique, limitant le droit de grève, et assouplit parallèlement les contraintes pesant sur les grandes entreprises, notamment la loi antimonopole, autorisant ainsi la formation de *keiretsu*, c'est-à-dire de réseaux de sociétés solidaires en cas de coup dur, liées par des participations croisées et soutenues par une banque principale dont la confiance entraînait celles d'autres organismes financiers.

« Mohaya, sengo dehanai, *alors au boulot !* »

« *Mohaya, sengo dehanai* », que diable, nous ne sommes plus dans une période de convalescence et de rééducation d'après-guerre, tança le gouvernement dans son livre blanc sur l'économie en 1956, « nous devons désormais avancer ». Semblant dire « réveillez-vous bon sang ! », il sonna ainsi la fin de la dépression économique lancinante, appela le pays au sursaut. Les gros groupes d'industrie lourde redoublèrent alors d'investissements pour construire des infrastructures (routes, réseaux d'eau) au Japon et en Asie du Sud-Est. Cependant, les sceptiques étaient encore nombreux qui ne croyaient pas à l'hypothèse d'une croissance intrinsèque durable fondée sur les forces vives de la nation. Sous-estimant peut-être la combativité et le potentiel du peuple, ils n'imaginaient pas que leur archipel isolé aurait la force suffisante pour faire émerger de nouvelles industries, créer des produits inédits, bouleverser les modes de consommation, susciter des besoins et envies jusqu'alors inassouvis, comme l'envisageaient les bureaucrates. Cela restait en effet à prouver. Ce le fut.

Entre 1955 et 1970, d'une année sur l'autre, le taux de croissance s'éleva tant que le produit national brut (qui se confondait à l'époque avec le PIB) s'en trouva au bout du compte quasiment décuplé. En 1955, année inaugurale du premier « plan quinquennal de croissance économique », le PNB par habitant venait tout juste de recouvrer le plus haut niveau enregistré avant-guerre. Cela signifiait que le Japon avait dès lors remis les compteurs à zéro, et qu'il entrait donc potentiellement dans une nouvelle réelle phase de croissance économique absolue. Les objectifs du plan pour cinq ans furent remplis en trois années. Le Japon regagna une forme de reconnaissance internationale avec son intégration au sein d'importantes institutions mondiales comme l'Organisation des Nations unies (ONU) en décembre 1956, avant le Fonds monétaire international

(FMI) et l'Organisation de coopération et de développement économiques (OCDE) en 1964. Le pays du Soleil-Levant s'est, durant cette période, graduellement converti, pour la première fois de son histoire, à une économie de marché. L'interventionnisme de l'État, notamment à travers le ministère du Commerce international et de l'Industrie (MITI), ne disparut pas pour autant, et favorisa l'émergence de petites et moyennes entreprises moins assujetties à des groupes monopolistiques.

L'innovation, une idée ancienne

Le grand coup d'accélérateur politique de l'expansion industrielle et économique fut donné en 1960 par le nouveau Premier ministre Hayato Ikeda. Ce dernier fit sienne la thèse défendue par un fonctionnaire économiste du ministère du Trésor (*Okurasho*), un certain Osamu Shimomura, dont les travaux laissaient jusqu'alors incrédules voire indifférents ses collègues et supérieurs. Mais Ikeda n'était pas un politicien pur sucre. Issu des rangs de la fonction publique, brillant élève de l'« école Yoshida », il ne méprisait pas les bureaucrates traités avec condescendance par les éléphants de son parti, il aimait les mathématiques, les nombres, les équations, les courbes, les probabilités. Le prédécesseur d'Ikeda au poste de Premier ministre, Nobosuke Kishi, ancien criminel de guerre un temps emprisonné par les Alliés mais jamais jugé, n'avait cessé de s'attirer les foudres de l'opposition, du peuple et d'adversaires au sein de son propre parti. Par ses prises de position nationalistes accompagnées de relents militaristes, il fit descendre dans la rue des millions de Japonais fermement et violemment opposés au nouveau traité de sécurité nippo-américain négocié par ses soins, au point que le président Eisenhower dut annuler une visite au pays du Soleil-Levant. Kishi fut ensuite contraint à la démission. Ikeda, lui, sut ramener le calme, redonner confiance. Par son attitude pugnace et pragmatique, il se posa comme l'homme du changement. Il détourna l'attention du public des querelles politiques, historiques ou idéologiques, que Kishi n'avait cessé d'attiser, et invita les travailleurs à jouer un rôle de premier plan sur le terrain économique, pour leur propre bien-être, celui de leur famille et, *in fine*, pour le pays. C'est sous Ikeda qu'une femme obtint pour la première fois un portefeuille ministériel, celui de la Santé, et que fut introduite en 1961 la couverture maladie universelle. Ce disciple de Yoshida permit à la plupart des Japonais de se payer une télévision, un réfrigérateur et une machine à laver, en un mot, du confort tangible. Il incita les citoyens à investir toute leur énergie au service d'un projet consensuel de société. Il y parvint grâce à une formule osée qui fit mouche dans tous les esprits, y compris ceux des plus novices en économie : « Doublement des salaires en dix ans. » Ce n'était pas une promesse de chef d'État, mais un défi commun à relever, lequel supposait que chacun y prenne sa part. Or cet objectif, que d'aucuns dans les milieux économiques et politiques jugeaient présomptueux autant qu'utopique, se fondait directement sur la théorie de Shimomura. Ce dernier prédisait que l'investissement massif des entreprises privées et la mobilisation de leurs ressources pour améliorer l'outil de travail, développer de nouvelles technologies, élever leur productivité déclencheraient un cercle vertueux pour l'ensemble de l'économie. Il extrapolait beaucoup, le fonctionnaire Shimomura. Qu'affirmait-il, sûr de lui, cet économiste avant-gardiste ? Que l'innovation est le moteur de l'expansion. Que l'adoption de techniques de production nouvelles dynamise la croissance. Que l'augmentation des dépenses d'achat de biens d'équipement ne permet pas seulement une meilleure efficacité, mais qu'elle entraîne aussi un accroissement des qualifications et salaires, donc une élévation du niveau de vie des citoyens. Que le tout génère une hausse continue de la demande, sans risques de surcapacité du fait du renouvellement permanent de l'offre et de l'élargissement du marché à l'international grâce à l'optimisation perpétuelle des technologies et à une compétitivité démultipliée de l'industrie nippone. La boucle est bouclée. Shimomura ajoutait enfin que la progression des salaires se traduit aussi par une hausse mécanique des recettes d'impôts qui, réinjectées dans l'innovation et l'éducation, contribuent à entretenir ce cycle idéal. Telle était, en résumé, la thèse de Shimomura. Ikeda la proposa au peuple, à ses risques et périls politiques. Mais parce que les citoyens y ont cru, parce que certains n'avaient pas attendu ce mot d'ordre pour innover et que les autres ne souhaitaient peut-être finalement qu'un signal pour foncer, il ne fallut pas longtemps pour que les courbes de croissance réelle se confondent avec les graphiques prévisionnels de Shimomura et finissent même par les surpasser. La machine à gagner était en marche. Devant la confirmation du bien-fondé de cette théorie *made in Japan*, « innovation » devint dès cette époque le *leitmotiv* des décideurs et même d'un large pan de la société. Les Japonais, animés par le désir de « dépasser l'Occident », ne se satisfaisaient pas des techniques et produits importés. Ils voulaient créer et façonner eux-mêmes et pour les leurs du jamais-vu, du sur-mesure, adapté à la vie japonaise, pour ne pas dépendre des appareils américains trop chers, trop gros, trop gourmands en eau, électricité ou carburant, trop bâclés à leurs yeux. Ils voulaient du « fait maison », abordable mais novateur, robuste, commode, bien fichu, durable. Opiniâtres face aux arias techniques et autres embûches, intelligents, doués, habiles, fignoleurs, ils parvinrent à leurs fins tant et si bien que des appareils fabriqués à cette époque sont encore aujourd'hui en parfait état de marche après des décennies d'usage.

Sur un squelette théorique, les Japonais ont ainsi fixé une musculature qui permit à l'économie nippone de galoper à toute vitesse sans les deux béquilles qu'avaient constitué dans l'immédiat après-guerre les aides massives distribuées par l'État et la force d'occupation. Expansion des échanges internationaux et montée rapide du niveau de formation de toute la population aidant, c'est cette structure unique, soudée par la solidarité, la discipline, l'organisation et le pragmatisme nippons, qui constitua le secret de la reconstruction du Japon. Il est là, le soi-disant miracle japonais, dans cette « Japan Inc. », « l'entreprise Japon », une vaste organisation bien huilée aux engrenages parfaitement cadencés où tous les rouages de la société (État, administrations, entreprises, banques et citoyens) ont œuvré de concert pour un objectif commun.

L'investissement appelle l'investissement

Dans cette période faste, le rôle des entreprises, fortement soutenues par les banques et l'État, fut primordial. « L'investissement appelle l'investissement », ironisaient les patrons prêts à s'endetter pour injecter des fonds considérables dans la recherche et le développement, comme le préconisait la théorie de Shimomura. Ambitieuses, optimistes, requinquées, libérées, battantes, les entreprises n'ont pas mégoté sur les moyens pour innover, produire de façon plus rationnelle et se projeter ensuite à l'étranger. Des découvertes fondamentales importées, notamment des États-Unis, elles ont su tirer des applications concrètes, pour assouvir les besoins et envies des clients, développer de nouveaux marchés, révolutionnant ainsi les modes de consommation. Le pouvoir politique, sous l'impulsion du Premier ministre Ikeda, a certes initié cette dynamique, mais le facteur décisif, souligné par les historiens et économistes nippons, a bel et bien été l'état d'esprit volontariste du peuple, lequel n'était pas sans rappeler celui qui marqua les décennies suivant la restauration de l'empereur Meiji, en 1868, après plus de trois siècles de vie en quasi-autarcie, à l'écart des avancées étrangères.

Si le cercle vertueux décrit par Shimomura a pu fonctionner, c'est aussi parce que les banques ont suivi les industriels dans leur frénésie d'investissement. L'épargne de précaution des familles servit ainsi dans un premier temps à propulser l'industrie. Une importante part des financements des entreprises se fit par emprunts bancaires. Dans le même temps, la moitié des fonds accordés l'étaient aux firmes manufacturières, notamment celles du secteur de l'industrie lourde, importante à l'époque. Jusqu'en 1970, les crédits aux particuliers ne représentaient *de facto* que 4 % des sommes allouées par les organismes financiers, contre 44 % pour le secteur de la production de biens. Les banques ne se sont fortement intéressées aux autres corporations (immobilier, distribution…) et aux consommateurs que dans les années 1980, lorsque les poids lourds industriels ont pu s'approvisionner directement sur les places de marché, bénéficiant, du fait de leur structure solide, de la confiance des investisseurs. L'appui des banques, encouragées par l'État, a ainsi permis à une myriade de petites et moyennes entreprises manufacturières de voir le jour et de prospérer. Les yens pourvus leur donnèrent les moyens a acheter des brevets aux États-Unis, en Allemagne ou en Grande-Bretagne pour les transformer en applications et produits, par intuition, par nécessité ou par hasard. En 1960, les PME représentaient pas moins de 99,4 % du total des firmes, totalisant 40 % de la main-d'œuvre. De 400 000 en 1955, le nombre de sociétés nippones grimpa à 975 000 en 1970.

L'énergie du peuple

Responsabilisés, motivés, assoiffés de connaissances et d'expériences nouvelles après des années de souffrance et de disette, trop heureux d'avoir recouvré la vie en paix, les citoyens, et notamment les jeunes adultes, n'ont pas ménagé leur peine. Les tensions entre patronat et syndicats, certes virulentes jusqu'à la fin des années 1960, n'empêchaient pas les uns et les autres de poursuivre un idéal commun : tirer le Japon de son statut peu gratifiant de pays à la traîne, lui permettre de rattraper son retard honteux sur l'Occident. « On ne savait pas vraiment où on allait, mais une chose était certaine : on voulait ne pas rester plus longtemps là où on se trouvait », rapportent les protagonistes de cette époque.

Tous secteurs confondus, animés d'une volonté de fer, du haut en bas de l'échelle, du plus jeune au patriarche, les salariés, dont de nombreux ingénieurs, chercheurs, techniciens, administratifs et ouvriers, trimèrent jusqu'à 2 400 heures par an (l'équivalent de sept heures par jour sans relâche) pour faire fructifier leur entreprise et s'offrir *in fine* du bien-être matériel, signe de réussite, trophée de victoire et source de petits bonheurs familiaux. Les rémunérations connurent ainsi une progression rapide, du fait de l'élévation générale du niveau de qualification. L'allongement de l'enseignement obligatoire conduisit un nombre grandissant d'élèves jusqu'à l'université. Ils n'avaient alors qu'à lever la main pour être embauchés. Les besoins étaient tels que les entreprises s'arrachaient les futurs diplômés. Et les patrons de se déplacer en personne sur les campus pour effectuer la danse du ventre devant les étudiants. Ils leur garantissaient, sans mentir, un travail à vie et un salaire progressant au fil des années pour atteindre des sommes pour le moins alléchantes. Ces chasseurs de têtes, qui offraient boissons et gâteaux à ceux venus écouter leur discours promotionnels dignes de tirades de représentants de commerce, allaient même jusqu'à calculer à voix haute les rentes que percevraient les jeunes recrues… une fois à la retraite.

La relation nouvelle entre employeurs et salariés (emploi à vie, rétribution à l'ancienneté, promotion quasi assurée dans la hiérarchie, discipline, décision par consensus, travail d'équipe), fondée sur un contrat de confiance, constitua une composante essentielle du vigoureux développement économique du pays. En échange d'une garantie d'emploi et des diverses aides consenties aux familles par les entreprises, les employés, reconnaissants, se devaient de les payer de retour, de faire des sacrifices en ne comptant ni leur temps, ni leurs efforts. « On ne pouvait pas s'offrir le luxe de séparer obligations professionnelles et vie privée, il fallait impérativement se retrousser les manches, ne jamais chasser de son esprit les problèmes rencontrés au bureau si l'on voulait les résoudre », justifient les intéressés. Mais c'est ce donnant-donnant qui, incitant les entreprises à investir sur leurs ouailles pour les former, a permis au Japon d'exceller. Les employés étaient au bout du compte d'autant plus satisfaits et motivés que les connaissances ainsi acquises étaient immédiatement mises à profit et qu'ils se sentaient utiles, efficaces. L'intelligence économique dont firent aussi preuve les firmes nippones en allant voir à l'étranger, en étudiant les produits des concurrents, est de même en grande partie due à la curiosité de chacun de leurs salariés. Ces derniers avaient à cœur non seulement de hisser leur propre niveau de compétences, mais aussi, voire surtout, d'étendre le potentiel du groupe et l'envergure de la « Japan Inc. ». D'où une habilité des firmes nippones à prospecter, à détecter le potentiel d'une découverte, à transformer une technologie naissante inexploitée en patrimoine interne.

Si en 1949, à la force du poignet et bientôt de ses astucieuses machines, le Japon était devenu « l'atelier du monde textile », ayant fait de la création de fibres synthétiques son principal atout, la sidérurgie et l'industrie lourde prirent le relais. Une transition du fil vers l'acier opérée progressivement par l'envolée du secteur automobile. Toyota, devenu le premier constructeur mondial en 2007 en nombre de véhicules produits (aux alentours de 8,5 millions), fabriquait dans sa prime jeunesse des métiers à tisser automatiques.

La voiture familiale : le Graal

Ne dépassant pas 30 000 exemplaires en 1950, la production automobile japonaise grimpa ainsi à 170 000 unités en 1960 avant d'être multipliée par près de vingt en une décennie pour atteindre 3,18 millions d'exemplaires en 1970. Une accélération amorcée par les commandes de camions et autres véhicules pour l'armée américaine, entre 1950 et 1953, avant d'être propulsée par la demande intérieure de voitures particulières. Jusqu'aux années 1950, le peuple devait se contenter de guimbardes à trois roues, bâtards de cyclomoteur et voiturettes, qui servaient surtout aux professionnels à transbahuter des marchandises. Il était évidemment exclu d'y grimper en famille pour les reposantes balades dominicales. Seuls les plus aisés pouvaient s'offrir une berline, parfois aux frais de leur entreprise, et parader dans les rues au côté des taxis. Si la Crown ou la Corona de Toyota (1955 et 1957) étaient certes encore réservées aux classes enrichies, tout comme la Datsun 210 Nissan, M. Tout-le-Monde put réaliser son rêve de posséder « *my car* » avec la commercialisation en 1958 de la Subaru 360. Cette minivoiture fut une véritable révolution, dont la conception illustre à merveille l'état d'esprit des salariés et des entreprises de l'époque.

Cette première automobile grand public n'aurait en effet pas vu le jour sans la persévérance d'une équipe de quinze jeunes chercheurs qui n'avaient qu'un souhait : donner à tous la possibilité de partir pique-niquer le dimanche à la campagne avec femme et enfants, ni plus, ni moins. Un moteur de deux-roues – 360 centimètres cubes –, une masse de motos – 350 kilos –, un prix accessible aux *salarymen* – 350 000 yens –, la Subaru 360 fit un tabac et sauva au passage de la banqueroute le groupe d'industrie lourde Fuji Heavy Industries qui avait vu brutalement son carnet de commandes de camions pour les militaires américains se réduire comme peau de chagrin après le conflit coréen.

Oh certes, la surnommée *tento mushi* – coccinelle, du fait de sa forme – n'était pas un modèle de grand confort. On y tenait serrés à quatre, c'était l'objectif visé, sans plus. Contraintes de coûts obligeaient. Mais quel bonheur ! L'histoire de la création de cette voiture : un condensé d'astuces techniques, témoigne de l'ingéniosité des infatigables ingénieurs nippons de l'époque. Leurs épouses et mômes s'en souviennent. C'est qu'avant de s'engouffrer dans la Subaru 360, ils ont en avalés des dîners sans papa, lequel s'escrimait nuit et jour au bureau ou dans les ateliers pour solutionner un à un les nombreux aléas techniques qui ont émaillé le développement du véhicule. Ah, les satanés amortisseurs, ils en donnèrent du métal à retordre ! Grâce au chemin tracé par la Subaru 360 et aux multiples progrès techniques qui s'ensuivirent, le nombre de voitures particulières immatriculées bondit. Corollaire, celui des morts sur les routes suivit dans un premier temps une ascension parallèle grimpant à 18 000 tués par an dans les années 1970, sur fond de densification du trafic et de conduites peu orthodoxes. Les chauffeurs de taxis *kamikaze*, spécialistes des manœuvres aventureuses et des dérapages incontrôlés, firent la une des journaux pour leur propension à défier le code de la route. D'autant que les piétons, qui n'avaient guère l'habitude de partager la chaussée, mesuraient encore assez mal leur vulnérabilité. Rassurez-vous, les choses s'arrangèrent grandement par la suite, essentiellement grâce aux trouvailles techniques.

Jeunes pousses devenues géantes

Ayant parallèlement recouvré avec l'indépendance en 1952 le droit de fabriquer des avions, le Japon s'embarqua aussi sans tarder dans la conception d'un petit aéronef régional, l'YS11, symbole s'il en est de décollage. Capable d'atterrir sur de courtes pistes d'aéroports locaux, l'YS11, qui eut bien du mal à obtenir les certifications des autorités de l'aviation américaines (FAA), a tissé un lien entre les régions nippones, et indirectement permis l'essor des plus reculées d'entre elles, tout en faisant voir du pays à leurs habitants. Après plus de quarante ans de bons et loyaux services et des milliers de navettes interrégionales, cet appareil à hélices mis en service en 1965 n'a cessé de voler qu'en 2006. La silhouette de ce petit porteur quasi inconnu à l'étranger a laissé une trace ineffaçable dans le ciel de l'archipel et son nom reste gravé dans la mémoire de la plupart des Nippons. Certes, aucun géant aéronautique japonais n'est né de cette expérience, mais les principaux fournisseurs de l'avionneur américain Boeing restent bel et bien des entreprises comme Mitsubishi Heavy Industries (MHI) à l'origine dudit YS11, grâce à la volonté de passionnés.

Autre exemple de réussite par l'intelligence et la témérité d'hommes visionnaires et décomplexés, le cas de Tokyo Tsushin Kogyo, société créée en 1946 par trois individus alors totalement inconnus : Masaru Ibuka, Akio Morita et Kazuo Iwama. Cette jeune pousse de vingt salariés férus de technologies, spécialisée dans la fabrication de systèmes de diffusion hertzienne, se fit tôt remarquer dans son secteur en gestation, en s'offrant comme premier client la radio publique NHK. Elle fut ensuite distinguée par les médias, déjà à l'affût des innovations techniques, grâce à la création en 1950 du premier magnétophone japonais à bande, tout juste après la sortie d'un objet similaire aux États-Unis. Cet appareil de 45 kilos était à l'époque si onéreux qu'il ne trouva guère qu'un client en six mois, mais techniquement, la firme avait déjà prouvé son savoir-faire. Puis vint en 1955 la première radio portable à transistor, un composant né de l'autre côté du Pacifique, encore inusité, et que ses concepteurs mêmes pensaient réservé à quelques rares objets comme les audiophones. Mais Masaru Ibuka et surtout son acolyte Kazuo Iwama, le « Géo Trouvetout » du trio de fondateurs de la firme, ami d'enfance de Morita, avaient une philosophie toute autre, toute nippone en somme. « Il eût été insensé de s'évertuer à fabriquer des pièces aussi complexes et coûteuses que les transistors pour les cantonner à un marché aussi restreint que celui des audiophones. À partir du moment où l'on prenait le risque de produire ces transistors, c'était pour les intégrer dans des appareils très grand public, donc des radios », expliquait l'ingénieur, comme si la chose tombait sous le sens. CQFD. La petite Tokyo Tsushin Kogyo, qui, à force de prouesses techniques, n'en finissait pas de faire parler d'elle au Japon et de surprendre par son inventivité, abandonna en 1958 cette raison sociale imprononçable, trop longue et au sens inintelligible à l'étranger pour devenir... Sony, contraction de *sonus* (« son » en latin) et *sonny* (« fiston, petit gars » en anglais). Une ouverture sur le monde au bout du compte parfaitement réussie, en dépit des embûches incroyables que les « voyageurs représentants placiers » (VRP) de l'entreprise rencontrèrent pour vendre leurs premières miniradios à transistor hors du Japon. Ils essuyèrent des refus de distributeurs américains, suisses ou allemands avant de s'imposer grâce à leur indéniable supériorité technique. Si en 1960, dans l'esprit des étrangers, l'étiquette *made in Japan* rimait encore avec « camelote », cinq ans plus tard elle signifiait high-tech. En 1970, Sony fit son entrée à la Bourse de New York, s'honorant ainsi d'être la première valeur industrielle japonaise cotée à Wall Street.

Honda, Toyota, Fanuc (robots industriels), Sharp, Sanyo, Toshiba, Hitachi, Casio, Seiko, Nikon, Canon, Fujitsu, NEC, Nihon Victor (JVC), Omron, Matsushita (créé en 1918 et rebaptisé du nom de sa marque Panasonic en 2008) et bien d'autres encore peuvent s'enorgueillir d'un même enviable sort, grâce à l'entêtement et au courage de leurs ingénieurs et ouvriers entraînés par des entrepreneurs visionnaires, férus de technique, philanthropes et ambitieux. Certes, l'immense majorité des petites structures apparues à cette époque ou nées avant-guerre ne se sont pas hissées au niveau de multinationales triomphantes. Pour autant, la plupart de ces jeunes pousses de l'époque ont grandi en devenant des fournisseurs attitrés de leurs aînées. Et ce, grâce à la maîtrise d'un ou plusieurs savoir-faire maison et/ou à la création de technologies et produits nouveaux, uniques, de qualité supérieure et sans cesse peaufinés, via l'adoption d'outils de pointe adaptés par leurs soins à leurs propres besoins et fréquemment renouvelés. Sans ce tissu de petites structures, à l'origine de concepts novateurs, soutenues par les pouvoirs publics et les banques, les gros n'auraient ni avancé si vite, ni prospéré autant. Aujourd'hui encore, ces *chushokigyo* – PME – ont conservé ce rôle structurel essentiel de pourvoyeurs de composants, matériaux et technologies, œuvrant discrètement dans les coulisses des fleurons aux marques mondialement reconnues. Elles représentent une des forces industrielles majeures du Japon, une pièce maîtresse de son *monozukuri* – manufacture.

Zéro défaut

La fabuleuse histoire de l'industrie nippone regorge ainsi de jolies aventures humaines, d'équipes de jeunes chercheurs et techniciens imaginatifs et hypermotivés parvenus à relever d'improbables défis techniques qui ailleurs en auraient découragé plus d'un ou dont l'intérêt leur aurait tout bonnement échappé. C'est que les travailleurs et leurs employeurs avaient de plus en commun un objectif : le « ZD » (zéro défaut) qui donnait lieu à des « QC *katsudo* », campagnes de contrôle de qualité et de tests aussi insolites que chronophages, jusqu'à ce que l'objectif soit atteint. Les gains de productivité subséquents étaient en outre maximalisés par l'automatisation progressive adoptée plus rapidement qu'en Occident, grâce, là encore, à des innovations locales. Cette modernisation accélérée, cette révolution technologique, donna au Japon une puissance de frappe sans équivalent. Elle s'accompagnait en outre de la libération des

tâches ingrates, ce qui ne pouvait qu'amplifier le phénomène. Comme l'avait prédit Shimomura, le tout entraîna
en retour une explosion de la consommation intérieure et
une montée en flèche du niveau de vie des petites gens, des
villes et des campagnes. Et tous profitèrent ainsi de la baisse
des prix des produits de bonne facture sortant en masse des
ateliers peuplés d'ouvrières aux doigts de fée.

Campagne désertée, villes surpeuplées

Ainsi naquit la fameuse société de large classe moyenne
japonaise, au pouvoir d'achat homogène. En deux décennies le nombre de paysans dégringola de façon vertigineuse
à mesure qu'explosa celui des *salarymen* – terme anglophone repris tel quel par les Japonais et conservé depuis. Les
premiers avaient déserté les campagnes pour aller travailler
dans les usines, commerces et bureaux à la ville. Les hordes
de *white colar* (cols blancs) avaient envahi les trottoirs de
Tokyo. Elles sont d'ailleurs toujours là depuis.

Chacun des migrants déferlant en ville dans des trains
spéciaux se voyait proposer pas moins de 3,3 offres d'emploi
en moyenne, même si ce n'était au début, dans les
années 1950, que des postes nécessitant une main-d'œuvre
peu qualifiée. On dénombrait chaque année environ 400 000,
voire 600 000 jeunes débarquant de wagons bondés, les
yeux ébahis, dans les trois plus grandes cités (Tokyo, Nagoya
et Osaka). Alors que ces trois *daitoshi* comptaient un tiers
de la population totale en 1955, vingt ans plus tard, elles en
concentraient la moitié. Entre 1955 et 2004, le nombre
d'habitants augmenta de 4,4 millions d'âmes à Tokyo, de
4,8 dans la banlieue limitrophe de Saitama, de 5,8 millions
dans la préfecture contiguë de Kanagawa et de 3,8 millions
dans la voisine Chiba. Osaka a pour sa part vu sa population gonfler dans le même temps de 4,2 millions d'individus. À l'inverse les préfectures rurales se sont dégarnies.
Entre 1965 et 1980, quelque six cents villages de paysans ont

purement et simplement été rayés de la carte de l'archipel. Aujourd'hui, les zones rurales, qui représentent 50 % du territoire, ne totalisent que 6 % de la population. Les agriculteurs aussi adoptèrent de nouvelles méthodes de production. La fusion de hameaux, décidée par le législateur en 1953 pour éviter les trop forts écarts de richesse entre communes, mutualiser les coûts d'infrastructure et lisser le paysage, fit passer en treize ans leur nombre de 9 868 à 3 975 en 1966.

Cette période d'exode massif des jeunes vers les grandes agglomérations se traduisit aussi par une restructuration familiale. Habituées à vivre sous le même toit à trois générations, les familles se retrouvèrent soudain, par choix cette fois, séparées : les jeunes à la ville, les vieillards au village. Les couples se marièrent de plus en plus par amour et non plus sur choix d'un proche, entremetteur plus préoccupé par des questions matérielles et désireux de bien caser et au plus vite une fille ou un garçon nubile. Même si les unions arrangées représentaient encore 50 % du total des noces en 1970, on était loin du niveau de 80 % connu quinze ans plus tôt. Le nombre de foyers augmenta ainsi à un rythme des plus soutenus. On inventa alors l'expression « maisonnée nucléaire » pour qualifier ce type de ménage de taille réduite. Les foyers ne comptaient plus en moyenne que 3,69 membres en 1970 contre 5 en 1955. Bien que simultanément l'indice de natalité chuta progressivement, passant de plus de quatre enfants par femme à deux en moyenne, les toits pour héberger ces migrants au cœur de Tokyo, Osaka ou Nagoya finirent par manquer, par millions.

Que demande le peuple ? Une HLM en banlieue

Pour faire face, les pouvoirs publics érigèrent à tout-va des habitats collectifs en banlieue (terme dépourvu de toute connotation péjorative dans son acception nippone) pour loger ces nouvelles petites familles. Les plus avides d'acquérir un lopin de terre et d'y construire un pavillon n'hésitaient pas à camper plusieurs jours durant à proximité des terrains dont la mise en vente était annoncée. Faire le pied de grue permettait juste de pouvoir postuler, sans garantie d'obtenir le moindre mètre carré.

Les villes nouvelles sortirent de terre. Les mauvaises langues ou les jaloux disaient villes-dortoirs, mais ceux qui y vivaient n'en avaient cure, ils étaient heureux. Entre 1955 et 1974, plus d'un million de logements dans des barres furent créés à la périphérie de Tokyo avec les subsides de l'État. Les maisons préfabriquées y poussèrent comme des champignons. Il fallut ensuite permettre à ces banlieusards d'aller chaque matin au bureau à Tokyo, Osaka ou Nagoya, et d'en revenir le soir après une dure journée de labeur. Comme dans *SimCity*, simulation de développement urbanistique accéléré sur PC, et presque aussi rapidement, on mit en place des lignes de bus, des trains, des métros, sans parvenir véritablement à absorber les flux de *salarymen* et d'« OL » – *office ladies*, « filles de bureau » – qui, tous, avaient des horaires parfaitement identiques dans les mêmes quartiers d'affaires centraux de la capitale, bondés le jour, totalement dépeuplés la nuit. Les images des pousseurs de trains et métros bourrant les rames de cette masse humaine en tailleurs et costumes sombres firent ainsi le tour du monde, tant ce spectacle semblait ubuesque. Encore, les télévisions étrangères ne montrèrent-elles pas tout. Notamment les blessés qui ressortaient des wagons et consultaient les infirmières patentées dans les gares. Ou encore les préposés ramassant sur les voies, après le passage des trains, les chaussures qui, restées coincées dans les portes, finissaient par se détacher en chemin.

En dépit de ces inconvénients des « rushs » quotidiens, avoir un 2DK (deux pièces + cuisine/salle à manger), à une heure ou deux de Tokyo, avec balconnet, dans un immeuble collectif, devint le rêve des *salarymen*. À l'époque il fallait pourtant y consacrer plus de la moitié du budget mensuel. De ces 2DK on se moquait aussi à l'étranger où ils furent vite surnommés « cabanes à lapins », terme que des officiels européens n'hésitèrent d'ailleurs pas ultérieurement à employer pour saboter auprès des consommateurs du Vieux Continent l'image de cette nouvelle puissance commerciale prédatrice, vorace et menaçante. Peu importe, au Japon, on préférait dire « *my home* », « mon petit chez-moi », car les cabanes, on savait à l'époque ce que c'était vraiment, pour y avoir vécu, quelques années auparavant. Quelle ménagère nippone ne rêvait pas alors d'une cuisine orientée au sud, d'un espace ergonomique pour préparer les repas à côté d'une table pour quatre, de mobilier moderne ? Cela a l'air de rien, mais elles vécurent ce changement comme une véritable libération. Il en fallut pourtant de la foi et de l'imagination aux ingénieurs pour réussir à abaisser le prix des éviers en Inox afin d'offrir ce confort au plus grand nombre. Que de tests aussi, avec une presse à carrosserie de voiture, pour mouler l'objet sans le fracasser. Que de nuits blanches pour les architectes mandatés par l'État avant de s'entendre sur le plan idéal, la surface de la cuisine, la position dudit évier. Au milieu ? À gauche ? À droite ? On écrivit même des livres sur le sujet. On convoqua des mères de famille pour comparer le temps et les mouvements nécessaires à la réalisation de divers plats dans les trois configurations. Résultat : au milieu. Le diable se niche dans les détails, mais le désormais légendaire souci de perfection nippon savait déjà le débusquer.

L'électroménager, Dieu merci !

Tous les foyers s'équipèrent alors du dernier chic électroménager (platine pour disques vinyles, mixeur, autocuiseur à riz, transistor de poche), avant de pouvoir accéder aux *san shu no jingi*, les « trois dons divins » de l'époque moderne : une machine à laver pour libérer madame de la plus pénible des corvées domestiques, un réfrigérateur pour que les bières de monsieur et les *ice-cream* des rejetons restent au frais, et une télévision noir et blanc, fenêtre supplémentaire illuminant un appartement qui n'en comptait guère. On conviait même le voisinage à ripailler devant le poste pour inaugurer l'objet sacré, recouvert, lorsqu'il était éteint, d'un joli tissu de protection. Plus qu'un appareil, le téléviseur était en effet un symbole de renaissance, de modernité autant que de réussite. Le père de l'objet, Takayanagi Kenjiro, qui réussit le premier en 1926 à afficher le caractère *i* sur un tube cathodique, avait beau être japonais, la guerre qui suivit interrompit les recherches dans les laboratoires nippons. Il fallut attendre 1946 pour qu'elles y soient réactivées, presque en secret. MacArthur avait en effet freiné les ardeurs des Japonais en affirmant sous l'occupation que le Japon n'était économiquement pas prêt à déployer un réseau de diffusion et encore moins à produire des récepteurs. Les Américains craignaient surtout un détournement des technologies de transmission à des fins militaires. La première TV japonaise n'a de fait été mise en vente par Sharp qu'en 1953 (modèle 14 pouces, 35 centimètres), année inaugurale de la diffusion, après le départ de MacArthur, au prix de 170 000 yens, soit plus de dix mois de salaire moyen. La démocratisation de cet objet de rêve n'a toutefois débuté que lorsque son prix chuta à moins de 50 000 yens, vers 1959. Juste à temps pour le grand événement du 10 avril de la même année : le mariage du prince héritier Akihito, fils d'Hirohito, avec la belle et déjà adorée Michiko. La retransmission plus ou moins hasardeuse de la « parade », que les cameramen tout juste formés eurent les pires difficultés à suivre, fut regardée de bout en bout par quelque 15 millions de téléspectateurs, chez eux, avec les voisins, sur les places publiques, dans les restaurants ou directement dans les magasins d'électroménager. L'arrivée sur le marché en 1960 du modèle TV8-301, première petite lucarne portable à base de transistors conçue par Sony, amorça ensuite l'achat d'un deuxième poste dans les foyers où la TV devint vite un pôle d'attraction central. La construction en 1958 de la Tokyo Tower, tour de Tokyo, émetteur de télévision qui arrose toute l'agglomération, et plus haut édifice mondial de ce type, figura parmi ces pharaoniques projets qui dopèrent le moral des citoyens et nourrirent leur fierté nationale.

1964 : les JO à Tokyo, rendez-vous compte !

Puis il y eut 1964, année mirifique. Pensez, les jeux Olympiques à Tokyo, nouvelle étape majeure de l'essor du Japon, premières olympiades en Asie. Les JO remodelèrent les mode de vie et paysages urbains. Dans les années précédant cet événement, symbole du pacifisme, le pays se métamorphosa. Partout redoubla la construction, déjà vigoureuse, d'usines, de ponts, de tunnels, de barrages, de moyens de transport en commun ultramodernes et autres infrastructures, en employant les techniques les plus avancées du moment. Les entreprises, l'État et les collectivités locales injectèrent des milliers de milliards de yens (dizaines de milliards d'euros actuels) dans l'aménagement du territoire. Symptomatiques furent notamment les évolutions intervenues dans le secteur ferroviaire. Progressivement et méthodiquement de nouveaux trains plus rapides furent mis en circulation sur les lignes régionales, une à une électrifiées, à commencer par les tronçons les plus fréquentés pour les trajets quotidiens. Les compagnies publiques et privées remplacèrent leurs vieux tortillards gris tristes par des trains tout pimpants, orange ou verts, constitués de wagons joliment éclairés et climatisés, avec toilettes à bord. Le Shinkansen *tokaido* – train à grande vitesse nippon – débuta ses allers-retours pluriquotidiens à 200 kilomètres à l'heure entre Tokyo (Est) et la nouvelle gare d'Osaka (à 550 kilomètres à l'ouest de la capitale) en 1964, dix-sept ans avant l'inauguration de son équivalent français (TGV). Le premier départ de ce serpent rapide de la gare centrale de

Tokyo, à quelques jours des jeux Olympiques, fut immortalisé par des centaines de photographes et cameramen, professionnels et amateurs, sous une pluie de confettis et de rubans multicolores. Les hôtesses en arpentaient les allées poussant un chariot d'en-cas et boissons, « *obento, onomimono ikaga desho ka* » – « Un en-cas, une boisson, qu'en dites vous ? » –, saluant d'une courbette les passagers à l'entrée puis à la sortie de chaque wagon. Un manège qui perdure aujourd'hui encore. La construction des voies, en quasi-ligne droite, enchaînement de ponts et tunnels, plus court chemin, foin des obstacles, aura coûté la bagatelle de 380 milliards de yens, mais un tel progrès n'avait aux yeux des citoyens pas de prix. Le temps de parcours entre Tokyo et Osaka, qui était de huit heures en 1935, tomba ainsi à quatre heures en 1964 avec la mise en service de ce train entièrement *made in Japan*. Un précieux objet de fierté populaire et nationale qui n'a cessé d'être optimisé depuis, et les lignes de se multiplier. Il ne faut désormais guère plus de deux heures pour traverser le pays d'est en ouest. Un temps qui sera encore réduit de près de moitié d'ici 2025/2030 avec l'entrée en service d'un engin révolutionnaire à lévitation électromagnétique (Maglev). Les habitants de la capitale subirent patiemment les impressionnants travaux d'édification du périphérique aérien, des buildings, du grand stade, des souterrains des métros et de toutes les infrastructures nécessaires à l'accueil des délégations, touristes et télévisions du monde, et ce, jusqu'à la cérémonie d'ouverture en octobre.

Noble et majestueux, Tokyo devait resplendir, illuminer les écrans du monde entier, à commencer pas ceux des foyers japonais, ainsi récompensés de leurs louables efforts. Même si, progrès fulgurants aidant, les nouveaux modèles de téléviseur, en couleur, étaient encore trop chers pour le commun des spectateurs (200 000 yens, plus de quatre fois le prix d'un modèle noir et blanc), fussent-ils en monochrome les JO furent suivis par 80 % des maisonnées nippones, un score historique jamais atteint par aucun autre événement depuis. Dominée depuis décembre 1958 par la Tokyo Tower, fière de ses treize mètres de plus que la tour Eiffel, Tokyo était ainsi devenue absolument méconnaissable. Aux sombres cabanes de 1945 s'étaient substitués des gratte-ciel illuminés, aux chemins de terre des artères larges, éclairées et bitumées, et des autoroutes urbaines aériennes, aux vélos et tricycles motorisés de magnifiques berlines, aux tramways des trains colorés et des métros aux couloirs couverts de carrelage briqué.

Festivités finies, la gueule de bois et on remet le couvert à Osaka

Forcément, au lendemain de ces somptueuses festivités, l'archipel encaissa le contrecoup de l'explosion économique. La progression annuelle de la croissance retomba en 1965 de près de moitié, à 5,1 %. Nombre d'entreprises dont l'activité avait été portée par les JO mirent brutalement la clé sous la porte. Une industrie toutefois profita pleinement de cette déprime soudaine : celle des films érotiques et pornographiques qui connurent un succès sans précédent !

Mais la gueule de bois générale fut vite soignée. Bien que le successeur d'Ikeda, Eisaku Sato, se donna pour prime mission de remettre l'accent sur les aspects sociaux, il fut forcé de reprendre le flambeau économique. Dès octobre de la même année, le Japon se remit en piste, dans le droit chemin, en partie dopé par l'émission massive d'obligations d'État pour compléter le budget et financer les commandes publiques, une première. Accompagné de consolidations protectionnistes appuyées par l'État dans certains secteurs comme celui de la sidérurgie pour créer de puissants champions nationaux, le regain de vigueur fut d'autant plus fort que se profilait un autre événement international majeur : l'Exposition universelle d'Osaka, en 1970. *Bis repetita.*

Nouveau train de grands projets dispendieux et mobilisateurs. Il n'en fallait pas davantage pour relancer la machine. Surmontant rapidement le trou d'air d'après les JO, le Japon traversa ainsi entre octobre 1965 et juillet 1970 sa plus longue et vigoureuse phase d'expansion économique ininterrompue depuis la guerre, cinquante-sept mois précisément. On l'appela *Izanagi keiki*, la « conjoncture Izanagi », du nom d'une divinité, Izanagi no mikoto, qui, avec sa sœur Izanami no mikoto, donna naissance aux îles japonaises et créatures divines nippones selon la mythologie shintoïste. Une période bénie, sans équivalent nulle part (11,5 % de croissance moyenne annuelle), qui devait en partie son dynamisme aux massifs investissements publics pour l'aménagement homogène du territoire et aux commandes de toutes natures émanant de l'armée américaine embourbée dans la guerre du Viêt Nam. Selon les économistes, les recettes liées à l'Exposition universelle d'Osaka, gigantesque manifestation qui a profondément marqué les esprits, a amplifié cette année là de 0,5 point de pourcentage le taux de croissance du produit national brut. Premier événement de ce type organisé en Asie, sous la houlette du patron du groupe d'électronique et d'équipements électriques Toshiba, elle totalisa plus de 64 millions d'entrées, soit près de 50 % de plus qu'initialement espéré. Du jamais vu. On enregistra une pointe à 830 000 visiteurs au cours du dernier samedi, les patients Nippons s'agglutinant dans des queues interminables devant tous les pavillons pour n'avoir droit *in fine* qu'à quelques minutes à l'intérieur. Mais quel Japonais n'aurait pas patienté cinq heures pour entrevoir le joyau éphémère d'Osaka : une pierre lunaire, butin de la mission américaine Apollo, exposée dans le pavillon des États-Unis. Un vrai casse-tête durant cent quatre-vingt-trois jours pour les douze cents *guardmen*, aimables sentinelles recrutées spécialement, qui allaient même jusqu'à prêter quelques billets aux individus désemparés d'avoir égaré leur

porte-monnaie. Les sommes furent promptement rem-
boursées par retour de courrier accompagnées de lettres
d'excuse et d'humbles remerciements.

Deuxième économie du monde !

C'est à ce moment précisément, marqué par une inhabi-
tuelle stabilité à la tête de l'État, conduit par Eisaku Sato,
que le Japon s'offrit le titre de deuxième puissance économique mondiale après avoir régulièrement grignoté chaque
année des places aux nations d'Europe. Eisaku Sato, qui
céda son fauteuil en juillet 1972 après deux mille sept cent
quatre-vingt-dix-huit jours passés au poste de Premier
ministre, fut en 1974 le premier Asiatique à se voir décerner
le prix Nobel de la paix pour avoir contribué à hisser si haut
son pays en empruntant la seule voie pacifiste et pour son
refus absolu des armes atomiques que, selon ses propres
mots, le Japon « ne développera jamais, ne possédera
jamais, n'introduira jamais sur son sol ». Quel contraste
avec son frère, le nationaliste Kishi, arrêté par les Alliés
comme criminel de guerre qui échappa certes au jugement
du tribunal de Tokyo mais dont le mandat de Premier
ministre de 1957 à 1960 fut secoué par d'ultraviolentes
manifestations contre sa politique réactionnaire, militariste.
Kishi, né Sato, avait en effet reçu par adoption le nom de sa
belle-famille, sans fils, pour que ce patronyme ne meure
pas, une pratique multiséculaire courante. Nobosuke Kishi
fut conspué par le peuple quand Eisaku Sato fut salué par le
comité Nobel pour son action continue de réchauffement
des relations avec les pays voisins, dès sa prise de fonction,
pour la promotion des coopérations politiques, pour l'aide
au développement des nations défavorisées et pour avoir
encouragé les échanges autant commerciaux que culturels.

Sous Eisaku Sato, la valeur des exportations nippones,
8,5 milliards de dollars en 1965, tripla en six ans pour
atteindre 24 milliards en 1971, permettant ainsi au pays du

Soleil-Levant de commencer à engranger des excédents commerciaux. Visible dans les statistiques internationales, l'ascension effrénée du Japon l'était aussi dans le quotidien des citoyens.

Aux réfrigérateurs, machines à laver et téléviseurs noir et blanc acquis sous Ikeda, s'ajouta sous Sato un nouveau lot d'équipements qui, dans l'imaginaire collectif, continuent de symboliser cette époque, davantage que tout fait politique ou international. Ainsi, dans la mémoire des Japonais, si les années 1950 riment avec *san chu no jinki* – TV noir et blanc, réfrigérateur, lave-linge –, *Izanagi keiki* se confond avec l'augmentation quasiment généralisée du pouvoir d'achat, matérialisée par l'accession possible aux symboles tangibles que furent alors les fameux « 3C » : la voiture particulière (*car*), la climatisation (*cooler*) et la TV en couleur (*color*), proclamés nouveaux dons divins matériels. « L'Exposition universelle d'Osaka en couleur » scandait alors la publicité. La production annuelle de postes TV couleur dépassa ainsi pour la première fois en 1970 celle des modèles en noir et blanc, tandis que le parc installé franchit la barre symbolique des 10 millions d'unités.

L'empire de la high-tech

Vitrine géante, l'Exposition universelle permit au Japon de présenter toutes ses innovations high-tech, dont le premier téléphone portatif conçu par l'opérateur public NTT ou de révolutionnaires voitures électriques.

Tout cela peut sembler anecdotique. Et pourtant, lorsqu'on épluche les archives des journaux, les documents cinématographiques et sonores, on ne peut que s'étonner de la haute valeur accordée par la population et les médias nippons, puis par les historiens et les économistes, au développement et à l'adoption des biens de consommation durables pour décrire la montée en puissance du Japon. Comme si l'introduction sur le marché d'un produit et sa démocratisation s'assimilaient à un bond historique. Comme si le développement économique était matérialisé par l'optimisation des téléviseurs, des appareils photo, des réfrigérateurs, des voitures, des motos, des postes de radio, des toilettes, des calculatrices, des agrafeuses ou des montres. Comme si la place du Japon dans le monde se mesurait à l'aune du rayonnement des nouvelles marques nippones apposées sur ces produits, emblèmes de modernité. Lorsqu'en 1966, l'ambassadeur des États-Unis au Japon quitta ses fonctions pour regagner sa patrie, les Japonais prirent soin de glisser dans ses bagages en guise de souvenir, non pas un kimono ni un sabre, mais un magnétophone à bande et une montre *made in Japan*.

Confluent temporaire des civilisations du monde, l'Exposition universelle d'Osaka donna aux insulaires nippons le goût du large, que ne tempérait pas une impressionnante série d'accidents d'avion mortels. La levée au même moment des restrictions au passage des frontières permit aux touristes nippons d'aller admirer *de visu* ce que les reportages TV et les pavillons d'Osaka leur avaient fait découvrir. Les cars de Japonais n'allaient pas tarder à se garer au pied de la tour Eiffel, du Louvre, de Pigalle et du château de Versailles.

Les Japonais redécouvrent le monde

Lancée dans l'immédiat après-guerre par le pseudo-tourisme lié aux escapades scolaires et séjours organisés par les entreprises, l'industrie de la villégiature connut un nouvel envol. Elle avait déjà profité à partir des années 1950 de la mode récente des voyages de noces, puis de l'adoption progressive des deux jours de congés hebdomadaires, un découpage initié au début des années 1960. La *golden week*, première semaine de mai au cours de laquelle s'enchaînent les jours fériés, tout comme le nouvel an et *obon* à la mi-août étaient ainsi devenus autant de périodes de transhumance massive que se disputaient tous les marchands de séjours clés en main. Et pour que le soufflé ne retombe pas mécaniquement après chaque grand événement, les tour-opérateurs, les compagnies de transport, les associations de commerçants ou les hôteliers, vite passés maîtres dans l'art du marketing, en inventèrent de toutes pièces. Après l'Exposition universelle d'Osaka, les gares furent ainsi tapissées d'affiches, en couleurs, « *Discover Japan* », campagne de promotion du tourisme interrégional. Voyager était aussi pour les femmes au foyer ou les jeunes salariées une forme de libération. Et les cars de villageoises en séjours de shopping dans la capitale de croiser sur les routes fraîchement goudronnées les bus de citadines partant respirer l'air pur et vivifiant de la campagne.

Un hamburger et un Coca !

Durant l'époque formidable de la haute croissance, les Nippons ne changèrent pas seulement d'habitat ou de moyens de locomotion, ils adoptèrent simultanément de nouvelles habitudes alimentaires, après avoir retrouvé à partir de l'indépendance le vrai goût du sucre, bien meilleur que celui de ses ersatz chichement octroyés durant les années de guerre et d'occupation. Et voilà que la tenancière du kiosque troqua son thé vert pour du Coca-Cola, que les toasts dorés dans le nouveau grille-pain électrique remplacèrent parfois au petit déjeuner le bol de riz assaisonné au *furikake* – mélange de condiments. La consommation de poisson commença à régresser au profit de la viande. McDonald's installa son premier fast-food à Tokyo en 1971 dans le quartier huppé de Ginza, au rez-de-chaussée du luxueux grand magasin Mitsukoshi. Plus encore que l'occidentalisation du menu, c'est l'invention locale de la « nourriture minute » à la fin des années 1950 qui constitua la véritable révolution alimentaire des années 1950-1960, avant les surgelés au cours de la décennie suivante. Une innovation culinaire qui collait parfaitement aux nouveaux modes de vie et que comprit le premier le groupe agro-alimentaire Nissin. Il en fallut pourtant des mois de recherches pour garantir la comestibilité des *Instant ramen* et *cup ramen* (nouilles instantanées en sachet et bol), et atteindre le but : 160 millilitres d'eau chaude, 3 minutes de patience, à table : *itadakimasu*. Combien de jours et nuits aussi passés sur les marchés avant d'y pêcher une variété de crevettes qui, malgré les traitements infligés, conservent une couleur rose appétissante à l'ouverture du paquet. Mais la ténacité paya. Jamais un plat nouveau n'avait fait un tel carton commercial, avant de s'exporter. Les nombreux travailleurs nocturnes (pompiers et policiers en tête), les *salarymen* toujours pressés et les ouvriers du bâtiment se jetèrent dessus. Chaud devant. Il se vend aujourd'hui près de 10 milliards de doses de *cup ramen* chaque année dans le monde, un plat roboratif « prêt-à-manger » également salu-taire lors des catastrophes naturelles.

Supermarchés, self-services et hyperconsommation

La *kaimono minzoku*, « civilisation des achats », expres-sion dont s'affublent parfois les Japonais, pas dupes mais fiers de leur intense appétit d'achats, grossit ainsi dans les années 1950-1970 en même temps que la grande distribu-tion. Jusqu'à 1950, les Nippons faisaient leurs courses dans les *shotengai*, rues de boutiques familiales en tous genres, alors installées à même les trottoirs sur les plates-bandes des indigents contraints d'aller crécher ailleurs. Plus de 90 % des commerces comptaient à l'époque moins de quatre sala-riés. Le secteur de la distribution commença à se diversifier avec l'ouverture en 1953 du premier supermarché du Japon, Kinokuniya, dans le quartier central d'Aoyama à Tokyo. On s'y servait seul, on y dégotait de tout, les promotions s'enchaînaient. Autant de nouveautés pour les Japonais habitués à discuter le bout de gras avec des vendeurs et à arpenter dix boutiques pour se procurer autant de produits différents. Si le service gratuit rendu au client avec le sourire va généralement de soi au Japon, le self-service importé des États-Unis y fut néanmoins bien accueilli du fait de son côté « occidental » présumé « moderne ». La multiplication de ces supermarchés entraîna *de facto* la naissance de géants nationaux de la grande distribution, comme Daiei ou Ito Yokado. Des mastodontes qui n'en finirent pas de s'étendre, multipliant le nombre et la taille de leurs points de vente jusqu'à ouvrir de gigantesques centres commerciaux en banlieue, à quelques encablures des villes nouvelles où s'étaient installées en masse les familles, dans *yumei no my home* « leur maison de rêve ». Dans les années 1960, les mères de famille, cibles d'un implacable battage publicitaire, se ruaient quotidiennement dans les nouveaux temples de la consommation, pressées de goûter les dernières variétés de confiseries ou boissons « vues à la télé ». Les annonceurs avaient d'autant moins de raisons de se priver, au prix d'un certain sans-gêne, que le public, notamment féminin, se montrait pour le moins réceptif, presque discipliné. Pas de répit pour le chaland, l'incitation à consommer envahit tous les espaces, tous les instants. Les trottoirs des rues accueillirent des milliers de distributeurs automatiques de boissons ou cigarettes, faisant du Japon l'empire des automates de vente. Les géants de la distribution ne cessaient déjà d'innover, sur le fond et la forme, pour multiplier les occasions de vente, allant à la rencontre du client quand il ne faisait pas lui-même la démarche de venir. Lorsqu'à l'orée des années 1970 l'implantation de nouvelles grandes surfaces en banlieue commença à devenir problématique, Ito Yokado relança le petit commerce de proximité, sous une forme inattendue : les supérettes multi-services, aujourd'hui baptisées *konbini*, contraction « japonisée » de l'expression américaine *convenience store*. Des commerçants de quartier qui avaient vu leur clientèle happée par les grandes surfaces se reconvertirent ainsi bon gré mal gré, mais finalement « tout bénef », en franchisés de ces nouvelles chaînes de magasins ouverts 24 heures sur 24, tous les jours de l'année.

La révolution de la distribution

Avec la croissance des réseaux de transport entre banlieues et cœur des grandes villes dans les années précédant les JO, les *hyakkaten* ou *depato* (mot tiré de l'expression anglophone *department store*, grands magasins) s'implantèrent à la sortie des dizaines de gares *intra-muros*, véritables villes dans la ville qui voyaient déjà transiter quotidiennement des millions d'individus. Pour les familles, ces nouveaux espaces n'étaient pas tant de luxueuses boutiques que des nouveaux lieux de sortie. De souriantes demoiselles en uniformes d'hôtesse de l'air y tenaient le rôle inimitable de dames d'ascenseur, d'autres, tout aussi attentionnées et méthodiques, y emballaient les produits de toutes sortes, et souvent de premier choix, dans de jolis papiers enrubannés. On pouvait y admirer dans les étages élevés des œuvres d'art temporairement exposées ou assister à des défilés de mode. La balade était souvent agrémentée d'un déjeuner dans un des restaurants situés au dernier niveau, vue imprenable sur la vaste cité. Même les toits étaient accessibles, aménagés en jardins d'enfants avec balançoires, toboggans, minicourts de tennis. En semaine, à l'heure du déjeuner, ces lieux de détente en plein air, en plein ciel, étaient, à l'instar des buildings d'affaires, peuplés de *salarymen* et *office ladies* échappés des bureaux environnants. Ils y jouaient au ping-pong comme des gamins pour évacuer le stress ou répétaient des chants lyriques pour le spectacle de la chorale de l'entreprise.

Les Japonais s'amusent

Les divertissements en tous genres connurent concomitamment une très forte démocratisation favorisée par les nouveaux empires de distraction comme la gigantesque montagne russe du parc d'attraction Korakuen au cœur de Tokyo. Les salles de *pachinko* – sorte de billard vertical nippon –, lieux clos enfumés aux lumières aveuglantes et ambiance sonore assourdissante, pullulèrent pour atteindre le nombre impressionnant de 45 000 au milieu des années 1950. Les fabricants de ces machines ne suivaient plus. Loisir de masse s'il en était. Les *salarymen* s'y vidaient la cervelle après les heures de bureau ou entre deux rendez-vous, les mères de famille y passaient des après-midi aux côtés de vieillards. D'autres, désœuvrés, restaient des journées entières à regarder benoîtement les billes d'acier glisser au petit bonheur la chance dans les engrenages retors, en priant en vain qu'elles finissent par tomber dans le bon trou pour déclencher un torrent de nouvelles boules à réinjecter machinalement dans le satané mécanisme avec le même espoir irrationnel mais ô combien grisant. Seuls les casinos, toujours interdits, ne purent profiter de cette frénésie nouvelle.

Le base-ball rejoignit les tournois de sumo au *banzuke* – classement – des sports préférés du Japonais moyen. La propagande américaine avait, il est vrai, instillé l'attrait pour cette discipline durant les années d'occupation à travers une série de films pédagogiques sur l'*American way of life* projetés dans les écoles des villes et villages à bord de salles ambulantes. Le bowling suivit avec l'ouverture des premières pistes en 1952 à Tokyo. L'automatisation en 1961 du mécanisme de gestion des quilles, un spectacle en soi qui attirait les curieux, facilita la gestion des salles, lesquelles se multiplièrent pour répondre à l'engouement. Ce boom fut en outre appuyé par des programmes TV où l'on comptait jusqu'à onze retransmissions de tournois par semaine. Le ski, le golf n'étaient déjà pas moins prisés, qui entraînaient dans leur sillage la création de nouvelles lignes vestimentaires.

Jazz, country, rock, yéyé et p'tites pépées

D'abord nourris de jazz et de country par la radio américaine diffusée sur les ondes nippones, les jeunes Japonais adoptèrent un à un tous les mouvements musicaux venus de l'autre côté du Pacifique. Après une Presleymania, le rockabilly enfiévra les rues et salles de concert à la fin des années 1950, les sosies nippons des rock stars américaines chassant alors des estrades les pianistes, saxophonistes et batteurs de jazz qui avaient connu leur heure de gloire dans les années précédentes, inspirés par les maîtres américains du genre (Louis Armstrong, Norman Grant ou Oscar Peterson) venus se produire au Japon.

Puis la guitare électrique résonna à son tour. Les quatre Beatles, qui débarquèrent sur l'archipel en 1966, y déclenchèrent un typhon d'hystérie féminine, de force bien supérieure à la « beatlesmania » qui sévissait parallèlement en Europe ou aux États-Unis. Même les « yé-yé » français profitèrent de la porosité de la jeunesse nippone avide de découvertes étrangères. Les alternances musicales influaient grandement sur les tenues vestimentaires. Le comportement aveuglément obéissant des consommateurs, et surtout des consommatrices s'inspirant des starlettes, accentuait les effets de mode et leur caractère éphémère. Tout le monde changeait de style en un instant. Le Japon connut ainsi à l'instar de l'Occident, mais dans des proportions encore plus folles, le boom des minijupes, amplifié par la venue au Japon en 1967 de la top model androgyne britannique Twiggy. Cette tenue osée au pays des longs kimonos provoqua bien entendu, et ici plus qu'ailleurs, un débat virulent entre pour et contre. Elle gagna finalement ses lettres de noblesse lorsque la femme du Premier ministre Sato s'afficha ainsi vêtue au cours d'une visite officielle aux États-Unis. Les progrès réalisés par des entreprises nippones comme Toray dans la confection de fibres synthétiques favorisèrent par ailleurs le port de culottes, caleçons et soutiens-gorge de style occidental. L'essor des magazines féminins et « people », en prélude au mariage du prince héritier à la fin des années 1950, joua aussi un rôle majeur dans l'enchaînement rapide des modes. De nombreux mensuels devinrent hebdomadaires grâce à une forte baisse des coûts d'impression découlant de technologies initialement développées pour tirer en grand nombre des livres scolaires.

Dans la foulée, les revues plurimensuelles de *manga* envahirent les kiosques. Dès le milieu des années 1960, les plus populaires de ces recueils de bandes dessinées s'écoulaient chaque semaine à plus d'un million d'exemplaires, leur popularité s'accroissant grâce à l'adaptation en dessin animé de personnages vedettes comme Tetsuwan Atomu, du père du *manga*, Osamu Tezuka. Diffusée par la chaîne privée Fuji TV, cette série, connue sous le nom d'*Astroboy* ou *Astro le petit robot* en Occident, s'arrogeait un taux d'audience moyen de 25 % à 40 %.

Montagnes de déchets

Pour accompagner la nouvelle propension des consommateurs à dilapider leurs salaires et à se distraire, les crédits à la consommation firent leur apparition. Le commerce fonctionnait d'autant mieux que le terme « recycler » ne faisait pas encore partie du « petit dictionnaire de vocabulaire usuel japonais ». La philosophie du consommateur de l'époque, véritable éponge à publicités, se résumait à la formule lapidaire : *tsukai sute* – on utilise, on jette. Tant et si bien que les ordures finirent par s'amonceler partout faute de système de gestion à la mesure des poubelles. Les décharges publiques devinrent autant « d'îlots de rêve » pour les moins bien lotis, puisqu'on y dénichait de l'électroménager en parfait état de fonctionnement, abandonné là parce que leur propriétaire venait tout bonnement d'acquérir un modèle plus récent. Les tonnes de déchets augmentaient d'année en année, au rythme du produit national brut. La charge financière subséquente était de fait faramineuse. En 1972, les dix millions de Tokyoïtes généraient quotidiennement pas moins de 13 000 tonnes d'immondices. Ceux qui avaient la malchance de résider à proximité de la principale décharge publique de Tokyo assistaient à un défilé permanent de quelque 5 000 camions-bennes à ordures. Et le gouverneur de tirer la sonnette d'alarme, déclarant en 1972 « la guerre aux ordures ». « Si on ne trouve pas tous ensemble, au-delà des égoïsmes locaux, une solution à ce problème, Tokyo finira en montagne de déchets », prévenait-il. Il faut dire que la rivière Sumida qui traverse la capitale était déjà rebaptisée « cours d'eau le plus sale du monde ».

Si en moins de trente ans, le Japon, nouvelle grande puissance économique, s'était totalement reconfiguré, cette transformation s'était hélas appuyée sur d'incroyables entorses aux basiques règles d'urbanisme et à la nature. La société « de production de masse, d'hyperconsommation, et de tonnes de déchets » avait vu le jour, avec sa cohorte de nouveaux produits générant des modes de vie inédits accompagnés d'autant de dégâts. On devine vite en outre aux publicités et reportages TV de l'époque que les effets nocifs des cigarettes sur la santé n'étaient pas encore une préoccupation majeure. « En pleine forme chaque jour grâce au tabac », lisait-on alors sur les affiches. Hommes politiques en tête, les fumeurs, plus de 50 % de la gent masculine adulte, se présentaient sans complexes devant les caméras, la clope au bec, un voile de fumée troublant leurs visages. Pas un plan d'une réunion politique sans qu'on remarque immédiatement un énorme cendrier débordant de mégots tordus. Les Nippons avaient d'ailleurs d'autant moins de raisons de s'en inquiéter que, durant la même période, leur espérance de vie ne cessait de s'allonger. Aux progrès de la médecine s'ajoutaient les efforts des autorités pour faciliter l'accès aux soins des personnes démunies ou âgées et inciter la population à soigner ses maux, fussent-ils provoqués par des comportements manifestement inadéquats.

Irresponsabilité environnementale et sanitaire

Ces mesures n'empêchèrent pas l'apparition de terribles maladies dues à l'irresponsabilité des entreprises qui déversaient dans la nature des hectolitres de matières chimiques, en profitant de vides juridiques béants. Des industriels évitaient ainsi soigneusement d'engouffrer des fortunes dans la gestion de leurs déchets de tous ordres. D'autres n'avaient pas même conscience de leurs mauvaises pratiques. Des pathologies jusqu'alors inconnues, comme celle de Minamata, ou encore la dénommée *itai itai byo*, émergèrent soudain des eaux souillées de mercure, de cadmium et autres substances toxiques peu appréciées des poissons et encore moins de leurs consommateurs humains. Dans les villes hébergeant des raffineries, infrastructures dont les municipalités étaient pourtant fières, les écoliers suivaient les cours en se masquant le nez avec leur mouchoir, tant l'air en classe était irrespirable. Les mères de famille passaient des heures à épousseter les meubles et nettoyer les carreaux, n'ayant plus qu'à recommencer une fois le tour de la maison fini. Le linge étendu à l'extérieur était bon pour un nouveau lavage une fois séché. Les habitants asphyxiés de Tokyo pressaient le pas sur les trottoirs dans une atmosphère au taux de monoxyde de carbone hors barème. Les patrouilles de police sillonnaient même la capitale pour conseiller aux habitants de rester autant que possible cloîtrés chez eux. Nul n'aurait imaginé pouvoir admirer le mont Fuji depuis un point haut de Tokyo comme on peut le faire aujourd'hui les clairs jours d'hiver. Le ciel de la capitale était en permanence bouché par un épais brouillard artificiel gris-noir, filtre pare-soleil inégalable. Ce *smog* était d'ailleurs si massif qu'il se tailla une inébranlable réputation à l'étranger. Et même s'il a disparu depuis du paysage tokyoïte, son fantôme continue de polluer l'image de la capitale hors des frontières de l'archipel. À défaut de mieux, la municipalité de Tokyo limita la circulation le dimanche dans les grandes artères bordées de boutiques. Ginza, Shinjuku, Asakusa et Ikebukuro se transformaient ainsi les jours de congés en « paradis du piéton », une opération finalement plébiscitée en dépit d'une très discutable efficacité environnementale. La ruée des clients dans les magasins alentour débarrassés des nuisances sonores fut d'emblée plus visible que la baisse du taux d'oxydes dans l'air dont le niveau était pourtant affiché sur des panneaux lumineux géants.

Les Japonais n'avaient à l'époque pas encore mesuré les effets destructeurs des actions humaines sur la planète. Mais devant les infernales proportions prises par les désastres industriels, les populations finirent quand même par s'énerver, poussant peu à peu l'administration à se rendre à l'évidence. Les pêcheurs, qui, au milieu de précipités synthétiques, ne remontaient plus dans leurs filets que des cadavres de poissons ou des avortons invendables et encore moins comestibles, furent parmi les premiers à tirer la balise de détresse. Puis vinrent les mères de famille, regroupées en associations de consommateurs, victimes en bout de chaîne. Les enseignants révulsés, et les médecins démunis, montèrent au front. Il fallut néanmoins attendre la fin des années 1960, des manifestations à répétition, des procès en cascade, des dizaines de morts et handicapés à vie pour que le gouvernement consente à admettre, du bout des lèvres, les effets néfastes de la fuite en avant industrielle, et qu'il décide enfin de mesures plus ou moins sévères pour atténuer les dégâts tout en prenant grand soin de ne pas casser la croissance.

C'est que le parti au pouvoir sentit soudain le vent du bou-
let, et les ministres leur fauteuil trembler. Mécontents de la
gestion purement économique des grandes municipalités,
les électeurs jetèrent en effet par-dessus bord les élus locaux
conservateurs de droite qui, à l'instar du sommet de l'État et
des administrations centrales, avaient tendance à prendre
fait et cause pour les industriels pollueurs et les agriculteurs
adeptes de la production intensive aux engrais et pesticides,
au détriment de la santé des citoyens.

Les insatiables et dépensiers consommateurs nippons
étaient en train de comprendre que l'industrialisation
à marche forcée et le gaspillage à tout-va n'avaient pas
pour seule conséquence un bénéfique dynamisme économique. Ils réalisaient tardivement qu'on n'ignore pas le
reste du monde en absorbant ses ressources naturelles sans
en payer le prix. Qu'on ne pille pas impunément la planète.
Qu'une raffinerie n'a pas sa place aux abords d'un préau.
Que l'eau d'une rivière ne dissout ni le mercure, ni le
cadmium, ni le plomb. Même si le brillant Shimomura
avait affirmé que « tant que les industriels, les gestionnaires, les techniciens, les travailleurs s'emploieraient
à moderniser leur outil de travail et à enrichir leur offre de
produits novateurs, il ne ferait aucun doute que la croissance se poursuivrait au même rythme soutenu, du fait
d'une demande perpétuellement entretenue », le théorème
était biaisé. Il faisait trop abstraction des dommages collatéraux et des réactions de l'étranger. Comme la Chine
aujourd'hui, gros exportateur de produits manufacturés,
déversoir permanent de rejets nocifs dans la nature et
importateur gourmand de ressources naturelles, le pays du
Soleil-Levant ne pouvait pas davantage se servir et profiter
de la mondialisation naissante des échanges sans en accepter les contraintes ni en assumer la charge. Le premier discours prononcé à l'ONU par le chef de l'exécutif nippon en
1970, ou le voyage historique de l'empereur Hirohito à travers sept pays d'Europe en 1971 suivi d'une visite aux

États-Unis en 1975, prouvaient que le Japon comptait de nouveau, qu'on lui pardonnait un pan de son vilain passé, mais ces faits sous-entendaient aussi qu'on exigeait de lui qu'il prenne ses responsabilités. Entré dans le club des grands, il devait se comporter en adulte bien éduqué.

Large classe moyenne

Une écrasante majorité de la population nippone, 90 %, se considérait alors selon les enquêtes d'opinion comme appartenant à la classe moyenne de la deuxième puissance économique mondiale, reconnaissant bénéficier d'un niveau de vie plutôt enviable. La croissance effrénée n'avait pas creusé l'écart entre d'un côté des toujours plus riches et de l'autre les « pauvres à tout jamais », rejoints par des vagues successives de nouveaux laissés-pour-compte incapables de suivre la cadence. Elle avait au contraire lissé l'ensemble. Pourquoi ? Sans doute pour quatre raisons majeures : une volonté collective d'œuvrer au redressement du pays, une mobilisation de toutes les forces pour des projets et objectifs clairement définis, une bonne articulation des rouages de la société, et une élévation globale du niveau d'éducation et de qualification par la généralisation parfaitement mise en œuvre de la scolarité obligatoire.

Coups d'éclat

Oh, bien entendu, durant ces décennies, tout n'est pas allé sans heurts, sans pleurs, sans morts, sans conflits, sans faillites, sans coups durs, à-coups et contrecoups. Passant d'un extrême à l'autre, du dénuement généralisé à l'hyper-consommation de masse, du quasi sous-développement au plus haut niveau industriel, la société nippone a mis plusieurs décennies avant de trouver un relatif point d'équilibre. Les années 1950, 1960 et 1970 ont toutes connu leur lot de revendications sociales et politiques, sur fond d'inflation insupportable, puis de spirale déflationniste, de bouleversements politiques, de guerre froide, puis de mouvements extrémistes et terroristes alimentés par les élans utopistes marxistes venus de l'étranger. Sans compter les scandales politico-financiers (Lockheed), les coups d'éclat de jeunes déboussolés (assassinat en public d'un chef de parti en 1960), les actes spectaculaires de personnalités influentes (suicide de l'écrivain Yukio Mishima en 1970), ou les désastres créés par les industriels et sciemment niés, voire masqués, par l'État.

Dans ces « trente glorieuses à la japonaise », toute la panoplie des instruments de révolte violente furent successivement employés : défilés, sabotages, empoignades, insultes, cocktails Molotov, bombes, poignards, armes à feu... On manifesta d'abord dans l'immédiat après-guerre pour un bol de riz, puis contre la folie des prix qui s'envolaient, ou s'enfonçaient inexorablement sous l'effet de brutales décisions économiques. Les syndicats, au pouvoir nouveau conféré par les réformes de MacArthur, revendiquèrent un partage des décisions dans les entreprises, avant d'être plus ou moins bâillonnés par enrôlement ou décrets. On protesta ensuite contre le réarmement, contre les accords de défense nippo-américains, contre le maintien des camps américains, « *Yankee go home !* », criaient les manifestants. On tenta d'empêcher la renégociation en 1960 du traité de sécurité Japon-États-Unis, puis de bloquer sa reconduction automatique une décennie plus tard, en juin 1970. On se dressa régulièrement pour couper court aux velléités de révision constitutionnelle censée lever les ambiguïtés sur l'existence d'une armée qui ne dit pas son nom. On se leva pour faire revenir l'île d'Okinawa dans le giron du Japon (ce qui fut fait en 1972) ou pour tenter de déloger, en vain, les troupes américaines des bases conservées sur l'archipel. On embrassa le mouvement international contre la guerre du Viêt Nam. On adhéra aux revendications du prolétariat pour dénoncer la toute-puissance naissante du patronat et du marché. On épousa, toutes générations confondues, enfants compris, la cause des paysans chassés de leurs terres requises pour l'aéroport de Tokyo-Narita dont la construction décidée en 1965 fut de fait reportée de plusieurs années. Bandeau sur le front derrière des barbelés, « ¡ *no pasarán !* » les bulldozers. Le conflit dura un quart de siècle. Bilan : au moins 3 morts et 1 500 blessés. On refusa « l'enseignement de masse » auquel se sentirent soumis les étudiants, sur fond de pénurie de main-d'œuvre dans les années 1960. Les caillasses balancées par les jeunes rebelles nippons sur les « CRS » locaux faisaient le même effet que les pavés qui voltigeaient dans le Quartier latin parisien, même si les jeunes Japonais, rejoints par des cohortes de syndicalistes, avaient tendance à préférer pour théâtre de leur mécontentement les quais de gare aux boulevards, et à choisir pour cibles privilégiées les trains publics plutôt que les voitures privées. L'emploi du terme « barricades », transcrit tel quel en syllabaire japonais, témoigne de la volonté de rapprocher ces mouvements de ceux qui sévissaient simultanément en France, même si les causes pouvaient en être différentes et si au Japon le côté libertaire semblait moins prégnant. On manifesta bien sûr dans l'archipel plus qu'ailleurs contre les essais atomiques américains ou britanniques et pour renvoyer au large les navires nucléaires US. Les violences verbales et corporelles n'étaient en outre nullement l'apanage des foules se sentant spoliées ou ignorées. On s'écharpait aussi allègrement dans les assemblées politiques, où volaient les coups et les noms d'oiseau. L'évolution des revendications a logiquement suivi l'ascension sociale : en 1970, plus personne ne quémandait à l'État un bol de riz. On ne se battait plus pour survivre mais contre les effets pervers des brutaux changements et pour éviter tout retour en arrière.

Et Nixon sonna le glas du dollar à 360 yens

Ce fut aussi la fin du cours avantageux pour le Japon du dollar à 360 yens (fixé en mai 1953), après la décision unilatérale du président américain Richard Nixon de suspendre la convertibilité en or du billet vert : le « choc Nixon » du 15 août 1971. Cette mesure protectionniste brutale, qui fit dégringoler de 8 % la Bourse de Tokyo et dévisser la devise américaine, fut interprétée au Japon comme étant destinée à forcer la réévaluation du yen que les autorités nippones avaient jusque-là refusée. Cette dernière devint inévitable quelques mois plus tard avec la signature le 18 décembre 1971 des accords Smithsonian à Washington, lesquels marquèrent l'enterrement de ceux de Bretton Woods. Le quotidien économique *Nihon Keizai Shimbun* distribua le jour même gratuitement dans les artères et gares encombrées des mégapoles, en plein week-end, une page spéciale que s'arrachèrent les passants. Elle était barrée de gros caractères blancs sur fond noir : « 1 dollar = 308 yens », et d'un sous-titre noir sur blanc : « 16,88 % de réévaluation » (du yen face au dollar), « entrée en vigueur demain », un nouveau coup dur à surmonter. En arrière-plan, sur les photos de l'époque, un immense Père Noël salue la foule d'un tout aussi visible « *Merry Christmas* ».

Endaka, Tanaka, *pandas et patatras*

Face à la nouvelle donne des années 1970, et au soudain *endaka* (hausse du yen), le roublard, un rien vulgaire et bedonnant Premier ministre Kakuei Tanaka, adoubé en 1972, croyait néanmoins pouvoir calmer les grincheux avec un nouveau « grand projet » mobilisateur, à la façon d'Ikeda en 1960. Le tribun Tanaka ne promettait pas le doublement des salaires en dix ans mais celui de nouvelles infrastructures de transport et de communication en tout point du territoire, afin d'éliminer les résiduelles inégalités régionales et de gommer les erreurs du passé. Sa théorie de la « reconfiguration du Japon », présentée avant sa nomination dans un ouvrage qui devint vite un best-seller avec plus de 850 000 exemplaires achetés, valut dans les premières semaines au cabinet Tanaka une popularité record. « Soleil et verdure », éradication de la pollution et élimination des dégâts industriels, création d'un resplendissant pays facile à vivre pour tous les citoyens, était-il écrit sur le bandeau vert entourant l'ouvrage vendu 500 yens. L'aura de l'homme, un provincial autodidacte au verbe haut débordant d'ambition, surnommé *konpyuta tsuki burudoza* – le bulldozer informatisé –, fut en outre renforcée par la mise en scène de la normalisation des relations diplomatiques avec la voisine Chine en septembre 1972. Cet événement d'extrême importance suivait de peu l'action majeure de son prédécesseur Sato, la restitution au Japon de l'île méridionale d'Okinawa conservée depuis la guerre par les forces américaines. Les deux pandas offerts par la Chine en signe de réconciliation, Kankan et Ranran (ou Kang Kang et Lang Lang), arrivés le 28 octobre au zoo d'Ueno à Tokyo, firent la une des médias. Le premier jour de leur présentation au grand public, le couple reçut la visite de quelque 56 000 Nippons. Deux heures d'attente au bas mot pour gagner le droit de voir en chair et en os les deux bêtes rares pendant… à peine cinquante secondes, chronomètre en main, gardien indomptable. Clic-clac, c'est dans la boîte, merci, au suivant.

Tout semblait donc sourire à Tanaka.

Patatras ! La crise pétrolière de 1973 mit fin à l'état de grâce et rabaissa ses prétentions nationales *de facto* interrompues. Ainsi s'acheva la période de haute croissance.

Chapitre III

1973-1984
L'ARCHIPEL RÉVEILLÉ PAR LE CHOC PÉTROLIER

À l'instar de toutes les nations du monde développé, le Japon, déjà pénalisé par l'*endaka* et l'entrée de sa devise dans le système de change flottant en février 1973, fut durement touché en octobre de la même année par la brusque flambée des cours du baril de brut, sur fond de crise au Moyen-Orient. Presque totalement dépendant des approvisionnements énergétiques extérieurs, et notamment de ceux issus du sol arabe, l'archipel, qui n'avait pu, voulu ou su diversifier ses sources énergétiques, vit ainsi s'envoler sa facture d'hydrocarbures et avec elle l'énergie du peuple.

La crainte de pénurie de pétrole et la montée en flèche des prix à la pompe entraînèrent un pourrissement immédiat du climat sur fond de contrebande organisée et d'inflation générale dévastatrice. Les prix au détail bondirent les deux années suivantes de 20 % à 30 % en moyenne. D'autant que la politique de construction à tout-va promise par Tanaka avait incité les opportunistes maisons de commerce à spéculer sur les terrains. « Des prix délirants » titraient les journaux traduisant l'expression horrifiée du peuple devant la valse sidérante des étiquettes. Et les boutiques d'être soudain le théâtre de véritables scènes de panique, obligées de mettre en place des cordons de vendeurs hurlant dans des haut-parleurs de fortune pour tenter de canaliser tant bien que mal la cohue. Des queues de mères de famille se formaient chaque matin devant les magasins pour se disputer les arrivages de papier toilette, de sucre, de *shoyu* – sauce soja – et autres produits quotidiens de base. On en vit plus d'une ressortir, le cabas vide, sur un brancard les doigts de pied écrabouillés par leurs congénères hystériques, pressées de s'emparer des derniers paquets et rouleaux en rayon. Réflexe de précaution très exagéré mais somme toute compréhensible. Papier toilette, sucre et *shoyu*, n'était-ce pas ce dont les mêmes Japonais avaient manqué pendant la guerre et l'occupation ? Les mesures énergiques prises par le gouvernement étaient en partie responsables de cette réaction excessive de l'opinion. La limitation du chauffage à vingt degrés, l'interruption des programmes de télévision la nuit, l'extinction des néons et enseignes, les appels à sacrifier les sacro-saintes balades dominicales en voiture, le raccourcissement des horaires d'ouverture des commerces, la fermeture en alternance des robinets dans les stations-service et autres ordres aussi privatifs ne s'assimilaient-ils pas à la suspension soudaine d'une part symbolique des acquis d'après-guerre ?

Pas un secteur qui ne dut remettre en cause ses fondements, changer de braquet, de stratégie, voire de métier. Les effets de la crise pétrolière ruinèrent d'autant plus la confiance des consommateurs que s'enchaînaient les révélations de détournements financiers, de marchés truqués, d'ententes illicites sur les prix et autres malversations. Une ambiance écœurante que mit en exergue le scandale Lockheed, vaste affaire de corruption dont le point d'orgue fut la vague d'arrestations opérées plus tard dans les milieux économiques, l'administration et les hautes sphères politiques, jusqu'à l'ancien Premier ministre Tanaka. Celui qu'on appelait à ses débuts « l'enfant prodige de la politique », avant de le qualifier de champion des élections pognon, était si affamé de pouvoir et assoiffé d'argent qu'il se goinfra de « peanuts », nom de code donné aux pots-de-vin versés par l'avionneur américain Lockheed à plusieurs personnalités, pour forcer la vente d'aéronefs à la deuxième compagnie japonaise All Nippon Airways (ANA). L'ironie étant la politesse du désespoir, les plus malins tournèrent l'affaire en dérision, seule maigre consolation. On vit ainsi fleurir ici ou là des stands de marchands de cacahuètes, des vraies, mangeables, pas pourries. *Ikaga deshou ka* – ça vous dit ?

Pour ne rien arranger, le Japon fut victime d'une vague d'actes terroristes. Plasticage dans les quartiers d'affaires, notamment devant le siège tokyoïte du groupe Mitsubishi Heavy Industries (huit morts, trois cent quatre-vingt-cinq blessés), détournements d'avion, les attentats se succédaient, sous couvert de revendications antinippones de sombres organisations disant appartenir à des mouvances asiatiques ou internationales communistes, dont la faction Armée rouge japonaise. Née de la contestation étudiante en 1969, en pleine guerre du Viêt Nam, cette dernière prônait la révolution mondiale *via* la lutte armée. Elle se fit connaître mondialement en mai 1972 lorsqu'un de ses commandos attaqua l'aéroport de Lod à Tel-Aviv, un carnage qui fit vingt-six morts et soixante-seize blessés. Au Japon, elle marqua encore plus durablement les esprits la même année avec l'affaire des chalets d'Asama, *Asama sanso jiken*. Réfugiés avec des otages dans des villas au cœur des montagnes aux sources volcaniques chaudes de la préfecture de Nagano, cinq membres proches de l'organisation, assiégés par les forces de l'ordre et armés, tinrent une dizaine de jours face à des dizaines de policiers. Ces derniers finirent par donner l'assaut, arrêtant le commando. L'opération, archiviolente, se solda par la mort de trois personnes et vingt-sept blessés. Suivi de bout en bout en direct à la télévision par toute la population japonaise, ce siège interminable, qui fut reconstitué en long-métrage, restait encore en 2008 le fait le plus marquant des années 1970 pour ceux qui ont vécu cette période. L'armée rouge nippone s'illustra aussi par des prises d'otages à l'ambassade de France à La Haye en 1974 pour exiger la libération de militants du groupe ultragauchiste alors détenus dans les prisons de l'Hexagone. Cette opération terroriste fut suivie d'une série de détournements et d'attaques. S'ajoutèrent enfin à ce contexte explosif les aspirations des mouvements féministes de plus en plus revendicatifs dans le droit fil d'organisations similaires apparues aux États-Unis.

Un coup dur planétaire salutaire

Le Japon connut ainsi en 1974, pour la première fois depuis la fin de la Seconde Guerre mondiale, un recul de son produit national brut. Pourtant cette récession ponctuelle fit long feu. Car, forte de sa capacité de rebond éprouvée, au lieu de se morfondre face au retour de bâton et à la recrudescence de faillites des petites entreprises, la « Japan Inc. » prit acte. Les entreprises, voyant leur compétitivité mise en péril, engagèrent une stratégie de restrictions tous azimuts qui ne fit guère débat, tous les salariés, du haut en bas de l'échelle, admettant qu'il n'existait pas d'autre option : réduction de l'usage des matières premières, économie d'énergie, suppression des surplus de main-d'œuvre, ralentissement des investissements devenus excédentaires. En somme les firmes firent la chasse aux gaspillages. Un écrémage forcé qui se révéla redoutablement efficace et permit au Japon d'absorber mieux que toute autre nation développée le deuxième choc pétrolier de 1978. Car s'appuyant sur les premiers résultats obtenus par cette nouvelle approche plus rationnelle, les entreprises, fortement encouragées par l'État, poussèrent leur avantage au maximum en haussant la qualité de leurs articles, en rationalisant leur production et en développant une multitude de technologies, robots en tête, pour automatiser les chaînes. De plus, alors que la demande locale tendait à se réduire, les foyers étant bien équipés, les besoins moins pressants et la prudence des ménages de nouveau de mise, les firmes se tournèrent, avec succès, vers les marchés extérieurs, fortes de leurs produits inédits d'excellente facture et des incessantes innovations dans les secteurs de l'électronique grand public, de l'électroménager, des semi-conducteurs, des instruments de précision, des machines-outils et bien sûr de l'automobile. Par ailleurs, l'État émit des obligations pour investir afin d'insuffler le marché intérieur et de soutenir des industries incapables de trouver une échappatoire à l'extérieur. Les commandes publiques comblèrent ainsi le manque à gagner, notamment pour le secteur du bâtiment.

Invasion de fourmis

Toutefois le déluge sur les étals étrangers de produits *made in Japan* ultracompétitifs et en phase avec les besoins des masses n'alla pas sans provoquer l'ire de l'Occident. D'autant que les exportations nippones bénéficiaient encore de la relative faiblesse du yen, en dépit de plusieurs réévaluations. Même le quasi-doublement de la valeur de la devise japonaise entre 1978 et 1979 ne suffit pas à contrer la force des marchandises japonaises, électronique et automobiles en tête. Leur qualité, couplée à leur caractère parfois unique, ne cessait en effet de creuser l'écart avec la concurrence, si tant est qu'elle existât vraiment. Les premiers à faire les frais du ras-le-bol américain furent les fabricants de téléviseurs couleur. C'est qu'ils marchaient allègrement sur les plates-bandes des industriels locaux, qui plus est dans le secteur stratégique des technologies de pointe. L'exaspération de l'Oncle Sam vis-à-vis des Japonais fut telle qu'elle dégénéra en « guerre des semi-conducteurs » en 1979. Les États-Unis supportaient en effet difficilement la supériorité nouvelle des Nippons, lesquels faisaient preuve d'une réelle habileté pour intégrer des puces dans une diversité impressionnante de produits évolués, multifonctions, de grande qualité et dépourvus de défauts. Ils s'agaçaient du rôle d'aiguillon de l'État japonais et de son soutien massif apporté à des recherches et projets industriels de grande envergure, une méthode jugée déloyale, parce que portée à son plus haut degré d'efficacité. Vous voulez des produits de qualité supérieure ? Achetez japonais !

Les sidérurgistes, également accusés de dumping par les États-Unis et l'Europe, se heurtèrent à des barrières à l'exportation. Qu'à cela ne tienne. Ils réagirent par une montée en gamme sans augmentation parallèle des prix de revient. Les géants mondiaux du secteur de l'acier sont d'ailleurs toujours européens sur le plan quantitatif (Arcelor-Mittal), mais japonais sur le volet qualitatif (Nippon Steel et consorts). Même chose encore pour l'industrie des métaux rares, laquelle se tourna vers la production de matériaux dédiés à l'électronique. Idem pour l'univers du textile qui abandonna aux pays de main-d'œuvre à bas coûts les matières de base pour se concentrer sur le développement de fibres techniques. Stratagème similaire pour les fabricants des machines-outils, lesquels muèrent leurs engins mécaniques en automations industrielles puis en systèmes intégrés à commandes numériques. La mécatronique dont les robots de production sont la plus belle illustration devint ainsi un nouveau domaine à part entière dominé par le Japon. En 1979 on y recensait déjà 47 000 automates industriels en activité, contre seulement 5 850 en Allemagne de l'Ouest, autre grande nation industrielle, 3 255 aux États-Unis et encore beaucoup moins ailleurs. Enfin et surtout, c'est dans le secteur de l'automobile et des deux-roues, mondialement affecté par l'escalade des tarifs du carburant, que les Japonais ont le plus démontré au reste du monde leur aptitude à enclencher le turbo pour s'échapper seuls, et vite. Produisant dès cette époque des voitures plus petites et plus économes que leurs concurrents d'outre-Pacifique, à des coûts inférieurs grâce à des méthodes humaines et industrielles particulièrement efficientes, les hardis Nippons s'arrogèrent soudain une part croissante du marché américain des véhicules. Les jeunes Occidentaux étaient bluffés par les « belles japonaises » : pas les filles, non, les motos. Elles ont été depuis le début des années 70 les premières ambassadrices en Europe du savoir-faire japonais. Tout le monde en France connaît depuis cette époque les noms de Honda, Suzuki, Yamaha ou Kawasaki grâce à ces bijoux mécaniques, et cela bien avant l'arrivée des voitures nippones sur le marché français. « Si les *geishas* font fantasmer, les motos japonaises, elles, ont fait rêver et voyager toute une génération de jeunes épris des sensations qu'elles offrent, sans parler des facilités de déplacements », témoigne une motarde et barrouleuse française. Et la même d'affirmer sans ambage : « Le pays du Soleil-levant conserve aujourd'hui encore la suprématie absolue dans la production et la vente de motos, loin devant les sociétés américaines, anglaises et italiennes. »

Pendant ce temps, les acteurs occidentaux de l'automobile se lamentaient mais continuaient de proposer des monstres ultravoraces, gouffres financiers des automobilistes, qui plus est jugés moins ergonomiques, moins maniables que les petites japonaises et comparativement sous-équipés. En 1980, la production annuelle de véhicules de marques nippones franchit ainsi pour la première fois la barre symbolique des dix millions d'unités, dont une bonne partie étaient destinées à l'exportation vers les États-Unis et l'Europe. Le Japon revendiqua alors le titre de numéro un mondial du secteur. L'Oncle Sam pleurait devant les reportages TV montrant les arrivages quotidiens par paquebots entiers de voitures neuves *made in Japan*. Les ouvriers de General Motors et Ford, qui fracassaient ces automobiles nippones dans les artères de Chicago à coups de matraque et battes de base-ball, furent soutenus dans leur colère par les Européens. Haro sur ce Japon prédateur entré dans le collimateur de l'Occident jaloux. Et les leaders d'opinion de tirer à boulets rouges sur ce pays pour ruiner son image auprès de l'opinion du Vieux Continent en exploitant méchamment tous les problèmes de société auxquels était confronté l'archipel, victime de son succès. Le Japon devint alors dans l'imaginaire collectif un pays infréquentable, antidémocratique, « où l'on entassait les familles dans des cabanes à lapins en banlieue, dont les travailleurs, intoxiqués de boulot au point d'en crever, étaient contraints d'effectuer des heures de trajets quotidiens dans des métros bondés et de dormir dans des capsules-hôtels lorsqu'ils rataient le dernier train. Des fourmis, on vous dit, privées de véritable droit de grève pour ne pas donner une mauvaise image sociale. Une société où les cadres, considérant leurs efforts indispensables à l'entreprise, renonçaient volontairement à leurs congés et délaissaient leurs familles ». Et vlan ! Un catalogue de reproches, certes pas totalement infondé, mais partial, qui marqua les esprits tant et si bien qu'aujourd'hui encore, il n'est pas rare d'entendre les mêmes antiennes, en dépit d'une réalité, fort heureusement, bien différente. Juger les modes de vie japonais sur la seule base de critères occidentaux, en faisant totale abstraction de l'histoire, de la culture, des mentalités et multiples contraintes locales, est un procès inique que ne légitime pas la défense des intérêts étrangers.

Chapitre IV

1985-1991
LE JAPON ATTRAPE LA GROSSE TÊTE
ET RACHÈTE LA PLANÈTE

Identité nationale et caresses diplomatiques

Le Japon était conspué parce qu'il avait eu l'outre-cuidance d'encaisser mieux que les « maîtres du monde » le deuxième coup de semonce de l'or noir. Cela lui donnait des ailes et du pouvoir. Inadmissible, insupportable ! De l'arrogance, martelaient ses détracteurs. Peut-être, concéderaient aujourd'hui les intéressés. Le Japon était en tout cas redevenu sûr de lui. Trop ? À voir. Il avait, quoi qu'on en dise, en partie tiré les enseignements des erreurs passées, corrigé les défauts majeurs qui avaient brièvement ébranlé sa nouvelle puissance (en 1973-1974), accepté ses devoirs (vis-à-vis de l'environnement, de la consommation d'énergie) et il se sentait soudain convaincu de son bon droit.

1985 : la guerre était finie depuis quarante ans précisément. Le Japon avait payé son dû. En tout cas, il le pensait. Il occupait désormais une place qu'il jugeait méritée, sur le plan économique à tout le moins. Il était temps dès lors de faire taire les médisants pour ne pas troubler la confiance intérieure, de revendiquer un retour en grâce sur la scène politique internationale, de s'impliquer dans les affaires du monde, de relancer la machine diplomatique. Redorer le blason du Japon : c'est la mission que s'assigna le Premier ministre Yasuhiro Nakasone. « Briseur de tabous », il s'illustra par une politique très ancrée à droite (réduction des déficits publics, processus de privatisation du géant des télécommunications NTT, des chemins de fer et de la compagnie aérienne porte-étendard Japan Airlines) et fit montre d'un activisme sans frontières pour agiter le drapeau japonais, affirmer la singularité et la légitimité de l'identité nippone. Thatcher en Grande-Bretagne, Reagan aux États-Unis, la force était aux néoconservateurs dont il se sentait en pensée proche. Et ce gracieux chef de gouvernement, au discours patriotique, de franchir le Rubicon le 15 août 1985, jour anniversaire de la capitulation, par un pèlerinage effectué pour la première fois à titre officiel par un Premier ministre au sanctuaire Yasukuni à Tokyo, haut lieu de mémoire à la gloire du pays, où sont honorées les âmes de plus de 2,5 millions de Nippons morts pour la patrie. Certes, des prédécesseurs de Nakasone s'étaient aussi rendus au Yasukuni, mais à titre personnel et en prenant diverses précautions, et surtout, dans un contexte différent. Le geste de Nakasone déclencha le *Yasukuni jinja mondai*, polémique toujours vive. En effet, six ans auparavant, le 19 avril 1979, le quotidien *Asahi Shimbun* avait titré en une « Tojo et d'autres criminels de guerre de "classe A" inscrits en cachette au Yasukuni Jinja », illustrant sa pleine page des photos-médaillons des intéressés prises lors du procès de Tokyo comme en atteste le casque audio collé sur leurs oreilles. Quatorze au total : sept pendus et sept morts en réclusion. À partir de ce moment, les pèlerinages au Yasukuni de représentants de l'État prirent un caractère nouveau, politico-juridique, suscitant la fureur compréhensible des populations et gouvernements des pays asiatiques colonisés et victimes des exactions de l'armée japonaise. Cet enregistrement avait été effectué secrètement le 17 octobre

1978. Argument du prêtre shintoïste d'alors : « Si on n'honore pas au Yasukuni ces morts, cela signifie que l'on reconnaît le jugement du tribunal de Tokyo. Tant que l'on ne le dément pas, le Japon ne pourra pas recouvrer son âme. » Et dans le musée attenant au Yasukuni Jinja, on cherche en vain une objectivité historique au milieu d'assertions tendant à dédouaner le Japon. L'empereur Hirohito eut cependant la sagesse de ne plus se rendre en ce lieu de mémoire.

Cette visite controversée ne fut pas le premier acte du genre assumé par Nakasone. Le 11 février, il s'était rendu à la cérémonie d'anniversaire de la fondation de l'État. Et le ministère de l'Éducation n'avait pas hésité en 1982, sous le gouvernement précédent, à réviser les manuels d'histoire scolaire. Un coup de gomme sur le mot invasion, il fut remplacé par le terme moins accusateur d'expansion pour qualifier l'occupation de la Mandchourie et de la Corée par la soldatesque nippone. Furent également supprimées les références aux ordres donnés, dans la phase finale de la guerre du Pacifique, aux habitants de l'île d'Okinawa de se suicider pour ne pas tomber dans les mains des troupes ennemies. Face à la colère montante à l'étranger, le gouvernement entreprit la tournée des popotes pour s'expliquer et surtout pour affirmer, contre toute évidence, qu'il s'agissait là d'affaires intérieures. Foin de la repentance. Ah, il n'était pas peu fier, Nakasone, d'accueillir en mai 1986 le gotha des dirigeants des nations les plus industrialisées au sommet de Tokyo à l'issue duquel le G5 devint le G7. Ce nationaliste, défenseur d'une réécriture de la Constitution nippone, dut un jour s'excuser pour des propos racistes tenus à l'égard des immigrés américains, « noirs, portoricains et mexicains au niveau intellectuel inférieur ». Fût-ce avec quelques arrière-pensées, c'est sous son mandat que l'aide au développement connut aussi une très visible montée en flèche. Nakasone fut aussi l'homme qui éleva le budget de la défense au seuil symbolique de 1 % du PIB, et ce pour la première fois, en 1987. Briseur de tabous décomplexé, pour sûr, il se faisait fort de redonner de la vigueur à l'industrie de l'armement nippone interdite d'exportation, et de fortifier l'armée, bien que les possibilités d'intervention des forces d'autodéfense fussent limitées par la Constitution. Un accord de codéveloppement de technologies militaires fut ainsi conclu avec les Américains en 1984. À la qualité de géant économique dont se prévalait à juste titre le Japon, Nakasone voulait *mordicus* accoler celle de grande nation politique et militaire, trois aspects selon lui indissociables. Nakasone était par ailleurs persuadé que l'expansion du rôle politico-diplomatique de Tokyo ne pouvait se faire sans le soutien de l'ex-occupant. Il évoqua une « communauté de destin » entre les États-Unis et le Japon, et alla jusqu'à déclarer au président Reagan que « l'archipel constituait le porte-avions insubmersible de l'Amérique ». On ne vit pas cette fois les lycéens et étudiants se révolter pour le faire taire. Oubliées les années 1960-1970 où l'on s'opposait violemment à la reconduction du traité de défense nippo-américain.

Tokyo se marre…

Pour l'opinion, l'époque n'était plus à la contestation, mais à la fête, au *matsuri* en jargon local. Partout, dans les rues et parcs de la capitale, les adolescents, quand ils ne jouaient pas à *Space Invaders* sur leur Famicon, première console de jeu de Nintendo, s'improvisaient volontiers rock stars, organisant le dimanche des concerts de rue entre potes. Ils se regroupaient sur les places publiques pour comparer leurs dernières fringues *trendy*, chanter ou danser en tenues plus ou moins babas, le tout sous le regard incrédule et bienveillant de leurs aînés qui n'avaient pas connu pareille insouciante jeunesse. Tout juste redescendait-on sur terre pour compatir avec les victimes de maintes catastrophes relatées par les médias : famine en Afrique, explosion du réacteur nucléaire soviétique de Tchernobyl, déflagration en vol de la navette américaine *Challenger* ou crash sans précédent dans les montagnes volcaniques japonaises d'un Boeing 747 de la compagnie nationale Japan Airlines avec quelque cinq cent vingt personnes à bord, un des accidents les plus meurtriers de l'histoire de l'aviation civile.

Même si au grand dam des autochtones la croissance nippone annuelle des années 1980-1982 ne flirtait plus avec les 10 % comme en 1965-1970, elle avoisinait quand même les 5 %, largement de quoi faire rêver les pays occidentaux se débattant avec le spectre du chômage de masse. Les exportations (appareils électroniques et électroménagers, machines industrielles, automobiles, semi-conducteurs) ne cessaient de croître, soutenues par un coût de production à qualité égale encore inférieur à celui des pays dans lesquels ils étaient expédiés. Les investissements en recherche ou équipements repartirent de plus belle, comme au temps d'*Izanagi keiki*, les entreprises s'alimentant cette fois en fonds directement sur les places financières et non plus principalement auprès des banques. Et l'État, qui a toujours joué un rôle clé dans le dynamisme des innovations technologiques, de lancer dès cette époque, vingt ans avant la France, une bonne vingtaine de centres d'excellence régionaux, zones de concentration d'entreprises et d'instituts de recherche à proximité d'universités. Plusieurs de ces « pôles de compétitivité » auxquels étaient assignés des objectifs sur dix ans, se trouvaient déjà à l'époque centrés sur les nouvelles technologies de l'information et des télécommunications (NTIC).

... et exporte

L'excédent commercial japonais gonflait de façon exponentielle à mesure que le déficit des États-Unis se creusait, d'année en année. De 20 milliards de dollars en 1981-1982, le surplus nippon bondit à 70 milliards en 1985 puis 120 milliards en 1986, favorisé d'une part par la hausse de la devise japonaise et d'autre part par le recul de la facture énergétique du fait du repli des cours du pétrole après le nouveau pic atteint en 1978-1979. Et les Nippons, aux coffres bourrés de yens forts, d'investir non plus seulement sur leurs terres, mais surtout à l'étranger. Qui pour mettre en route des usines d'assemblage exigeant seulement des petites mains agiles et corvéables dans les pays asiatiques à faible coût de main-d'œuvre, qui pour implanter des sites de production d'automobiles ou d'appareils électroniques directement dans les pays occidentaux dans le but d'enjamber sans coup férir les barrières à l'entrée, qui pour couvrir les arrières des mastodontes industriels japonais partis à la conquête du monde. Quelque huit usines de voitures furent ainsi érigées par Honda et ses compatriotes constructeurs en Amérique du Nord entre 1982 et 1989, et plusieurs autres en Europe, toutes bénéficiant des méthodes éprouvées et imbattables des industriels nippons. Jusqu'à cette période où elles n'eurent plus vraiment le choix, du fait des frictions commerciales, les entreprises japonaises étaient pourtant réticentes à produire hors du Japon. Elles craignaient en effet d'être privées des trois principaux avantages compétitifs dont elles jouissaient à demeure : un coût de main-d'œuvre très qualifiée encore plus faible qu'en Occident, des moyens de production sans égal, et un réseau de PME, partenaires de haut niveau technique, fidèles, ponctuelles et fiables. Forcées de délocaliser, elles invitèrent donc leurs fournisseurs attitrés de pièces détachées à les suivre, ce qu'ils firent. Elles dépêchèrent à l'étranger leurs ingénieurs et exportèrent leurs pratiques. Une part grandissante de firmes nippones put ainsi partir s'implanter hors du Japon dans le sillage de leurs principaux clients, un flux migratoire aidé par la force de la devise japonaise et la libéralisation des circuits financiers. À la vague d'expatriation d'entreprises manufacturières suivit celle des sociétés de services, un mouvement qui marquait une transition des investissements extérieurs directs du secteur secondaire vers ceux du tertiaire, soit la finance, l'assurance, l'immobilier, le transport, la distribution. Il y avait là encore une logique de continuité, de réseau, un « regroupement familial » en somme. Les assureurs, les banques, les promoteurs ou les maisons de commerce s'expatriaient pour offrir à leurs industriels nationaux installés à l'étranger le même haut niveau de prestation que celui dont ils disposaient au Japon. Les États-Unis avaient beau se montrer de plus en plus sévères vis-à-vis des produits truffés de technologies nippones concurrentes des leurs, les Japonais, si tenaces face aux défis et fins stratèges, s'en accommodaient.

Razzia patrimoniale

Le courroux des pays « d'accueil » monta d'un cran lorsque les nouveaux Nippons, non contents de contourner les obstacles, s'attaquèrent aux symboles de la puissance ou de la culture américaine. Qu'à l'instar de Sharp ou Sony le pneumaticien nippon Bridgestone ait choisi de se doter d'un nom anglophone (en traduisant à l'envers le patronyme japonais de son fondateur Ishibashi) pouvait apparaître comme un hommage à la puissance du monde anglo-saxon. Mais quand il racheta son concurrent américain Firestone, l'interprétation changea de registre. La razzia des Nippons sur les États-Unis ne fit plus l'ombre d'un doute le jour de 1989 où Mitsubishi Estate s'offrit le complexe classé Rockefeller à New York, ou quand de grands hôtels tombèrent dans l'escarcelle de groupes japonais. L'humiliation atteignit enfin son comble lorsque Sony, non rassasié d'avoir avalé la maison de disque CBS, dévora pour plus de 5 milliards de dollars en 1989 les studios hollywoodiens Columbia, une belle prise qui incita son rival Matsushita/Panasonic à jeter en 1991 son dévolu sur un autre monstre de la production audiovisuelle, MCA. Les tableaux de maître proposés dans les prestigieuses salles de vente du monde furent aussi des proies de choix pour assouvir cet appétit d'ogre. Et les fortunés Nippons, boulimiques, de faire main basse sur les chefs-d'œuvre de Modigliani, Van Gogh, Renoir, Picasso et autres artistes vénérés, à coup de milliards de yens. Adjugé, personne pour surenchérir. « Les Japonais rachètent le monde », lisait-on alors. Et Édith Cresson, Premier ministre, dans une interview accordée à la chaîne de télévision américaine ABC, d'oser ces propos diffamants en 1991 : « Les Japonais travaillent comme des fourmis, beaucoup. Mais nous [Français], nous ne voulons pas vivre comme cela, je veux dire dans des petits appartements avec deux heures de transport pour se rendre à son travail dans un pays où les prix sont exorbitants. Nous voulons garder notre sécurité sociale, nos vacances. Nous voulons vivre comme des êtres humains, comme nous avons toujours vécu. » On s'en souvient, elle n'est après tout pas si loin cette époque où la presse s'acharnait sur ces « tueurs » venus d'un « pays qui fait peur ». D'autant que les journaux actuels nous rappellent ce précédent chaque fois que les Chinois usent de leurs énormes réserves de change, les plus importantes du monde depuis 2004 devant celles du Japon, pour s'emparer d'une société, d'une activité, d'un patrimoine ou d'une marque étrangère où lorsque les étiquettes *made in China* sont collées partout. Autre époque, même motif, même punition. Selon un sondage Louis Harris réalisé en 1992, 70 % des Français jugeaient alors que les produits japonais encombraient trop les étals des boutiques de l'Hexagone, et 47 % estimaient qu'il convenait de limiter les importations de biens en provenance du pays du Soleil-Levant pour sauvegarder l'industrie française. Simultanément, 77 % des sondés reconnaissaient que les Japonais étaient travailleurs et compétents. Eh oui, si les appareils nippons envahissaient le monde et si les Japonais s'enrichissaient, c'est effectivement qu'ils travaillaient. La France enregistra la même année un nouveau déficit commercial record de 30 milliards de francs vis-à-vis du Japon, un chiffre qualifié à l'époque d'insupportable.

Profitant à plein des marchés extérieurs, les grandes sociétés nippones, à peine concurrencées dans leurs secteurs de prédilection du fait de leur avance, avaient en effet les moyens de leurs ambitions. Comme les taux d'intérêt restaient peu élevés au regard des promesses des investissements immobiliers ou boursiers, elles n'hésitaient pas non plus à emprunter pour ériger au Japon des bâtiments « intelligents », des terrains de golf et des palaces, ou pour parier sur les marchés. Ces placements étaient d'autant plus judicieux, et la culbute d'autant plus assurée, pensaient-elles, qu'ils leur donnaient parfois droit à des déductions fiscales.

Dans la mégapole internationale de Tokyo, qui n'en finissait pas de s'étendre, la demande de bureaux émanant d'entreprises de toutes origines excédait largement l'offre. Les loyers se négociaient à des tarifs affolants, repoussant les villes nouvelles résidentielles de deuxième et troisième génération dans des zones de plus en plus éloignées des quartiers d'emploi. Sauf à habiter seul la semaine dans un studio situé à proximité de leur lieu de travail, de nombreux pères de famille se virent contraints d'effectuer, matins et soirs, des heures de train. Quant aux « pauvres expatriés européens et américains » dont les employeurs n'avaient pas la même puissance financière que leurs concurrents ou partenaires du cru, ils devaient ainsi souvent se contenter de louer chèrement un cagibi en guise de bureau, à partager à deux. L'emballement spéculatif se répandit de proche en proche dans l'ensemble du pays.

Des bulles dans la tête

Toutefois, de même qu'il eût été faux de limiter la période antérieure de haute croissance à son acception économique, il serait tout autant erroné d'enfermer cette époque dite de *bubaru* – bulle – dans un carcan financier. Là encore, le phénomène débordait largement du champ de la spéculation immobilière et boursière pour envahir tous les secteurs jusqu'à contaminer les esprits. Enragés de *money game* (boursicotage incontrôlé) et hypnotisés par les médias, caisses de résonance de cette nouvelle « culture de la bulle », tous les jeunes rêvaient d'une carrière de *trader* ou de jeune créatif dans la télé, la pub, les magazines en vogue, le divertissement ou l'art. Un plan de carrière à l'opposé de celui de leurs ascendants, ingénieurs, techniciens, chercheurs, ouvriers. Cet idéal paraissait d'autant moins utopique qu'il bénéficiait de l'émergence des nouvelles technologies de l'information et de la communication (NTIC). L'extravagance était générale qui étourdissait les étudiants, auxquels on déroulait le tapis rouge, et les salariés, certes sous pression, mais récompensés de rondelettes primes d'été et de fin d'année. Les firmes, pas seulement les mastodontes, louaient à des tarifs démesurés des salles de banquet dans les luxueux *ryokan* – auberges traditionnelles – et grand hôtels pour les *bonenkai* – fêtes de fin d'année – et autres rassemblements conviviaux d'autocongratulations. Comme dans un sinistre jeu de TV, chacun était invité à ingurgiter jusqu'à plus soif des litres de bière et de saké, à se bâfrer de sushi enveloppés d'algues ornées de dorures, et à entonner un couplet au son du *karaoke* – littéralement « orchestre vide ». Une joyeuse débauche qui confinait parfois à l'orgie. Les plus lucides avaient beau penser *mottainai* – quel gâchis ! –, la plupart ne boudaient pas leur plaisir. Les mêmes, pas dégoûtés, emmenaient le dimanche leur « enfant-roi » unique caresser un lingot d'or de 100 millions de yens (plus de 900 000 euros actuels) exposé dans un salon, objet rare et sacré que le public avait le droit exceptionnel de palper. Du bonheur à l'état pur ! Le succès déconcertant du parc Tokyo Disneyland, inauguré en 1983 et immédiatement devenu le site touristique le plus prisé du Japon, illustre encore, s'il en était besoin, cette quête insensée de féerie infantile.

On est payés cher et on rigole bien

Bien que conscients de la cherté de la vie japonaise – de 30 à 40 % supérieure à celle alors observée dans les grandes capitales européennes –, les citoyens-consommateurs ne protestaient guère. Même si l'instauration d'une taxe sur la valeur ajoutée contribua encore à renchérir les produits, l'appétence des foules nippones était telle qu'elles semblaient prêtes à tout gober, les yeux fermés. Les salaires suivaient. L'extraordinaire goût du luxe, la recherche du haut de gamme et l'amour invétéré pour les marques qui caractérisent toujours les Nippons viennent de cette époque d'exubérance et de richesse. Moi aussi je porte un sac Vuitton, moi aussi je roule en Mercedes, moi aussi je lis l'heure sur une Rolex ! Consommer était aussi une forme d'exutoire pour les *salarymen* épuisés, se tuant à la tâche pour leur entreprise elle-même en plein délire, tant les commandes affluaient. Lorsque l'État japonais adopta en 1987 une loi pour abaisser progressivement à 40 heures la durée hebdomadaire nominale de travail, par paliers successifs de 46, 44 et 42 heures, outre une préoccupation sociale, il avait aussi en tête l'idée de donner davantage le temps aux salariés de fréquenter les boutiques et d'y dépenser leur pécule, ce qu'ils n'avaient guère le loisir de faire en trimant jour et nuit, ou en passant en notes de frais la plupart de leurs débours de repas, sorties et voyages. Certes toutes les entreprises et les commerces pouvaient légitimement arguer de l'augmentation incessante de leurs frais fixes (loyers, équipements, masse salariale) pour justifier leur stratégie de prix, mais nul ne pouvait sincèrement nier les abus entraînés par l'appât du gain et facilités par la crédulité des honnêtes clients. Cartels, abus de position dominante, manigances, profits indus encaissés par les sociétés importatrices qui, bénéficiant de la hausse du yen, ne répercutaient pas la baisse de leurs factures d'approvisionnement sur les étiquettes en rayon, magouilles financières et autres malversations orchestrées sur fond de vide juridique, de collusion, d'habitude ou de bêtise, se faisaient sur le dos des consommateurs. Les gangs de yakusa, syndicats du crime et grands argentiers d'une énorme économie souterraine, ne pouvaient rêver meilleure conjoncture. Le scandale Recruit en 1988, la plus grosse affaire de subornation de cette période, symbolise les dérives de cette époque folle. On ne connaîtra d'ailleurs sans doute jamais l'ampleur exacte de ce délit d'initié sans précédent organisé par les dirigeants de ce groupe d'édition spécialiste des annonces classées, en dépit des dizaines de personnes arrêtées dans les sphères industrielles, administratives, financières et politiques.

Alors, victime myope d'une société décadente, le peuple nippon ? Allons, les travailleurs et consommateurs incorrigibles ne percevaient pas les choses ainsi. Et pour cause, peu importe ce qui se tramait dans leur dos puisqu'on leur donnait les moyens de s'offrir des biens matériels et du paraître.

Chapitre V

1992-2000
LES BULLES ONT FAIT « PSCHITT »
ET LES RÊVES SE SONT ENVOLÉS

Et puis, ce qui devait arriver advint. Entraînée par les premiers succès, la diabolique machine s'emballa, devint incontrôlable, et la société toute entière fut percutée par un sévère retour de manivelle quand la bulle, grosse comme une baudruche, forcément, explosa. Face à l'envolée des prix, la Banque du Japon n'avait eu d'autre solution que de relever soudainement et rapidement son taux d'escompte, faute d'avoir agi plus tôt, quand il était encore temps. Quatre tours de vis successifs en moins d'un an, de mai 1989 à mars 1990, n'ayant pas suffi, l'institution procéda à un cinquième resserrement monétaire en août 1990 qui fut de trop, fatal. Car entre-temps, alors que les bruits de bottes commençaient à retentir dans le golfe Persique, la Bourse, les obligations et l'immobilier avaient déjà dévissé. Les agioteurs avaient fait soudain volte-face pour se mettre à l'abri après le vote d'une loi visant à encadrer plus sévèrement les prêts trop généreusement consentis aux promoteurs et entreprises. Les banques sombrèrent, incapables de recouvrer les fonds accordés.

Changement radical d'ambiance. Hasard des cycles, ce brusque renversement coïncidait presque avec l'entrée dans une nouvelle ère impériale, Heisei – Accomplissement de la paix –, sous le règne d'Akihito, fils de l'empereur Hirohito, décédé en janvier 1989. Adieu Showa et au revoir les profits. L'indice de référence de la Bourse de Tokyo, le Nikkei 225, moyenne non pondérée des deux cent vingt-cinq valeurs vedettes qui avait atteint en 1989 près de 40 000 yens, chuta de 50 % en quelques mois, et dégringola sous les 8 000 points dans les années suivantes. La claque fut douloureuse pour les promoteurs, les courtiers et les gestionnaires de fonds, secteurs à l'origine de la surchauffe spéculative. Guichets fermés de banques aux livres de comptes rougis de noms de créanciers insolvables, rideaux tirés de boutiques, liquidations de PME, bulldozers abandonnés sur des chantiers inachevés, tout symbolisait la déroute, la déconfiture, l'effondrement. Si l'onde de choc mit plusieurs années à heurter tous les milieux, elle n'en épargna aucun. Le remède miracle que l'État prodiguait chaque fois que l'économie montrait des signes d'anémie, la relance des commandes publiques, se révéla cette fois lui aussi totalement inopérant. Pour éviter de trop creuser l'énorme dette publique, l'exécutif fut dans le même temps contraint d'augmenter les impôts. Cette décision aggrava la chute du moral des consommateurs déjà douchés par une déferlante de mauvaises nouvelles amplifiées par des médias, au demeurant peu prompts à faire leur autocritique, en dépit de leur rôle dans l'exacerbation de l'investissement et de l'hyperconsommation.

Le Japon connut alors une véritable descente aux enfers symbolisée par l'apparition dans les couloirs des métros de Shinjuku, le Manhattan de Tokyo, de silhouettes nouvelles : les sans domicile fixe, figures méconnaissables « d'ex-sans difficultés financières ». Coïncidence fâcheuse, c'est précisément au cœur de ce quartier d'affaires central, représentatif des excès de la bulle, que la municipalité venait d'inaugurer son majestueux hôtel de ville, un ostentatoire double gratte-ciel « intelligent » de plusieurs centaines de milliards de yens, dont les deux tours siamoises de 243 mètres toisaient la mégapole. Las, leurs centaines de fenêtres illuminées jetaient soudain une lumière insolente sur les cabanes de carton des *homeless* alignées à ses pieds, logis de *nouveaux* chômeurs, anciens ouvriers du bâtiment tombés de leurs échafaudages, et bientôt rejoints par des milliers d'autres.

La fin des haricots

Les « chers clients », confiance en berne, commencèrent à déserter les boutiques. Leur pouvoir d'achat se rétrécissait, rongé aux deux bouts, en amont par la chute des revenus et la disparition des primes, autrefois généreusement versées par les employeurs, et en aval par les hausses fiscales. La demande intérieure, important levier de croissance qui avait permis aux entreprises de contrebalancer les fluctuations des exportations, se délita. Privées de ce socle amortisseur, les sociétés les plus fragiles s'affaissèrent, et les autres durent finalement mettre en œuvre de violentes restructurations. Le Japon était à son tour pris dans la spirale infernale chômage-récession à laquelle il avait été un des rares pays à avoir échappé après les deux chocs pétroliers de 1973 et 1978. Tout sembla soudain partir à vau-l'eau sous un déluge de drames.

La récolte catastrophique de riz en 1993, engloutie par une calamité naturelle, obligea l'archipel à importer des centaines de tonnes de ce sacro-saint aliment de base en provenance de Thaïlande ou de Chine. Devoir avaler du riz « bourré d'impuretés, impropre au sushi », *dixit* une mère de famille, il n'en fallait pas plus pour finir de tuer l'appétit des gourmets nippons. Et les maîtresses de maison de se décarcasser quotidiennement pour cuisiner tant bien que mal ces grains plus ou moins blancs. Du riz ayant le nom mais pas le goût, il n'accrochait pas plus les baguettes qu'il ne satisfaisait le palais de la famille. Malheur à celles qui n'étaient pas arrivées les premières pour piétiner devant les boutiques et s'y approprier le peu de sacs en stock de vrai bon *kome* 100 % japonais.

Le peuple ne comprenait pas ce qui lui arrivait. Sans repères, il ne pouvait pas même se raccrocher aux discours de ses dirigeants, totalement discrédités pour avoir trempé dans un océan de scandales politico-financiers. En 1993, l'omnipotent Parti libéral démocrate qui régnait sans partage depuis trente-huit ans fut ainsi chassé du pouvoir au profit d'une coalition hétéroclite de sept partis de centre gauche. Las, celle-ci n'était pas, tant s'en fallait, la mieux armée pour remettre le pays d'aplomb, ayant eu bien du mal à donner un sens intelligible à ses inévitables compromis. L'expérience, unique, s'arrêta en 1994 bien avant que le pays ne sorte de l'ornière. Et le PLD reprit sa place, relégitimé par défaut, du fait de l'incapacité avérée de ses rivaux à stopper l'aggravation de la situation à défaut de la redresser.

Tragique loi des séries

Et puis entre temps il y eut Kobe, le 17 janvier 1995. Un impétueux tremblement de terre qui anéantit cette ville de l'Ouest, là où les secousses telluriques de forte magnitude ne devaient en théorie pas arriver, là où moins qu'ailleurs le pays était préparé à une telle violence. Plus de 6 400 morts, des dizaines de milliers d'estropiés, une population traumatisée. Des images horribles s'affichaient sur les écrans : plans larges sur une forêt d'immeubles et de maisons incendiés, services d'urgence débordés, médecins ordonnant de laisser en plan les victimes jugées irrécupérables pour sauver celles qui pouvaient encore l'être, autoroutes aériennes coupées en deux, une moitié écrasée au sol, l'autre, menaçante, miraculeusement en suspension, blessés désorientés soulevant les décombres à la recherche d'un des leurs, survivants entassés dans des gymnases.

Comme si le tribut payé n'était pas assez lourd, suivit quelques semaines plus tard, en mars, l'odieux attentat au gaz sarin, dans le métro de Tokyo, perpétré par Aum Vérité suprême, secte d'obédience bouddhiste dans laquelle s'étaient réfugiés des jeunes diplômés en quête d'une spiritualité que la culture de la bulle avait sacrifiée sur l'autel du marché et des apparences. Bilan : 12 morts, plus de 5 000 personnes intoxiquées. Il y eut enfin une série incompréhensible de sept accidents non maîtrisés dans des installations nucléaires. Monju, 1995 : fuite de sodium, explosion, incendie dans le prototype de ce surrégénérateur nucléaire, un réacteur à neutrons rapides qui devait à l'avenir permettre au Japon de limiter sa dépendance énergétique tout en démontrant sa capacité à domestiquer l'atome. Tokaimura, 1997 : 37 techniciens irradiés dans un centre de retraitement. 1999, Tokaimura encore : un mort et 439 individus contaminés par une réaction nucléaire lors du transfert d'uranium radioactif dans une cuve de décantation d'un centre expérimental. Et pendant ce temps, le yen grimpait, grimpait, handicapant encore plus les industriels nippons. Face à la devise japonaise, le dollar voyait sa valeur fondre. Le billet vert finit par s'échanger au taux inimaginable, catastrophique et terrifiant de seulement 79,75 yens, le 19 avril 1995. Dieu qu'elle était loin l'époque du dollar à 360 yens qui dopait les exportations. Et dire que lorsqu'il chuta à 308 yens, l'on s'effrayait déjà de l'*endaka*. On n'avait rien vu, le pire était désormais là.

En une décennie, la population nippone fut ainsi la cible d'une virulente rafale de catastrophes : crise économique, yen enflammé, remise en cause des acquis sociaux, désastres naturels, attentats, accidents. La situation alentour n'était guère plus réjouissante. L'afflux de capitaux vers des investissements à la rentabilité douteuse à l'origine de la crise financière qui se propagea de la Thaïlande à l'ensemble de l'Asie entre 1997 et 2000 jeta encore de l'huile sur le feu. C'est aussi ce moment que choisit la Corée du Nord pour procéder, en 1998, à un tir expérimental de missile balistique en direction de l'archipel.

Le Japon paye ses excès au centuple

Une fois encore, le Japon se retrouvait défait, terrassé, après avoir été aveuglé par ses succès. Pis, il se sentait lui-même responsable de son sort. Il venait de subir à nouveau les effets pervers des théories gagnantes lorsqu'elles sont utilisées sans discernement. Mais de quoi était en effet victime le pays ? De plusieurs excès : salariés trop nombreux pour des activités qui n'en exigeaient pas tant, investissements spéculatifs inconsidérés, surcroît de liquidités, surcapacité de production. Ses atouts d'hier (main-d'œuvre performante, puissance financière, outils industriels), exploités à l'extrême, s'étaient brutalement transformés en autant de faiblesses, parce qu'ils n'étaient protégés par aucune digue face au changement conjoncturel que peu ont vu venir. Faute de pouvoir prévoir les caprices ravageurs de la nature, les Japonais auraient pourtant dû flairer ce qu'il pouvait en coûter de la démesure et de l'absence de clairvoyance. N'étaient-ce pas les disproportions militaires et politiques qui avaient conduit à un impérialisme meurtrier dans les années 1930-1940 ? N'était-ce pas l'emploi immodéré de ressources énergétiques et chimiques sur fond de productivisme exacerbé et le fonctionnement à plein régime des machines industrielles sans frein ni roue de secours, oublieuses de la nature pendant la haute croissance, qui avaient dégénéré en moult catastrophes écologiques ou sanitaires ? Mais voilà, il était trop tard pour éviter le pire, il était déjà là.

Et toutes les familles de craindre les *resutora*, les restructurations massives. À qui le tour aujourd'hui ? On guettait en claquant des dents les unes du *Nihon Keizai Shimbun* (*Nikkei*), quotidien du milieu des affaires qui, bénéficiant de fuites organisées, annonçait en avant-première les charrettes de licenciements, ultime recours que les entrepreneurs paternalistes avaient pourtant jadis en horreur. Quelques années auparavant, les salariés mouraient d'excès de travail. Désormais, privés de boulot, autant dire d'utilité et de dignité, ils se suicidaient, une manière de sauver l'honneur aux yeux des proches. En 1998, la mort volontaire devint la sixième cause de décès, près de 31 000 individus ayant choisi d'en finir, soit 35 % de plus que l'année précédente, du fait d'une multiplication de suicides d'individus de quarante à cinquante ans, premières victimes des *resutora*. Des chômeurs, qui redoutaient d'être dévalués aux yeux de leurs proches et craignaient le « divorce des restructurations » (nouveau fléau qui décimait les couples), faisaient semblant d'avoir conservé leur trépidante vie d'avant. Ils partaient le matin en costume cravate sombre, attaché-case à la main, et passaient leurs journées à errer dans les rues, les gares, les cafés, les salles de *pachinko*, rentrant le soir, *tadaima* – c'est moi –, soûls comme lorsqu'ils travaillaient. Mais ils buvaient désormais seuls en pleurant la disparition des joyeuses soirées d'ivresse collective entre collègues. L'État avait beau injecter des milliards de yens dans la machine économique pour tenter de réamorcer la pompe à croissance, il ne faisait que creuser la dette publique. Neuf plans de relance, neuf tentatives en vain. Le mal était profond.

Consumée, l'énergie du peuple

Dans cette ambiance délétère, les nouvelles vagues d'étudiants, ceux de la dénommée « génération Y », qui avaient envié leurs aînés insouciants, ne savaient plus à quel saint se vouer. « Seulement » 75 % des diplômés trouvaient désormais un boulot à leur convenance, contre 100 % quelques années plus tôt. L'emploi à vie, le salaire à l'ancienneté, ils n'y croyaient plus, n'en voulaient plus. Puisque le risque de retournement conjoncturel est si grand, autant d'emblée suivre une autre voie, fût-elle synonyme de précarité, et assumer ce choix plutôt que de subir sans défense le lot commun, à la merci de mouvements sporadiques. Ils furent nombreux, désenchantés, à raisonner ainsi ou à accepter le premier job venu. De quelle couleur est l'avenir ? Gris. Qu'avez-vous perdu avec l'explosion de la bulle ? Tout, répondit le père. L'espoir, enchaîna le fils. Jusqu'à quel âge souhaitez-vous vivre ? Cinquante ans. « En 1945, les gens n'avaient pas à manger, mais ils avaient des rêves et de l'énergie à revendre. Comment aujourd'hui retrouver ce goût de se battre, pour atteindre un équilibre idéal ? », s'interrogeaient les nostalgiques de la haute croissance, désabusés. Comment ?

Et le Japon de déplorer soudain le nombre croissant de *freeters*, ces jeunes *jibun rashii* – à ma façon – qui, au sortir des universités, diplôme en poche, optèrent, volontairement ou non, pour une enfilade de petits boulots à temps partiel, sans grande responsabilité, dans les commerces, les services de livraison, et autres secteurs gourmands en main-d'œuvre pas cher payée, vagabonde, renouvelable, peu exigeante mais somme toute efficace. Pis, grand corps malade, la deuxième économie du monde découvrit soudain en son sein des NEET, des *not in education, in employment nor in training*, des jeunes de nulle part, sortis prématurément du circuit scolaire, n'ayant aucune occupation et pas la moindre envie d'en trouver une ni de suivre une formation. Est-ce parce que la société nippone ne se croyait elle-même pas capable de sécréter ce type d'individus hors normes, étrangers à son fonctionnement, qu'elle choisit de les baptiser d'acronymes à consonance américaine ? Durant la bulle économique, le Japon avait toutefois déjà donné naissance à au moins deux autres catégories de marginaux que la société n'a pas pour autant ravalés au rang d'extra-Nippons : les *otaku* (au premier sens péjoratif de ce terme), adolescents bercés d'illusions vivant dans un monde virtuel féerique, et les *hikikomori*, enfants-rois prisonniers d'un amour maternel ultraprotecteur à en devenir destructeur et devenus des adultes incapables d'affronter l'extérieur. Ces êtres, enfermés dans leur passion du jeu vidéo, drogués de technologies ou reclus à tout jamais dans leur chambre familiale comme des mômes, étaient et restent le symptôme d'une société déboussolée.

La deuxième défaite

Au crépuscule du XXᵉ siècle, le Japon en était donc là, à se dire que les dix années passées étaient autant de perdues. Une débandade que d'aucuns appelèrent « la deuxième défaite ». Pourtant, en prenant du recul, en comparant la situation du Japon d'alors à celle des autres pays développés, elle n'était pas si désespérée. On riait encore de bon cœur dans les rues de Shibuya et les restaurants de Ginza. On s'enthousiasmait pour les téléphones portables que tout le monde pouvait enfin s'offrir. Cependant, ce n'était plus avec la même insouciance que durant la décennie précédente. Les Japonais avaient conscience de leur part de responsabilité dans l'enchaînement tragique des faits. Ils avaient trop joué, ils culpabilisaient, même si la froide lecture des chiffres conduit à relativiser. Officiellement, le taux de chômage n'a en effet jamais dépassé les 5 % entre 1990 et 2000. Durant la même période, le pays enregistra même plusieurs accès ponctuels de croissance qui permirent au produit intérieur brut annuel de passer de 430 000 milliards de yens à 513 200 milliards, soit une progression de 19,3 % en dix ans, en dépit de plusieurs trimestres de recul. Avec l'ouverture du World Wide Web, des nouvelles entreprises et activités, notamment dans le secteur des technologies de l'information et de la communication, étaient nées, qui redonnaient espoir. À vrai dire, les années les pires furent celles du début de la décennie suivante, 2001 et 2002, où le

Japon subit comme tous les pays l'explosion de la bulle Internet et les répercussions dramatiques des attentats terroristes du 11 septembre 2001 aux États-Unis. Le produit intérieur brut reflua alors en deçà de la barre symbolique des 500 000 milliards de yens en 2002, sous son niveau de 1998. De même, c'est en 2002 que le taux de chômage atteignit sont plus haut niveau, à 5,4 % de la population active, à l'instar des crimes et délits fertilisés par la dépression générale et l'appauvrissement d'une partie de la population. Alors que les événements festifs internationaux, comme les JO de 1964 à Tokyo ou l'Exposition universelle d'Osaka en 1970, avaient constitué des boosters socio-économiques, la Coupe du monde de football, coorganisée par le Japon et la Corée du Sud en 2002, fut quasiment sans effets. Tout juste offrit-elle quelques moments de liesse populaire, pour oublier, le temps d'un match, le marasme ambiant. Pour les Nippons habitués au dynamisme économique sur fond de plein emploi et accordant une immense valeur au travail, sans lequel on se sent, en tant qu'homme du moins, une plaie sociale, la situation était synonyme de naufrage. Le pays, qui ne se faisait pas au rythme nouveau « deux pas en avant, un pas en arrière », était ainsi profondément déstabilisé. Et ce dans un monde en plein chambardement, la guerre froide ayant laissé la place à de nouvelles formes d'affrontements politiques et religieux, sur fond de domination américaine, de terrorisme et de « choc des civilisations ». La population nippone se sentit soudain d'autant plus accablée que ses voisins asiatiques continuaient de la sommer de se repentir pour son passé colonialiste. Le terreau était donc pour le moins fertile pour faire ressortir du bois les vieux démons et refleurir les discours nationalistes destinés à rasséréner le peuple. L'élection au poste de gouverneur de Tokyo de l'écrivain de droite Shintaro Ishihara en 1999, l'auteur du *Japon sans complexes*, sous-titré *Un Japon qui sait dire non*, s'inscrivait dans ce besoin de retrouver son identité, un point d'ancrage solide, une assurance que tout n'est pas perdu, qu'il existe encore une base stable sur laquelle reconstruire. Ce patriote bon teint, qui n'a pas sa langue dans sa poche, surtout vis-à-vis des Américains, fut reconduit sans trop de peine dans ses fonctions en 2003, 2007 et 2011, quelques semaines après le désastre du 11 mars.

Chapitre VI

2001-2011
Nouveau départ raté

Le théâtre Koizumi

L'arrivée au pouvoir en 2001 du truculent Junichiro Koizumi s'inscrivit dans ce même besoin de reprendre pied, même si sa désignation comme Premier ministre ne marquait pas un profond changement politique, l'homme appartenant au Parti libéral démocrate (PLD) comme la quasi-intégralité de sa vingtaine de prédécesseurs depuis 1955. Mais le profil atypique de ce *dai fan* – inconditionnel – d'Elvis Presley, que d'aucuns ont vite qualifié de national-populiste, fit souffler un vent nouveau apte à regonfler le moral des troupes.

Soutenu par les puissants milieux s'affaires et orné d'une cote de popularité de 87 %, son premier cabinet avait sur le papier la légitimité requise pour donner un grand coup de balai dans les structures poussiéreuses et mitées du PLD hanté par une armada de vieux nantis ronchons, dégraisser l'administration, faire le tri dans les services publics (*exit* la poste et les autoroutes), éponger les déficits du secteur financier noyé dans une mare de créances pourries, et pour lancer de nouveaux grands projets industriels. Passé le pic de frayeurs planétaires liées à la crise asiatique, aux attaques du 11 septembre 2001 et à l'explosion de la bulle Internet mondiale, le Japon reprit ainsi le chemin de la croissance. Bien que la popularité du rusé, télégénique, pugnace, anti-conformiste et imprévisible Koizumi ait amplement varié au gré de ses actions, plébiscitées ou controversées (envoi de troupes en Irak dans le sillage de l'armée américaine, pèlerinages annuels au sanctuaire patriotique Yasukuni, visite inopinée en Corée du Nord), il put néanmoins sereinement laisser les rênes du pays en septembre 2006 sans être chassé par les électeurs. Ces derniers lui ont en effet offert quelques mois auparavant une majorité historique à la Chambre basse pour achever son mandat. L'homme plaisait aux médias dont il maîtrisait les ficelles : phrases courtes percutantes, répliques bien senties, une pointe d'humour vache, faciles à caser au montage, du travail de « pro de la com », recordman des passages à la TV. « Don Quichotte » et charmeur, il salua l'assistance avec panache, au grand regret de ses poulains, les *Koizumi children* soudain orphelins. S'il put se féliciter d'avoir contribué au redressement démontré du secteur bancaire (laminé dans les années 1990 par le poids des créances non recouvrables), il laissa néanmoins quelques cadavres dans les placards (accroissement des inégalités sociales et régionales, dislocation des liens sociaux) et une pile de dossiers malicieusement mis de côté durant son long gouvernement (réforme fiscale, pérennisation du système de retraite, etc.). Autant de problèmes dans lesquels se débattent ses successeurs, quand ils ne s'y noient pas.

Le regain de vigueur observé entre 2002 et 2008 n'était toutefois sans doute pas tant le résultat de mesures gouvernementales *stricto sensu*, même si elles ont accompagné une nouvelle quête intense d'innovation, que l'aboutissement de la stratégie des entreprises. C'est une fois de plus par le truchement de ces dernières que le Japon s'est extrait un temps de sa plus grave crise systémique depuis la Seconde Guerre mondiale, sans pour autant crier victoire. Rétrospectivement, la soi-disant « décennie perdue » ne l'a pas été sur tous les plans, loin s'en faut. Les inévitables restructurations industrielles se sont certes effectuées dans la douleur, mais elles ont permis un indispensable assainissement, lequel n'était cependant pas achevé. Les grosses entreprises, victimes d'égarements dans des champs déconnectés de leur cœur de métier, se sont en grande partie recentrées sur leur domaine de compétences. Les mégabanques, issues de la fusion de plusieurs établissements rescapés de la bulle, sont devenues très prudentes et font désormais état de comptes propres. Elles sont parmi les rares qui n'ont que modérément été affectées par la crise des prêts hypothécaires à risque (*subprimes*) partie des États-Unis mi-2007 pour se propager ensuite à la quasi-intégralité des institutions financières occidentales. Par ailleurs, de nouveaux produits, activités, secteurs et vastes marchés ont émergé durant les années noires et ont fortement prospéré depuis, grâce à la constance des budgets de recherche et développement, y compris durant les années de basses eaux. C'est entre autres le cas des terminaux et services de télécommunications mobiles, des téléviseurs à écran plat, des circuits intégrés à large échelle, des DVD de nouvelle génération, et de multiples autres innovations dont la plupart des ferments technologiques ont pris corps dans les laboratoires de groupes japonais dans la décennie perdue, avant de trouver des débouchés massifs à l'échelle mondiale. Le train du progrès technique *made in Japan* ne s'est donc pas arrêté en marche à la fin du XXe siècle, au contraire, il a pris un élan nouveau pour amorcer le XXIe siècle.

Éphémère reprise

En 2007, la reprise entamée en 2002 semblait se consolider, grâce aux investissements des entreprises et à leur santé financière recouvrée. Le taux de chômage était redescendu à un niveau inférieur à 4 %, pas encore son étiage, mais pas loin. Les remontées ponctuelles de 0,1 ou 0,2 point de pourcentage observées ensuite résultaient le plus souvent du retour dans les statistiques de personnes qui n'étaient plus comptabilisées dans la population active, mais qui se remettaient soudain à la recherche d'un emploi, percevant de bonnes chances d'en trouver un. Tel était par exemple le cas de femmes qui avaient abandonné un poste et toute prospection après avoir fait et élevé des enfants, ou de jeunes marginalisés qui décidaient de prendre enfin part à la vie sociale.

Pour autant, et bien que les statistiques macroéconomiques aient pris une tournure globalement positive début 2008, beaucoup de Japonais n'osaient pas être trop ouvertement optimistes, compte tenu de nombreuses incertitudes pesant sur la conjoncture mondiale. Ils faisaient la moue devant les chiffres délivrés chaque jour par le gouvernement et les médias. Échaudés et circonspects vis-à-vis de la vision parfois peu éclairée de l'État (lequel n'avait vu la bulle que lorsqu'elle lui explosa au visage), les citoyens eurent raison de douter : la crise économique mondiale fin 2008 et la récession qui s'ensuivit le leur ont hélas prouvé. Ils étaient d'autant moins rassurés que leur fiche de salaire ne reflètait pas toujours la remontée du baromètre économique national, voyant surtout les frais auxquels ils devaient faire quotidiennement face, se montrant soucieux pour l'avenir de leurs enfants, s'inquiétant pour leurs vieux jours. Ils peinent en outre toujours à évaluer objectivement leur situation par rapport à celles de leurs homologues étrangers qui envieraient pourtant volontiers leur niveau de vie. Sans être déclinologues, ils ont ainsi tendance à accorder davantage de crédibilité aux prévisions pessimistes qu'à une réalité économique même quand elle est plutôt bonne. Ils sont, il est vrai, fortement incités à noircir le tableau par une multitude d'ouvrages et reportages qui dépeignent une société japonaise menacée de toutes parts par le vieillissement, par le creusement des inégalités, par la mondialisation, par la rapidité folle des évolutions technologiques, par la puissance d'ambitieux voisins asiatiques, par l'émergence de nouveaux fléaux, par la corruption, par l'insécurité, par les risques industriels, alimentaires, ou naturels. Le terrible séisme de magnitude 9 au large du nord-est de l'archipel le 11 mars 2011, suivi d'un tsunami gigantesque de plus 15 mètres et d'un accident nucléaire à la centrale Fukushima Daiichi (N° 1), a hélas apporté une preuve supplémentaire du danger permanent auquel est exposé le Japon et du risque qu'on encourt à l'oublier.

Le raisonnement par le doute est peut-être pour les Japonais l'un des enseignements majeurs du demi-siècle passé, la certitude ayant, comme on l'a vu, conduit aux catastrophes. Mais poussé trop loin, il peut aussi devenir un frein à la nécessaire confiance des citoyens et travailleurs pour surmonter le nouveau coup dur infligé par la débandade économique internationale fin 2008 et par le désastre naturel de 2011.

Dans ce contexte où les mauvaises influences extérieures se cumulent aux faiblesses intérieures, on en vient à se demander ce qui pourrait bien redonner aux Japonais l'envie de faire des enfants et la capacité de transmettre aux jeunes générations l'état d'esprit combatif et collectif qui prévalait après-guerre. Le défi actuel du Japon est de trouver sa juste place en Asie et dans le monde en estimant au plus juste ses forces et faiblesses et en reconnaissant honnêtement celles des autres. Cet exercice est d'autant plus difficile que l'archipel doit tenir compte, à l'instar de toute nation, de la marche du monde alentour, alors même que sa prééminence s'affaiblit. Faute de pouvoir s'appuyer sur une population certes encore importante (127 millions d'âmes) mais vieillissante, déclinante et nettement inférieure à celle de la Chine, des États-Unis ou de l'Union européenne, le Japon peut néanmoins faire valoir la qualité de cette dernière. Il peut utiliser ses valeurs, son expérience, ses connaissances et ses avancées pour influer sur la marche du monde. Encore faut-il pour cela que les méthodes et techniques employées ici soient présentées ailleurs pour qu'elles puissent servir, sinon de modèles universels, du moins de sources de réflexion ou d'inspiration. Or, le plus souvent, les Japonais omettent de parler de pratiques et choses vitales pour eux (le respect des anciens, la ponctualité, le travail d'équipe, la conscience professionnelle, le sens de l'honneur et du devoir, le civisme, le service, la politesse, la confiance, l'inventivité, les commerces ouverts sans relâche, la sécurité…). Ils l'oublient parce qu'ils estiment tout bonnement que cela est tellement basique, relève tellement du minimum pour bien vivre en collectivité, qu'il en va forcément de même dans tout pays civilisé. Erreur. Grave erreur. Qui réside sur l'archipel et mesure chaque jour combien tout y est commode, astucieusement conçu, bien organisé, propre, efficace, ne peut en effet que rêver de trouver un même cadre de vie sécurisant ailleurs. « Le Japon est le seul pays où les sèche-mains dans les toilettes sèchent », s'émerveillait récemment un homme d'affaires qui sillonne le monde en permanence. Une image qui vaut pour tant d'aspects tangibles ou immatériels méconnus à l'étranger.

Deuxième partie

UNE SOCIÉTÉ RIGIDE.
CONVENTIONS HÉRITÉES DU PASSÉ
ET CONTRAINTES NATURELLES
FORCENT LE RESPECT

Introduction

FASCINANT PARCE QU'INCOMPRÉHENSIBLE

Dépaysé, paumé, surpris, fasciné, incrédule, déstabilisé, énervé. Tels sont les mots qui viennent immédiatement à la bouche de ceux qui, aujourd'hui et pour la première fois, posent les pieds au Japon et le regard sur cette drôle de société. Les enseignes en kanji – idéogrammes – insensées, les annonces sibyllines serinées en japonais par des voix féminines au timbre haut si particulier, forgé par la structure de la langue, l'immensité des lieux, leur diversité, la densité de la population peu bigarrée, la promiscuité dans les transports, le goût âcre du saké, les odeurs de poisson dans les rues encombrées de Tokyo : tous les sens et habitudes occidentaux sont d'emblée perturbés. Mais on a beau résider sur l'archipel depuis des années, les premières sensations sont perpétuellement renouvelées par des phénomènes inédits.

On présente souvent le Japon comme le pays qui sait conjuguer plus que d'autres ses traditions et la modernité. Cela est juste. On remarquera pourtant que ce trait caractéristique du pays du Soleil-Levant et de ses habitants ne ressort pas explicitement des précédents chapitres. Implicitement, il est néanmoins présent partout. La référence permanente au passé découle directement d'une vénération des anciens et de la conviction subséquente que la création *ex nihilo* est illusoire. Toute construction (physique ou spirituelle), quelle qu'elle soit, ne tient debout que parce qu'elle s'appuie sur des fondations solides, éprouvées, entretenues, enrichies et améliorées au fil du temps, au gré des innovations, par apports successifs, dans un but : repousser les limites du possible, viser l'idéal. Lorsqu'un temple est démoli, volontairement ou sous les assauts d'une nature indomptable autant qu'impitoyable, il sera rebâti à l'identique, avec le meilleur des techniques du moment, par nécessité, et par défi aussi. Et même s'il n'est parfois que symbolique, le clin d'œil au passé est rarement absent. Les *mansions*, appartements modernes, regorgeant de technologies, conservent néanmoins un *genkan*, entrée spécifiquement conçue pour se déchausser, geste obligatoire avant de monter la marche qui le sépare des pièces principales. Le premier coup de pioche pour la construction d'une usine de semi-conducteurs peuplée de robots enfermés dans des salles blanches, hermétiques, sera symboliquement donné lors d'une cérémonie shinto censée chasser les mauvais esprits. Les écoliers apprennent à compter avec un boulier *via* un programme sur console de jeux vidéo portable de dernière génération qui les guide et les corrige.

La nouveauté ne se justifie que relativement à un existant et dans l'esprit nippon elle est forcément synonyme de mieux, d'où une quête incessante d'optimisation plus que de découverte fondamentale pour se rapprocher de la perfection de façon asymptotique par petites touches, tout en se ménageant toujours une marge de progrès. Ce socle de pensée se matérialise dans la plupart des développements industriels et technologiques, ce qui a d'ailleurs hélas valu aux Japonais le qualificatif péjoratif de copieurs, opposé, par raccourci facile, à celui jugé à l'extérieur plus valorisant d'inventeurs. Développeurs ou accoucheurs seraient sans doute les termes idoines. Les Japonais sont en outre des as de la « japonisation » : ils n'imitent pas, ils construisent ou refont tout à partir de briques acquises en vrac ou assemblées selon un ordre initial qu'ils ne conserveront pas parce qu'il ne convient pas ou présente des lacunes voire des défauts patents. Ils démontent tout (les technologies, les concepts, les théories, les mots), autopsient, corrigent et refaçonnent à leur manière. Si bien qu'au bout du compte, la mouture nippone, bien plus adaptée aux exigences locales, n'a plus rien à voir avec la version originale, y compris pour des expressions étrangères entrées dans la langue japonaise et devenues méconnaissables.

Quoi qu'il en soit, il ne se passe pas une journée sans qu'un événement inattendu ne surgisse qui rappelle ce mélange, cette approche qui déroute l'immigré en terre nippone, sème le trouble dans son esprit, suscite le questionnement, sans signes avant-coureurs, comme une secousse tellurique. Qui est aux aguets se repaît de ces imprévus, de ces logiques particulières qui interdisent les certitudes et attisent la réflexion, voire la perplexité. Car le Japon est le royaume des surprises. Ce ne sont souvent que de petits faits, de petits gestes, de petites attitudes, de petits mots, de petites scènes, de petits constats, de petits riens en somme, mais qui pourtant en disent long sur cette civilisation pétrie de paradoxes, singulière et fière de l'être.

Nul besoin de s'évertuer à débusquer les bizarreries, elles sont là, sautent aux yeux. Le spectacle des villes, à commencer par les scènes inopinées observables dans la gigantesque capitale Tokyo, abonde en étrangetés, en anachronismes et autres antagonismes criants. Un homme habillé de pancartes planté des heures durant au pied d'une gare, devant un gigantesque écran vidéo publicitaire : deux époques qui cohabitent. Une quinquagénaire en kimono, ventre serré dans son obi, tabi et geta aux pieds, éventail dans une main, téléphone portable multimédia dernier cri dans l'autre : *idem*. Une pharmacie qui vend des cigarettes et de la bière, cherchez l'erreur. Un crève-la-faim sans domicile fixe assis par terre, n'ayant rien de consistant à se mettre sous la dent, mais dévorant des yeux son minitéléviseur en couleur. Un sanctuaire shinto ou une petite masure de bois coincés entre deux buildings de verre tout juste sortis de terre. Des trains à lévitation électromagnétique (Maglev) expérimentaux filant à près de 600 kilomètres à l'heure sur des voies sans rails au fin fond de la campagne, *versus* des passages à niveau au mécanisme sans âge en plein centre de la capitale. Des vendeurs vêtus de vestes traditionnelles de marchands d'antan faisant l'article des derniers appareils numériques dans les hypermarchés de l'électronique. Le passé dans le présent, le poison dilué dans l'antidote, le confort de la modernité dans le dénuement, la tradition fondue dans la high-tech tout cela d'un seul tenant. Le théâtre des contrastes multiformes ne se joue pas qu'en surface, par le fait du hasard. Il est dans les têtes et savamment recherché. Les Nippons maîtrisent à merveille l'art de l'entrechoc visuel, sonore, tactile ou même gustatif et olfactif, traduction pour le regard, l'ouïe, la peau, le palais ou le nez d'une ambivalence plus profonde, ancrée dans la création et l'esprit japonais. Quand le compositeur Ryuchi Sakamoto mêle des accords de sanshin – guitares à trois cordes de l'île d'Okinawa – et les voix des chanteuses du folklore local aux sons synthétiques pseudo-aléatoires de ses machines, il mixe deux époques, fusionne deux sonorités, celle naturelle, analogique, ancestrale, unique, régionale et l'autre artificielle, numérique, irréelle, futuriste, universelle. Quand l'architecte Tadao Ando diffuse des chants d'oiseaux *via* un dispositif high-tech dans le complexe commercial de béton et de verre Omotesando Hills au cœur du quartier chic éponyme de la capitale, il enferme d'infimes éléments impalpables, invisibles, dans de massives structures en dur, tangibles. Quand un fabricant de furoshiki – carré de tissu servant depuis des siècles à emballer et transporter toutes sortes d'objets – emploie un tissu *technique* totalement imperméable issu des plus innovants matériaux de synthèse aux motifs d'autrefois, il tisse un lien entre usages traditionnels, images d'avant, progrès industriel et style de vie actuel. Lorsqu'un opérateur de services de télécommunications cellulaires veut séduire une clientèle raffinée, il habille ses terminaux de laque et de motifs dans la plus pure tradition picturale japonaise, donnant à ces condensés de hautes technologies une allure de boîtes et autres accessoires anciens.

Chapitre VII

LES VALEURS FONDAMENTALES

Japonais et fiers de l'être

Si les Japonais continuent de cultiver avec fierté et de façon ostentatoire leur ambivalence, c'est qu'elle est pour eux l'essence même de leur unicité revendiquée, une protection. Dire à un Japonais qu'il est asiatique, et par là même assimilable à ses voisins d'Extrême-Orient avec lequel il partage pourtant, pour des raisons géographiques, anthropologiques et historiques, nombre de traits communs, le fait tiquer. Les Japonais ne se sentent pas asiatiques, ils sont d'abord japonais et mettent un point d'honneur à exposer leurs différences.

L'étranger au Japon fait un bond salutaire lorsqu'il a compris que toute certitude y est un mirage, sans cesse susceptible d'être brutalement volatilisée. D'où une troublante fascination pour ce pays, qui s'amplifie de jour en jour, parfois chahutée par un accès de rejet, parce que la tâche paraît insurmontable, les codes indéchiffrables. Comprendre le Japon, c'est comme en apprendre la langue. Il se trouvera toujours une personne, qui, même dans une situation des plus banales, vous fera trébucher, vous posera une question en employant des termes et une formulation que vous entendrez pour la première fois, et qui de fait vous laissera bouche bée, vos convictions et votre fierté anéanties.

On dira que de tels faits ne sont pas propres à la civilisation de l'archipel. Des découvertes, le baroudeur en fait à chaque pas, où qu'il se rende, pour peu que ses sens soient en éveil. Certes, mais ici, la mesure est différente, le dépaysement est au Japon plus marquant que dans tout autre pays développé, les attitudes moins aisément explicables, les phénomènes de société inconnus ailleurs ou plus flagrants et de plus grande ampleur. On ne peut vivre bien dans la société nippone en conservant des façons de faire apportées dans ses bagages. Il faut se « japoniser », suffisamment pour gagner la confiance, mais ne pas se « tatamiser », autrement dit ne pas se croire japonais, pour ne pas susciter la méfiance.

Tous les industriels étrangers qui collaborent avec les autochtones le confirmeront. Nouer des relations d'affaires avec les interlocuteurs nippons est beaucoup plus compliqué, codifié et contraignant que dans toute autre puissance économique. Les formalités y sont innombrables, interminables, singulières et partant déroutantes, voire consternantes à l'aune d'une mondialisation galopante qui tend à standardiser les procédures et réglementations. Mais passer outre ces impératifs est une erreur fatale, sans retour. Ne réussissent progressivement au Japon que ceux qui acceptent et respectent scrupuleusement sans les juger les codes locaux en vigueur qui de toute façon résistent aux coups de boutoirs des *gaijin*, fussent-ils légitimes. Il faut y consacrer beaucoup de temps, se résigner parfois à des pratiques rigides qui semblent surannées, ridicules, futiles, inutiles, infantiles ou pis, handicapantes, mais qui dans les faits sont incontournables, y compris pour les Japonais eux-mêmes. D'où nombre d'échecs cuisants de groupes étrangers et le bien-fondé d'une flopée d'ouvrages de conseils sur l'art et la manière du « business au Japon ». Les licencieux prétentieux n'ont pas leur place ici, quelle que soit leur richesse ou la longueur de leur *curriculum vitæ*. Un ex-dirigeant d'Olympus, de nationalité britannique, en a fait l'amère expérience. Propulsé au poste de PDG exécutif du groupe nippon début 2011 après avoir bien réussi en tant que patron de la filiale européenne, il fut chassé à l'unanimité des membres du conseil d'administration six mois plus tard. Motif officiel : divergences de vue avec le reste de la direction. « Il décidait seul de la conduite de l'entreprise et n'a pas réussi à surpasser la barrière culturelle », a regretté le président honoraire qui avait pourtant placé sa confiance en ce quinquagénaire étranger. La vérité est cependant que le Britannique en question a semé la pagaille en dénonçant des malversations financières commises par ses prédécesseurs et en rompant la loi du silence, laquelle sert aussi parfois de socle de cohésion. »

Si l'archipel a réussi à plusieurs reprises à vaincre les antagonismes, à bouter hors de ses frontières l'envahisseur, à endiguer les attaques de la vilaine nature tout en la révérant, à se reconstruire, à hisser de façon prodigieuse le niveau de vie de ses habitants, c'est d'abord et avant tout en puisant dans le tréfonds de sa culture et de ses valeurs héritées de sa très longue et tumultueuse histoire. Perdurent en effet au Japon des normes morales et un état d'esprit qui constituent une des raisons majeures de l'aptitude maintes fois démontrée du pays du Soleil-Levant à se relever des plus terribles épreuves. Ces caractéristiques essentielles ont pour noms : ponctualité, solidarité, politesse, civisme, courage, abnégation, sens du devoir et d'une utilité individuelle, respect, fidélité. Ce ne sont pas des mots inscrits au fronton des bâtiments publics, mais des pratiques réelles que l'on vérifie chaque jour. Et si elles apparaissent immédiatement si inouïes, éclatantes et déterminantes aux yeux des immigrés en terre nippone, c'est peut-être tout simplement qu'elles ont disparu dans leur propre pays, si tant est qu'elles y aient un jour réellement existé.

Au nom des conventions

Les conventions sociales japonaises, en famille, en amitié ou en affaires, ancrées dans la plupart des esprits, et qui pour certaines puisent leurs sources dans le code d'honneur des samouraïs ou autre bréviaire fondateur, ne se transmettent pas dans les foyers, à l'école ou dans l'entreprise par simple souci ou orgueil de faire vivre le passé dans le présent, mais parce qu'elles ont, aux yeux des autochtones, prouvé leur efficacité ou leur légitimité sur le plan sociétal, économique ou culturel, ou parce que des facteurs matériels (surpopulation des villes, séismes et autres fréquentes catastrophes naturelles) les rendent absolument indispensables. C'est aussi entre autres grâce à ces conventions fondamentales de vie, enseignées dès le plus jeune âge, que la paix sociale semble au Japon moins menacée que dans les autres nations développées, que tout y paraît si lisse, si propre, si tranquille, si serein, si sûr, fût-ce parfois au prix d'une certaine hypocrisie, laquelle permet d'éviter les bisbilles, les querelles idiotes. C'est encore grâce à ces vertus entretenues que le Japon innove sans cesse, qu'il parvient à développer des secteurs d'activité inexistants ailleurs, qu'il conçoit des produits et services massivement adoptés sans équivalent à l'étranger.

Toutefois, les pressions extérieures de plus en plus fortes commencent à secouer ces structures mentales, mettant en péril ces valeurs, au risque de provoquer des réactions défensives excessives (nationalisme, protectionnisme jusqu'au-boutiste). Si bien que faire le tri entre ce qui doit être défendu *mordicus*, voire exporté, et ce qui au contraire devrait être mâtiné d'apports externes pertinents est sans doute la tâche la plus ardue du moment. Le Japon sait qu'il doit davantage s'ouvrir aux autres mais il craint de se laisser submerger par des dangers venus d'outre-mer et de laisser ainsi lesdites valeurs et traditions se noyer dans un océan ouvert à tous les vents. Ce risque est de fait d'autant plus réel qu'est forte la tendance des étrangers à juger hâtivement la société japonaise sur la base de statistiques ou d'articles de presse qui masquent, volontairement ou non, la complexité du contexte local, sans prendre le temps d'en analyser les règles sociales, les spécificités culturelles et les contraintes matérielles.

Insondables et ambivalents

D'emblée visibles dans les objets ou les paysages, les contrastes de la société japonaise sont tout aussi perceptibles dans les tempéraments, les manières de dire et façons de faire des habitants.

Les Nippons sont à la fois ponctuels et patients, respectueux mais un brin hypocrites, humbles et fiers en même temps, débonnaires mais suspicieux, solidaires mais impitoyables avec les déviants, fidèles mais un peu rancuniers, réservés mais extravagants, adeptes des concepts futuristes mais intransigeants avec les rites anciens, matérialistes mais philanthropes, bon vivant mais un tant soit peu dépourvus d'humour, magnanimes mais pas galants, moutonniers mais singuliers… Ces traits de caractères « lumières/ombres », « visage/masque », « dehors/à la maison », « modernité/ traditions », sont d'autant plus remarquables qu'ils sont quasiment généralisés et se rencontrent à maintes occasions. Pressions fortes d'un côté et soupapes de l'autre, ils constituent les conditions *sine qua non* de l'harmonie sociale dans un pays où l'essentiel de la population est concentrée sur moins d'un cinquième d'un territoire accidenté cerné de mers, en grande partie inhabitable, en proie à d'abominables désastres récurrents et dont la surface ne dépasse par les deux tiers de la France. Dans un tel contexte, sans respect des autres, des biens publics, des procédures, ou de choses aussi triviales que l'heure, la société deviendrait vite ingérable et la vie insupportable. De même que le développement du pays et de ses habitants n'aurait pas connu la même ampleur sans ces piliers moraux et sociaux essentiels, son potentiel s'en trouverait durement affecté s'ils venaient à s'affaiblir ou disparaître, qu'ils soient rongés de l'intérieur ou malmenés par des éléments externes de plus en plus influents. La société japonaise est certes extrêmement exigeante vis-à-vis de chacun de ses membres, mais elle leur offre en retour un cadre protecteur gage d'harmonie. Signe qui ne trompe pas, le kanji qui se pronnonce *wa* ou *yawa* – union, concorde, apaisement – désigne aussi ce qui est exclusivement d'essence nippone : *washoku* (cuisine japonaise), *wagakki* (instruments de musique japonais), *washitsu* (pièce de maison de style japonais), *washi* (papier japonais), *washiki* (de type japonais), etc.

Ponctualité obligatoire

Les Japonais s'ingénient à prévoir, exècrent le hasard et maudissent le laisser-aller. Ils veulent anticiper et maîtriser tout ce qui peut l'être, à commencer par le temps. Dans nul autre pays que le Japon, le strict respect de l'échéance promise, de l'horaire annoncé n'est à ce point érigé en principe. Sauf cas de force majeure, il ne souffre guère d'exception. Son inobservance signifie d'emblée un manque d'égard vis-à-vis d'autrui de très mauvais augure. Fatale, elle ne pourrait conduire à aucune relation de confiance, laquelle est un élément nécessaire, mais non suffisant, en affaires comme dans la vie amicale et intime. La cohésion sociale en dépend.

La précision temporelle nippone est littéralement ahurissante pour qui vient d'un pays comme la France où le contraire est presque devenu un mode de vie. Une réunion commence à l'instant convenu et se termine à l'heure prévue. Arriver trop en avance à un rendez-vous est tout autant inconvenant que le contraire. Les stars japonaises ne se distinguent pas du commun des mortels, soumises aux mêmes impératifs. Un concert débutera toujours au moment dit, à la minute près. Il s'achèvera avec la même exactitude. Les éventuels rappels semblent avoir été par avance pris en compte, minutés. Pas de fausse note, nulle part. Il en va de même pour les innombrables événements privés et publics. Le maître de cérémonie est un chef d'orchestre qui scande le rythme imposé par la partition. Il scrute sa montre avant de prendre la parole. Pendulette bien en vue sur le pupitre, quels que soient les orateurs, tous mettent un point d'honneur à conclure un discours exactement dans le temps imparti, quitte à en rogner un morceau. On voudrait parfois les prendre en défaut. Mais non, ils ont ce don de débuter et de finir pile. On guette l'écart, en vain. On en vient même à s'offrir une montre à quartz *made in Japan* cadencée à la fraction de seconde près par un système de réception de signaux hertziens calés sur des horloges atomiques pour être bien sûr de soi. Rien à faire, on les dirait nés avec une horloge dans la tête.

L'obligation vaut en privé. Si une dizaine d'amis se sont donné rendez-vous un samedi soir à 18 heures 30 à la gare de Shibuya, point tokyoïte traditionnel de rencontre, tous débouleront au même moment des différentes sorties de cette immense station ferroviaire, noyés dans un flux humain incessant, comme s'ils avaient calculé très précisément dans quelle rame ils devaient grimper pour être bien certains de se présenter à l'heure dite. Que l'un d'eux affiche une minute de décalage et il a toutes les chances d'entendre son téléphone mobile lui rappeler son incartade. Pas de pitié pour les retardataires. Le fait est d'ailleurs qu'il est très facile de s'organiser puisque tous les outils existent pour ce faire. Les horaires des métros et trains sont préannoncés et parfaitement respectés, à moins qu'un impondérable, tremblement de terre, typhon, accident, suicide sur la ligne, vienne casser le tempo. Mais, même dans ces cas de figure, tout sera promptement mis en œuvre pour minimiser les délais et surtout alerter avec force excuses les usagers. Ainsi, dans toutes les gares, sur toutes les voies, des panneaux détaillent-ils l'état du trafic. Des écrans indiquent dans les wagons les problèmes rencontrés à tel ou tel endroit sur les diverses lignes pour informer en temps réel les voyageurs. L'assistant du conducteur, posté dans la voiture de queue, veille à la bonne marche, chronomètre en main. Que le train ait pris un peu d'avance, et il patientera le temps nécessaire à un arrêt, non sans que le préposé explique au micro qu'il est désolé de faire attendre les passagers dix ou vingt secondes à quai. Que la rame accuse du retard, elle le rattrapera en route, le plus rapidement possible. Le train à grande vitesse Tokaïdo Shinkansen qui relie Tokyo à Osaka *via* Nagoya à raison de quelque trois cents rames par jour affiche un écart moyen de trente secondes sur l'ensemble de l'année, en dépit des facteurs exceptionnels et récurrents que sont les séismes, précipitations et vents violents. Sur les lignes *intra-muros* de Tokyo les horaires sont définis à la seconde près, tout intervalle non respecté pouvant se traduire par une phénoménale réaction en chaîne sur l'ensemble du trafic et pénaliser immédiatement des centaines de milliers de passagers. Les transporteurs aériens nippons sont de même réputés pour être les plus ponctuels du monde. De fait, si les compagnies se laissaient aller aux mêmes variations aléatoires que la plupart de leurs homologues étrangères, elles seraient indubitablement contraintes de réduire le nombre de liaisons proposées, tant les créneaux sont serrés et les aéroports saturés. Impossible. La possession désormais quasi générale des téléphones portables constitue en outre un nouveau moyen idéal de prévision et d'information. Les mobiles intègrent des logiciels qui permettent de calculer un temps de parcours de bout en bout en empruntant successivement divers modes de locomotion. Tous les paramètres sont pris en compte pour calculer l'ensemble (vitesse de marche à pied, changements, distance à parcourir dans les couloirs aux correspondances, météo). Les compagnies ou autres fournisseurs de services proposent des fonctions d'alerte instantanée sur mobile. Chacun définit au préalable le type d'annonce qu'il souhaite recevoir en fonction des lignes qu'il a coutume d'emprunter. Le matin, les journaux d'information à la télévision et à la radio sont systématiquement ponctués de flashs réguliers consacrés à l'état du trafic ferroviaire détaillant tous les éventuels imprévus sur les lignes *intra-muros*, régionales ou longue distance pour permettre à chacun de réorganiser en temps voulu son planning et de prendre les dispositions nécessaires vis-à-vis d'autrui.

Lorsqu'une boutique prétend fermer à 22 heures, il est encore loisible d'y entrer à 21 heures 59 et 55 secondes, sans se faire refouler par un vigile menaçant, pressé d'en finir et de regagner son lit. Inutile qu'il se hâte, lui aussi a tout prévu, il sait à quelle heure et dans quel train il montera avec la certitude de ne pas le rater. Les caissiers ne seront pas moins aimables à la clôture que deux heures auparavant.

La fiabilité des grilles de télévision est elle aussi proprement stupéfiante. Le téléspectateur peut programmer son magnétoscope sans marge de précaution. La première note du générique du journal de 23 heures retentit à la même seconde que le bip horaire d'une montre asservie à l'horloge parlante.

La poste livre un colis, le destinataire n'est pas là ? Qu'à cela ne tienne. Le facteur lui laisse un avis dans sa boîte aux lettres, avec toutes les instructions pour lui permettre de programmer par téléphone, Internet ou site mobile, une nouvelle date et heure de passage. Le livreur reviendra tout exprès dans le laps de temps choisi, dimanches et fêtes compris. « *Omataseitashimashita* » – « je vous ai fait attendre » – est la première chose qu'il dira au destinataire, en se courbant. Les anniversaires, les grands événements annuels sont de même religieusement observés. Les citoyens apportent leurs cartes de vœux à la poste dans des sacs en plastique pleins à craquer le 30 ou le 31 décembre. Elles seront remises à qui de droit le 1er janvier, même si ce jour est férié. Le nouvel an au Japon, c'est sacré.

Sans respect horaire, pas d'affaires

Que dire de cette ponctualité quasi obsessionnelle sinon qu'elle facilite la vie et permet à l'ensemble de tourner rond, même si elle est pour chacun extrêmement astreignante. L'exactitude est un gage permanent de fiabilité et partant de confiance. L'organisation personnelle de l'un n'est pas à la merci du laisser-aller des autres. Qu'un malappris casse le rythme, et la machine déraillerait, intolérable. L'improvisation, synonyme de « bordel » dans l'esprit japonais, est détestée, exclue. Chacun est tenu de prévoir, de se prémunir et de prévenir. Il peut bien sûr arriver qu'une tuile perturbe l'agenda, mais tout devra alors être tenté par le fautif ou la première victime pour minimiser les répercussions sur les autres et pour resynchroniser l'ensemble. Dans l'incroyable collection de livres de savoir-vivre destinés aux salariés, les recommandations sur ce point sont sans équivoque : « Même si vous avez ne serait-ce qu'une minute de retard, prévenez immédiatement votre interlocuteur. Après lui avoir demandé de vous excuser, expliquez-lui sincèrement les raisons de ce délai et l'heure exacte à laquelle vous arriverez au lieu de rendez-vous. Une fois sur place, excusez-vous de nouveau. Si d'aventure la rencontre est annulée à cause de votre inconduite, envoyez dès le jour même ou le lendemain un courrier pour vous faire pardonner ce manque d'égard. » De même est-il ordonné d'indiquer lors de la prise de rendez-vous la durée de ce dernier, et surtout de s'y tenir le moment venu. La règle concernant les horaires de travail est explicitée : on arrive dix minutes avant pour avoir le temps de poser ses affaires et de se préparer, l'heure fixée par l'employeur étant celle à laquelle on commence effectivement à œuvrer, pas celle à laquelle on franchit la porte. À l'inverse, le soir, on ne se sauve pas en courant dès que sonne la fin de service, mais cinq minutes après, le temps de ranger ses effets personnels et outils de travail, d'enfiler son manteau et de saluer ses collègues en s'excusant de partir, non sans avoir eu la délicatesse de s'assurer auparavant qu'aucun n'a besoin d'aide, auquel cas… on reste !

Ces manuels de bonnes manières, que toute jeune recrue qui se respecte est tenue de connaître par cœur et d'appliquer à la lettre, ne sont jamais qu'une version moderne du code d'honneur des samouraïs, plus concret encore : « Si vous lambinez en buvant votre thé, fumant du tabac ou bavardant en famille, et que vous sortez en retard de chez vous pour rejoindre le poste que vous devez occuper, vous êtes soudain obligé de vous hâter, et vous courez à votre poste tout en sueur. Vous vous éventez même en hiver. Vous pouvez toujours essayer d'en sourire et prétexter que vous aviez une affaire urgente à régler. Ce serait stupide. Personne ne doit attirer l'attention sur lui par ses retards, quel que soit le motif invoqué. » Ne pas se faire remarquer, ne pas se distinguer du lot, ne pas être le grain de sable dans l'engrenage, tel est le point clé et l'élément commun des règles de la vie au Japon. Plus de neuf jeunes Japonais sur dix considèrent que la première obligation pour entretenir l'amitié n'est autre que la ponctualité. En dépit pourtant de cet impératif, qui vit au Japon a l'impression d'être moins assujetti au temps qu'en France. Pourquoi ? Eh bien parce qu'en dehors de l'obligation de ponctualité, existe une malléabilité horaire structurelle qui permet de s'organiser sans souci et de faire presque n'importe quoi à toute heure. Cela tient essentiellement au simple fait que de nombreuses boutiques sont ouvertes tous les jours y compris les journées fériées, et pour certaines d'entre elles même 24 heures sur 24, au fait que les fréquences des transports sont démesurément élevées, et à bien d'autres aspects pratiques qui libèrent des préoccupations logistiques dont on souffre en France.

Sacro-sainte synchronisation

L'exigence de respect temporel résulte quant à elle de la très forte interdépendance existant entre les membres de la société japonaise structurée en une multitude de groupes. Comme pour toute chaîne, la force résultante est égale à celle du maillon le plus faible. Chacun, partie unitaire d'un ou plusieurs ensembles, se doit d'éviter en permanence d'être l'élément qui grippe la machine. C'est ici que l'impératif d'avancer au même pas cadencé rejoint la notion de respect des autres, de solidarité, de rôle personnel au sein d'une communauté à responsabilité partagée. Il ne s'agit pas d'aller le plus vite possible, mais de fonctionner de façon synchrone et de savoir parfaitement évaluer la durée optimale nécessaire à une action, quelle qu'elle soit. La vitesse du groupe est déterminée par divers paramètres permettant de mener à bien une tâche de façon efficiente en un temps minimal après avoir éliminé un à un tous les obstacles et freins potentiels. À l'échelle industrielle cela aboutit à la méthode du *just in time* et du *kaizen* – amélioration – théorisée et mise en œuvre par le groupe Toyota. Ce n'est pas un hasard non plus si les Japonais ont été les premiers à mettre au point des montres à quartz, en 1969. Cet objet, merveille de précision qui concentre au poignet la bagatelle de trois cents composants dans trois centimètres carrés, a permis à l'époque de ramener la dérive journalière du mouvement à une demi-seconde contre plus de deux ou trois minutes pour les mécanismes antérieurs.

Stupéfiante longanimité

Cette ponctualité signifie-t-elle pour autant qu'on n'attend jamais au Japon ? Non, au contraire, la vie nippone dans les cités surpeuplées oblige très souvent à faire la queue, devant les boutiques, les restaurants, les musées, à la banque, à la mairie… Mais outre le fait qu'ils soient ponctuels, les Japonais sont aussi, presque paradoxalement, doués d'une troublante patience. Ils sont capables de camper plusieurs nuits devant une boutique pour s'offrir la dernière console de jeux le jour même de sa mise en vente, de faire le planton une demi-journée sous la pluie sur un trottoir pour acheter un billet de loterie, de sacrifier les trois quarts d'un dimanche en famille pour apercevoir durant quelques secondes un objet exceptionnel dans un musée ou une bête rare dans un zoo, de supporter des crampes à l'estomac pendant plusieurs heures pour pouvoir déguster des sushi dans un lieu réputé, de faire le pied de grue à une caisse de supérette à l'heure du déjeuner quand ces magasins multiservices sont pris d'assaut par les *salarymen* affamés.

On ne surprendra généralement personne, hormis un étranger, tenter de grignoter des places pour grappiller quelques minutes. C'est que tout est le plus souvent parfaitement organisé pour minimiser l'attente et éviter que d'aucuns ne succombent à cette envie pressante. Chacun sait en effet *grosso modo* combien de temps il devra patienter, sagement, à sa place, un facteur psychologique qui annule l'angoisse. La mesure est donnée par des panneaux actualisés ou des indications plutôt fiables portées sur un ticket numéroté dispensé par un distributeur, un équipement ultra-fréquent y compris dans la salle d'attente d'un médecin. Même lorsque la durée de faction excède trois heures, rares sont ceux qui renoncent. Là encore, il s'agit de ne pas se distinguer. Alors ils sortent un livre de leur sac, extirpent leur téléphone mobile ou leur console de jeux de leur poche, s'occupent les mains et l'esprit, ou s'assoupissent, et laissent ainsi passer le temps, sereinement, sans rouspéter, sans montrer le moindre signe d'agacement ni consulter nerveusement leur montre toutes les deux minutes en trépignant.

Cette faculté de prendre son mal en patience se révèle sous d'autres formes, y compris à l'ère du toujours plus vite, des réseaux mobiles omniprésents et des fibres optiques.

Alors que les Européens supportent difficilement de devoir saisir plus d'une centaine de caractères avec le clavier minuscule de leur portable, les « technophiles » Japonais préfèrent souvent leur sacro-saint *keitai* – mobile – à un confortable ordinateur pour rédiger de longs courriers électroniques, tant à des fins personnelles que professionnelles. Se retrouvent ici justement mêlés l'impératif de ponctualité et la vertu de la patience. Le mobile, que la plupart ont en permanence sur eux, toujours prêt à l'emploi, constitue en effet de loin le meilleur moyen pour réagir à temps, répondre *illico* à un contact, nonobstant l'étroitesse des terminaux cellulaires et l'obligation d'enchaîner les incontournables formules rédactionnelles de politesse pour les courriels professionnels.

Peuple de pinailleurs peureux ?

Extrêmement pointilleux sur l'heure, les Japonais sont également d'une manière générale très attachés à l'exactitude et à l'affût du moindre défaut. Tous les détails comptent. Un Occidental a vite fait de qualifier les Nippons de « coupeurs de cheveux en quatre dans le sens de l'épaisseur », tant ils sont maniaques. Les sociétés étrangères qui parviennent à exporter des produits sur l'archipel peuvent en témoigner. Un article qui ne respecte pas *stricto sensu* le cahier des charges archiprécis imposé dès le départ est immédiatement renvoyé à l'expéditeur. Si le contrat passé avec un producteur de légumes prévoit que les melons, les tomates ou les concombres doivent faire tel diamètre et/ou telle longueur, ceux qui sortent du calibrage sont refoulés. Pourquoi ? Eh bien parce qu'ils risquent de causer des difficultés en aval : ne pas rentrer dans les cagettes et les sachets prévus pour les emballer en rayon, par exemple. Ils sont de plus souvent vendus à l'unité à un prix unique fixé à la pièce et non au poids, ce qui suppose qu'ils soient tous identiques à très peu de chose près. Le client n'a pas à faire le tri. C'est le job des fournisseurs. De fait, un producteur qui réussit à passer l'examen d'entrée au pays du Soleil-Levant, et à s'y maintenir, n'a aucun souci à se faire pour écouler sa marchandise partout dans le monde, tant les contraintes multiples exigées par les Japonais dépassent largement les critères en vigueur ailleurs, qu'il s'agisse des échéanciers, de l'étiquetage, des normes de sécurité, des quantités et de la qualité. Cela explique en partie pourquoi nombre d'articles et marques non japonais sont absents des rayons nippons et pourquoi les Japonais fabriquent de tout : on n'est jamais mieux servi que par soi-même. D'où les accusations de protectionnisme qui sont sans cesse proférées à l'égard des autorités. Que le Japon défende de la sorte ses industries est certes un fait incontestable, mais si tous les fournisseurs étrangers étaient parfaitement irréprochables sur le plan du respect des contrats et des réglementations, la plainte serait davantage recevable. L'objectif des autorités est avant tout de garantir la sécurité des consommateurs lesquels considèrent que c'est là le devoir premier de l'État. On pourrait dire que leur liberté de choix est amputée puisqu'ils doivent se contenter d'une offre limitée à une sélection préliminaire (très large au demeurant), mais en contrepartie, leur sécurité est censée être garantie, et le plus souvent elle l'est. La fermeture du marché aux fournisseurs étrangers est une conséquence de cette exigence, pas son prime objectif. Habitués à vivre dans une société protectrice où la méfiance est annihilée, les citoyens estiment qu'ils doivent pouvoir acheter en se fiant aux étiquettes et aux dires du marchand, que ce qui leur est proposé ne les expose pas à des déconvenues voire à des dangers. Ainsi les commerçants japonais sont-ils parfois perçus comme des vendeurs pas bien malins par leurs homologues étrangers, car ils préfèrent déconseiller un produit à un client s'ils pressentent un problème potentiel ou détectent une anomalie. Ils refusent par exemple de laisser un touriste repartir avec un appareil japonais s'ils n'ont pas la certitude que l'usage dans son pays d'origine est possible et autorisé. Dans les boutiques de vêtements, si le caissier remarque au dernier moment un léger accroc sur l'exemplaire choisi par le client, il va s'empresser d'aller en chercher un autre, irréprochable, en stock.

Protégés et téléguidés

Les Japonais ont en effet en toute circonstance besoin d'être rassurés, encadrés, guidés. Ils détestent l'incertitude, ont la hantise de gaffer et apprécient d'être tenus pas la main, quitte à être carrément infantilisés. La présence d'écriteaux partout et les instructions vocales à tout bout de champ peuvent aussi s'expliquer par cette nécessité de se sentir en lieu sûr, pas dans la jungle. Le parcours est toujours fléché. La chaussée est couverte de signes : des lignes, des croix (carrefour à quatre directions), des pointillés, des T renversés (rue latérale), et même des mots écrits en énormes caractères à l'approche d'un croisement dangereux *tomare* – arrêtez-vous ! Les trottoirs sont incrustés de dalles jaunes à relief pour les non-voyants. Les travaux publics, fréquents et souvent effectués de nuit, sont toujours entourés de balises clignotantes et surveillés par un régiment d'agents de sécurité armés de bâtons lumineux pour indiquer tous les dix mètres aux piétons, cyclistes et automobilistes le chemin à suivre. Aux embouchures aveugles des parkings de grands magasins, deux ou trois gardiens, sifflet au bec, gèrent l'alternance entre les entrées/sorties de voitures et le flux de passants. Sur les quais de métro, des marques au sol indiquent précisément le point de départ et l'orientation des files indiennes pour que les usagers qui patientent à un endroit ne gênent pas ceux qui circulent sur le quai. Dans les rames, les noms des stations sont non seulement affichés sur des écrans mais aussi annoncés vocalement. « Des places prioritaires se trouvent aux extrémités des wagons, merci de les laisser aux personnes âgées, aux invalides ou aux femmes enceintes », « veuillez ne pas téléphoner à bord des trains, cela dérange vos voisins », « mettez votre mobile en mode vibreur », « coupez-le près des emplacements prioritaires où s'assoient aussi les personnes portant un pacemaker », le déluge d'annonces dans les transports publics est une réponse des compagnies aux souhaits des passagers. Lorsqu'elles en réduisent le nombre, ils protestent. Rien ne va sans dire, tout va toujours mieux en le disant, en le répétant même.

Les distributeurs de billets de banque, tout comme les automates de vente de billets de train et métro, parlent, un avatar virtuel de guichetier faisant des courbettes numériques sur l'écran en signe d'accueil et de remerciements. Devant les escaliers mécaniques et tapis roulants, les passants sont mis en garde par une voix, plus ou moins douce, venue des côtés ou du plafond, pour éviter qu'ils ne s'étalent à l'entrée ou butent à la sortie. Lorsqu'a lieu un événement public de grande ampleur (feux d'artifice en été, expositions, salons, concerts, mise en vente d'un produit nouveau très attendu, soldes…), des dizaines d'employés des transports et le personnel recruté pour l'occasion canalisent la foule dès les stations de métro et gares avoisinantes jusqu'à l'entrée, à raison d'un gars au moins tous les décamètres, généralement vêtu d'un uniforme surmonté de brassards, portant un panneau et hurlant inlassablement la même consigne dans un haut-parleur : « Mesdames messieurs, c'est par ici, merci de suivre les indications. » Le même manège se reproduit quelques heures plus tard, en sens inverse, à la sortie.

L'accompagnement généralisé, quelle qu'en soit la forme, tout comme le message immédiat dans les métros et trains à la moindre anomalie (retard, attente prolongée), vise à éviter toute inquiétude inutile. Le terme *fuan* – instabilité, insécurité, précarité – fait frémir les citoyens. Un rien les angoisse. Ils souhaitent pouvoir agir en totale confiance. Ils préfèrent qu'une autorité supérieure décide pour eux et leur indique le chemin à suivre. Ils attendent d'un chef qu'il les rassure en permanence, qu'il lève leur angoisse, d'où des propos lénifiants d'hommes politiques, qui, aux oreilles des étrangers résonnent comme une langue de bois, mais sont censés apaiser l'âme nippone. Les traduire mot pour mot aboutit à des aberrations : « J'ai causé du souci aux citoyens, je demande pardon du fond du cœur et promets de tout faire pour rétablir l'ordre », se repent ainsi un Premier ministre japonais en butte à des difficultés ou ayant échoué à mener à bien un projet.

Toute relation repose également sur le désir de confiance, selon des règles implicites que même un étranger parfaitement japonophone ne peut saisir. Si le soupçon existe, les portes se ferment. Faire sauter un à un tous les verrous exige du temps. Mais lorsque le lien se noue, qu'un contrat est signé, que l'amitié naît, c'est de façon ferme et durable, sauf trahison, auquel cas, pas de pitié. En retour des efforts à consentir sans relâche, les Japonais offrent une fidélité et une loyauté sans failles. Reste qu'ils ne sont pas à l'abri d'une erreur de jugement. Habitués à être maternés et à avoir affaire à des commerçants et autres interlocuteurs nippons généralement honnêtes, ils finissent par développer une certaine crédulité qui leur joue de vilains tours, par exemple lors de leurs séjours à l'étranger, particulièrement dans les pays où le « système D » est devenu la règle. Car bien que pétris de bon sens, les Japonais ne sont pas débrouillards ni roublards. Ils deviennent alors à leur corps défendant des proies de choix pour les arnaqueurs ricanant : « Sur le front des Nippons est écrit pigeon. »

Humbles et respectueux

La ponctualité, la patience, la confiance et la fidélité sont en outre intrinsèquement liées à une notion générale d'obligations envers les autres, d'entraide, de respect dû à autrui, aux supérieurs, aux parents, aux enseignants et à la société dans son ensemble.

Les Japonais ont gardé un sens très fort du devoir, de la hiérarchie dans les entreprises et d'obéissance au sein de la famille ou à l'école. Ils se présentent d'abord en tant que membres d'une entité, plus qu'en tant qu'individus. D'où le rite immuable d'échange des cartes de visite avant d'entamer la moindre discussion. Cette tradition permet à chacun de se situer par rapport à l'autre pour adopter le degré de langage et l'attitude adéquats en fonction de son interlocuteur. La relation de subordination se lit dans les attitudes et s'entend dans les conversations. Quel que soit le thème d'un dialogue, on distingue ainsi immédiatement le niveau relatif de chacun, variable au gré des situations. Les mots et les gestes ne sont pas les mêmes selon que l'on parle de soi et de son groupe ou que l'on en réfère à un membre extérieur. Dans le premier cas, les formules sont porteuses d'humilité tendant à minimiser l'action ou celui qui s'exprime, dans le second elles marquent le respect et valorisent l'interlocuteur, ou l'un des siens, sauf si le rang de ce dernier est nettement inférieur. Un Nippon évoque lui-même et ses proches en termes peu amènes : il se qualifie de bon à rien tout comme sa garde rapprochée, loge toujours dans un taudis, ne possède que des biens de piètre valeur, alors que l'autre est forcément doué d'une intelligence surhumaine, vêtu comme un prince, réside dans un palace, ne réalise que des merveilles et mérite donc une déférence absolue. Mais plus on se montre humble, plus on peut être intérieurement fier de soi, de sa capacité à être aussi empli de bons sentiments, sans pérorer. Seules les entreprises osent la vantardise quand il s'agit de promouvoir un produit, en se gardant toutefois bien d'appuyer leur argumentaire sur le dénigrement du concurrent, une méthode considérée comme déloyale.

S'il est un lieu où le rapport de maître à serviteur atteint des sommets, c'est assurément dans les commerces et services. Un vendeur ou un serveur de restaurant doit toujours s'afficher d'égale bonne humeur, à la totale disposition du client-roi, ne pas le contrarier ni le contredire, y compris s'il a face à lui un individu d'une évidente mauvaise foi. Toute personne qui a fait l'honneur à une boutique d'y entrer sera remerciée, qu'elle achète ou non. Peu importe que le commerçant ait passé une heure à déballer en vain la moitié du stock pour essayer de satisfaire l'envie d'un chaland enquiquinant. En bon serviteur, le préposé s'excusera même platement s'il a échoué à sa mission de combler le client, en sera tout penaud, rejetant la faute sur lui-même, remettant en cause ses compétences. Et s'il est parvenu à mener à bien une vente, en toute sincérité, il en sera profondément reconnaissant à l'acheteur, lui emballera ses produits avec un indescriptible perfectionnisme, l'accompagnera jusque sur le trottoir en multipliant les gestes de remerciements jusqu'à se courber plusieurs fois. Pourquoi ? Parce que « c'est la consigne ».

Des allumeurs de réverbères ?

Les Nippons font ainsi penser parfois à l'allumeur de réverbères du *Petit Prince* de Saint-Exupéry, sur la cinquième planète. Comme lui, en débarquant ici en provenance de la quatrième planète, celle du businessman sérieux, un vieux monsieur cramoisi qui n'arrête pas de dénombrer et recompter, on peine d'abord à s'expliquer à quoi servent ces armadas d'employés, dans les magasins, dans les cafés, dans les banques, chez le dentiste, dans les cinémas, bref partout, juste payés pour répéter *irraishaimasse* – bienvenue – à l'entrée, *arigato gozaimashita* – merci – à la sortie, comme l'allumeur de réverbères, « bonjour », « bonsoir ». « Y a rien à comprendre, la consigne c'est la consigne. Bonsoir. » L'un donne le *la* et tous les autres, comme en écho, entonnent en chœur les mêmes mots. Rôle rempli, rite respecté, c'est la consigne, elle est gravée, et partout elle est observée. Cette rengaine permanente, chantée à chaque fois qu'un client pénètre dans les lieux ou s'en éloigne, est certes un signe de politesse, mais n'est-elle pas futile tant elle apparaît systématique et machinale ? Et comme le Petit Prince, l'étranger de s'interroger. Peut-être bien que ces gens sont absurdes, se questionne-t-il, peu habitué à bénéficier d'un tel dévouement. Puis finalement, il finira pas trouver cela agréable, et tout bien réfléchi, en conclura que c'est là une occupation « vraiment très utile puisque très jolie », saluer les gens avec respect, leur sourire, les conseiller, les aider, les remercier, quelle que soit leur attitude. Connaissez-vous d'autres pays au monde, par les temps qui courent, où l'on accepte de rémunérer à temps plein des préposés à la courtoisie, maîtres ès courbettes dans les commerces ? Les *cost-killers* du monde entier y verraient d'emblée des activités superflues à sabrer sans délai. Mais au Japon, où (lien de cause à effet ?) le chômage plafonne à moins de 5 % de la population active, la consigne n'a pas changé, la tradition est conservée, où que vous mettiez les pieds, *irrashaimasse* à l'entrée, *arigato gozaimashita* à la sortie. Les statisticiens dans leurs bureaux au bout du monde pointent du doigt une faible productivité dans les services nippons. Aucun ne semble pourtant se demander quelle proportion de clients reviennent justement parce qu'ils ont été si bien traités, et quel est l'impact positif de la présence de ces employés sur le chiffre d'affaires de leur entreprise et sur l'économie du pays, et ce même s'il ne produisent que du bien-être immatériel et difficilement quantifiable. Et les mêmes experts en chiffres d'être tout autant horrifiés de constater que dans les firmes japonaises le ratio d'ordinateurs rapporté aux effectifs des entreprises de services est bien inférieur à celui mesuré dans les autres pays développés. Mais diantre, que feraient d'un PC ces personnels d'accueil sur le pas de porte des boutiques, sinon y enfouir leurs yeux, et leur humanité. Les rapports des organisations économiques sont certes pour la plupart rédigés par d'excellents spécialistes des comparaisons internationales chiffrées, mais toutes ces compilations de données sont hélas biaisées du simple fait qu'elles ne sont que trop rarement pondérées par l'observation *de visu* de la réalité qu'elles sont pourtant censées refléter. Le risque existe hélas que les Japonais, qui aiment jauger et transcrire en nombres tout ce qui peut potentiellement l'être, finissent par croire que les statisticiens ont diablement raison et qu'il faut bien vite appliquer leurs préceptes. Car les Nippons admettent difficilement de ne pas figurer dans le « top 10 » des hit-parades en tout genre qu'ils ne sont d'ailleurs pas les derniers à établir et à scruter à la loupe. L'État, les entreprises, les écoles, les individus se fixent en permanence des objectifs chiffrés et s'efforcent de les atteindre, ce qui en soi n'est pas critiquable. Mais ils ne supportent pas les écarts entre la valeur visée et le résultat constaté, ils traquent la perfection et ne cessent de se comparer aux autres sur la base de statistiques qui malheureusement peuvent toujours être interprétées de plusieurs façons. Or dans certains cas, les chiffres seuls ne sont pas signifiants et une lecture déconnectée de leur contexte conduit facilement à des décisions bureaucratiques aberrantes. Dans le cas présent, fort heureusement, les Japonais semblent davantage être à la recherche d'une combine pour améliorer la productivité de leur secteur tertiaire sans en dégrader la qualité de service. Et jusqu'à nouvel ordre, même si la planète de l'allumeur de réverbères tourne de plus en plus vite, que son travail en devient à première vue insensé, la consigne n'a pas été révisée : il allume la nuit venue, il éteint la nuit partie. *Irrashaimasse* à l'entrée, *arigato gozaimashita* à la sortie. « Celui-là, se dit le Petit Prince, serait méprisé par tous les autres », comme les Japonais par les étrangers, dévisagés avec condescendance pour leur afféterie supposée, « mais c'est le seul qui a ses yeux ne lui paraît pas ridicule, peut-être parce qu'il s'occupe d'autre chose que de lui-même ». *Irrashaimasse* à l'entrée, *arigato gozaimashita* à la sortie, c'est utile, parce que la confiance, la bonne ambiance, la satisfaction et la sécurité s'ensuivent. Cette charmante obséquiosité, même si elle est parfois dépourvue de sincérité et confine au réflexe pavlovien, est finalement préférable, et de loin, aux incivilités égoïstes qui sévissent dans nombre d'autres contrées. Bien sûr, il ne faut pas se méprendre : chacun ne fait que tenir son rôle, avec plus ou moins de sincérité. Mais c'est la règle du jeu et tous s'y conforment. Peu importe l'éventuelle hypocrisie qu'elle cache, cette bienséance est la gardienne de la tranquillité. Pas de polémique, chacun est prié de ravaler sa mauvaise humeur et ses frustrations, de laisser ses soucis au vestiaire, de faire comme il se doit, même si la tentation peut parfois être forte de sortir du cadre imposé ou de remettre en cause le bien-fondé d'un mode d'action.

Esprit d'équipe

Il ne s'agit pas pour chacun de se laisser passivement porter par le groupe, mais au contraire de l'aider à révéler sa puissance, à cultiver sa spécificité, et à protéger son honneur en accomplissant parfaitement sa tâche tout en restant à sa place dans une structure fortement hiérarchisée. La valeur de l'équipe résulte de la combinaison d'individualités consciencieuses qui visent un but commun dans un esprit d'entraide. L'appartenance à un groupe et les devoirs qui l'accompagnent est sans cesse rappelée à qui serait tenté de jouer « perso ». Elle se matérialise entre autres par le port de l'uniforme dans les sociétés et dans les écoles privées, les séances de gymnastique, le passage en revue des troupes le matin, l'obligation de participer aux activités collectives (fêtes de fin d'année, pique-nique dans un parc sous les cerisiers en fleurs au printemps), la pause déjeuner au son de la clochette à la même heure pour tous, et les fréquents dîners arrosés entre collègues. L'homogénéité et l'appartenance à un ensemble partageant les mêmes codes, valeurs, méthodes et objectifs se lisent aussi dans l'existence d'hymnes d'entreprise que l'on entonne à diverses occasions.

Chacun efface d'une certaine manière ses traits différenciateurs pour jouer un rôle au nom d'une entité dans laquelle il se fond et dont il engage personnellement l'honneur et la responsabilité du simple fait qu'il en revêt le logo et les couleurs.

Même dans les sociétés les plus avant-gardistes de secteurs ultra-high-tech, comme les firmes de jeux vidéo (Nintendo) ou de services de télécommunications mobiles (NTT DoCoMo), ces traditions ont la vie dure, laissant de marbre leurs salariés étrangers qui pensaient ces pratiques éculées et réservées aux veilles maisons. L'individualisme qui pousserait à la division et menacerait l'édifice est découragé. Les décisions sont prises de façon consensuelle (ce qui ne veut pas dire transparente) et chacun est prié de s'y plier en mettant son orgueil sous le boisseau. Ce faisant, il bénéficie à la fois de la reconnaissance et de la protection du groupe. Si la réussite est collective, l'erreur l'est aussi, à condition pour chacun de ne pas sortir du cadre imparti. Passé le long temps consacré aux *giron* – débats – vient celui des *giri* – devoirs. Ce qui signifie qu'en s'en tenant à son rôle, ni plus, ni moins, chaque individu peut revendiquer une part de responsabilité dans l'accomplissement d'un objectif mais aussi refuser de porter seul le chapeau en cas de fiasco. Les lampistes ne trinquent pas. Ce sont les chefs, responsables de leurs subordonnés, qui démissionnent ou se suicident, reconnaissant ainsi qu'ils ont échoué dans leur mission de diriger leurs équipes. Il ne s'agit pas là d'une autopunition consécutive à un autojugement, mais le dernier rôle que la société attend d'une personne qui a failli dans sa fonction. La protection, en échange de l'acceptation de devoirs, et la paix sociale qui en résulte sont assurément les facteurs qui conduisent la plupart des Japonais à accepter de sacrifier un pan de leur personnalité et de leur liberté d'agir ou de dire sur l'autel du bien commun à un ensemble déterminé. Un individu se fond dans une fonction, laquelle est relative, dépendant du contexte (entreprise, famille, association, etc.). De fait, celui qui tente de passer outre ses obligations s'expose aux reproches, voire au bannissement et au déshonneur, et celui qui a l'audace d'exprimer à l'extérieur, hors des débats internes au groupe, sa pensée individuelle en s'écartant de celle adoptée collectivement risque d'en être exclu. À lui alors de recouvrer sa place en adoptant l'attitude qui sied dans ce cas, laquelle peut aller jusqu'à un geste définitif : le renoncement à la vie.

Peur de gaffer

Il en résulte pour les autochtones une réelle difficulté à émettre un avis personnel, renforcée par la crainte de heurter la susceptibilité d'autrui. Ils se positionnent par rapport à leur interlocuteur du moment, n'osent pas contredire, par respect, et rechignent à s'affirmer hors d'un environnement clos et connu où ils se sentent en sûreté, et encore. Même avec les récents outils d'expression anonymes et virtuels offerts par Internet, les Japonais ne changent pas leurs habitudes, la réticence à s'engager ouvertement demeure. Ainsi aux « blogs » individuels où l'on milite, où l'on affirme ses opinions, les internautes nippons préfèrent les réseaux communautaires circonscrits, autrement appelés, en anglais dans le texte, *Social Network Services* ou SNS. Plutôt que d'étaler leur vie intérieure et réflexions sur Internet au vu et au su de tout le monde et de n'importe qui, beaucoup de Japonais réservent ainsi leurs états d'âme, photos et vidéos privées à quelques personnes préalablement sélectionnées membres d'une tribu fermée. Autrement dit, hormis des « exhibitionnistes » qui font plus ou moins commerce de leur intimité, ils sont nombreux à s'exprimer uniquement sur des plates-formes de blogs et réseaux communautaires sur cooptation. Ces lieux sont aux sites personnels et communautaires traditionnels ce que les bars privés sont aux débits de boissons, on n'y est admis que sur présentation et invitation du propriétaire ou d'un membre, non sans avoir à donner son identité et des gages d'honnêteté à l'entrée. Le fait que l'accès à ces réseaux soit restreint à des visiteurs choisis ne signifie pas qu'on n'y trouve pas l'équivalent de « blogs/journaux intimes » ou autres types de sites très personnels. Simplement, tout le monde ne peut pas venir les lire, seulement ceux que l'auteur a conviés. Si les Japonais préfèrent le milieu clos des *Social Network Services* aux sites et « blogs » ouverts de la Toile, c'est pour la bonne et simple raison qu'ils le jugent plus convivial et plus sûr. On est entre personnes de bonne compagnie, on n'y croise que des gens connus (au moins virtuellement) en qui on a toute confiance, et non des hordes d'imposteurs qui viennent distiller leur propagande nauséabonde ou semer la pagaille d'une manière ou d'une autre. Et ce même si au Japon les participants des forums et autres lieux immatériels d'échange de vues semblent un peu plus civilisés que ceux que l'on rencontre hélas souvent ailleurs. Reflets de la société réelle ?

Performante gestuelle et zeste d'élégance

Outre l'acceptation pleine et entière de décisions collectives, la mise en sommeil du « je » se traduit aussi par l'adoption de pratiques communes standardisées. La généralisation des processus vise à garantir une homogénéité, par exemple dans la qualité de la fabrication d'un produit ou dans les prestations d'une firme. L'aléa personnel, le facteur humain, considérés comme une menace, doivent à tout prix être évités. Dans tout domaine, pour tout acte, et depuis des siècles, les Japonais sont persuadés qu'il existe une façon d'agir optimale dépourvue de gestes inutiles, économe en temps et en énergie, pour atteindre le résultat escompté. Qui plus est, elle doit ajouter l'élégance à la performance. Élaborer petit à petit des procédés (souvent appelés des *kata*) qui minimisent les efforts et produisent les effets maximaux est une véritable spécialité nippone qui se retrouve aussi dans les disciplines artistiques (cérémonie du thé, arts martiaux, wadaiko – percussions japonaises), dans les techniques industrielles pour le façonnage de produits ou dans la manière d'offrir un service. Nul ne saurait, par fierté ou sous prétexte qu'il croit sa propre méthode meilleure, s'affranchir de principes avalisés en amont. Ceux retenus par le groupe, ou par la direction dont le rôle est de trancher, sont censés être les plus sûrs et les plus efficaces. Il ne faut toutefois pas en conclure hâtivement que les modèles sont irréfutables et à jamais figés, ou que les individus n'ont pas leur mot à dire. Au contraire, dans chaque cas, la pratique est, par petites touches ajoutées, sans cesse corrigée. Toutes les idées, d'où qu'elles viennent, sont bienvenues. Ne seront en revanche approuvées et mises en application, au terme de longs conciliabules, que celles qui se révèlent collectivement bénéfiques après une multitude d'examens comparatifs probants. Il est inexact de dire que les Japonais ne sont pas créatifs, comme on le lit parfois, mais ils le sont davantage en équipe qu'individuellement. Toute construction s'élabore par émulation et s'enrichit par l'apport continu d'idées déversées dans le pot commun et de solutions adoptées par consensus si tant est qu'elles soient jugées valables. Lorsqu'à l'issue d'une minutieuse observation, le procédé idoine est entériné, tout le monde est forcé de l'appliquer mais est aussi invité à proposer des améliorations supplémentaires. Les astuces nouvelles qui permettent une optimisation peuvent venir de n'importe quel membre du groupe, non dans un esprit de compétition pour la compétition, mais d'entraînement vers le haut. Le but est de surpasser collectivement le concurrent, en évitant les différends internes non constructifs. Si les écoliers, poussés par leurs parents anxieux pour leur avenir, se disputent les premières places des classements afin d'arracher un siège dans les plus prestigieux établissements, le mode d'enseignement n'en valorise pas moins la notion de groupe. Les professeurs encouragent le travail en équipe, l'interaction, la réflexion collective, pour mener à bien un projet et le présenter aux autres. « Quand je dirigeais mon équipe, j'essayais toujours de laisser s'épanouir les individualités et non pas d'encourager les sacrifices personnels pour le groupe. Car j'ai appris qu'un groupe n'existe que si les individus s'y épanouissent. L'esprit de groupe n'est donc pas toujours synonyme d'embrigadement », témoigne une Japonaise qui a gardé un bon souvenir de ses années d'écolière.

Saine émulation

Des entrepreneurs encouragent de la même façon l'émulation entre leurs sites de production, et la transmission des bonnes pratiques de l'un à l'autre. Chez Toyota, symbole par excellence de l'entreprise japonaise, les ouvriers et autres personnels, pierre angulaire de la maison, sont tous, quels qu'ils soient, en permanence incités à réfléchir aux éventuelles modifications à apporter dans les procédés mis en œuvre, à suggérer, sur la base de leur expérience et compétences, des petits plus qui, s'ils sont pertinents, profiteront ensuite à l'ensemble. Lorsqu'une usine du groupe construit une méthode qui se révèle judicieuse, les autres l'adoptent tout en cherchant immédiatement à l'enrichir, et ainsi de suite. Les surnommés *Toyota men* ne doivent pas avoir peur des « fausses bonnes idées », car, dans l'esprit des dirigeants historiques de Toyota, rien ne doit être écarté *a priori*. *Yatte miru*, on essaie, on voit, cela fonctionne et apporte un « plus *alpha* » ou non. Dans le premier cas, on adopte tous, dans le second, tout le monde se creuse la cervelle pour comprendre ce qui pèche et imaginer d'autres solutions. Cette approche expérimentale progressive n'est toutefois pas un procédé systématiquement applicable, le tâtonnement, les tests en laboratoire, les essais grandeur nature n'étant pas toujours réalisables. Cette impossibilité peut expliquer les déboires rencontrés par les Japonais dans leurs programmes spatiaux, les conditions réelles étant difficiles à reproduire sur Terre. Les fiascos sont certes instructifs, comme le professent nombre d'experts japonais afin de rassurer les leurs, mais il convient néanmoins de ne pas attendre que les catastrophes se produisent pour prendre des dispositions censées les empêcher. L'accident nucléaire de Fukushima en 2011 aurait peut-être été évité si les simulations effectuées auparavant et montrant un risque de tsunami supérieur au niveau initial de protection avaient été suivies de travaux d'adaptation. On ne peut pas toujours s'offrir le luxe de l'échec pour en tirer les leçons et solutions, même si les Japonais sont très doués dans ce domaine puisque le cas échéant, ils mettent en œuvre des mesures radicales pour éviter une redite.

Regardez, imitez, répétez, répétez

En dépit de ces limites, l'application stricte de modèles codifiés jugés plus efficaces, et plus esthétiques, est ainsi une réalité observable pluriquotidiennement dans les situations les plus courantes. Tous les caissiers de tous les magasins, y compris les étudiants à temps partiel des supérettes multiservices ou des fast-foods, rendent la monnaie en effeuillant les billets comme s'ils avaient fait leur classe dans une banque. Ils ont appris les gestes élégants adéquats. Au pays de l'origami (art de plier une feuille de papier pour créer des objets et figurines), les vendeurs concoctent les paquets-cadeaux avec une dextérité et une rapidité stupéfiantes. On les imagine s'être exercés chez eux des heures durant pour reproduire la manipulation qu'un vétéran leur aura enseignée dès leur premier jour d'entrée en fonction. Qui plus est, deux employés d'une même boutique utiliseront exactement la même technique pour parvenir à un résultat parfaitement identique. L'habileté avec laquelle les Japonais saisissent des données *via* les claviers de calculatrice, d'ordinateur ou de téléphone portable est tout autant remarquable et quasi générale. On n'en surprend guère taper maladroitement avec leurs deux index en gardant les yeux rivés sur les touches. Non, tous maîtrisent la technique efficace de dactylo professionnelle. Et le fait est que la plupart ont dû suivre un entraînement. En 1958, une chaîne de télévision avait réalisé un reportage intitulé « Technique et expérience » visant à démontrer que tout individu est capable d'atteindre un niveau d'excellence, non pas grâce à sa capacité de raisonnement, mais à la répétition d'une technique préconçue, moyennant une attention soutenue et une forte concentration. La thèse en était que la réflexion n'est pas forcément nécessaire pour se sortir d'affaire, que les tentatives échouées, l'observation et la reproduction suffisent dans bien des disciplines. Le film montrait ainsi une souris coincée dans un labyrinthe qui au bout de dix fois, à force de s'écraser le nez sur des parois inébranlables, finit par retrouver sans peine le chemin qui mène à la sortie et à s'extraire du dédale de plus en plus vite, sans y penser. Et le documentaire de présenter dans la foulée des apprentis coiffeurs maniant les ciseaux tous dans un même mouvement au rythme des coups de sifflet du maître sans saccager la chevelure du cobaye de service. Suivaient des images de jeunes *office ladies* en stage de saisie informatique de montagnes de factures s'activant à une vitesse troublante, puis des plans sur des futurs employés de banque comptant à la mimine des centaines de billets plus vite qu'une machine. *Kurikaeshi, kurikaeshi* – répétez, répétez –, ça finira bien par rentrer. La preuve, même une souris avec sa petite cervelle se sort de la panade. Vous n'êtes pas plus bête qu'elle ? Dont acte. Morale de l'histoire : le résultat dépend de la technique et dans tout domaine il existe, à un moment donné, une méthode presque infaillible et optimale que chaque prétendant à une fonction peut et doit maîtriser, même s'il faut qu'il s'entraîne durant des heures et s'il a d'abord le droit à l'erreur. La robotique s'inspire d'ailleurs elle aussi de ces méthodes. Les automates sont régis de telle sorte que leurs mouvements soient précis et rationnels, sans dépense d'énergie ni gestes injustifiés. Sur le plan de la rapidité, l'homme aura de la peine à rivaliser.

De l'influence des kanji sur la formation des cerveaux

Outre le résultat d'une éducation à la baguette (encore renforcée à partir de 2009 par la fin de « l'apprentissage dans l'aisance » et l'extension des heures de cours), et la reconnaissance du bien-fondé de pratiques éprouvées, peut-être faut-il voir en partie dans le strict respect des processus, des consignes et des rites, tout comme dans la patience, le courage, le souci du détail et l'endurance qui vont de pair, l'influence initiale de l'apprentissage des kanji – idéogrammes – usuels. Maîtriser une langue et une écriture communes, n'est-ce pas après tout le premier critère signant l'appartenance à un même groupe, le facteur essentiel d'une compréhension mutuelle et ce qui dans le même temps constitue une barrière protectrice face aux oreilles et regards extérieurs ?

Il ne semble pas à notre connaissance exister d'autre façon pour apprendre à lire et surtout à écrire ces complexes caractères d'origine chinoise que de les recopier inlassablement un à un, trait après trait dans un ordre déterminé de longue date. Les enfants japonais doivent impérativement digérer plus de mille caractères et leur juste tracé en six ans dans les premières années de scolarité obligatoire, autant dans les trois suivantes – 2 136 au total après la révision de 2010 –, pour être en mesure de lire et écrire le minimum requis à l'âge adulte, et des centaines d'autres encore pour la majorité s'aventurant dans des spécialisations scientifiques, économiques ou littéraires. Complexité incommensurable, à laquelle il faut ajouter l'apprentissage des deux syllabaires hiragana et katakana qui constituent, avec les idéogrammes, les ingrédients de base de l'écriture japonaise. Bref, l'enregistrement des kanji est un casse-tête que la réflexion seule ne permet pas de résoudre, pas plus que la ruse n'offre une porte de sortie. Même s'il existe dans la langue japonaise pléthore d'homonymes, remplacer un kanji par un autre en pensant que, le son étant identique, le sens sera compris, relève du fantasme de potache. Dès le plus jeune âge, les Nippons sont ainsi entraînés à suivre le mouvement, à répéter, à recopier, humblement, à l'identique, avant éventuellement d'apporter une touche personnelle une fois la gestuelle de base parfaitement acquise.

Autant dire que le pénible apprentissage des kana transcrivant des mots étrangers au sens abscons et des kanji polysémiques aux multiples lectures, ça leur forge un esprit aux Nippons, dès le départ. L'ordre c'est l'ordre. Sinon, c'est faux. Écrire, récrire, récrire, attentivement, des centaines de fois. Il faut que ça devienne un réflexe. Plus tard, on peut éventuellement, avec l'expérience, y glisser un peu de style. Mais là encore, si l'enchaînement des traits n'est pas respecté, si l'un est stoppé net alors qu'il devrait se terminer de façon effilée, cela saute aux yeux. L'écriture cursive des kanji a aussi ses règles. L'art et la manière de calligraphier ces caractères ne se grave pas dans le cerveau, leur mémorisation s'ancre dans la main, dans le geste. Il n'y a pas de raisonnement possible, parce qu'il n'y a pas de logique absolue. La mémoire visuelle est également extrêmement importante pour la lecture, chaque idéogramme étant associé à plusieurs prononciations variant au gré du contexte dans lequel il se trouve. Quand un kanji est isolé et représente ainsi à lui seul un terme, il correspond à une, voire à différentes lectures. Il n'est plus qu'un phonème parmi plusieurs autres prononciations possibles lorsqu'il est accolé à un autre caractère pour composer ensemble un vocable. La constitution des mots par assemblage de kanji s'est faite de façon très empirique, de sorte que dans certains cas les kanji ont été choisis pour le sens, et dans d'autres uniquement pour représenter une syllabe. Des moyens mnémotechniques peuvent dans certains cas être imaginés, mais leur portée restera limitée et leur construction souvent trop alambiquée pour être retenue plus aisément que le caractère lui-même. Le mode reproductif et le « par cœur » comme techniques d'enseignement se retrouvent dans la plupart des disciplines scolaires. De nombreux manuels utilisent ainsi un système de « masquage de mots ». Quelques termes essentiels à l'intérieur des textes sont écrits en rouge. Avec l'ouvrage est fourni un filtre transparent de la même couleur, qui, superposé sur la page, rend ces mots invisibles. Le but du jeu est de s'en souvenir, simplement, mais nullement d'appliquer un raisonnement. De même les examens sont-ils le plus souvent fondés sur des questionnaires à choix multiples de sorte que la réponse à un problème est nécessairement une de celles proposées. *De facto*, habitués à sélectionner une option dans un ensemble fermé et pré-déterminé, les Japonais ont tendance à rechercher des solutions dans des méthodes éprouvées, à les adapter et à les optimiser si besoin, plutôt qu'à en élaborer de nouvelles, personnelles, *ex nihilo*. Pour les Occidentaux, qui aiment échafauder des concepts en partant de zéro, cette façon de procéder par sélection ou mimétisme est dédaignée. Pourtant, et même si cette méthode n'aide pas les Nippons à développer leur sens critique, à en juger par le niveau d'exigence, d'efficacité et d'excellence qu'elle leur permet néanmoins d'atteindre dans nombre de domaines, elle n'est pas à rejeter en bloc, du moins dans le contexte local où elle est combinée à d'autres facteurs particuliers. L'illettrisme est en tout cas une plaie que n'a pas à combattre le Japon, il est quasi inexistant.

Respect des biens publics

Ce respect des méthodes, des règles, des autres, essentiel dans un contexte de promiscuité, vaut aussi pour les biens matériels partagés ou les réglementations.

Les équipements publics sont rarement dégradés. Les rames de métro et de train de Tokyo, qui charrient chaque jour plus de dix millions de voyageurs, ne sont pas souillés de graffitis, même ceux qui desservent les banlieues. Les banquettes des wagons ne sont jamais lacérées. Les vitres restent immaculées. Les stores aux fenêtres sont toujours fonctionnels. Aucune des innombrables publicités qui pendent du plafond n'est maquillée et encore moins déchirée. Les couloirs des stations, carrelés, brillent. Il n'y rôde pas d'odeurs asphyxiantes. Il est extrêmement peu fréquent d'y remarquer au sol un mégot, un chewing-gum ou un papier gras. *Idem* pour le mobilier urbain. Bien que les quatre cinquièmes de la population disposent d'un téléphone portable, les cabines publiques, encore nombreuses dans les rues, restent en parfait état de marche, personne ne s'amusant à arracher le combiné. Les monnayeurs des quelque trois millions de distributeurs de boissons et cigarettes posés sur les trottoirs et autres lieux de passage ne sont pas vidés de leurs pièces et billets par des vandales, bien qu'ils stockent souvent des sommes considérables. Et si par malheur un bien est endommagé, il est bien vite remis en état, ni vu, ni connu.

Honnête en public, pervers en privé ?

Les Japonais ne traversent les rues qu'aux passages pour piétons. Tant que le bonhomme est rouge, ce qui peut durer trois interminables minutes, nul ne s'aventurera dangereusement entre les voitures, hormis un touriste français, sûr de son bon droit et rompu à ce genre d'acrobatie très mal vue ici. Les autochtones ne s'accordent exceptionnellement cette petite transgression qu'au point de croisement de toutes petites rues et de préférence aux heures nocturnes quand le trafic est au plus bas et qu'il est plus facile de passer inaperçu. Encore, n'est-ce là le fait que des plus agiles. Les personnes d'âge mûr n'osent guère prendre ce risque qui est d'ailleurs d'abord pour elles, davantage que pour les jeunes, une marque d'indiscipline répréhensible, quelles que soient les circonstances atténuantes invoquées. Dans tous les cas, mieux vaut avoir l'œil pour s'assurer qu'un des nombreux *mawari-san* – officier de police de proximité – ne rôde pas dans les environs, car le rappel à l'ordre est alors inévitable parce que justifié. On entend peu de klaxons dans les rues de Tokyo. À part quelques chauffeurs de taxi ayant conservé des habitudes de *kamikaze* (comme les avaient surnommés quelques journaux dans les années de haute croissance), rarement un automobiliste ne se laisse aller à ce geste de protestation facile qui attire l'attention sur lui, sauf en cas de danger manifeste. Les cyclistes qui, selon le code de la route, peuvent partager les trottoirs avec les piétons, ne sont pas de dangereux bolides fonçant tête baissée dans les grappes de bipèdes plus ou moins attentifs. Dans les transports en commun, il ne vient non plus à l'idée de personne de se ruer frauduleusement entre les portillons ou de tenter de s'y faufiler à deux serrés l'un contre l'autre avec un seul ticket. Qui s'y risquerait serait bloqué par les battants alertés par les capteurs ultrasensibles et/ou appréhendé sur-le-champ par un des employés de gare, lesquels sont toujours en faction, même si les automates ont remplacé les vendeurs de billets. Les accros au tabac qui déambulent dans les rues sont pour la plupart si civilisés qu'ils vont généralement griller leur cigarette près des cendriers, équipements qui font désormais partie du mobilier urbain à l'instar des poubelles. La majorité des fumeurs évitent de semer leurs cendres à tout vent ou de balancer leur clope allumée d'une pichenette dans les égouts, pas plus qu'ils ne l'écrasent d'un coup de talon sur le trottoir, du moins devant leurs congénères. La probabilité de glisser sur une déjection canine est quasi nulle dans les rues des villes nippones, bien que le nombre de foyers possédant des chiens y soit en constante augmentation et dépasse même celui des ménages avec enfants.

Oh certes, il y a bien quelques goujats qui ont la fai-néantise de ramasser un papier qui traîne ou d'autres qui confondent le panier des vélos stationnés sur les trottoirs avec des réceptacles à canettes vides. Mais de façon géné-rale, et même si les citoyens jugent que « les bonnes manières se perdent », il n'est guère besoin que des gar-diens suivent chaque Japonais dans ses pérégrinations ou qu'un régiment de motards chasseurs de crottes parcourent la ville pour que les codes soient respectés. Les mesquine-ries, la fraude à la petite semaine, sport national dans cer-taines métropoles étrangères, sont ici le fait d'une petite minorité, une proportion qui n'oblige pas les entreprises et autorités à mettre en œuvre des parades coûteuses. Est-ce à dire que les Nippons sont des humains parfaits ? Non, mais ils ont tout simplement, en majorité, un sens de la dignité et une frousse de la saboter tels que la crainte d'être surpris par un des leurs en flagrant délit suffit à calmer la tentation du laisser-aller égoïste et des pulsions délictueuses. Se faire dévisager pour une idiotie par un de ses pairs, c'est porter atteinte à son honneur, stupidement. La hantise de la honte publique joue pour la plupart le rôle de gendarme intérieur, salvateur. Quant à ceux qui enfreignent la règle, ils courent le risque de se faire remonter les bretelles sans ménagement, y compris pour des peccadilles. Entendons-nous bien, on salue ici l'absence d'incivilités visibles, de petite délinquance gratuite, de vandalisme de bas étage, de ces petits faits qui, accumulés, empoisonneraient les citoyens. On ne parle pas des meurtres en famille, des vio-lences conjugales, des règlements de compte au sein de la pègre, de la criminalité organisée, de la corruption, de l'économie souterraine, des affaires politico-financières et autres délits sur lesquels nous reviendrons ultérieurement.

Malheur à qui se fait attraper

Quoi qu'il en soit, même si le Japon compte deux fois plus d'habitants que la France, le nombre de faits connus des autorités y est presque deux fois moindre. Selon la police nationale, un peu plus de deux millions d'infractions au code pénal, vols de plus ou moins grande importance en très grande majorité, ont été constatés sur l'archipel en 2006, marquant un recul de 8 % par rapport à l'année précédente. Depuis le pic atteint en 2002, au plus haut de la crise économique, la baisse du nombre de crimes et délits se poursuit d'année en année à mesure que la reprise se confirme. Quant au taux d'élucidation, il grimpe, tiré par des moyens techniques de plus en plus imparables. Au Japon, il vaut de toute façon mieux éviter de se faire attraper par les forces de l'ordre même pour des petites affaires, car la sanction peut être très sévère et les juges pas toujours très justes. La détention et la consommation de drogue y sont par exemple fortement réprimés. Qui a la malchance d'être renvoyé pour un quelconque fait devant les tribunaux a peu de chance d'éviter une condamnation.

Au Japon, la mansuétude n'est pas le sentiment le plus répandu. Les conclusions des enquêtes des forces de l'ordre, bien équipées et compétentes, sont difficiles à contrer devant les juges. Si ceux qui tiennent le haut du pavé réussissent parfois à s'échapper des mailles du filet (notamment dans les scandales industriels et affaires politico-financières), grâce à des procédures rendues interminables par des conseillers juridiques experts des subterfuges, des petites gens sont condamnés faute d'avoir les moyens et les techniques pour se défendre. Les avocats de ces derniers, lorsqu'ils acceptent de plaider leur cause, ne se font guère d'illusion sur leurs chances de réussir leur mission, les procureurs faisant en sorte de n'engager des poursuites que lorsqu'ils sont quasiment assurés que le prévenu ne sera pas relaxé. Tous les Japonais connaissent l'expression « 99,9 % *yuzai* » – coupable à 99,9 %. C'est en effet le taux impressionnant de jugements de culpabilité constaté dans les tribunaux nippons. *Sore-demo boku ha yattenai – Et pourtant, ce n'est pas moi qui l'ai fait –*, ce film remarquable réalisé par Masayuki Suo, dix ans après son célèbre *Shall We Dance*, dénonçait cette justice très imparfaite à travers le cas d'un jeune homme accusé d'attouchements sur une collégienne (*chikan*) dans un train bondé à l'heure de pointe, infamie malheureusement fréquente. Verdict : coupable, en l'absence totale de preuves et malgré nombre d'incohérences et la mauvaise foi du policier. « Je veux que mes compatriotes comprennent grâce à cette histoire ce qui se passe dans les tribunaux japonais, et qui n'est pas normal », expliquait le réalisateur de cette œuvre qui, assurément, a marqué les esprits. La mise en place en 2009 des jurys populaires modifiera-t-elle les statistiques ? Les citoyens ne paraissent en tout cas pas impatients d'être choisis pour juger leurs pairs, bien que le gouvernement s'évertue à leur expliquer les vertus de cette mesure grâce à des *manga*.

« Ah, ma brave dame, la sécurité en mon temps… »

Les Japonais sont en revanche convaincus que malgré les mesures fortement répressives, la sécurité au pays du Soleil-Levant n'est plus ce qu'elle était. Ils se dotent en conséquence d'un arsenal technique disproportionné pour se protéger, ce dont profitent les sociétés de gardiennage privées, les promoteurs de résidences immobilières bardées de dispositifs de surveillance, les fabricants de caméras et autres systèmes d'alerte. Mais, à vrai dire, le citoyen n'est pas embêté au quotidien par des petites frappes, il peut laisser son mobile sur la table d'un café sans se le faire chaparder, il ne retrouvera pas son véhicule cramé sur le trottoir au pied de son immeuble, il ne risque guère d'être sauvagement détroussé dans le métro lorsqu'il s'y endort. Un sac à main ou autre effet personnel oublié dans un train de

banlieue se retrouve le plus souvent, sur simple signalement. Arrivé à une station, les portes de la rame à peine
ouvertes, trois ou quatre préposés coiffés de casquettes se
précipitent, l'un dans un wagon, ses acolytes dans les deux
voitures adjacentes, reluquant à droite et à gauche sur les
étagères de métal ajourées au-dessus des banquettes. Puis,
voltigeant vers l'une d'elles, l'un s'empare promptement de
l'objet identifié, hurlant triomphalement aux autres, « c'est
bon je l'ai, vite descendez ». L'opération ne dure qu'une
vingtaine de secondes.

Malgré cela, le sentiment d'insécurité est amplifié par les
médias populaires qui, tous les jours ou presque, à l'heure
où les mères de famille repassent le linge devant la télé, font
état de crimes d'une cruauté terrifiante et n'hésitent pas
à détailler tous les faits-divers sanglants en employant des
techniques de narration angoissantes : reconstitutions, gros
plans sur le lieu du drame, photos peu avantageuses des
protagonistes, interviews sensationnalistes des voisins. Une
chaîne d'informations en continu y consacre la majeure
partie de son antenne, qui place les disparitions, meurtres
et autres faits-divers en tête de flashs et rediffuse les mêmes
images atroces tous les quarts d'heure. Le plus souvent,
il s'agit d'homicides ou tentatives perpétrés dans le cercle
familial ou amical, par des déséquilibrés, des désespérés,
des désœuvrés ou des trahis. Plus rarement, des individus
« pètent un plomb » et éliminent tous ceux qui se trouvent
sur leur passage, dans un élan de furie irrépressible, une
mise en scène macabre, comme cela s'est produit le dimanche
8 juin 2008 dans le quartier d'Akihabara (7 morts et une
dizaine de blessés). Par désespoir, haine ou folie, « *dare
demo yokatta* » disent-ils systématiquement aux policiers :
« N'importe qui fait l'affaire. » Si les médias, de plus en plus
rapides et diversifiés, tendent aussi à laisser croire que la
délinquance juvénile est un fléau des temps modernes
en voie d'augmentation, les chiffres de la police montrent

en réalité le contraire, un recul important depuis les années 1980, tant pour les faits graves que mineurs.

De fait, la société japonaise fonctionne plutôt bien, car la plupart de ses membres y tiennent parfaitement leur rôle, avec ardeur, abnégation et sens du devoir, reconnaissant par là même l'importance de leur contribution individuelle au tout et le fait que par leurs actes ils engagent au-delà d'eux-mêmes, leur entourage (famille ou entreprise).

Chapitre VIII

NATURE HOSTILE OBLIGE

Valeurs humaines, vertus, respect des traditions, métho-des et savoir-faire savamment entretenus et enrichis ont certes joué un rôle prépondérant dans la spectaculaire mon-tée en puissance du Japon et dans sa capacité à se relever après chaque coup dur, mais elles n'expliquent ces faits que partiellement. À vrai dire, les Japonais n'ont souvent pas le choix. Leur comportement, leur conduite en société, leur façon de penser, de créer ou de consommer, les développe-ments de pratiques, de produits ou de services se sont forgés au fil des siècles, indirectement guidés par une conjonction unique de facteurs plus contraignants que la seule volonté de sauvegarde des rites ancestraux et codes moraux. Les fréquents désastres naturels, la géographie du territoire entouré d'eaux hostiles, la répartition de la population qui en découle et l'absence de ressources naturelles sont autant d'éléments non humainement maîtrisables qui limitent les marges de manœuvre et interdisent bien des dérives. Ils obligent dans une certaine mesure les autochtones à se ser-rer les coudes, à retrousser leur manches, à s'entraider, à innover, à respecter leur prochain et à rester disciplinés. Comme le pratiquant d'aïkido s'appuie sur la force, l'agres-sivité et la volonté de nuire de son adversaire pour le dominer et réduire sa tentative à néant, les Japonais utilisent ces adversités comme ciment de la société et comme tremplin de son développement en les transformant en prétextes de recherches et sources intarissables d'innovations. L'aïkido n'est-il pas censé permettre de se préparer physiquement (souplesse, rapidité, musculature), mentalement (rester calme en toutes circonstances) et techniquement (respecter la distance de sécurité, trouver l'ouverture, se placer, gérer plusieurs assauts simultanés) à l'éventualité d'attaques de toutes sortes, et pas seulement martiales ?

La menace sismique partout

Archipel de quelque sept mille îles, dont quatre importantes et des centaines de cailloux, situé au confluent de quatre plaques tectoniques, le Japon enregistre chaque année environ 21 % des secousses telluriques les plus puissantes (de magnitude supérieure à 6 sur l'échelle ouverte de Richter) recensées dans le monde. Entre 1996 et 2011, on en dénombra plus de 200 en zone japonaise, sur un total d'un peu plus d'un millier mesuré sur l'ensemble de la planète. Depuis la fin de la guerre, 36 séismes dévastateurs de magnitude allant jusqu'à 9 (11 mars 2011) ont été déplorés au Japon, dont un tiers entre 2005 et 2011. Quelque 2 000 tremblements de terre perceptibles par les humains se produisent chaque année en territoire nippon. Si l'on intègre ceux que l'homme ne ressent pas, la barre des 10 000 secousses est allègrement franchie chaque année, soit plus d'une en moyenne par heure. Le risque sismique constitue *de facto* la première contrainte naturelle que la population et *a fortiori* les autorités ne peuvent négliger.

On imagine mal ce que cette menace permanente signifie tant qu'on n'a pas soi-même subi les vibrations, lu la terreur sur les visages d'enfants soudains orphelins à Ishinomaki, Minamisanriku ou Rikuzentakata en mars 2011, ressenti le désarroi des vieillards devant leurs biens sinistrés comme à Niigata en 2004 et 2007, ou exploré les archives textuelles et iconographiques du séisme de Kobe d'une magnitude de 7,9 en 1995. Les drames qui se sont produits dans ces régions à plusieurs années d'intervalle peuvent toucher n'importe quel point du territoire à tout moment.

Immense cité où résident plus de 13 millions d'habitants, soit près d'un dixième de la population, et où l'on recense jusqu'à 35 millions d'individus en englobant banlieusards et autres personnes de passage, la vaste agglomération de Tokyo est continuellement en danger. Même s'il ne reste aucune trace visible du dernier tremblement de terre meurtrier de la région, le *Kanto daishinsai* en 1923, tous les Tokyoïtes redoutent la réplique d'un tel phénomène. Ils s'y préparent chaque 1er septembre, jour anniversaire de la tragédie qui tua plus de 140 000 individus. Le sous-sol de la capitale s'ébroue quotidiennement. Les habitants de la mégapole ne ressentent qu'une infime partie des secousses, une fois ou deux par mois, mais cela suffit à leur rappeler qu'ils vivent sur un terrain qui se dérobe. Ces manifestations régulières de l'activité terrestre, bien qu'angoissantes, ne font que rarement la une des actualités à l'étranger, car les dégâts sont généralement relativement limités du fait de l'endurance des constructions récentes dans les centres urbains. Pourtant, le 11 mars 2011, le séisme de magnitude 9 qui s'est produit au large des côtes du nord-est, à plusieurs centaines de kilomètres de la mégapole, a remué son sol comme jamais depuis 1923. Tous les habitants, au même instant, ont alors pensé la même chose : « C'était donc vrai, ce qui devait arriver, ce qu'on nous avait prédit, est en train de se produire : il est là, le gros tremblement de terre de Tokyo, le *big one*. » Pendant quelques heures, une réelle peur a envahi la ville. *In fine*, seulement quatre morts ont été déplorés dans la capitale. C'est le tsunami consécutif à ce brusque mouvement tellurique qui a causé les quelques 20 000 autres victimes recensées ailleurs, dans les préfectures de Miyagi, Iwate et Fukushima, sur la côte Pacifique. N'eût été que le séisme, le bilan n'aurait pas été aussi tragique.

Reste que, de toutes les régions du monde, la conurbation tokyoïte est de très loin celle où le risque de catastrophe naturelle et l'ampleur des répercussions humaines et économiques sont les plus élevés. En prenant pour référence un niveau 100 pour Los Angeles, la zone de San Francisco, considérée comme étant à la merci d'un cataclysme, se situe à la graduation 167 et Tokyo atteint 710. Paris plafonne à 25, Londres à 30, New York à 42 et Washington à 16. Selon les dernières études en date, la probabilité que l'épicentre d'un séisme de magnitude supérieure à 7 se situe dans la capitale dans les trois décennies à venir atteint 70 %. Le cas échéant, en fonction du jour, de l'heure et des conditions météorologiques, il ferait jusqu'à 11 000 morts, blesserait 200 000 personnes, ruinerait 850 000 habitations, laisserait 4,6 millions d'individus sans abri et empêcherait quelque 6,5 millions de travailleurs, visiteurs et écoliers de regagner leur domicile excentré. L'onde de choc économique se propagerait non seulement à l'ensemble du pays, mais affecterait largement l'étranger. Dommages directs et induits, le coût d'une telle catastrophe est évalué à 112 000 milliards de yens (1 005 milliards d'euros au cours de fin 2011), soit l'équivalent de près d'une fois et demie le budget annuel national, ou 880 000 yens (8 400 euros) par Japonais. L'évaluation du nombre de victimes s'appuie sur des programmes de simulation qui donnent une image réaliste des mouvements humains sur la base de cartographies en deux ou trois dimensions. Ils prennent en compte des données très précises sur la localisation des personnes aux différents moments de la journée et de l'année, ainsi que leur degré de mobilité (en fonction de l'âge et du taux d'handicapés). L'ambition des ingénieurs est de parvenir également à intégrer dans les calculs des éléments plus difficilement quantifiables comme la réaction probable des individus dans une variété de contextes envisageables. Pour autant, chauffent les

processeurs, compulsent les ordinateurs, tournent les simu-
lateurs : impossible de savoir précisément où, ni quand,
ledit « *big one* » sévira. Le montant annuel consacré aux
désastres par l'État s'est élevé à plus de 4 000 milliards de
yens (40 milliards d'euros) ces dernières années (plus de
150 milliards d'euros en 2011), soit en moyenne deux fois
plus qu'au début des années 1980.

Prévenir à temps à défaut de prévoir vraiment

Aucune portion de l'archipel n'est exempte de risques.
Difficile dès lors de faire totale abstraction de cette épée de
Damoclès dans tout projet, quel qu'il soit, dans toute
réflexion, sur quoi qu'elle porte. La façon de penser et d'agir
des Japonais, tout comme les décisions prises dans les
milieux politiques, institutionnels, économiques et industriels, sont fortement influencées par cet impondérable. Le
besoin de prévoir, d'être ponctuel, de prévenir, et d'être rassuré découle en partie de cet état de fait, comme si la frus-
tration de ne pouvoir anticiper un tremblement de terre
incitait les Japonais à vouloir évaluer précisément à l'avance
tout ce qui, par ailleurs, peut l'être. Une équation est d'autant
plus facile à résoudre qu'elle comporte un nombre minimal
d'inconnues.

Lorsque les préposés des trains ouvrent leur micro pour
expliquer la raison d'un retard ou d'une pause anormale,
c'est aussi dans le but de confirmer ou d'infirmer ce motif
redouté. Il faut immédiatement lever l'hypothèse d'un
séisme qui surgit dans l'esprit des passagers, ou transmettre
les consignes de sécurité le cas échéant. Partout les haut-
parleurs sont prêts à retentir. Si une secousse perceptible par
les humains et susceptible de faire des dégâts est détectée
quelque part sur l'archipel ou sous les profondeurs marines
alentour, il ne s'écoule pas une minute avant que le groupe
de radio et télévision public NHK en informe la population,
cahier des charges et mission de service public obligent.

Ces stations interrompent sur-le-champ leurs programmes pour donner les détails (épicentre, hypocentre, magnitude, niveau de perception par les humains dans les différentes localités touchées, une à une énumérées). Quelques postes de télévision et récepteurs de radio sont pourvus d'un dispositif d'allumage instantané automatique dès que la NHK fait état d'un séisme. Le système, un signal sonore strident que savent interpréter les récepteurs, est testé tous les premiers mercredis du mois à midi. Impossible d'oublier le risque, les piqûres de rappel sont trop fréquentes. Dans le cas d'une série de secousses importantes, toute l'antenne sera immédiatement consacrée à cet événement, quelles que soient l'heure et l'émission en cours. La chaîne nationale est même immédiatement en mesure de montrer des images de la catastrophe au moment où elle s'est produite grâce à un réseau de caméras disséminées dans toutes les villes du pays. Ces vigiles électroniques se déclenchent automatiquement lors des premières vibrations et envoient leurs signaux vidéo au siège de la station à Tokyo. Les éléments chiffrés sont quant à eux délivrés dans les trente secondes suivant l'impact par l'agence de météorologie nationale. Cette dernière a conçu et déployé une infrastructure tentaculaire de capteurs reliés en réseau qui adressent en temps réel leurs données au centre névralgique de cette organisation publique. L'agence, réputée pour la précision de ses travaux, est également en mesure d'indiquer dans les toutes premières minutes suivant le séisme la probabilité de raz-de-marée, les côtes affectées et l'amplitude de la vague. Les ingénieurs disposent pour ce faire de quelques centaines de sismomètres judicieusement placés aux points sensibles du territoire, et d'un réseau redondant pour acheminer les données en temps réel vers le centre nodal à Tokyo.

Grâce désormais à Internet et aux téléphones mobiles, des services d'information destinés au grand public répercutent également immédiatement les éléments communiqués par l'agence. Des dizaines de millions de Japonais sont ainsi abonnés à ces systèmes d'alerte gratuits ou payants qui leur permettent de recevoir sur leur portable un message détaillé chaque fois qu'un séisme a lieu dans la région dans laquelle ils se trouvent ou dans les localités où résident des proches. Si les récents terminaux mobiles intègrent un récepteur de télévision, cela tient aussi en grande partie à la volonté des autorités de disposer d'un moyen nouveau, plus adapté au mode de vie nomade, pour informer immédiatement la population. D'où l'investissement public et l'implication des chercheurs de la NHK dans le développement de ces nouveaux téléphones dont la fonction TV est bien sûr également employée à des fins commerciales. Les opérateurs de télécommunications ne sont pas en reste qui, outre la sécurisation de leurs infrastructures, ont mis en place des services d'urgence spécifiques destinés à leurs abonnés. Ces derniers peuvent poster un message à l'attention de leurs entourages afin de les rassurer ou de demander à ceux résidant dans des zones touchées de donner rapidement des nouvelles. Ces « tableaux publics » sont gérés indépendamment des services de courriels mobiles, afin qu'ils soient opérationnels même en cas de recrudescence importante du trafic, laquelle est inévitable lors des situations d'urgence. Les opérateurs proposent également sur mobiles des outils de guidage s'appuyant sur la localisation par satellite (GPS) en temps réel pour faciliter le retour chez soi en cas de catastrophe naturelle, avec indication des endroits à éviter, des points d'eau, des places refuges, des toilettes publiques, des postes de secours, etc. Une société spécialisée dans l'adressage des données équipe actuellement d'afficheurs à diodes électroluminescentes des milliers de distributeurs de boissons installés dans les rues et zones de transit (gares, centres commerciaux). L'objectif est d'y faire défiler les informations et de relayer les consignes en cas de danger. La liste de ces initiatives, émanant tant des pouvoirs publics que du secteur privé, est loin d'être exhaustive.

Dix secondes avant la catastrophe

L'agence de météo japonaise a quant à elle récemment franchi un nouveau palier avec la conception d'un système unique de détection précoce des secousses et d'alerte anticipée, résultat de longues années de recherches. Ce complexe dispositif ne permet pas hélas de prévoir un séisme, mais à tout le moins d'en capter les signes annonciateurs un peu avant qu'il n'ait lieu. Le principe consiste *grosso modo* à exploiter l'écart de vitesse de propagation de deux types d'ondes générées lors d'un tremblement de terre. Des centaines de sismomètres de l'agence, dispersés dans l'archipel et au large, détectent les premières ondes inoffensives (appelées « P ») qui précèdent les vibrations (appelées « S ») potentiellement ravageuses. Se déplaçant presque deux fois plus vite, les ondes « P » peuvent être perçues par les appareils de mesure quelques secondes avant l'arrivée des destructrices ondes « S », ce qui permet de sonner l'alarme juste avant le séisme en surface. Les progrès en termes de transmissions de données à très haut débit ont rendu possible la diffusion des informations à une vitesse plus rapide que l'onde de choc, de sorte qu'elles sont reçues avant que les vibrations ne soient ressenties. Bien entendu, l'intervalle temporel entre l'alerte et l'arrivée desdites ondes « S » dépend de la distance d'un lieu à l'épicentre. Plus celle-ci est grande, plus les personnes prévenues disposent de marge pour réagir (quelques dizaines de secondes au plus). Mais même si le laps de temps est très limité, il peut permettre de réduire fortement les dommages matériels et le nombre de victimes. Il suffit de quelques instants en effet pour stopper le mouvement d'une grue sur un chantier, arrêter une manœuvre délicate dans une centrale nucléaire, freiner un train lancé à grande vitesse, suspendre le fonctionnement d'un ascenseur et libérer ses passagers. Un particulier peut utiliser ces précieux moments pour couper la gazinière (une cause majeure d'incendie lors des séismes), ouvrir la porte d'entrée, s'éloigner des meubles mal arrimés et se réfugier sous la table.

Initialement réservées aux institutions, aux entreprises, aux centrales nucléaires ou encore aux compagnies de chemins de fer, les alertes sont depuis le 1er octobre 2007 également diffusées par les médias et par des haut-parleurs dans les lieux publics (gares, magasins). Des spots à la télévision mentionnent régulièrement l'existence de ce système. Des prestataires de service proposent des appareils spécifiques à installer à domicile pour recevoir ces messages en fonction de paramètres divers. Des immeubles commencent à être dotés de moyens idoines de grande précision par des promoteurs qui ne se priveront pas de faire de l'intégration de tels équipements un solide argument promotionnel. Les opérateurs de télécommunications mobiles ont aussi inauguré des services pour prévenir leurs abonnés équipés d'un terminal compatible, en fonction de leur localisation géographique.

Le dispositif d'alerte anticipée n'est cependant encore utilisé qu'avec parcimonie vis-à-vis des citoyens. C'est que les autorités craignent les mouvements de panique et les crises cardiaques chez les personnes fragiles. Les avertissements ne sont donc adressés que si la secousse attendue est effectivement susceptible de renverser les objets et d'empêcher l'humain de rester debout, comme l'indique l'échelle de mesure locale, plus explicite que celle de Richter qui ne tient compte que de la magnitude. Une utilisation systématique au moindre tremblement se traduirait en effet par une perte de confiance dans le système, ruinant ainsi son efficacité potentielle. L'agence édite en outre des plaquettes imagées et produit des films d'information simples à comprendre pour expliquer au grand public la portée et les limites de cet outil d'alerte pré-séisme, afin qu'il puisse être employé à bon escient et effectivement sauver des vies. D'aucuns s'interrogent néanmoins sur la façon dont les citoyens vont en faire bon usage, sachant qu'il est nécessaire d'avoir au préalable une idée très claire des dispositions à prendre le cas échéant et en fonction des circonstances. La chaîne publique NHK s'était par exemple montrée au départ très réservée sur la pertinence de délivrer ces informations, craignant que les alertes soient mal interprétées par les téléspectateurs. « Il faut imaginer à l'avance diverses situations dans lesquelles on peut se trouver selon le jour et l'heure, et prévoir comment utiliser efficacement les secondes qui séparent l'alerte des secousses », martèlent les spécialistes. Pour bien réagir, « il faut même imaginer sa propre mort », insistent-ils. Exercice difficile mais nécessaire. À en croire les extrapolations de chercheurs, le nombre de victimes des séismes pourrait être réduit de 90 % si les gens disposaient de dix secondes pour se préparer, à condition qu'ils n'en perdent pas une et que l'alerte arrive vraiment à temps. Les premières fois que ce système à destination du grand public s'est déclenché en avril et mai 2008, le décompte annoncé ne collait malheureusement pas à la réalité, obligeant l'agence de météorologie à rappeler que ce dispositif reste à perfectionner et qu'il ne dispense pas chacun de prendre des dispositions préventives pour minimiser les risques dans quelque situation qu'il se trouve. Toutefois, par la suite, de réels progrès ont été accomplis et le fait est que ces derniers temps, surtout depuis la catastrophe du 11 mars 2011, les fausses alertes se raréfient tout comme les séismes sans avertissement préalable, prouvant la pertinence des modes de détection et calcul. Voilà qui permet de se préparer, sinon matériellement, du moins psychologiquement. Assurément, le cœur bat plus vite quand retentit le signal sonore caractéristique désormais familier de nombreux Japonais, mais l'on agit avec davantage de discernement.

Innover, par défi envers la nature

Outre ces technologies de prévention et d'information, qui toutes s'appuient directement sur les innovations

« mécatroniques » locales, les Japonais se révèlent experts des techniques parasismiques, ne renonçant pas, au contraire, à défier la nature. Têtus et ambitieux, ils sont humbles par le verbe mais expriment leur fierté par leurs réalisations époustouflantes en donnant l'impression parfois de passer outre les limites du raisonnable. Le déchaînement de la nature est un puissant stimulant. Ainsi se sont-ils fait un plaisir de construire en 1958, en plein cœur de Tokyo, une tour émettrice quasi-jumelle d'Eiffel en version « orange universel » et blanc, qui, du haut de ses 333 mètres, se targue de dépasser d'une bonne tête son illustre ancêtre. Un an et demi de travaux, 220 000 personnes mobilisées, cet édifice n'a pas bougé d'un *iota* depuis. Il en a pourtant vu passer des typhons et encaissé des secousses. Repeinte au pinceau tous les cinq ans, la Tokyo Tower, à l'époque symbole de courage, de grandeur et de force du Japon, n'a rien perdu de sa superbe. Illuminée en accord avec les saisons, elle reste une jolie grande dame qui émeut toujours autant les Tokyoïtes. De même, l'architecte de la première tour d'affaires de la capitale, le Kazumigaseki Biru, building situé au cœur du quartier des ministères, n'avait-il pas d'autre objectif que de prouver au reste du monde qu'impossible n'est pas japonais. L'homme, M. Nikai (nom qui, en japonais, signifie « deux étages » !), conçut de toutes pièces les plans de ce premier gratte-ciel japonais de près de 150 mètres de haut inauguré en 1968. Il ignora sciemment les techniques de construction étrangères, arguant qu'elles n'étaient pas adaptées au contexte sismologique et météorologique local. Pragmatique, comme la plupart de ses concitoyens, il s'inspira de la structure d'un temple qui fut une des rares bâtisses restées intactes en 1923 après le violent tremblement de terre qui anéantit la capitale. Le secret ? Une forêt de poutres verticales. Les gratte-ciel se comptent désormais pas centaines dans la capitale et alentour. Jusqu'à présent, typhons réguliers en été et trépidations terrestres toute l'année n'ont eu raison d'aucun. Toujours plus haut, toujours plus fou. Achevée en 2011 pour être inaugurée en mai 2012, la « nouvelle Tokyo Tower », appelée Tokyo Sky Tree, domine à présent la capitale du haut de ses 634 mètres, dépassant toutes les constructions mondiales de ce type, autoportées, sans hauban. Elle était déjà presque aussi grande lorsque s'est produit le séisme du 11 mars ; elle a tenu.

C'est que depuis le tragique tremblement de terre de Kobe qui a fait plus de 6 400 victimes et endommagé un demi-million d'habitations et bureaux en 1995, les Nippons, surpris par l'ampleur des dégâts, n'ont eu de cesse d'inventer des moyens surprenants pour éviter de revivre une telle horreur. Kobe a en outre coïncidé avec l'arrivée à maturation de techniques inusitées. C'est à partir de ce moment que le nombre de nouvelles constructions parasismiques a considérablement augmenté et que les modalités de rénovation d'immeubles existants ont massivement été mises en œuvre. Lors des tremblements de terre, les bâtiments se déforment. Plus ils sont élevés, plus la distorsion est importante. Les systèmes d'isolation, placés entre les fondations et les structures de colonnes de la bâtisse, permettent d'atténuer ou de supprimer ces altérations en accompagnant le mouvement et non en le contrant. Montés sur vérins, sur ressorts, sur roulements à billes, sur rails ou sur plate-forme incurvée et boules de métal, trempés dans une cuve pleine d'eau, soutenus par des amortisseurs ou haubans, ou reposant sur d'imposants « boudins » en caoutchouc, les immeubles de 100, 200 ou 300 mètres, qui répondent à des contraintes normatives de plus en plus sévères, affrontent ainsi la nature. Le choix des technologies dépend de la hauteur, de la masse et de l'architecture des bâtiments, ainsi, bien sûr, que du coût. Gratte-ciel de bureaux, tours résidentielles, usines, centrales électriques, gares, ponts, barrages, tous les édifices et infrastructures sont concernés. Roppongi Hills, l'un des gratte-ciel commerciaux les plus modernes et les plus fréquentés de Tokyo (241 mètres, 290 000 tonnes) est ainsi érigé sur quelque 356 vérins à huile actifs qui atténuent les oscillations. Les boudins en caoutchouc, dont le fabricant de pneus japonais Bridgestone a fait sa spécialité, font partie des techniques les plus employées du moment, de même que les amortisseurs à huile. Une immense usine ultra-high-tech de grandes dalles-mères d'écrans de téléviseurs à cristaux liquides (LCD) de Sharp, qui ne peut souffrir la moindre vibration ni interruption de production, est capable de continuer à tourner même en cas de séisme de magnitude 7, grâce à un mécanisme dément de compensation de forces élaboré en interne. Les grandes compagnies de chemins de fer, toutes privées, continuent activement d'équiper leurs voies et trains de moyens sophistiqués de prévention, dont un complexe dispositif d'arrêt automatique des rames en cas de secousses à proximité des lignes. Développés par leurs soins, ces appareillages à capteurs ultra-coûteux, de même que les outils de contrôle des rails après un séisme, sont tout bonnement vitaux sur un réseau dense *via* lequel transitent chaque année des tonnes de produits essentiels et l'équivalent de plus de trois fois la population du monde ! Quelque 82 300 piliers de ponts, viaducs et tunnels sont en outre en train d'être renforcés. Le millier de ports que compte le Japon, avec ses 27 000 kilomètres de côtes, la centaine d'aéroports, la cinquantaine de réacteurs nucléaires, les autoroutes, les relais de télécommunications, les réseaux électriques, les conduites de gaz, les canalisations d'eau et autres infrastructures vitales, baptisées « lignes de vie », tout doit régulièrement être passé au crible.

Grâce aux cataclysmes

Ne se départant jamais de leur souci d'amélioration incessante, les Japonais durcissent régulièrement les normes au fur et à mesure que les connaissances s'affinent, que les technologies progressent et que les lacunes, encore manifestes, apparaissent à chaque nouvelle catastrophe. Ainsi ont-ils entamé mi-2007 et mi-2011 de nouvelles campagnes de contrôle des installations nucléaires après les défaillances recensées dans les complexes nucléaires qui desservent Tokyo, celui de Kashiwazaki-Kariwa victime du violent séisme du 16 juillet 2007, puis ceux de Fukushima mis en péril par le tremblement de terre et le tsunami du 11 mars 2011. Le site de production d'énergie atomique de Kashiwazaki-Kariwa, l'un des plus importants du monde avec ses sept réacteurs, n'était pas conçu pour supporter l'accélération du sol mesurée ce jour-là, laquelle était six fois supérieure à celle prise en compte dans les spécifications de construction de la centrale. Les secousses ont déclenché un petit incendie sans gravité dans un transformateur et induit de légères fuites radioactives sur le site. Les directives architecturales étaient initialement fondées sur les connaissances que les autorités avaient à l'époque du terrain et des risques telluriques. La Terre leur a méchamment signifié qu'ils ne savaient pas tout. Cette catastrophe a révélé que ladite centrale se situe peut-être sur une faille active. De même a-t-on compris en 2011 que la centrale Fukushima Daiichi (Fukushima N° 1) construite entre 1966 et 1970, en bord de mer comme toutes les installations nucléaires du Japon, n'était pas calibrée pour supporter une vague de plus de 6 mètres. Or la déferlante du 11 mars 2011 dépassait 14 mètres. On sut par la suite que la compagnie d'électricité Tokyo Electric Power (Tepco) avait fait part verbalement aux autorités nippones d'un risque de tsunami de plus de 10 mètres de haut, moins d'une semaine avant l'accident nucléaire causé par le raz-de-marée géant. D'après un responsable de l'Agence de sûreté nucléaire et industrielle, Tepco a présenté, le 7 mars 2011, un calcul montrant la probabilité d'un tsunami dépassant le niveau initialement pris en compte pour construire le site. L'agence affirme avoir demandé à Tepco d'agir promptement, mais quatre jours plus tard, le 11 mars, la centrale de Fukushima Daiichi était en partie submergée. Tepco avait déjà fait état de nouveaux calculs révélant cette possibilité dès septembre 2009, mais le responsable de l'agence qui avait été averti n'a pas transmis l'information à la hiérarchie et aucune disposition n'a alors été prise face à ce danger. Tepco a encore effectué ultérieurement de nouvelles simulations sur la base de documents historiques relatifs aux séismes et aux tsunamis survenus dans les siècles passés, en déduisant qu'il existait une probabilité de vague de 10,2 mètres à 15,7 mètres près des réacteurs de Fukushima Daiichi. Dans les premières semaines suivant la catastrophe, les autorités avaient hélas affirmé à maintes reprises que le désastre avait dépassé par son ampleur toutes les hypothèses.

Bien que dramatiques, ces séismes furent donc très instructifs. Toutefois, au Japon, il faut se garder de tenir ce genre de propos froids. Le président d'un comité local d'experts japonais sur la sécurité nucléaire, qui a été contraint de démissionner après avoir qualifié le violent séisme de Niigata en 2007 d'expérience « irremplaçable d'une valeur inestimable », en sait quelque chose.

Les centrales directement endommagées par ces désastres naturels ont néanmoins été stoppées ainsi que d'autres présentant un risque élevé. De surcroît, tous les réacteurs arrêtés pour maintenance régulière ont été soumis à des tests supplémentaires de résistance, et leur remise en exploitation commerciale conditionnée à l'accord des autorités locales, on ne peut plus réticentes à prendre la responsabilité de les réactiver. Bilan fin 2011 : il ne restait plus au Japon que six réacteurs en service sur un total de 54, moins d'un dixième de la capacité de puissance totale. Tous les Japonais ont été priés de réduire l'usage des climatisations qui, en plein été étouffant ou hiver glacial, carburent à fond, dans les foyers comme dans les entreprises et lieux publics. Solidarité, responsabilité, la coupure générale estivale de courant tant redoutée ne s'est pas produite.

On n'est jamais trop prêts

Pouvoirs publics et secteur privé dépensent ainsi des fortunes pour se prémunir, autant que faire se peut. Toutefois, si les entreprises nippones, notamment les plus importantes d'entre elles, ont généralement sécurisé leurs locaux et élaboré des plans de sauvegarde très précis, selon les autorités, elles pèchent encore sur la définition des modalités de continuation ou de reprise rapide des activités. Ont-elles quelques difficultés à imaginer que leurs moyens techniques et diverses dispositions pour empêcher l'interruption de leurs affaires ne soient pas aussi efficaces qu'elles l'espèrent ? Peut-être, pour certaines. Mais la réalité est plus triviale. La plupart sont dissuadées par les sommes astronomiques qu'exigent les mesures indispensables pour mettre en œuvre les moyens nécessaires à de tels plans d'action (redondance d'équipements, formation des salariés, contrôles récurrents), alors même qu'il leur est impossible de prévoir exactement les problèmes auxquels elles devront faire face le cas échéant. Seulement la moitié des grosses entreprises aurait envisagé dès avant 2007 un dispositif de continuation d'activités, et moins d'un dixième des petites et moyennes structures. Toutefois, le mouvement est lancé, accéléré par la tragique expérience du 11 mars 2011, qui a révélé bien des lacunes. Un tel plan suppose l'installation de systèmes de sauvegarde de données informatiques à distance, sur l'île d'Okinawa notamment, où le risque sismique est le plus faible de l'archipel. Du fait de la distance de 1 700 kilomètres séparant Okinawa et Tokyo, la probabilité qu'un séisme affecte simultanément les deux régions est en outre jugée très faible. La même chose vaut pour les autres mégapoles nippones, toutes situées sur les quatre principales îles de l'archipel, éloignées d'Okinawa.

De surcroît, plus d'un tiers des bâtiments privés accueillant du public, et une part plus importante encore d'édifices municipaux ou nationaux (écoles, mairies, hôpitaux), construits dans l'urgence après la guerre, étaient encore en 2011 considérés comme dépourvus de système d'isolation efficace contre les tremblements de terre, sous réserve de plus amples vérifications. Après une série de scandales de falsifications d'informations par quelques architectes véreux au milieu des années 2000 et le manque de vigilance des compagnies d'électricité révélé en 2011, de vastes études se poursuivaient pour évaluer précisément le degré de fragilité de ces sites et prendre les mesures qui s'imposent. À l'avenir, les entreprises du bâtiment imaginent même intégrer directement dans le béton des étiquettes électroniques comportant toutes les indications sur sa composition, son lieu de production, l'origine de ses ingrédients et autres informations permettant de faciliter les récurrents contrôles et les éventuelles mises aux normes subséquentes.

Par ailleurs, depuis la publication d'horrifiantes d'études de risques et la révélation des maquillages de données architecturales, rares mais fortement médiatisés, les citoyens n'hésitent plus à souscrire des assurances « séismes » spécifiques, surtout au lendemain d'un nouveau désastre. En dépit des prodigieux progrès techniques, nombre de maisons et anciennes constructions, notamment dans les petites villes et surtout à la campagne, sont en effet susceptibles de s'effondrer, de finir en cendres et de laisser totalement démunis leurs propriétaires. Sur quelque 47 millions de foyers que compte le Japon, l'État évalue à environ un tiers la part de ceux construits avant l'établissement de normes en 1981, parmi lesquels beaucoup ne sont protégés par aucune technique antisismique. Le gouvernement s'est fixé pour objectif de réduire à moins de 10 % du total la proportion de logements fortement vulnérables, *via* des incitations fiscales et autres aides matérielles. Pour avoir une idée plus précise des risques qu'ils encourent à domicile, les citoyens peuvent en outre demander une simulation à des cabinets spécialisés ou en effectuer une directement sur un site Internet du groupe diversifié Hitachi. Grâce à un petit programme très simple, développé avec un expert de l'université de Nagoya, il est par exemple possible de dresser en deux dimensions les plans de sa maison, d'y placer du mobilier, d'y positionner des individus et de secouer le tout selon différentes magnitudes pour constater les dégâts. L'expérience n'est pas inutile lorsqu'on se souvient que les trois quarts des 6 400 morts de Kobe ont succombé chez eux. Les recherches de moyens de protection se poursuivent très activement afin de réduire les investissements requis et de rendre les diverses techniques encore plus fiables et accessibles à davantage de promoteurs et petits propriétaires. L'enjeu est non seulement de bâtir des infrastructures pérennes (deux cents ans), mais aussi, voire surtout, de mettre à jour les constructions anciennes. En attendant, les ingénieurs imaginent des appareils pour permettre aux autorités locales de vérifier très vite si leurs administrés sont saufs après un séisme ou un typhon. NTT Data et Anritsu ont par exemple conçu un modèle d'infrastructure de télécommunications dédiée et sécurisée, et un terminal fixe pour les particuliers, qui donnent la possibilité aux fonctionnaires des mairies de faire le point sur la situation sans se déplacer, en contactant immédiatement et facilement chaque foyer. Le système permet en retour aux citoyens de répondre sur-le-champ, s'ils sont en état de le faire. L'emploi d'un terminal et d'un mode de communication spécifiques vise à contourner les saturations de réseaux de téléphonie, fréquentes lors des situations d'urgence. Le dispositif est également utile pour entrer en contact avec des habitants de zones rendues difficiles d'accès. Cependant, toutes ces solutions techniques, aussi bien pensées soient-elles, ont leurs limites. Le tsunami qui a ravagé la côte nord-est le 11 mars 2011 n'a pas épargné les infrastructures de télécommunications, rendant inopérants tous les systèmes prévus, une leçon de plus pour les années à venir.

S'équiper et s'entraider

De nombreux Japonais, encouragés moralement et financièrement par les autorités, prennent par ailleurs diverses autres mesures de précaution. Ils participent aux exercices de secours régulièrement organisés, élaborent des stratégies de voisinage, posent des films en plastique sur leurs vitres pour éviter les éclats de verre, arriment les objets et meubles au sol ou aux murs avec des patins adhésifs ou autres systèmes de fixation adaptés, ont toujours à portée de main une radio AM à manivelle avec sirène et lampe de poche intégrées, stockent des litres d'eau et divers produits de première nécessité. Enfin, ils ne se séparent plus de leur téléphone portable qui, muni d'un récepteur de localisation par satellite (GPS), peut se révéler salvateur. Les kits de survie, disponibles dans les enseignes d'articles d'intérieur, grands magasins et hypermarchés de l'électronique, se vendent comme des petits pains, surtout dans les jours suivant une catastrophe, comme en 2004 ou 2007 après les chocs de Niigata et a fortiori en 2011. Le *Guide pour rentrer chez soi à pied en cas de catastrophe dans l'agglomération de Tokyo* fut l'un des best-sellers en librairie les mois d'après, d'autant que les répliques sont fréquentes dans les semaines suivantes. On y trouve, outre l'intégralité des voies et constructions, les détails sur tous les points d'eau, toilettes publiques, hôpitaux, postes de police, bancs publics (pour se reposer)… L'influence sismique entraîne ainsi directement la création de multiples produits et services, qu'ils s'adressent aux particuliers ou aux professionnels, dans presque tous les secteurs. Les robots existeraient évidemment au Japon si le territoire n'était pas la cible privilégiée des attaques terrestres, mais le fait est que cette menace perpétuelle offre aux ingénieurs un motif légitime supplémentaire pour concevoir des engins autonomes, seuls capables d'aller débusquer sous les décombres des êtres vivants. La hantise de la catastrophe est peut-être même aussi une des raisons de l'engouement des foules pour les petits objets portables. Très mobiles du fait de leurs obligations professionnelles, les Japonais passent énormément de temps à l'extérieur, empruntant souvent les transports en commun. Ils ont tendance à vouloir trimballer sur eux un maximum d'effets personnels et potentiellement utiles aux pires moments. Cet élément n'a pas échappé aux ingénieurs de Sony, Seiko, Casio ou NTT qui s'évertuent depuis la fin de la guerre à tout miniaturiser, en partie pour répondre à ce besoin, dans le sillage de Sharp qui avait changé de métier après le séisme de 1923 pour fabriquer des postes de radio afin d'offrir au peuple un moyen d'être informé. Les indémodables radios portables, les montres à quartz ultraprécises, les télés de poche, les téléphones de voitures de NTT en 1979, les *pocket bell* (petits récepteurs de messages) et enfin les mobiles numériques depuis le début des années 1990 sont autant d'appareils bienvenus pour être tenu au courant à tout moment, où que l'on soit. Il existe également divers types de chargeurs pour téléphone cellulaire, à piles jetables, à énergie solaire, à manivelle, permettant de s'affranchir d'une prise de courant.

Las, nonobstant l'impressionnante panoplie de moyens mis en œuvre, les tremblements de terre continuent de faire des ravages, humains et matériels. Les sans-abri, foyers privés d'eau, de gaz, d'électricité ou de téléphone se comptent alors souvent par dizaines de milliers. D'où la nécessité à chaque fois d'une importante mobilisation. Les pouvoirs publics ont tiré les leçons des défaillances et erreurs mises en évidence à Kobe en 1995. D'interminables heures s'étaient écoulées avant qu'une cellule de crise digne de ce nom soit mise en place au sommet de l'État. Les militaires n'avaient été dépêchés sur les lieux qu'après plusieurs jours. En 2007, le 16 juillet, il n'a pas fallu trois minutes pour que le gouvernement soit mobilisé après une secousse de magnitude 6,6 aux abords de Niigata, ressentie jusqu'à Tokyo et suivie d'une alerte au tsunami. En campagne pour les élections sénatoriales du 29 juillet suivant, le Premier ministre d'alors, Shinzo Abe, a immédiatement rejoint son QG avant d'embarquer dans un hélicoptère pour se rendre directement sur place. En mars 2011, la mobilisation des moyens a certes été rapide, mais les dégâts énormes provoqués par le tsunami ont considérablement retardé l'acheminement de vivres et d'essence, causant une pénurie dans les régions les plus sinistrées, et bien au-delà. Sans compter qu'il a fallu dans le même temps prendre des mesures particulières inédites du fait de l'accident nucléaire de Fukushima dont les premiers signes d'extrême gravité sont apparus quelques heures seulement après le raz-de-marée, même si la compagnie d'électricité et les autorités ne l'ont avoué que plus tard.

Dans ce genre de circonstances, les citoyens font toujours preuve d'une solidarité sans faille. Il ne vient pour ainsi dire à l'idée d'aucun de piller la maison du voisin laissée à l'abandon après un désastre, comme cela s'est produit aux États-Unis après l'ouragan Katrina qui a dévasté la Louisiane. À Kobe, ravagé par les secousses et incendies subséquents, même des gangs de yakusa, racketteurs de métier, ont participé au sauvetage des populations et de leurs biens, alors que paradoxalement les autorités et services de secours ont tardé à réagir. Près d'un million et demi de personnes s'étaient portées volontaires pour aider les survivants, pendant un an pour certaines ! On recensait fin 2006 plus de 115 000 organisations locales de citoyens « prêts à défendre par eux-mêmes » leur territoire face aux agressions naturelles. Dans les villes les plus menacées, à commencer par Tokyo, jusqu'à quatre familles sur cinq comptent au moins un membre actif dans une de ces structures d'entraide. Les municipalités sont en outre tenues par la loi de leur faciliter la tâche, toute l'année, en mettant par exemple des locaux à leur disposition, reconnaissant le rôle crucial des bénévoles entraînés dans les situations de crise. Le 17 janvier, date anniversaire du séisme de Kobe, est décrété depuis 2000 « jour des bénévoles contre les désastres » et la semaine l'encadrant est consacrée à de nombreuses séries d'exercices et au recrutement de volontaires, à l'instar de la « journée des catastrophes naturelles » le 1er septembre. Tous les séismes et typhons majeurs sont en effet baptisés par les autorités de sorte que leur souvenir se perpétue. Ils sont commémorés le jour dit, durant des années.

En dehors des sauvetages et des campagnes de recueil d'équipements, de nourriture ou de fonds après un cataclysme, ces organisations s'impliquent en continu dans des activités préventives : elles dressent la cartographie locale des foyers où vivent des personnes à mobilité réduite pour que les voisins volent prioritairement à leur secours, veillent sur des biens publics, signalent les anomalies aux autorités, entretiennent leur environnement, on leur demande leur avis sur les aménagements urbains, et elles guident l'élaboration de produits. Certaines communautés de quartier s'équipent même de dispositifs de transmission radio conçus pour diffuser dans chaque foyer adhérent les alertes et autres informations utiles, et pas seulement en cas de désastre naturel. Si le feu se déclenche chez les Watanabe en leur absence, une alarme sonne chez les voisins Yamada. Si une famille organise une fête, elle prévient ses voisins. Suivre les consignes, respecter les équipements communs, œuvrer ensemble, ne pas saccager, s'entraider, tout cela aussi s'apprend et se transmet dans ces associations et communautés.

Séisme au large, tsunami à la plage

Le risque sismique est donc à la fois une contrainte forte mais aussi un puissant et inépuisable *stimulus* pour la société. Il n'est pas le seul, loin s'en faut. La nature offre aux Japonais d'autres « chances » de mesurer leur capacité de résistance, de mettre leur solidarité à l'épreuve, de prouver leur inventivité technique et de souligner leur audace. Cerné par les eaux, le pays du Soleil-Levant est partiellement à la merci des tsunamis, d'ailleurs généralement consécutifs aux tremblements de terre, qu'ils se produisent dans son sous-sol, sous ses eaux marines ou dans des contrées éloignées. Au cours des vingt dernières années, les raz-de-marée meurtriers ont fait quelque 20 500 morts au Japon, dont près de 20 000 pour le seul gigantesque tsunami des côtes du nord-est le 11 mars. Celui de 1993 sur l'île septentrionale de Hokkaido n'avait fait « que 230 victimes » et 104 en 1983 à la suite d'une violente secousse dans la partie centrale de l'île de Honshu. Contrairement aux séismes, les raz-de-marée ont toutefois l'avantage d'être prévisibles quelques minutes ou heures avant que les vagues ne submergent les régions côtières. Du moins est-ce le cas au Japon où les moyens appropriés existent. Grâce à une batterie de stations de mesures et à des logiciels de simulation, l'agence de météorologie émet systématiquement un bulletin de risque de tsunami dans les trois minutes suivant une secousse tellurique, message qui est diffusé immédiatement par les médias audiovisuels, les services de météo sur téléphones mobiles ou les sites Internet. Reste que les consignes ne sont pas toujours entendues. Il n'est pas garanti non plus que les personnes concernées prennent la mesure du danger. Certaines peuvent en outre se trouver dans l'incapacité de fuir. Le 11 mars, les appels à s'éloigner des côtes ont bien été lancés mais, réfugiés au premier, deuxième ou troisième étage d'un bâtiment, les habitants ont eu le tort de se croire à l'abri. Une vague de plus de 6 mètres ou 10 mètres de haut, personne n'imaginait cela possible. De surcroît, parmi les morts retrouvés, figuraient nombre de personnes âgées qui se trouvaient seules au moment du drame, étaient peut-être tétanisées par la violence du séisme dans les minutes précédentes, et sont restées inertes, jusqu'à ce que l'eau éventre leur maison ou l'arrache du sol avant de la projeter sur une autre construction avec une force impensable.

Si, par malheur, les rues de Tokyo ou Nagoya (centre-sud du Japon) étaient la proie des eaux, les pertes humaines seraient également phénoménales, notamment en raison des kilomètres carrés de souterrains submersibles (couloirs de métro, galeries commerciales, parkings…) qui constituent une véritable deuxième cité en profondeur. Sans compter qu'une partie récente de la ville est érigée sur des surfaces de remblais artificiels gagnés sur la mer. Assurément, les mégapoles vulnérables du pays, Tokyo en tête, sont encore structurellement démunies face à une telle horreur potentielle, bien que de nouvelles dispositions soient régulièrement adoptées. Les centaines de bouches de métro sont encore souvent dépourvues de portes blindées dignes de celles de coffres-forts, seul moyen de barrer la route au front d'eau. De plus, celles existantes, faute d'être régulièrement actionnées, risquent de s'avérer récalcitrantes et *in fine* inutiles le moment venu. La puissance infernale d'une petite vague, inimaginable pour qui n'a pas vu les expériences conduites à petite échelle par les chercheurs japonais, transformerait les dizaines de milliers de distributeurs de boissons insuffisamment fixés en autant de bulldozers massacrant tout sur leur passage. Les voitures, les innombrables vélos garés sur les trottoirs, les poubelles, tous les objets, mêmes les plus petits, charriés par la déferlante n'épargneraient pas davantage les constructions. Surtout, passée la vague, resterait la boue, l'insalubrité. L'unique solution efficace pour sauver un maximum de vies, celle que les autorités privilégient, consiste à évacuer les populations avant l'arrivée des grandes eaux. Environ onze cents sites dispersés dans tout le pays sont prêts à accueillir préventivement les personnes éloignées des zones sous alerte, et l'aménagement de deux cents sites de plus est prévu à moyen terme.

Le registre « terreur terrestre » serait très incomplet si l'on omettait de mentionner les fréquents éboulements de terrain qui, en plus des tremblements de terre, font sporadiquement leur lot de dommages. Les pires années, comme en 1991, 1992, 1993, 2004 ou 2011, on en dénombre aux alentours de trois et quatre mille, et aux périodes de relative accalmie, comme en 1987, 1996 ou 2001, moins de cinq cents. Souvent liés à des pluies torrentielles, les éboulements de terrain tuent plusieurs dizaines de personnes par an et fragilisent les maisons traditionnelles en bois, encore très nombreuses en région rurale.

Et les volcans et les typhons…

N'oublions pas enfin que sur la centaine de volcans de l'archipel, certains restent actifs ou en veille et sont potentiellement dangereux, dont le majestueux et vénéré mont Fuji. Les accès de colère de ces montagnes de magma bouillonnant nécessitent ainsi parfois l'évacuation des habitants de villages alentour, pour des durées qui peuvent dépasser plusieurs mois. Là encore, les autorités et citoyens ne peuvent s'affranchir d'anticiper le pire et d'élaborer des plans de secours.

La liste des calamités qui assaillent régulièrement le Japon ne s'arrête hélas pas à celles venues des entrailles de la planète. Le ciel n'est en effet guère plus clément. Chaque millésime, entre juillet et octobre, passée la saison des pluies plus ou moins abondantes, l'archipel est balayé en tout ou partie par dix à vingt typhons assassins. Ennemis des gratte-ciel ou autres massives constructions autant que les secousses sismiques, hantise des trains, turbulences redoutées des avions, ces tempêtes chroniques coûtent chaque année au Japon autant sinon plus que les séismes en vies humaines, dégâts matériels et pertes d'activité. À l'instar des tsunamis, les météorologues et leurs satellites voient arriver ces cyclones des mers de Chine et de l'océan Indien, chargés de tonnes d'eau qu'ils déversent continûment en trombes en traversant plus ou moins vite les îles japonaises. La population est prévenue plusieurs jours avant. Les bulletins météo détaillent par créneaux d'une heure la position attendue du monstre, sa pression, sa vitesse, sa direction, la force des vents, les probabilités de précipitation en pourcentage ainsi que le volume d'eau auquel il faut s'attendre aux différentes étapes. Les chaînes de télévision font sans arrêt le point sur la situation dans chaque ville agressée, dépêchant sur le terrain leurs reporters qui apparaissent sur les écrans casqués et vêtus de robustes cirés. Les compagnies aériennes annulent les vols à risque. En deux jours, plus de mille liaisons peuvent ainsi êtres supprimées sur les seules lignes intérieures de Japan Airlines (JAL) et All Nippon Airways (ANA), compte tenu de la fréquence ahurissante de leurs allers-retours entre villes du Japon. Ce fut par exemple le cas les 14 et 15 juillet 2007, lors du passage du vilain « typhon numéro quatre » de l'année, lequel fit trois morts en trois jours. Le trafic des trains est également souvent suspendu, de gré, par prévention, ou de force, lorsque les voies baignent dans l'eau ou que les caténaires ont lâché prise. En 2005, 41 personnes ont été emportées par la succession de typhons qui s'abattirent sur le pays. Près de 500 foyers ont été totalement laminés et 25 300 autres fortement endommagés. Tokyo n'a pas été épargné. L'année précédente fut l'une des pires des deux dernières décennies qui, après un printemps d'inondations, vit s'enchaîner vingt-trois typhons dont sept d'une extrême violence. Ils firent au total près de 250 morts, juste avant le séisme de Niigata (59 disparus), lui-même suivi par d'impressionnantes chutes de neige de plus de quatre mètres qui engloutirent 88 personnes. En septembre 2011, deux typhons, les numéros 12 et 15, ont tué plus de cent personnes et engendré des inondations et glissements de terrain sans précédent, le premier pillant une partie de l'ouest du pays, notamment la préfecture de Wakayama, et le second saccageant un peu plus le nord-est déjà sinistré, jusqu'à obliger des réfugiés du séisme du 11 mars à quitter leur logement provisoire tout neuf, car construit dans une zone certes à l'abri des tsunamis mais à la merci des glissements de terrain. Enfin, comme dans tout pays de montagnes, les avalanches ne sont pas rares non plus, qui piègent les imprudents skieurs hors piste. Les chaleurs étouffantes de l'été, dignes de pays tropicaux, ne font en revanche pas de carnage humain, plus de neuf foyers sur dix et tous les lieux publics étant climatisés. On déplore cependant quelques décès de personnes âgées affaiblies succombant à la déshydratation et surtout une recrudescence de rhumes hors saison, en raison des climatisations trop rafraîchissantes.

Les technologies ne surgissent pas du sol ni ne tombent du ciel

À la lecture de ce tragique état des lieux, insuffisamment perçu comme tel à l'étranger, d'aucuns penseront sans doute : « Certes, le Japon est assailli de toutes parts par les caprices de dame Nature, mais c'est un pays fortuné. Il peut s'offrir des outils sophistiqués de prévention, de coûteux matériels de détection, de multiples systèmes d'alerte, des techniques parasismiques, des logiciels de simulation, des camions de pompiers rutilants, des ambulances pimpantes, des centaines d'hélicoptères. Il a les ressources pour expédier *illico* sur le terrain des milliers de militaires des forces d'autodéfense (FAD) dont le sauvetage est une des primes missions. Il possède les technologies pour concevoir des robots renifleurs de corps. Il a les ressources pour mobiliser en permanence des légions de fonctionnaires, faire plancher continuellement des milliers de chercheurs d'institutions publiques, aider les entreprises et particuliers à se doter de dispositifs préventifs. Il peut se permettre de stocker des aliments, des médicaments, et autres produits vitaux, etc. »

Eh bien, à vrai dire, un tel discours serait inique. Car le pays est surtout riche de ses valeurs, de ses citoyens qui ne se résignent pas, de ses organisations publiques et entreprises privées, y compris concurrentes, qui font cause commune quand il s'agit de protéger des vies. Les moyens considérables dont peut se prévaloir à juste titre l'archipel, il ne les a pas préemptés, il ne les a pas davantage empruntés, ni copiés, et encore moins volés, il les a en très grande partie créés. Sinon, ils n'existeraient pas, nulle part, d'abord parce qu'aucun autre pays ne cumule et n'endure en bloc autant de fléaux naturels récurrents et pour partie imprévisibles, et ensuite parce que les autorités et la population se sont donné les moyens et l'ambition d'y faire face, quitte à afficher un énorme endettement public. Les pouvoirs publics ont investi massivement pour favoriser les recherches, pour que les infrastructures soient partout d'égal niveau, qu'aucune région habitée ne soit livrée sans défense aux charges répétées de la nature. Toutes dépenses confondues, l'ensemble des engagements financiers contractés par l'État affleure 200 % du produit intérieur brut du pays, lequel est le troisième plus important du monde. À l'aune des critères financiers internationaux, le Japon fait figure de cancre, dernier de la classe des pays développés. Et alors, est-on tenté d'écrire… Combien de morts de plus pleurerait-il s'il n'avait opté pour cette politique sociale menée par une enfilade de gouvernements de centre droit depuis un demi-siècle, et ce en dépit de conséquences budgétaires jugées inadmissibles ? Certes, la priorité des dirigeants est désormais d'alléger le poids des charges pour ne pas obérer l'avenir des futures générations, car tous les débours passés, présents et envisagés ne sont bien sûr pas consacrés à endiguer les phénomènes naturels, tant s'en faut. De monstrueux gaspillages ont eu lieu. Mais, quoi qu'il en soit, le Japon ne peut faire l'économie des milliers de milliards de yens nécessaires chaque année à la recherche, aux subventions, aux incitations fiscales pour lutter contre les désastres. Il ne peut renoncer à financer les reconstructions, à indemniser les victimes, sauf à accepter d'abandonner une partie des siens, ce qu'il ne fera pas. Il ne peut pas davantage cesser de soutenir les innovations techniques, sauf à ignorer les bienfaits sociaux et innombrables retombées industrielles multisectorielles (électronique, télécommunications, informatique, médecine, alimentation, construction, etc.) qui découlent de ces travaux et se traduisent *in fine* en mieux-être et en croissance, donc en richesse nationale. Au contraire, sa volonté est que ses investissements, son expertise, ses technologies, ses infrastructures profitent à d'autres, au-delà de ses frontières.

Chapitre IX

11 MARS 2011,
TRIPLE DÉSASTRE

Le matin du 11 mars 2011, la presse nippone s'agitait : le Premier ministre d'alors, Naoto Kan, venait de reconnaître avoir reçu des dons d'un homme de nationalité étrangère résidant au Japon, un procédé illégal et qui avait déjà contraint son ministre des Affaires étrangères à démissionner quelques jours auparavant. Beaucoup s'attendaient à ce que M. Kan en fasse autant. Quelques heures plus tard, le sujet était oublié : et pour cause… À 14 h 46, Tokyo et toute la partie nord-est du Japon se mirent à trembler comme jamais : « violent séisme ressenti dans la capitale », « mise en garde contre un tsunami d'une hauteur pouvant atteindre six mètres », « les habitants de Tokyo évacuent les immeubles ». En quelques minutes, les journalistes de l'Agence France-Presse (AFP) à Tokyo, comme leurs collègues des autres grands médias japonais, enchaînèrent les dépêches affolantes à un rythme infernal : 15 h 17 « nouvelle violente secousse ressentie à Tokyo », « des blessés au nord-est du Japon après le puissant séisme », « des vagues de 4,2 mètres de haut ont déferlé sur la côte Pacifique du Japon », « des voitures flottent dans un port de la préfecture d'Iwate », « un tsunami de dix mètres déferle

sur la côte de Sendai, au nord-est du Japon », « une raffinerie en flamme à Iichihara (région de Tokyo) » ; la situation
s'aggravait de minute en minute, le nombre des blessés et
des morts augmentait d'heure en heure. Tous les transports
furent interrompus à Tokyo, des millions de personnes dans
l'incapacité de regagner leur domicile et les boutiques d'alimentation de la capitale dévalisées. Sur la cote nord-est,
c'était pire encore. Peu de journalistes étaient sur place
alors pour témoigner, mais Rikuzentakata, Minamisanriku,
Ishinomaki, des pans entiers de villes furent soudainement
rayés de la carte, emportés par le tsunami, et des milliers de
vies aussi. « Je n'ai jamais rien vu de pareil » : les survivants,
réfugiés dans les hauteurs étaient abasourdis. Les images du
tsunami que diffusèrent les chaînes de télévision mon-
traient des scènes absolument inimaginables, insoutenables,
d'une puissante vague charriant tout, maisons, bâteaux,
containers, véhicules, bonbonnes de gaz, rien ne stoppa
l'infaillible progression du tsunami à l'intérieur des terres,
jusqu'à plusieurs kilomètres de la côte.

L'accident inimaginable

Le même jour, peu avant minuit, tandis que l'on apprenait que des trains et bus pleins avaient disparu sous l'eau et
que le bilan s'élevait déjà à plusieurs centaines de morts
confirmés, le gouverneur de la préfecture de Fukushima
demanda l'évacuation de 6 000 personnes résidant à moins
de trois kilomètres d'une centrale nucléaire, Fukushima
Daiichi (Fukusghima N° 1) : ainsi débuta une crise atomique
d'une ampleur inédite et qui, dans la presse internationale,
prit ensuite le dessus sur la tragédie du séisme et du tsunami. Dans les heures suivantes, le Premier ministre, Naoto
Kan, demanda à quelque 45 000 personnes de quitter la
zone dans un rayon de 10 kilomètres, en raison d'un risque
de fuite radioactive. Le lendemain matin, l'Agence de sécurité nucléaire et industrielle faisait état d'une possible fusion

du combustible dans au moins un des réacteurs du site, avant que les médias ne montrent une explosion, les bâtiments soufflés d'un réacteur. De 10 km, le rayon d'évacuation fut étendu à 20 km. Tout en parlant de « désastre national sans précédent » à propos du séisme et du tsunami, M. Kan appela la population au calme autour de la centrale. La compagnie d'électricité japonaise Tokyo Electric Power (Tepco) avertissait quant à elle d'un risque d'interruption de l'alimentation électrique à Tokyo et alentour. Le 13 mars, Tepco prévenait qu'un autre réacteur de la centrale Fukushima N° 1 se trouvait en difficulté. « Toutes les fonctions pour maintenir le niveau du liquide de refroidissement sont en panne », précisait la compagnie, puis ce fut le tour d'un troisième, et de la piscine de désactivation du combustible usé d'un quatrième. Confrontée à une escalade infernale d'incidents, la compagnie était prête à abandonner les lieux, selon les aveux ultérieurs de M. Kan, ce qui aurait pu entraîner un cataclysme atomique. Fort heureusement, les équipes techniques, aidées de pompiers et soldats, sont parvenues tant bien que mal à circonscrire un à un chaque problème, au fil des heures, jours, semaines et mois.

À cause de ce tremblement de terre de magnitude 9, le plus fort jamais enregistré au Japon, les réacteurs 1 à 3 ont connu exactement la même série d'avaries. Leur station de pompage a d'abord cessé de fonctionner du fait de la rupture de l'alimentation électrique et du noyage des groupes électrogème. Le niveau d'eau de refroidissement a baissé dans les réacteurs, la température et la pression ont grimpé dans l'enceinte de confinement. Pour stopper un début de fusion du combustible, les mêmes moyens (injection d'eau de mer, décompression) ont été employés, entrainant des conséquences identiques : accumulation d'hydrogène et explosion de bâtiments extérieurs. L'Agence de la sûreté nucléaire et industrielle japonaise a d'abord classé l'accident du réacteur 1 au niveau 4 sur l'échelle internationale de mesure appelée INES, un rang qui signifiait qu'il n'y avait

« pas de risque important hors du site », selon les documents de l'Agence internationale de l'énergie atomique (AIEA). Toutefois, sous le feu des critiques internationales qui évaluaient pour leur part la situation à un degré de gravité plus élevé, les Japonais ont fini par hisser Fukushima à 5 puis à 7 – au même rang que Tchernobyl –, le plus haut, ce qui suscita d'énormes inquiétudes dans la population nippone et au-delà. L'évocation de l'accident de la centrale nucléaire ukrainienne en 1986 rappelait des scènes d'horreur niveau 7, signifiant « rejet majeur de matières radioactives » avec « des effets considérables sur la santé et l'environnement ». L'Agence nippone précisa toutefois que les émissions radioactives échappées de la centrale Fukushima Daiichi ne représentaient alors qu'environ 10 % de celles émises par Tchernobyl 25 ans auparavant, une assertion confirmée par d'autres organismes étrangers moins soupçonnés de mauvaise foi. « Nous n'avons pas déploré les mêmes irradiations. Les radiations n'ont tué personne. Il y a eu des rejets à Fukushima de vapeurs et de fumées, mais pas de même ampleur ni de même nature qu'à Tchernobyl », précisait notamment un expert français. Quelques heures plus tard, le Premier ministre, Naoto Kan, affirmait que la situation des réacteurs « avançait pas à pas vers une stabilisation » et que les émanations radioactives étaient en diminution. Si la précédente évaluation de Fukushima au niveau 5 sur l'échelle internationale des événements nucléaires (INES) était trop faible, voire « ridicule », le saut à 7 semblait injustifié. « Pour moi, cet accident, ce n'est clairement pas Tchernobyl, même si cette décision peut s'expliquer par une réinterprétation prudente des faits et peut-être par un excès de zèle pour se protéger », analysait un vétéran du secteur nucléaire. Et le même de rappeler que dans le cas de Tchernobyl, il y avait eu explosion du réacteur, avec des projections qui étaient montées jusqu'à 2 000 mètres d'altitude, avant de se disperser, faits qui ne se sont pas produits à Fukushima. Les spécialistes jugèrent d'emblée cacophonique la communication des autorités nippones, d'autant que la veille, le gouvernement avait annoncé une extension de la zone d'évacuation autour de la centrale tout en écartant le risque de fuite majeure. Alors que les médias étrangers surenchérissaient dans le sensationalisme, que le monde paniquait de plus de plus à cause des incidents dans le complexe atomique, la population nippone, torturée par des répliques incessantes, découvrait peu à peu des milliers de cadavres dans la boue laissée par la mer déchaînée, la désolation sur le terrain dévasté par le tsunami, où les vivres vinrent à manquer, à cause de voies de communications impraticables.

Moyens matériels exceptionnels, soutien moral impérial

Parallèlement, une opération exceptionnelle de secours était en cours pour dépêcher sur le terrain ravagé par le tsunami quelque 50 000 soldats et sauveteurs, avec 190 avions et des dizaines de navires. Plus de 215 000 personnes furent évacuées vers des abris dans le nord et l'est du pays et des millions de foyers privés d'électricité, d'eau, de télécommunications et de moyens de locomotion. Les Forces d'autodéfense (FAD, nom officiel de l'armée nippone) étaient mobilisées pour sauver ce qui pouvait l'être, réquisitionnant tous les équipements nécessaires. L'armée américaine fut appelée à l'aide pour transporter par air des soldats et des véhicules, puis effectuer des recherches et secours en mer, au côté de la marine nippone. Le 16 mars, l'Empereur du Japon, Akihito, fit une exceptionnelle apparition à la télévision, assis devant une table, seul face à la caméra : « Je suis profondément préoccupé par la situation dans la centrale de Fukushima, [...] je prie pour la sécurité du plus grand nombre », déclara-t-il, mais ses mots les plus émus allèrent aux sinistrés. « Le nombre de personnes tuées augmente de jour en jour et nous ne savons pas combien ont trouvé la mort. La population est forcée d'évacuer dans des conditions extrêmement difficiles, de froid, de manque d'eau et de carburant. Je ne peux m'empêcher de prier pour que le travail des sauveteurs progresse rapidement et que la vie des gens s'améliore, ne serait-ce qu'un peu. J'espère sincèrement que nous pourrons empêcher la situation d'empirer grâce aux efforts de tous ceux qui participent aux secours », a encore dit l'Empereur.

Consolés par leur chef d'État, dont le rôle de symbole de l'unité du peuple prit soudain tout son sens, les Japonais étaient troublés par la différence de ton entre les médias nippons et étrangers. Au Japon, les reportages étaient très factuels et pédagogiques, à l'étranger ils déroulaient un scénario catastrophe : la fin du Japon. « Affolement, exode massif, distribution à grande échelle de pilules d'iode, nuage radioactif menaçant gravement la santé des habitants de la capitale » : à lire sur Internet ce qu'il se disait hors du Japon sur la situation dans la capitale nippone, les Tokyoïtes tombaient des nues.

Sérénité exemplaire ou peur masquée

Perçue à l'étranger comme apocalyptique, l'ambiance à Tokyo dans les jours suivants était certes triste, mais des plus calmes, avec une population qui ne paniquait pas, espérant que le gouvernement prenne les bonnes décisions, se conformant aux consignes, s'organisant et se solidarisant, même si nul ne savait de quoi le lendemain serait fait. Dans les rues des quartiers centraux de Tokyo, les salariés marchaient sur les trottoirs avec le même pas assuré qu'en temps normal. Les piétons portant un masque étaient nombreux, mais pas beaucoup plus que d'habitude au mois de mars, les Japonais étant sujets au rhume des foins. Les résidents de la mégapole la plus grande du monde, avec ses 35 millions d'habitants, étaient bien sûr préoccupés par le drame national vécu par l'archipel, mais à les regarder, pas angoissés. Peut-être que les plus anxieux ne sortaient plus de chez eux. L'inquiétude ne se lisait pas sur les visages, elle se voyait davantage dans le spectacle des rues désertées en soirée, ou des salles de restaurants vides. Les trains ne circulaient plus au rythme habituel, depuis le séisme. Les rayons vides des magasins d'alimentation étaient aussi un signe de crainte – poussant à faire des provisions –, et de difficultés d'approvisionnement. C'était cependant d'abord la menace des répliques du tremblement de terre qui incitait les plus précautionneux à stocker des denrées de survie, et non le spectre de la radioactivité. Il y avait une part culturelle dans l'attitude des Nippons à ce moment-là, peut-être une influence de croyances bouddhistes : les catastrophes naturelles sont des problèmes que l'on ne solutionnera pas, c'est le destin. La panique, elle, est un phénomène contagieux qui résulte de l'égoïsme, du sauve-qui-peut, alors que dans de telles circonstances, il faut au contraire être solidaire. Une semaine après le drame, on était déjà certains que le bilan dépasserait les dix mille morts. Il s'alourdit de jour en jour, pour atteindre un chiffre définitif de l'ordre de 20 000 décès, après que les décomptes provisoires aient grimpé jusqu'à près de 30 000.

L'organisation mise à mal

Outre un carnage humain et matériel, le séisme, le tsunami et l'arrêt subséquent de centrales nucléaires ont continué, des semaines après, à empêcher les entreprises japonaises de relancer pleinement leur activité. Usines arrêtées, coupures de courant, rationnement d'essence, livraisons impossibles, les rouages de l'industrie japonaise étaient grippés, le fonctionnement des circuits logistiques, habituellement fluides, totalement désorganisé. De nombreux sites de production de pièces pour automobiles et de composants électroniques (secteurs majeurs qui comptent des milliers d'entreprises de toutes tailles et emploient des millions de salariés) restèrent stoppés ou tournaient au ralenti.

Même pour des installations qui n'ont pas subi de dommages directs, la production restait impossible compte tenu des problèmes de fourniture de matériaux et composants et des aléas de l'alimentation électrique. Trois causes principales découlant du séisme ont handicapé pendant des semaines le redémarrage industriel, avec des effets de grande amplitude : primo, les dégâts causés aux moyens de production, y compris la disparition de salariés ; deuxio, la mise hors service de 14 réacteurs nucléaires, dont ceux de Fukushima, ce qui força à des coupures planifiées d'électricité pour réguler la demande ; tertio, les dysfonctionnements des réseaux de transport et la rupture des chaînes logistiques. Parmi les sociétés victimes directes de cette catastrophe, certaines se trouvaient dans la zone d'évacuation décidée par les autorités autour de la centrale accidentée Fukushima Daiichi (N° 1).

Les services de coursiers porte-à-porte nationaux (takuhaibin), qui livrent tout en un temps record et des délais garantis, étaient contraints de sabrer leur service dans les zones ravagées et de n'y accepter pendant plusieurs semaines que les plis les plus simples à transporter.

Les répercussions de l'inactivité de firmes nippones dépassèrent les frontières de l'archipel, compte-tenu de la répartition du travail en Asie, le Japon étant un fournisseur de composants de très haute technologie, assemblés en produits finis dans des usines de Chine, de Malaisie, de Taïwan, ou de pays occidentaux à main-d'oeuvre bon marché.

Dans ces circonstances catastrophiques, aucun secteur ne fut épargné. À l'instar de l'hebdomadaire de *manga* pour adolescents *Shonen Jump*, tirant à quelque 3 millions d'exemplaires, les maisons d'édition retardèrent les sorties de périodiques et livres, subissant en bout de chaîne la pénurie de papier consécutive à l'arrêt d'importantes usines. Au détraquement général de la machine industrielle et des flux logistiques risquaient en outre de s'ajouter les effets de la radioactivité sur la chaîne agro-alimentaire et sur l'activité touristique. Des hôtels, comme le Shangri-La de Tokyo, situé au centre de la capitale nippone, ont dû suspendre l'accueil de clients, « à cause des perturbations logistiques et des difficultés de fourniture d'électricité ». Fin mars, à l'Imperial Hotel, une quinzaine d'employés attendaient patiemment le client au guichet. Las, seulement quelques pimpantes japonaises âgées, assurément des habituées, faisaient appel à leurs services. Séminaires, banquets et réservations de chambres ont été en grand nombre annulés, particulièrement par des étrangers. Pour les commerces de Tokyo, jamais les jours n'ont été aussi difficiles. « Ce rayon n'est plus approvisionné », « le magasin ferme plus tôt pour cause de pénurie d'électricité » : deux semaines après le terrible séisme du 11 mars, les stigmates du drame se lisaient sur les écriteaux ici et là dans Tokyo. Lorsque le ciel était bleu et le soleil éclatant, Tokyo faisait semblant d'avoir retrouvé son aspect d'avant la catastrophe, mais il suffisait de sillonner les abords des entreprises, d'entrer dans un restaurant ou de pénétrer dans une gare pour comprendre que l'ambiance n'y était plus. Disparues les hordes de salariés pressés à l'heure du déjeuner, finies les beuveries entre collègues et amis aux premières heures de la nuit. Dans les sites publics, les escaliers mécaniques étaient arrêtés, une lumière sur deux éteinte, les panneaux publicitaires plus éclairés, des économies d'énergie forcées à cause des centrales stoppées. Dans les galeries marchandes, les rideaux tirés étaient plus nombreux que les vitrines illuminées. Les trains circulaient moins fréquemment, sans faire le plein. Dans les *konbini* (supérettes ouvertes 24 heures sur 24), les rayons étaient aux deux tiers vides, plus approvisionnés.

À quand le retour à la normale ? Nul ne le savait. Shibuya, quartier bruyant, dévergondé et électrique, était devenu sourd, sage et sombre. Les haut-parleurs des vendeurs haranguant les passants s'étaient tus, comme les musiques stridentes crachées près des écrans qui couvrent les façades des buildings en face de la gare. Et pour cause, ils étaient éteints, comme la plupart des vitrines et enseignes du quartier. La marée humaine joyeuse et bigarrée qui d'habitude déferle sur l'immense passage pour piétons du carrefour à la sortie de la gare n'était plus qu'une nuée clair-semée de silhouettes qui pressaient le pas pour monter dans un train, en espérant qu'il ne s'arrêtât pas en cours de route faute de courant. Les commerces fermaient plus tôt, implorant la compréhension des clients sur des affichettes en noir et blanc. Les chauffeurs de taxi de Tokyo étaient désemparés. « On n'a plus de passagers, les gens ne sortent plus ou ils rentrent tôt, en train », se plaignaient-ils. « Les entreprises directement touchées par le séisme ou Fukushima seront dédommagées par les assurances ou l'État, mais personne ne compensera le manque à gagner des taxis », s'agaçaient-ils.

Les mots des riverains de la centrale

Pendant ce temps, les réfugiés des villes sinistrées ou de Fukushima se languissaient dans des centres d'accueil aménagés dans des lieux collectifs réquisitionnés. « Nous avons dû quitter la maison le lendemain du séisme, on ne pourra rentrer que lorsque la radioactivité aura disparu » : à l'instar de la famille Muto ici citée, des dizaines de riverains de la centrale nucléaire accidentée étaient provisoirement hébergés à Tokyo, pour un temps indéfini. « Nous sommes partis en vitesse en bus quand l'ordre d'évacuation a été lancé, nous avons laissé la voiture en plan et tous les animaux domestiques, deux chiens, quatre chats et des tortues, on ne peut même pas aller les rechercher », confiait Mami Muto, dont le domicile se situait à 5 km seulement des six réacteurs du site Fukushima Daiichi. « On ne pourra rentrer que lorsque la radioactivité aura disparu, mais en l'état actuel des choses, rien ne semble s'arranger », désespérait cette mère de famille. « Nous n'étions pas vraiment inquiets de résider près d'une centrale nucléaire, on nous disait que c'était sûr, on le croyait », racontait-elle. Les voisins d'infortune des Muto partageaient leur anxiété. « Je suis venu d'Iwaki. J'habite à 50 km de la centrale, hors de la zone d'évacuation, mais j'ai peur de la radioactivité », témoignait Harutake Kohiyama. Et de préciser : « À Iwaki, il n'y a pas d'essence ni de nourriture et beaucoup de personnes sont bloquées là-bas, sans moyen de s'enfuir. » Trois semaines après le drame, lui non plus ne croyait plus trop aux propos rassurants du gouvernement, de la compagnie d'électricité exploitante du site (Tokyo Electric Power, Tepco) ou de l'Agence de sécurité nucléaire, alors que les fuites radioactives se poursuivaient. « Je pense que le Japon seul ne peut pas résoudre ce problème, il faut l'aide des États-Unis, de la Russie, des pays qui ont cette expérience », insistait M. Kohiyama.

« Je n'ai pas l'impression que les gens soient dans un état d'inquiétude alarmant, en tout cas pour le moment, mais le plus dur pour eux est de ne pas savoir quand il leur sera possible de regagner leur domicile », renchérissait un fonctionnaire de la mairie de Tokyo. Un mois plus tard, les experts estimaient que le pire avait été évité, mais les installations n'étaient toujours pas sous contrôle et plus de 80 000 personnes avaient été chassées de leur demeure. Concernant les réacteurs eux-mêmes, leur situation était à peu près stable, puisqu'on apportait régulièrement de l'eau douce et refroidissait les piscines de désactivation du combustible usé, mais l'ensemble n'était pas pour autant sûr.

Des décennies pour venir à bout de la crise

Face à un tel cauchemar, qui ne sera pas compris avant des années, beaucoup regrettent l'acceptation tardive de spécialistes internationaux par les autorités nippones. Les Japonais ont été dépassés par les événements et n'ont pas su s'adresser comme il l'eut fallu à leur population et à la communauté internationale. À leur décharge, il faut avouer que même à des fins d'exercices, personne n'aurait imaginé un tel scénario catastrophe. À l'étranger, on a souvent reproché aux autorités d'avoir masqué des informations, mais l'intention était peut-être différente. Sur place, les sources étaient trop nombreuses, les données trop éparses et trop difficiles à interpréter, de sorte que le tout devint impossible à traiter par les médias. D'où une information qui se borna à répéter les résumés quotidiens partiels, et forcément partiaux, du porte-parole du gouvernement, de la compagnie d'électricité Tepco, de l'Agence de sécurité nucléaire et d'autres instances. Pourtant, pour qui souhaitait des données chiffrées sur l'état des réacteurs, l'échéancier des travaux sur le site, les mesures de radioactivité ici ou là, les résultats des enquêtes sur la propagation radioactive dans les aliments, les plans pour remédier à tel ou tel problème ou se protéger, il suffisait bien souvent de télécharger les documents disponibles sur les sites internet des différentes organisations impliquées et d'avoir le courage de lire les centaines de pages mises en ligne chaque jour. Mais qui eut le temps et l'envie de faire cela ?

Six mois plus tard, la situation s'était grandement améliorée, l'angoisse avait reflué mais la crise était encore loin d'être résolue malgré l'acharnement de milliers de travailleurs. Après avoir arrosé sans fin les réacteurs avec des canons à eau et autres moyens d'urgence, les installations ont été réalimentées en électricité et des dispositifs autonomes ont été activés. Une usine spéciale de décontamination fut mise en service mi-juin, pour extraire les éléments radioactifs des quelque 110 000 tonnes d'eau d'arrosage mêlée de graisses et autres insanités accumulées dans les bâtiments. Ce système, monté en urgence, a permis de refroidir les combustibles en circuit fermé, laissant entier cependant le problème de stockage des éléments radioactifs filtrés. Parallèlement, les actions se concentraient sur les réacteurs 1 à 3, où l'on n'a pas su empêcher la fusion du combustible et sa chute au fond de la cuve dont la température a néanmoins fini par baisser à moins de 100 degrés Celsius à la fin de l'été, un élément crucial vers la stabilisation du site.

Les interventions humaines à l'intérieur des bâtiments demeuraient cependant toujours difficiles. Outre la présence d'eau archi-contaminée, les niveaux de radiations étaient par endroits tellement élevés qu'ils dépassaient les capacités des instruments de mesure, 10 sieverts, dose mortelle. De surcroît, l'évaluation des rejets, toujours en cours, devait être optimisée et les bâtiments 1, 3 et 4, « sévèrement endommagés » bâchés. On préparait aussi la construction d'un mur en mer censé bloquer une partie des effluents. Alors que les tremblements de terre restaient fréquents même un semestre après celui du 11 mars, la capacité antisismique des installations avait été vérifiée et confirmée. « Nous faisons tout notre possible pour que la population soit en sûreté et que les personnes évacuées à cause de l'accident recouvrent une vie normale », assuraient les autorités, dont l'objectif étaient « d'abaisser durablement la température des réacteurs comme des piscines de désactivation et de contrôler les émissions de matières radioactives » qui se poursuivaient depuis six mois. Ce but devait être atteint au plus tard en janvier 2012. Un calendrier de tâches mensuellement mis à jour montrait des progrès notables, mais les milliers de pages de documents produits par Tepco et les autorités annonçaient une tâche encore pharaonique tandis qu'augmentait le nombre de travailleurs à la limite de la dose de rayonnement autorisée. Les autorités savaient qu'elles devaient former d'autres personnels pour éviter une exposition excessive des équipes même si les niveaux admissibles avaient été relevés comme l'autorisaient exceptionnellement les organismes internationaux.

Le 30 septembre 2011, fort des progrès réalisés, le gouvernement japonais allégeait le dispositif de sécurité et les restrictions imposées aux habitants de cinq agglomérations situées au-delà de 20 kilomètres autour de la centrale, levant la consigne de préparation à l'évacuation en cas d'urgence.

Après leur avoir demandé dans un premier temps de se calfeutrer, les autorités avaient enjoint fin avril aux habitants de ces cinq localités, situées au-delà de l'aire d'exclusion de 20 kilomètres de rayon autour de la centrale, de rester prêtes à une éventuelle évacuation en cas d'urgence. Sur les 58 500 personnes concernées par cette consigne quelque 28 500 avaient en réalité préféré quitter les lieux que de vivre en état d'alerte permanent. Plusieurs de celles qui étaient parties se disaient réticentes à revenir immédiatement, de peur que leur sécurité ne soit pas pleinement garantie. « Je voudrais que l'État m'apporte des preuves que la zone est sûre », indiquait une ancienne habitante d'une des villes concernées. L'on savait qu'il faudrait des mois à ces agglomérations pour être nettoyées après avoir reçu d'importants dépôts de particules radioactives, dont du césium 137 qui présente une durée de radioactivité de 30 ans. Les municipalités s'activaient pour élaborer des plans afin d'assainir les lieux, le gouvernement, qui en était à sa troisième rallonge budgétaire pour la reconstruction (plus de 150 milliards d'euros), promettant de fournir les fonds nécessaires. Quant aux terres situées dans un rayon inférieur à 20 km, elles restent interdites d'accès à la population et demeureront partiellement inhabitables pendant des années voire des décennies.

Six mois après le tsunami, le vague à l'âme continuait…

Plus loin, sur les terres sinistrées par le tsunami, les décombres avaient en partie été retirés, les mauvaises herbes par endroits tout recouvert, mais les côtes d'Ishinomaki ou de Minamisanriku, au nord-est du Japon, restaient six mois après des champs de ruines. Les belles demeures japonaises sur les bords du fleuve Kitakami, à Ishinomaki, n'étaient plus que de pitoyables silhouettes au ventre crevé par les flots d'un fleuve gonflé par le tsunami. « Que sont leurs habitants devenus ? », se demandait le curieux de passage, ébahi devant ces murs silencieux, ces chambres à l'air et ces toits troués qui menaçaient encore de s'effondrer. À quelques encablures, un haut bâtiment de pierres, percé de partout, laissait voir des urinoirs et une pièce où gisaient toujours des tables et des bancs. Ici se dressait l'école primaire Okawa. Plus de 70 enfants, d'une douzaine d'années au plus, y ont perdu la vie, piégés entre le cours d'eau déchaîné et les flancs couverts d'arbres de la montagne. Alentour, il n'y avait plus rien, hormis une autre bâtisse jaunâtre, en piteux état, des tas de détritus triés et des pelleteuses. « Auparavant, il y avait des maisons de bois et d'autres constructions, tout a disparu. Même l'eau d'un fleuve peut avoir cette force, nul ne l'aurait cru », assurait alors un habitant d'Ishinomaki, venu se recueillir auprès de ce lieu de mémoire. Du milieu de ce large fleuve, redevenu paisible et qu'on peine à imaginer hors de son lit, émergeaient toujours de grandes poutrelles de fer, sans doute des morceaux d'un pont arraché quelque part en amont.

L'émotion et la tristesse étaient tout aussi vives six mois après le désastre à Minamisanriku, où le pan côtier de la cité ressemblait à une ville bombardée. Des voitures, portées par la mer en colère, tenaient encore en équilibre précaire sur le toit d'immeubles de deux ou trois étages. Une vieille locomotive à vapeur, qui trônait dans un parc non loin du rivage, était toujours là, renversée et déplacée de plusieurs mètres par le flux d'eau qui déferla du large, atteignant plus de 15 mètres de haut. Ici où là, entre des tas de machines à laver, réfrigérateurs et téléviseurs fracassés, quelques personnes tentaient de se remémorer la cité d'avant la vague. Tous les débris n'étaient pas encore enlevés, tant sans fallait, le terrain était loin d'être praticable mais, assurait une grand-mère rescapée, « comparé aux lendemains du désastre, c'est presque propre ». Tandis que des voies restaient coupées et les lignes de trains suspendues sur plusieurs tronçons, l'on se surprenait à pouvoir utiliser son téléphone portable au milieu de nulle part. Les parapharmacies et chaînes de supérettes, considérées au Japon comme des infrastructures vitales, ont monté des magasins provisoires, telle une épicerie bâtie à la hâte entre deux immeubles estropiés ou une boulangerie retapée à neuf et qui, miraculeusement, ne désemplissait pas. Il restait en effet des habitants esseulés dans les hauteurs à nourrir et des travailleurs courageux à ravitailler. « Nombreux sont encore ceux qui, six mois après, ne sont pas bien relogés et vivent dans l'angoisse. Nous allons faire tous les efforts pour reconstruire le plus rapidement possible », constatait le Premier ministre, Yoshihiko Noda, nommé le 30 août, après la démission de Naoto Kan. « Ma maison a totalement disparu. J'ai fui avec ma petite fille juste avant le tsunami, n'emportant que mon téléphone mobile et mon porte-monnaie », se remémorait une grand-mère. « Personne ne pensait qu'une vague pouvait atteindre une telle hauteur », soupirait-elle. « Six mois ont passé, mais il reste encore de nombreux corps non retrouvés, je suis venu avec ma famille, heureusement sauve, pour rendre hommage à ces victimes et porter un message d'espoir », renchérissait un autre sinistré. « Au moment du tsunami, j'étais dans mon entreprise, pas très loin de la mer, j'ai pu me réfugier en hauteur mais c'était terrible. Avoir vu disparaître ma ville fut mon plus gros choc ». La reconstruction d'Ishinomaki, comme de toutes les cités du littoral ravagé, était bien sûr impensable selon une configuration similaire. Il va falloir se souvenir longtemps de ce drame pour que les futures générations ne défient plus autant la nature.

« On ne peut pas empêcher cette dernière de se révolter, les séismes et tsunami de survenir, mais on aurait dû savoir éviter l'accident de Fukushima », regrettait pour sa part une habitante de Soma, ville située à une quarantaine de kilomètres du complexe atomique accidenté.

La vie presque tranquille des habitants de Fukushima

Malgré la pénibilité de la situation, les Japonais ont fait preuve d'un calme et d'une sérénité infaillibles, non sans intérioriser une colère à l'égard de leurs dirigeants qui ne leur ont pas tout dit et qui n'ont pas cessé même aux pires moments les querelles politiciennes. Mais plutôt que de fuir ou de se morfondre, beaucoup ont préféré adapter leur vie quotidienne à la radioactivité ambiante. Enfants galopant derrière leurs parents, adolescents faisant les imbéciles à vélo, lycéennes en plein lèche-vitrine, pères de famille désoeuvrés, six mois après le drame, et alors que la centrale laissait encore échapper des millions de becquerels par jour, incessantes étaient les allées et venues aux abords d'un hypermarché de Soma, au nord des six réacteurs du complexe atomique. En ce début septembre encore chaud, les habitants de Soma se promenaient en tenue estivale, polo à manches courtes, bermuda ou mini-jupe, sans masque et sans presser le pas. Leur ville n'était pas dans la zone interdite des 20 kilomètres autour du site, ni sur la liste des autres localités plus distantes soumises à évacuation à cause de radiations trop fortes, ni dans la bande de 20 à 30 kilomètres où aurait pu être décidé un départ précipité de la population en cas d'urgence. De ce fait, et malgré les importants rejets radioactifs dus à l'endommagement de plusieurs réacteurs de Fukushima Daiichi, beaucoup ne se sentaient pas en danger. « Depuis l'accident nous ne buvons plus l'eau du robinet, nous faisons attention à la provenance des fruits et légumes que nous mangeons, mais à part cela, notre vie est redevenue normale », témoignait anonymement une habitante, accompagnée de son plus jeune fils. « Certes nous ne sommes pas totalement tranquillisés, mais nous ne voulons pas nous miner l'existence », justifiait-elle tout en disant ne faire qu'à moitié confiance aux informations plutôt rassurantes du gouvernement. Et de préciser : « Je ne sais pas trop comment juger, d'autant que les experts sont aussi divisés. J'essaie de faire la part des choses en prenant quelques précautions ». Cette mère de famille d'une quarantaine d'années avouait avoir songé à déménager dans la préfecture de Saitama, limitrophe de celle de Tokyo, où réside son plus grand fils, mais sa fille de 16 ans s'y est opposée, de peur de perdre ses amis. « Nous redoutons aussi les discriminations envers les personnes qui viennent des environs de la centrale », confiait-elle. Le jeune Ketsuke Kikuchi, 14 ans, lui, « adore sa ville et ses potes » et ne s'imaginait pas une seconde partir ailleurs. « Dans le premier mois qui a suivi le séisme et l'accident, beaucoup de magasins étaient fermés, les distributeurs de boissons plus approvisionnés, c'était triste, mais désormais tout est redevenu normal », se réjoussait-il. « Au collège, le revêtement de la cour a été changé à cause des dépôts radioactifs, mais sinon, rien n'est vraiment différent d'avant. On se gorge même d'eau du robinet. Aucun problème », se vantait l'adolescent, sous le regard approbateur de ses quatre copains. « Plusieurs élèves sont partis, mais nous, on reste ! », promettait-il. Tout sourire, Yukie Abe, 18 ans, avait, elle aussi, retrouvé ses habitudes : « Je fais juste plus de vélo à cause de la fermeture de gares et lignes de train détruites par le séisme et le tsunami », nuançait-elle. « Pour la nourriture, je suis un peu inquiète, mais je ne vais pas jusqu'à en vérifier systématiquement la provenance. En revanche, je ne bois pas l'eau du robinet », reconnaissait-elle. « À l'avenir, je préférerais certes habiter loin de cette centrale nucléaire, par sécurité, mais quitter la région n'est pas forcément très simple. Alors je m'adapte. » Le salarié quadragénaire Yoshikawa, lui, avait du mal. « Depuis le 11 mars ? Mais tout a changé ! », soupirait-il. « J'ai plein de problèmes, mon travail est totalement bouleversé. Mon employeur, une société d'assurance-vie, n'a pas mis la clef sous la porte mais a décidé de ne reprendre que lorsque l'accident à la centrale sera résolu. » « Partir ? Je ne peux pas. J'ai un fils en bas âge et mes parents vivent avec nous depuis que leur maison a été entièrement détruite par le séisme. » Quant aux soucis de radioactivité, « c'est compliqué, alors je me contente des informations des journaux », admettait-il, tandis qu'un autre père de famille, M. Funayama, lui, assurait « croire sincèrement ce que disent les autorités ».

Naïfs les Japonais ? Cette interrogation est sans doute venue à l'esprit du lecteur. Non. La plupart se forçaient à faire confiance aux informations diffusées, sans aller chercher plus loin. Il en est en revanche qui furent plus actifs et se constituèrent en associations d'habitants de tel ou tel quartier, ou de parents d'élèves de telle ou telle école, pour demander plus d'explications, consulter des experts, effectuer des campagnes de mesures de radiations, entreprendre des travaux de décontamination. Paradoxalement, ce ne furent pas nécessairement les personnes résidant le plus près du site nucléaire. Ce fut plutôt une question de sensibilité et de critères personnels. Les mères de famille étaient bien entendu très préoccupées par la santé de leurs enfants, par la nourriture qu'ils absorbaient et les lieux qu'ils fréquentaient. De fait, durant l'année scolaire 2011, sur les 14 000 élèves qui changèrent d'école et de préfecture, 85 % étaient originaires de la province de Fukushima. Par ailleurs, est immédiatement parue une collection inimaginable d'ouvrages pour tous les publics sur les centrales nucléaires, les avantages et inconvénients de leur exploitation, les effets des radiations ionisantes ou autres sujets connexes. Des particuliers se sont dotés de dosimètres et autres instruments de surveillance de la radioactivité, au risque d'acheter sur Internet à bas prix des appareils chinois aux résultats des plus folkloriques, comme l'a prouvé une étude de l'Agence de la consommation qui a mis en garde contre ces produits attrape-nigauds. Comme tout danger dont on a du mal à évaluer soi-même l'échelle, la radioactivité a dégénéré dans certains cas en psychose, laquelle a d'abord touché les étrangers qui ont fui et les touristes qui n'ont plus osé mettre les pieds dans l'archipel à leurs yeux entièrement contaminé. Il suffisait d'un moindre fait pour déclencher immédiatement sur Internet un déluge de « tweets » et autres publications à l'emporte-pièce de faits non vérifiés, par des personnes habitants parfois à des milliers de kilomètres des lieux où ils s'étaient produits. Qu'une radioactivité un tant soit peu anormale fut relevée quelque part, et immédiatement Fukushima était montré du doigt. On se souvient par exemple de la découverte d'un niveau de radiations relativement haut en octobre 2011, le long d'une rue de l'arrondissement de Setagaya à Tokyo. L'hypothèse soudain la plus probable fut l'accumulation d'eau de pluie polluée par les rejets de la centrale. Et immédiatement alors, tous les habitants de la capitale de se demander s'il n'en était pas de même aux abords de leur demeure, bien que des campagnes de mesures aériennes n'aient détecté aucune grosse anomalie à Tokyo. Le foyer radioactif était tout autre cependant. Quelques jours après, l'on découvrit sous le plancher d'une maison inoccupée située à proximité de la rue radioactive des dizaines de flacons contenant du radium 226, enfermé là sans doute depuis des décennies et à l'époque probablement utilisé pour la fabrication de peinture phosphorescente, par exemple pour les aiguilles des horloges. La radioactivité externe mesurée avait de grandes chances de provenir de là, mais il se trouva bien évidemment à l'autre bout du monde, sur Internet, des individus se proclamant experts pour analyser à distance les faits et en déduire qu'une fois de plus les autorités nippones « d'habitude si lentes à communiquer » une fois de plus mentaient pour masquer la réalité de la contamination issue de Fukushima.

Qui croire ? À quelle information se fier ? Si dans cette crise les dirigeants japonais ont suscité tant de doutes, notamment hors de l'archipel, c'est assurément qu'ils n'ont pas compris l'enjeu de la communication dans de telles circonstances exceptionnelles, d'autant que les rivalités politiques ont aussi pollué les messages, conduisant par exemple l'ex Premier ministre Naoto Kan, en poste au pire moment, à faire des déclarations fracassantes le 6 septembre 2011, une semaine tout juste après avoir quitté ses fonctions, dans plusieurs entretiens – soi-disant à chaque fois exclusifs, mais tous ayant exactement le même contenu. Il reconnut alors dans les colonnes du quotidien *Tokyo Shimbun* qu'un drame de cette ampleur n'avait pas été envisagé et que « le gouvernement n'avait pas su y répondre », évoquant les cafouillages des premiers jours suivant le désastre. « Je crois avoir fait ce que je devais », compte tenu des circonstances, a-t-il cependant insisté auprès du Yomiuri Shimbun, tout en se plaignant de ne pas avoir été dans un premier temps suffisamment informé par la compagnie Tepco de l'évolution de la situation. Si Tepco s'était retirée des centrales Fukushima Daiichi – accidentée – et Fukushima Daini – stoppée automatiquement –, comme elle en avait un temps eu l'intention, « il n'y aurait peut-être plus personne à Tokyo aujourd'hui, des rejets radioactifs des dizaines de fois supérieurs à ceux de Tchernobyl auraient peut-être été dispersés », a confié M. Kan. Le danger d'une apocalypse nucléaire avait conduit ensuite ce dernier à ordonner l'arrêt de deux réacteurs à Hamaoka (centre-sud), où l'on redoute un violent tremblement de terre dans les prochaines années.

« Auparavant, je pensais que les installations nucléaires étaient sûres grâce aux technologies japonaises. Mais j'ai changé d'avis après la catastrophe », a reconnu M. Kan. Et le même d'avoir imaginé ce qu'aurait été sa tâche s'il avait dû ordonner l'évacuation d'une zone dans laquelle se serait trouvée la mégapole de Tokyo, une mission quasi infaisable. « Nous avons fait des simulations de rayons d'évacuation de 100, 200 et 300 km autour de la centrale, incluant la région de Tokyo », a expliqué l'ancien chef de gouvernement à l'Asahi Shimbun. « Il aurait alors fallu évacuer quelque 30 millions d'habitants, ce qui aurait signifié la chute du Japon. Si l'on s'interroge sur un niveau de sécurité qui dépasse celui du risque, la réponse est de ne pas s'appuyer sur les moyens nucléaires », en conclut-il. Quelques semaines avant de démissionner, l'ex Premier ministre s'était prononcé pour un abandon progressif de l'électricité d'origine atomique. Son successeur, Yoshihiko Noda, a jugé quant à lui « difficile de construire de nouveaux réacteurs » au Japon, y compris pour remplacer ceux arrivant en fin de vie. Le plan énergétique qui prévoyait une montée de la part nucléaire de 30 %, avant la crise de Fukushima, à 50 % de l'électricité produite en 2030 est devenu caduc, appelant le développement de nouveaux modes de production et gestion de courant.

Chapitre X

LA NATURE N'OFFRE RIEN EN ÉCHANGE

L'approche technique et scientifique des Japonais, en grande partie fondée sur les retours d'expériences, réussites ou échecs, est d'autant plus importante que la terre fantaisiste ne leur offre pas la moindre matière précieuse pour contrebalancer son indocilité. La principale richesse naturelle de l'archipel, ce sont ses hommes et leur cervelle. Son sous-sol, lui, est presque totalement dépourvu de ressources exploitables. Si bien que sur le plan énergétique, le pays est quasi intégralement dépendant de l'extérieur. Le pétrole, qui représente la moitié du total de l'énergie requise, vient à 99,9 % de l'étranger, en très grande partie du Moyen-Orient. Le gaz naturel est importé d'Asie du Sud-Est, le charbon acheté à l'Australie et à l'Indonésie. Les centrales thermiques, qui fournissent l'essentiel de l'électricité, ne tournent que grâce à des approvisionnements externes. L'absence de fleuves majeurs limite la construction de barrages pour exploiter l'énergie hydraulique, laquelle procure à peine 10 % des besoins électriques. La part de la production nucléaire dans le panier énergétique primaire global ne dépassait pas 14 % et ne représentait, avant l'accident de Fukushima en 2011, qu'un quart de l'électricité générée et consommée. Au final, plus de 80 % de l'énergie primaire nécessaire viennent de l'étranger. Par comparaison, les îles Britanniques répondent presque seules à l'intégralité de la demande locale. La Chine, elle, disposait encore en 2007 à domicile de l'équivalent de 90 % de ses gigantesques besoins énergétiques, ce qui ne l'empêche pas d'aller siphonner à l'étranger et d'inquiéter ses voisins, les 10 % manquants représentant un volume considérable. La France, elle, est à 50 % autosuffisante, les États-Unis à 70 % alimentés par leurs production et richesse nationales. Quant à la Russie, elle déborde, son potentiel dépassant de 80 % ses besoins. Bref, de toutes les grandes puissances, le Japon est celui qui est le moins favorisé par la nature.

Dépendance énergétique

Jusqu'au début des années 1970, riches du pécule tiré de leurs exportations de produits finis de haute technologie et d'automobiles, les Japonais ne considéraient guère leur dépendance énergétique vis-à-vis de l'or noir arabe comme un handicap majeur. Ils étaient même fiers d'avoir remplacé en partie le charbon crasseux par du pétrole. À l'époque, celui-ci totalisait plus de 70 % de l'énergie primaire dévorée avec gourmandise par les foyers et les entreprises turbinant à plein régime. Mais, comme nous l'avons expliqué précédemment, le choc pétrolier de 1973 a soudain révélé la vulnérabilité du pays, due au comportement boulimique, mais intenable, des autochtones. Ils ont réagi face à cette crise comme ils le font face aux catastrophes : en puisant dans leur matière grise, par l'innovation technique et l'auto-discipline. De tous les pays développés, le Japon, où les idées remplacent le pétrole, fait depuis la course en tête dans le développement des nouvelles énergies renouvelables et dans les technologies permettant d'améliorer les rendements des matières et des procédés de transformation, pour minimiser, autant que faire se peut, la consommation de ressources fossiles. Ce que la terre ne leur donne pas, ils tentent de le créer, avec le vent, le soleil, la biomasse. Augmenter la proportion d'énergie nucléaire pour couvrir plus de 50 % de la production électrique aux environs de 2030 faisait aussi partie des ambitions étatiques, jusqu'à ce que le Japon n'endure, en mars 2011, la pire catastrophe atomique depuis celle de Tchernobyl, 25 ans plus tôt. Toutefois, avant même le drame de Fukushima, le gouvernement s'est heurté à plusieurs reprises à la réticence forte d'une partie de la population, méfiante. La manipulation des combustibles radioactifs passe mal. Le mot atomique est immédiatement associé dans l'esprit de nombreux Japonais à celui d'arme. La nette distinction entre usage civil et militaire est difficile à faire admettre dans un pays où reste très vif le souvenir des bombes jetées par les Américains sur Hiroshima et Nagasaki en août 1945. Les risques d'accident étaient d'autant plus redoutés que les compagnies d'électricité ne sont pas exemptes de reproches en matière de transparence et de gestion d'incidents. « Est-il bien raisonnable de construire plus de cinquante réacteurs nucléaires sur un terrain sans cesse secoué, qui plus est en bord de mer, fussent-ils en conformité avec les normes de sécurité parasismiques ? » se demandent, avec raison, les citoyens. Des experts européens du secteur n'avaient pas attendu que le pire se produise pour recommander au Japon de se doter d'une autorité de sûreté nucléaire autonome, afin de crédibiliser la communication auprès du grand public. Cependant, ce type d'instance, indépendante des pouvoirs publics et acteurs du secteur, ne fait pas partie des modalités au Japon où l'administration centrale joue le rôle de garant. Bien qu'ayant promis après l'accident de Fukushima à l'Agence internationale de l'Énergie atomique (AIEA) de mettre en place une telle structure indépendante, le gouvernement japonais n'a en fait opéré qu'un transfert de tutelle, la nouvelle agence de sûreté, dont la création a été décidée en 2011, quittant l'orbite du ministère de l'Industrie (pro-nucléaire) pour entrer dans le giron du ministère de l'Environnement.

Quoi qu'il en soit, pour nombre de dirigeants politiques, entrepreneurs et simples citoyens japonais, l'abandon sur-le-champ de l'énergie nucléaire est impossible même s'il est souhaitable à moyenne échéance et bien que *de facto* on en soit presque arrivé à cette extrémité dans les mois suivant l'accident de Fukushima. Ces « non anti-nucléaire », de raison plus que de cœur, arguent que, tant pour réduire les émissions de gaz à effet de serre que sa dépendance vis-à-vis des pays producteurs de pétrole, le Japon n'a guère d'alternative. À court terme, la seule solution perçue comme réaliste (mais néanmoins contestable et en partie démentie par les faits) consiste, selon ces décideurs et une partie de l'opinion publique, à recourir à la fission nucléaire, en sécurisant et optimisant les installations, en se prémunissant contre les risques de prolifération, en trouvant une solution pour les inévitables déchets radioactifs résiduels, et en passant peut-être, un jour qui sait, de la fission à la fusion, laquelle consisterait à reproduire sur terre le processus à l'œuvre au cœur du soleil, un rêve que poursuivent plusieurs nations avec le projet ITER dont le Japon est, au côté de l'Europe, France en tête, un des fers de lance. En d'autres termes, ce que les Japonais ont fait jusqu'à présent en créant des produits manufacturés, faute de matières premières, en montant progressivement en gamme pour hisser l'économie du pays et leur niveau de vie, ils rêvent de le dupliquer sur le volet énergétique, en fabriquant ce que la nature ne leur fournit pas ou pas comme il faudrait. Cette volonté est tout autant nationale que géostratégique, puisqu'elle doit permettre au Japon de réduire sa dépendance vis-à-vis de l'étranger et de rester une grande puissance économique mondiale tout en contribuant au bien-être de la planète. S'il pouvait y parvenir en évitant l'emploi à l'énergie atomique, il redeviendrait peut-être un modèle pour l'ensemble de la planète, et c'est bien là l'objectif des investissements effectués depuis des décennies, dans l'augmentation des performances des cellules photovoltaïques, le développement et l'extension des usages potentiels des piles à combustible, les biocarburants, les turbines d'éoliennes, les batteries lithium-ion pour le stockage de l'électricité ou les infrastructures de distribution de courant de nouvelle génération (« smart grid »). Reste que pour garantir un approvisionnement ininterrompu par les moyens électrogènes instables que sont les énergies renouvelables (solaire, éolienne, biomasse, etc.), il va falloir gérer et contrôler mieux les modes de consommation.

Rationaliser pour ne pas rationner

Depuis le début de l'accident nucléaire de Fukushima déclenché le 11 mars par le séisme et le tsunami dévastateurs, les Japonais sont priés d'éviter l'usage immodéré d'électricité et rappelés à l'ordre au besoin. À l'été 2011, particuliers et entreprises, furent sommés (moyennant amende pour les secondes) de réduire de 5 % à 15 % leur consommation estivale habituelle lors des heures de pic. L'une des raisons qui rendaient l'exercice difficile est qu'on ne sait pas en général évaluer ce qu'on consomme, hormis quand arrive la facture. Sans compter que des pertes se produisent malgré toute la bonne volonté qu'on y met, parce qu'elles sont intrinsèques aux réseaux actuels.

« L'énergie est insaisissable, invisible, donc on n'en a pas conscience. Mais en réalité, méditer sur l'énergie, c'est penser l'avenir. » Ainsi philosophe le ministère japonais de l'Économie, du Commerce et de l'Industrie (Meti) autour de deux mots « intelligence » et « partage ». Dans un pays dépourvu de ressources naturelles et à la merci des tremblements de terre et raz de marée, le choc pétrolier de 1973 fut un premier révélateur, le désastre du 11 mars, un coup de semonce meurtrier. Avant cette date, les entreprises concevaient déjà des appareils moins voraces et faisaient des efforts, mais aujourd'hui, cela ne suffit plus.

La production, la distribution et l'usage maîtrisés de l'électricité – donc les « smart grid », réseaux intelligents –, sont au cœur d'une conception qui fait passer d'une logique de consommation « qui peut le plus, peut le moins » à une logique de contrôle « on fait le plus avec le moins ».

« L'électricité, c'est jusqu'à présent quelque chose que l'on achète à une compagnie, mais à partir du moment où les foyers se dotent de panneaux solaires et de voitures électriques, la perception change en même temps que leur façon de se comporter. »

La mise en exploitation de nouveaux moyens de production d'électricité par énergie solaire ou éolienne, ainsi que de batteries de stockage, oblige les compagnies d'électricité à une gestion plus fine de l'approvisionnement, de la répartition, de la circulation et de la consommation. La possibilité d'utiliser ces sources d'énergie renouvelable n'est en effet pas régulière. Elle dépend des moments de la journée et des conditions météorologiques. La gestion intelligente de l'électricité passe donc par une régulation permanente entre pénurie et excès. Il faut également savoir à tout moment qui produit et consomme quoi et où, et spéculer sur les risques. De ce fait, les infrastructures de nouvelle génération nécessitent des moyens informatiques et de transmission plus précis et nouveaux, afin d'analyser à distance en temps réel la consommation de chaque foyer, bâtiment et entreprise et de réguler ainsi la distribution en fonction des besoins et priorités. Cela signifie disséminer des capteurs (température, humidité, présence, etc.), des compteurs intelligents, installer des moyens de diagnostic… Enfin, toutes ces informations doivent être adressées à des nœuds centraux dans un jeu d'échelles (domicile, voisinage, quartier, ville…). Cette plus juste répartition des flux dans un sens – l'énergie solaire en surplus envoyée sur le réseau et/ou stockée dans une batterie locale – ou dans l'autre – quand le soleil ne brille plus – se fera précisément en analysant les modes de vie des habitants.

Un meilleur partage (y compris des données personnelles) est la clef de la réduction de la consommation. Du point de vue des équipements et des technologies, le Japon tient la distance sur le reste du monde (système de gestion d'énergie domestique et collectif, compteurs intelligents, pompes à chaleur, batteries…). Dans cette perspective, les autorités subventionnent les travaux de R&D malgré l'état des finances publiques et encouragent les banques à accompagner les firmes concernées. Ces dernières se montrent aussi conquérantes. Ne faisant pas mystère de leurs ambitions internationales, elles n'hésitent pas non plus à s'emparer des techniques et clientèles des autres, à coups de centaines de milliards de yens (milliards d'euros). Il reste ensuite à tout combiner pour maximiser les effets. C'est là que la difficulté commence car cela suppose un changement de paradigme de vie, donc une claire perception et compréhension des enjeux par le grand public. Selon l'agence Hakuhodo qui a enquêté en 2011, lorsque l'on explique aux Japonais le principe des « smart grid », 80 % d'entre eux trouvent cela « attractif ». Pour eux, les entreprises concernées sont les compagnies d'électricité (73 %), les fournisseurs d'équipements électriques (34 %) et les opérateurs de télécommunications et de services en ligne (30 %).

Or, il se trouve que nombre des principaux acteurs mondiaux du secteur sont précisément japonais. Toshiba, Hitachi, Mitsubishi Electric, Mitsubishi Heavy Industries (MHI), Panasonic ou Sharp détiennent des technologies-clefs pour ces futurs réseaux dont les nations riches sont censées se doter à moyenne échéance. Il en est même, dont Toshiba et Hitachi, qui sont quasiment capables de fournir à eux seuls presque tous les équipements et composants requis dans un « smart-grid », des puces électroniques aux réacteurs nucléaires, en passant pas les capteurs, les câbles,

les serveurs de données, les compteurs, les systèmes de contrôles et même les téléphones portables qui serviront un jour de télécommandes universelles sur place et à distance de tous les appareils du foyer.

Sol ingrat

Garantir ses approvisionnements en énergie n'est de surcroît pas l'unique combat que doit mener le peuple nippon pour subvenir à ses besoins. Constitué à 70 % de montagnes volcaniques, le terrain, recouvert aux deux tiers de forêts (magnifiques au demeurant), n'est guère exploitable et pas davantage habitable. Moins de 15 % de la surface du pays est cultivée. S'ils parviennent à produire 95 % du riz qu'ils avalent, les Japonais n'ont en revanche ni la place ni les moyens humains requis pour faire pousser le blé, le soja, les fruits, les légumes et autres végétaux nécessaires à l'alimentation de 127 millions de bouches. La viande, le lait et les produits dérivés, dont la consommation croît au fil des années, proviennent en grande partie de l'étranger. Il ne restait en effet plus que 2,8 millions d'exploitations agricoles au Japon en 2007, soit un million de moins qu'en 1990, qui plus est entretenues par des personnes de plus en plus âgées. En 2008, plus de 60 % des éleveurs et cultivateurs avaient déjà plus de soixante-cinq ans. De plus, les surfaces cultivées sont très étroites du fait de la géographie locale. Près de six exploitations sur dix disposent d'une aire de culture ou de pâture deux fois inférieure à la moyenne nationale qui elle-même ne dépasse par 1,8 hectare. Sans compter que seuls les deux tiers environ des exploitants vendent les fruits de leur récolte, les autres cultivent à temps partiel pour leur propre consommation.

Pêche insuffisante

Enfin, même si la quantité de poisson ingurgitée chaque année tend à diminuer au profit du bœuf, du porc ou du poulet, les pêcheurs japonais n'en remontent pas assez dans leurs filets pour alimenter le marché. Le choc pétrolier de 1973 ainsi que les limitations internationales de zones de pêche ont forcé les bateaux portant pavillon nippon à restreindre leur rayon d'action. À la pêche au large s'est en partie substituée la prospection côtière, aux espèces sauvages les poissons d'élevage, mais le manque à gagner est loin d'être comblé. Depuis 2000, plus de la moitié des aliments marins consommés par les autochtones, amateurs d'algues et de chair fraîche crue (sashimi, sushi) ou cuite, viennent de l'étranger. Les Japonais restent en effet les plus gros consommateurs de produits de la mer au monde, avec près de 100 grammes de poisson ou crustacés par jour et par tête de pipe.

Chapitre XI

ET POURTANT, ILS MANGENT... BEAUCOUP

À rebours des apparences, les Nippons, plutôt fluets, sont très gourmands. Ils ont ceci de commun avec les Français qu'ils aiment la bonne chère, laquelle nourrit les conversations et constitue le menu de nombreux programmes de télévision, de magazines, d'émissions de radio, de sites Internet et de livres. Toute occasion est prétexte à gobichonner. Ils se délectent chez eux en famille mais aussi très fréquemment à l'extérieur, dans les innombrables restaurants souvent situés en sous-sol ou aux derniers étages des buildings commerciaux, grands magasins ou hôtels de luxe, debout dans les échoppes dans les couloirs et sur les quais de gare ou bien encore dans les tavernes et gargotes situées sous les voies aux abords des stations ferroviaires. Les Japonais invitent peu chez eux, en revanche, ils fréquentent alternativement tous ces lieux de restauration, après le travail entre collègues, le week-end seuls, entre amis ou en famille. Ils se goinfrent lors des fréquents banquets institutionnels, lors des représentations de théâtre kabuki, pendant les tournois de sumo, dans les cafétérias des parcs de loisirs ou des musées, dans les *ryokan* – auberges traditionnelles – et *ryotei* – luxueux restaurants traditionnels –, après un bain prolongé dans une source volcanique en plein air, dans les trains au retour d'un bref voyage. Où qu'ils séjournent, les Japonais ne partent pas sans s'être renseignés sur les restaurants à ne pas rater. Ils ne quittent généralement pas leur lieu de villégiature sans avoir goûté les spécialités locales et dilapidé quelques milliers de yens en gâteries souvenirs, pour eux-mêmes et les proches. Lorsqu'un Japonais sélectionne une destination, sa principale préoccupation est de savoir ce qu'il va y manger. Au retour, ses proches le questionneront sur les mets qu'il a dégustés, comme sur les tables qu'il a découvertes et qu'il recommande vivement. Les publications et sites Web dits *gurume* – gourmets – sont parmi les plus visités. Les achats en ligne de spécialités culinaires et autres nourritures représentaient en 2008 un marché de 400 milliards de yens (3,8 milliards d'euros) soit plus que les ventes par Internet de livres et logiciels. Des portails spécialisés recensent quelque 600 000 restaurants. Tokyo en compte 160 000. Du fast-food au trois étoiles Michelin en passant par les « restaurants de famille » et les *izakaya* – lieux plutôt bon marché servant une large variété de nourriture nippone. Tous les types de cuisines japonaise et étrangère plus ou moins accommodées aux goûts locaux sont représentés pour une gamme de prix allant du simple au centuple, dans des lieux étroits ou de véritables temples de la bouffe. Les Japonaises sont capables de dépenser des dizaines de milliers de yens (plusieurs centaines d'euros) pour s'offrir un déjeuner ou un dîner entre copines ou seules dans un établissement très haut de gamme. Les mêmes sont aussi clientes avec leurs collègues des baraques ambulantes qui vendent à même le trottoir en hiver des *oden* – légumes, œufs, quenelles de poisson, morceaux de tofu et *konyaku*, une pâte d'igname mucilagineuse – mijotés pendant des heures dans une grosse marmite pleine de bouillon au goût d'algue et de poisson fumé. On les entend aussi rire de bon cœur lors des *matsuri* – fêtes – en se gavant de *takoyaki*

– boules de pâte à crêpe fourrées de morceaux de poulpe et de légumes – ou en se rafraîchissant avec des *kakigori* – monceau de glaçons râpés couvert de sirop de fraise, de melon ou autre fruit.

Belle, riche et variée

La nourriture nippone est riche, constituée de nombreux ingrédients préparés dans les règles de l'art. On ne s'improvise pas cuisinier au Japon. Un maître de sushi le devient après une dizaine d'années d'expérience, même si certaines écoles prétendent pouvoir former des *sushiya-san* en deux mois. Le mode de préparation compte autant que le résultat, le plaisir visuel autant que le bonheur gustatif. Certains mets exigent en effet une maîtrise parfaite, vitale, telle la préparation du fugu, un poisson qui contient une substance mortelle que le cuisinier doit totalement extraire de la délicieuse chair blanche translucide comestible. Même les traditionnels *izakaya*, restaurants de *washoku* – cuisine japonaise variée –, que l'on fréquente souvent le soir et où la bière et le *nihonshu* – alcool de riz japonais – coulent à flot, accordent un soin tout particulier à la présentation, à la vaisselle. Les *bento* – plateaux-repas –, menu de midi des salariés ou en-cas lors des voyages, sont de la même façon vendus dans des boîtes divisées en plusieurs emplacements où chaque composant (riz blanc, petits champignons marrons, morceau d'omelette jaune, algues vertes, tranche de saumon rose, prune rouge, haricots noirs, etc.) trouve sa place, créant un assortiment de couleurs et un florilège de sensations sur le palais. Les plats symbolisent la nature, reflètent les saisons. On apprécie l'essence naturelle de chaque ingrédient, d'où l'attention à la beauté visuelle et le goût pour le poisson cru et les légumes frais ou saumurés qui conservent leur apparence originale. Plusieurs ingrédients sont révérés de telle sorte que l'on en parle en leur accolant le préfixe honorifique *o* ou *go* : *o-kome* pour le riz, *o-shoyu* pour la sauce soja, *o-sake* pour les boissons alcoolisées, *o-tofu*, etc.

À table : itadakimasu

Dans les restaurants japonais traditionnels, chacun se met à l'aise, laissant ses chaussures dans un petit casier à l'entrée avant de poser ses pieds sur les tatamis et de s'asseoir sur un coussin, les jambes sous ses fesses ou glissées dans la fosse, sous la table basse. De nombreux lieux sont conçus de telle sorte que chaque tablée est isolée des autres par un rideau, une paroi coulissante ou autre séparation, comme si on se trouvait dans une salle à manger privée avec des décors variant du plus traditionnel au plus ubuesque. Une petite sonnette électronique alerte les serveurs, fréquemment équipés d'un talkie-walkie, qui rappliquent aussitôt pour enregistrer les commandes à l'aide parfois d'un petit assistant électronique. De plus en plus de lieux se dotent aussi de systèmes électroniques ludiques qui permettent aux clients de choisir leur menu en cliquant avec un stylo-scanner sur la carte pour écouter les explications associées à chaque mets et commander. L'invention est tellement drôle qu'elle pousse à la consommation. Beaucoup de restaurants disposent aussi d'un comptoir où les clients, venus seul ou à deux, sont assis face aux cuisiniers qui préparent sous leurs yeux les plats commandés. Installé, on se frotte d'abord les mains avec la serviette blanche humide et chaude distribuée par le serveur, puis chacun choisit sa première boisson, pour trinquer : *kanpai*. La bière pression japonaise est un des breuvages les plus prisés par les hommes et les femmes, de même que la très légère liqueur de prune *ume-shu* qu'affectionnent davantage les filles. Le thé vert accompagne aussi généralement certains mets ou clôt un repas. Il est offert à volonté chez des spécialistes des sushi ou dans les *izakaya* et *ryotei*. Le saké japonais (appelé *nihonshu*) est souvent choisi comme énième boisson, une fois les gosiers désaltérés, la chair bien imbibée et les cerveaux déjà passablement embrumés. Si le menu n'a pas été défini d'avance au moment de la réservation, une ou deux personnes se chargent de la commande de nourriture pour l'assemblée, sélectionnant divers plats qui arrivent presque tous en même temps au milieu de la table. On admire et commente l'esthétique de tous les mets présentés en buvant les explications des serveurs. Puis chaque convive s'empare de ses baguettes et prend un petit peu de tout, selon ses préférences, en faisant bien attention de ne pas s'approprier plus d'une part. Lorsqu'ils sont seuls, les Japonais ingurgitent leur plat à une vitesse époustouflante. En revanche, lorsqu'ils partagent la table avec d'autres, ils bavardent beaucoup, rient, boivent, fument en picorant tour à tour dans les nombreuses petites assiettes et bols posés devant eux, ne manquant jamais de souligner leur plaisir. Comme les rations sont souvent petites, on commande généralement à plusieurs reprises en puisant dans les cartes, jusqu'à ce que les estomacs soient rassasiés, quitte à finir par une boule de riz fourrée (*nigiri*). Il n'est pas rare que l'on écume plusieurs lieux, surtout les bars, au cours d'une même soirée, les restaurants fermant assez tôt. Très conviviale et ludique, cette façon de procéder, qui n'est pas étrangère à la culture de groupe, permet à chacun de tester toutes les saveurs, sans se distinguer du lot. Si les *izakaya* proposent toutes sortes de mets japonais, il existe aussi de nombreux types de restaurants *washoku* plus sélectifs qui offrent un large éventail de plats reposant sur un même ingrédient de base ou sur les traditions culinaires régionales, d'Okinawa à Hokkaido. Parmi les restaurants spécialisés, les plus typiques sont les *sushi-ya-san* – sushi et sashimi –, les *sobo-ya-san* – agiles préparateurs de fines nouilles de sarrasin –, les marmitons du *shabu-shabu* – fondue au bouillon dans lequel baignent des légumes et où l'on plonge des très fines lamelles de viande avant d'y jeter des nouilles *ramen* pour finir et se caler l'estomac –, les restaurants de *tofu* – sorte de fromage de soja dont il existe des dizaines de variantes plus ou moins fermes, neutres ou aromatisées –, les rois des *tempura* – beignets frits de viandes, poissons et légumes –, les manitous de *yakiniku* – brochettes de viande grillée –, des virtuoses du *sukiyaki* – morceaux de viandes et légumes sautés à la poêle –, des spécialistes du *miso* – pâte de soja fermenté, allant du jaune clair au noir, qui sert de base pour diverses soupes et d'assaisonnement de légumes ou viandes. Les chaînes de restauration et autres lieux fréquentés le midi en semaine servent souvent des plats rapides à préparer et à consommer, comme les pavés de porc pané (*tonkatsu*), servis avec des crudités, ou des *donburimono*, plat de riz chaud couvert d'*unagi* – anguille grillée à la sauce soja –, de *tempura* ou de *tonkatsu*, entre autres accompagnements roboratifs. Très pauvre en graisses et sucres rapides, la nourriture japonaise est réputée très saine. On ne cuisine pas au beurre et, hormis pour les *tempura* – beignets frits –, l'huile est peu employée. Le *shoyu* – sauce de soja –, coupé ou non avec de l'eau, remplace les graisses pour faire revenir les légumes à la poêle ou bouillir des ingrédients variés. Le riz blanc, dont il existe plusieurs variétés produites localement, est servi sans sauce, sauf dans le cas du *curry-rice*. Pour en relever le goût, on y ajoute soi-même au dernier moment une pincée de *furikake*, mélange sec d'algues, de jaune d'œuf, de poisson et de légumes, ou bien une cuillère de confiture de *nori* – une algue –, de *natto* – graine de soja fermenté – ou de chair d'*umeboshi* – prune rouge salée.

Tourisme gastronomique

Bien que le territoire japonais soit peu arable, on y cultive néanmoins, en petites quantités, un vaste assortiment de fruits et légumes qui font la réputation des terroirs, lesquels utilisent leurs productions locales pour alimenter leurs campagnes de promotion touristique. Les mangues de Miyazaki sont fameuses dans tout l'archipel, de même que les pommes d'Aomori, les choux énormes de Hokkaido, les pêches de Yamanashi, les melons d'Ibaraki, les poires et *edamame* – haricots de soja verts bouillis et salés que l'on croque à l'apéritif – de Yamagata, les prunes de Wakayama, les inabordables *matsutake* – variété de champignons rares – de Kyoto ou le thé et le *wasabi* – raifort – de Shizuoka. Depuis la fin des années 1980, plusieurs préfectures ont dressé une liste de légumes d'appellation d'origine contrôlée qui garantit la provenance et le mode de production de leurs produits vedettes. Ce phénomène tend à s'amplifier, les consommateurs étant de plus en plus attachés à la qualité des aliments qu'ils ingèrent. Même si tous les poissons sont servis en *sushi* ou *sashimi* – lamelles crues – dans tout le Japon, pour manger les meilleurs plats de fugu, il faut aller à Yamaguchi en hiver, pour la lotte à Fukushima, pour le crabe et l'oursin à Hokkaido, pour la langouste à Mie, pour les huîtres à Hiroshima, pour le thon sur la côte est. Les amateurs de bœuf se retrouvent dans la préfecture de Hyogo, à Kobe par exemple, ceux qui préfèrent les bons poulets fermiers ne misent que sur les volailles d'Akita. Le porc le plus recommandé est élevé à Kagoshima et le mouton à Hokkaido où l'on trouve aussi de l'autruche.

Le riz, enfin, est présent presque partout. Cependant, sur les centaines de variétés recensées, moins d'une dizaine (*koshihikari*, *hitomebare*, *hinohikari*, *akitakomachi* et *kinehikari*) représentent la majorité de celles dites *uruchigome*, cultivées au Japon pour y être consommées sous forme de riz en grain cuit – *gohan*. D'autres espèces, dites *mochigome*, qui exigent moins de labeur, mais du coup moins goûteuses, sont destinées à diverses spécialités (pavés pétris *mochi*, crackers grillés *senbei*, nouilles, gâteaux, etc.). Le riz, dont la consommation n'a cessé de décliner ces dernières décennies, bénéficie d'un retour en grâce depuis 2007 en raison de la flambée des prix des céréales importées et auxquelles il peut en partie se substituer pour la confection de pains, de *soba* et autres préparations.

Du fait de la diversité des cultures et menus régionaux, le thème « nature et gastronomie » est l'un des meilleurs prétextes pour visiter tous les recoins du Japon, car outre les cultures, l'élevage ou la pêche propres à chaque région, ces dernières sont aussi renommées pour leur mode de préparation particulier de divers autres produits. S'il est un domaine qui illustre parfaitement la préservation des traditions japonaises, c'est assurément celui de l'art culinaire, où les méthodes propres à chaque localité, les gestuelles, les vêtements et les ustensiles sont aussi sacrés que les ingrédients. Toutes les préfectures et villes du Japon ont ainsi leurs spécialités qu'elles entretiennent et défendent, car leur attrait touristique en découle le plus souvent. La préfecture de Shiga rime avec *funazushi* (une forme de *sushi* de carpe très particulier qui se garde plus d'un an), Yamaguchi attire les visiteurs avec sa cuisine de fugu (cru, cuit, mariné, etc.), Kumamoto est célèbre pour son *sashimi* de cheval, Kochi pour ses magnifiques assortiments de *sushi* et *sashimi* de poissons de toutes les couleurs, Akita pour ses *hatahata-zushi* (*sushi* de bar), Hiroshima et la région d'Osaka pour leurs *okonomyaki* (sorte de grosses crêpes recouvertes de légumes et mixture de poissons), Mie pour ses *tekonezushi*, un plat en bois dans lequel sont mélangés du riz vinaigré et de la bonite fraîche, poisson au goût corsé très apprécié par les hommes, comme le thon. La liste déjà longue est loin d'être complète, car toutes les régions du Japon ont aussi des recettes typiques de pâtes, lesquelles existent en nombreuses variétés et sont consommées aussi fréquemment que le riz, servies dans des fast-foods à la japonaise comme dans les *ryotei*. On distingue ainsi les *udon* – nouilles de blé plates de plus de 1,7 millimètre de large –, des *ramen* – nouilles de blé plus fines – ou des *somen* – vermicelles de blé en forme de spaghetti de moins de 1,3 millimètre. Les *udon* et *ramen* se mangent le plus souvent baignées dans une soupe très chaude en aspirant bruyamment. Les *somen* sont à l'inverse dégustées une fois refroidies en les trempant un peu dans une sauce soja, tout comme les *soba*, vermicelles concoctés à partir de farine de sarrasin, que l'on peut également manger chauds avec une soupe. La préfecture d'Ehime est connue pour ses *goshiki-somen* qui, comme leur nom l'indique en japonais, sont des fines nouilles de blé de cinq couleurs différentes (beige, marron, jaune, vert et rose), la région de Gunma est appréciée pour ses *osawa-udon*, Miyagi pour ses courts *somen* (dix centimètres de long), Iwate pour ses *ramen* aux œufs, et la localité de Shinshu ou l'île d'Okinawa pour leurs *soba* préparés de la même façon depuis des siècles. Tous les terroirs nippons ont aussi leur *senbei*, petites noisettes ou galettes croquantes à base de riz, grillées dans un moule de fer, badigeonnées de sauce soja, entourées d'une feuille d'algue ou couvertes de graines de sésame. Les *senbei* sont un des délices que l'on rapporte fréquemment à ses proches après un séjour quelque part, à l'instar des gâteaux sucrés, à base de riz, de thé vert et autres ingrédients typiques, gourmandises régionales minutieusement préparées pour symboliser la nature et les variations saisonnières.

Toutes les préfectures peuvent également se targuer d'un *nihonshu* typique. Alcool de riz de faible degré (de six à vingt degrés), cette boisson se marie très bien avec le poisson cru. Pour faire face à une baisse de la consommation, du fait de la concurrence de nombreuses autres boissons, à commencer par les vins français, les petits producteurs cultivent le haut de gamme, vantent les vertus du *nihonshu* pour la santé et revoient l'esthétique ainsi que le volume de leurs bouteilles. Des minibouteilles avec des étiquettes roses très féminines et un degré alcoolique plus faible ont ainsi récemment fait leur apparition dans les rayons, appuyant également leur argumentaire sur leur mode de fabrication artisanal à partir de riz 100 % japonais. Ils essaient ainsi de reconquérir les jeunes générations qui ont tendance à considérer le *nihonshu* comme une boisson passée de mode pour hommes d'âge mûr, alors que les vins bénéficient d'une image d'élégance et de raffinement.

Variant au gré des régions, la cuisine suit aussi le rythme des saisons et des festivités qui les célèbrent. Les *mochi*, rectangles grillés de riz gluant cuit à la vapeur et pilé dans un mortier, sont par exemple indispensables lors des *matsuri* – « fêtes » locales – et pour le nouvel an, comme nombre d'autres recettes – *osechi ryori* – spécifiques à cette période sacrée de l'année, et ce même si, élastiques et difficiles à avaler, les *mochi* causent chaque année la mort de plusieurs vieillards. Muscles affaiblis, ils s'étouffent faute d'avoir suffisamment mâché en dépit des appels à la vigilance lancés annuellement par le gouvernement à l'approche des agapes du 1ᵉʳ janvier. Le *sekihan* – riz rouge – est quant à lui l'un des mets qui accompagnent nécessairement les fêtes des enfants de trois, cinq et sept ans, les mariages ou le soixantième anniversaire.

Inexportable ou immangeable ?

Bien d'autres préparations encore font la richesse de la cuisine nippone, dont une toute petite partie s'exporte. Certains aliments et condiments que les Japonais de toutes régions consomment quotidiennement restent ainsi inconnus hors de l'archipel, parce que plus difficiles à transporter ou tout bonnement à faire avaler à qui n'y a pas été habitué dès l'enfance. Le plus représentatif de cette catégorie est sans doute le *natto*, soja fermenté et salé avant d'être étuvé, une mixture filandreuse marron au goût très fort de pourriture que l'on mange à tous les repas, y compris au petit déjeuner avec du riz. Un étranger qui se délecte avec du *natto* suscite l'admiration des Japonais qui pensent généralement qu'eux seuls sont capables d'en aimer l'étrange saveur moisie, rebutante au premier abord. Cela est aussi vrai pour le poulpe cru pas franchement appétissant, les *umeboshi* – prunes rouges salées –, les *tsukemono* – choux chinois, concombres, radis blancs ou aubergines conservés dans du sel et servant de condiments –, les poissons séchés et parfois râpés pour assaisonner différents mets, les *wagashi* – gâteaux de pâte de haricot rouge archisucrée –, le *miso* utilisé comme sauce, ou encore les différentes algues crues ou cuisinées – *wakame, hijiki, konbu* –, à l'exception des craquantes fines feuilles séchées de *nori* notamment utilisées pour entourer les *makisushi* – *sushi* roulés. La plupart des étrangers qui viennent au Japon apprécient donc les premiers jours de savourer des *sushi* authentiques dont le goût n'a rien à voir avec ceux servis aux tables des nombreux pseudorestaurants japonais de leur pays. Les voyageurs de passage digèrent aussi sans mal les nouilles *soba* et *somen*, le *sukiyaki*, les brochettes *yakitori*. Toutefois, le plus souvent, les autres mets typiquement nippons, qui ne rappellent pas un plat ou une saveur de leurs contrées, ont plus de mal à passer. Les tranches de poulpe ou lamelles de sèche crue caoutchouteuses leur restent en travers de la gorge, ainsi que les algues, le riz blanc collant sans assaisonnement ou pis, la chair écarlate de baleine qu'il vaut mieux ne pas leur proposer. Il est de même préférable de ne pas leur confier que les parties les plus appréciées par les Nippons dans le poisson sont… les ovaires et les yeux !

60 % de la nourriture sont importés

Si toute la nourriture nippone ne peut être exportée, c'est aussi parce qu'elle ne suffit pas à nourrir la patrie. En valeur calorique, l'autosuffisance alimentaire du Japon, qui se situait à un taux de 53 % en 1980, a progressivement chuté, s'établissant en 2011 aux environs de 40 %, un niveau autour duquel elle oscille depuis 2000. Il s'agit du taux le plus faible des principaux pays industrialisés. La France fait sur ce plan baver d'envie les Japonais, avec un ratio de 122 %, de même que les États-Unis qui, compte tenu de leur vaste étendue arable, produisent 128 % de leurs énormes besoins alimentaires. Même la Grande-Bretagne, moins bien servie, parvient à se nourrir à hauteur de 70 %. Recouvrer un niveau d'autonomie équivalent à 45 % en 2015 représente un défi colossal, voire impossible, pour le gouvernement. Il se bat dans les instances internationales pour maintenir des taxes totalement dissuasives à l'importation (jusqu'à 700 %) sur les catégories de produits dits sensibles afin d'éviter un raz-de-marée de marchandises à bas prix en provenance de pays regorgeant de blé, d'oranges ou de riz. Les négociations au sein de l'Organisation mondiale du commerce (OMC) sur la libéralisation des échanges commerciaux ou les discussions en vue d'accords bilatéraux de libre-échange ont achoppé à plusieurs reprises sur le volet agricole, notamment du fait de l'intransigeance du Japon. Il en va en effet selon ses dirigeants de la survie des agriculteurs nippons, lesquels seraient dans l'incapacité totale de résister à une inéluctable chute des prix si les digues que constituent les droits de douane venaient à céder.

Reste que dans un contexte de mondialisation galopante où les pays producteurs en voie de développement exigent un accès aux marchés des nations industrialisées, les Japonais savent pertinemment qu'il leur faudra lâcher du lest. S'ils se montrent trop intransigeants et cloîtrés, ils prennent en effet le risque de ne plus rien recevoir, les vendeurs étrangers finissant par se lasser d'un dialogue de sourds alors que Chinois et Indiens réclament ces denrées à cor et à cri. Alors ? Eh bien certains jugent que s'il s'y prend adroitement, le Japon a lui aussi tout à gagner à assouplir sa position. En ouvrant son territoire, réciprocité oblige, il obtiendrait en retour la liberté de vendre aussi ses productions détaxées à l'étranger, un débouché nouveau qui dynamiserait le secteur agricole périclitant et donnerait envie à des producteurs de prendre fermement le taureau par les cornes, de voir plus grand et de produire mieux pour que les saveurs japonaises, se distinguant mondialement des autres par leur qualité, acquièrent une renommée internationale. Le Japon peut aussi innover en la matière, comme il l'a déjà fait, lui qui a vu naître un des pionniers de l'agriculture bio (appréciée au Japon et ailleurs), Masanobu Fukuoka. Ses théories et sa mise en œuvre de pratiques agricoles révolutionnaires (mais aussi philosophiques, en rapport avec la méditation) ont connu un écho mondial et influencent toujours les cultivateurs et consommateurs qui empruntent la voie de l'agriculture naturelle. « C'est une des personnalités japonaises qui a le plus "donné" à l'humanité », estiment ses disciples étrangers. La seule façon de protéger efficacement le secteur agricole nippon sans trop prêter le flanc à la critique consisterait donc à innover afin de hisser le niveau sanitaire, environnemental, qualitatif et gustatif des productions locales pour que les distributeurs et consommateurs les choisissent en priorité et pour les exporter sans les brader.

Les sciences et techniques mises au service de l'agriculture sont aussi perçues comme un moyen de redonner de l'attrait au travail de la terre et d'inciter les jeunes à reprendre le flambeau. Se démarquer par une montée en gamme est aussi pour eux la seule façon de conserver les faveurs des consommateurs, du moins de ceux qui en ont les moyens, compte tenu des tarifs parfois exorbitants des pommes, melons ou pêches issus des régions nippones. Au point que les corbeilles de fruits, joliment décorées, constituent des présents de valeur très appréciés que l'on s'envoie d'un bout à l'autre de l'archipel aux grandes occasions.

La peur au ventre

Si les Nippons, si prompts à dénoncer le gâchis, *mottainai, mottainai*, n'avaient pas tant les yeux plus gros que le ventre, citoyens et restaurateurs cuisineraient un peu plus raisonnablement, jetteraient moins de denrées périmées ou jugées impropres à la consommation (visuellement ou diététiquement), n'auraient pas tant besoin d'aller puiser à l'étranger et feraient ainsi mécaniquement remonter le taux d'autosuffisance. En effet, s'ils pouvaient faire autrement, sûr que les Japonais, fins gourmets et très à cheval sur l'hygiène et la sûreté, se passeraient volontiers des légumes, fruits et autres marchandises importées, considérées comme moins sûres, en dépit des draconiennes mesures de sécurité. Les consommateurs sont de plus en plus suspicieux, y compris vis-à-vis de leurs producteurs locaux. D'autant que les médias et milieux d'affaires n'hésitent pas à jeter de l'huile sur le feu en relayant les études alarmantes sur « les aliments bourrés de matières chimiques et produits frelatés que les producteurs chinois déversent sans scrupules sur le monde ». Mi-2007 et début 2008, au moment où tous les journaux et télévisions se déchaînaient sur le sujet, neuf Japonais sur dix affirmaient avaler des articles venus de Chine la peur au ventre. Il a suffi de légers malaises et de diarrhées en février 2008 suivis d'un scandale et de quelques dizaines d'intoxications alimentaires aux insecticides dans des surgelés importés de l'empire du Milieu pour faire immédiatement dégringoler les arrivages d'aliments en provenance des usines chinoises (surtout les légumes), mettre à mal des importateurs japonais accusés de négligences et démultiplier les contrôles déjà nombreux. Et des P-D.G de groupes de distribution de tirer alors la sonnette d'alarme : « Les Japonais n'ont pas conscience du fait qu'il peut exister une forme de terrorisme par la nourriture : nous devons prendre des mesures drastiques impliquant la police, le gouvernement, les autorités de surveillance, les commerces et diverses organisations pour parer au danger », tempêtait mi-2008 le patron d'Aeon, deuxième acteur du secteur au Japon. Inconscients des risques les consommateurs ? À les observer, on aurait pourtant juré le contraire. Dans tous les supermarchés se reproduisait en effet la même scène : des ménagères prenant un paquet, scrutant l'étiquette et s'empressant de le reposer en grimaçant. La raison : « Importé de Chine. » Ce rejet fut une aubaine pour les producteurs nippons qui virent ainsi revenir vers eux les négociateurs des chaînes de supérettes et grandes surfaces dont les cargaisons de denrées de Chine moisissaient en rayon bien que barrées d'une étiquette *hankaku* (moitié prix) plusieurs jours avant la date de péremption ou objets de promotions imbattables. Ainsi vit-on soudain fleurir sur de nombreux emballages deux kanji immédiatement repérables, *kokusan*, « produit au pays », imparable argument de séduction, gage de sécurité. Les *konbini* Seven Eleven se sont même fixé en 2008 comme objectif un taux de 93 % de légumes d'origine nippone dans leurs *bento* et autres plats cuisinés prêts à consommer, et davantage encore par la suite pour pouvoir afficher un autocollant de plus sur leurs produits exclusifs : « 100 % *kokusan* ». *Exit* les primeurs chinois ou américains. Seven Eleven utilise 100 000 tonnes de légumes et céréales par an, une masse qui lui permet de négocier des prix de gros et de signer des contrats à long terme avec des coopératives agricoles japonaises qui, du coup, se montrent un peu plus souples sur les tarifs, même si la marchandise nippone est plus chère à récolter. Ce n'est pas qu'une question de sécurité alimentaire, mais aussi, voire surtout, de goût, assure-t-on au sein du groupe : les légumes japonais sont tout bonnement meilleurs, pardi, et cela, les consommateurs non seulement le savent, mais le réclament. Des supermarchés vont encore plus loin qui se targuent de cultiver eux-mêmes sur des terres leur appartenant dans les grandes étendues de Hokkaido une partie des produits mis en rayons ou utilisés dans leurs mets préparés. Pareillement, pour affriander le client, aux traditionnels lampions rouges en devanture des restaurants se substituent désormais des exemplaires verts, labels garantissant l'usage majoritaire d'ingrédients cultivés en terre nippone.

Dans le même souci de rassurer l'opinion, et malgré les pressions incessantes de l'Oncle Sam, le gouvernement japonais avait aussi longuement hésité avant de lever l'embargo sur les importations de bœuf américain imposé pendant plus de deux ans en raison des craintes liées à l'encéphalopathie spongiforme bovine (ESB). Décidée en décembre 2003, cette mesure avait été abrogée une première fois en décembre 2005, à condition que les bovins soient âgés de moins de vingt mois et que les parties jugées « à risque » (cerveau et moelle épinière) soient préalablement retirées. L'interdiction avait été brusquement rétablie un mois plus tard, après la découverte d'un chargement ne respectant pas ces directives. Avant l'embargo, le Japon était le premier importateur mondial de chair bovine nord-américaine. Finalement, les livraisons de bœuf en provenance des États-Unis ont repris en 2006. La viande américaine a retrouvé sa place dans les rayons des supermarchés. Elle est de nouveau servie découpée en fines lamelles poêlées posées sur un bol de riz, chez Yoshinoya, une chaîne de restauration rapide que fréquentent surtout les hommes, pour se gaver, 24 heures sur 24, de ce plat baptisé *gyudon*. Cependant, même si les affamés qui rêvaient de *gyudon* depuis des mois ont fait la queue devant la porte le jour où la figure du bœuf américain est réapparue sur le menu, les ventes n'ont pas recouvré leur volume d'antan. Elles auront d'autant plus de mal que régulièrement des livraisons non scrupuleusement respectueuses des règles sont constatées. Début 2008, des tonnes de viande américaine ont dû être récupérées en rayons, les autorités s'étant rendu compte que les bovins dont elles provenaient étaient âgés de vingt et un mois, un de trop.

L'opinion publique veut des garanties. Elle se méfie de plus des assurances du gouvernement quand ses décisions paraissent imposées de l'extérieur et qu'elles s'inscrivent dans un vaste ensemble de tractations politico-diplomatiques. Les consommateurs nippons sont parfois naïfs, mais ils n'avalent pas n'importe quoi, au sens propre. Surtout, ils ne plaisantent pas avec la nourriture, même s'ils en parlent sans arrêt. Ce qu'ils absorbent doit être sain, pur, joli et délicieux, quitte à ce que les salades d'un improbable vert pur aient été cultivées dans des « usines à légumes » hyper-hygiéniques, genre d'installations que l'on trouve désormais même au sous-sol de quelques restaurants pour lesquels la qualité et la provenance des ingrédients constituent les premiers arguments publicitaires. Toujours prompte à réagir aux craintes de ses administrés, la municipalité de Tokyo exige pour sa part depuis 2008 que soit précisée l'origine des ingrédients entrant pour plus de 5 % dans la composition de surgelés et autres plats préparés. S'il n'y a pas de place sur le paquet, que l'information soit disponible en ligne et accessible facilement. De peur d'être empoisonnés, les consommateurs vont même désormais jusqu'à s'inquiéter de la composition et de la provenance des emballages. Ils demandent que ces informations soient aussi portées à leur connaissance. Est-ce que c'est aussi *kokusan* ? Tout le problème est toutefois de savoir si ces deux kanji sont réellement une garantie suffisante. Une interrogation qui n'a pas échappé à des renifleurs malins qui se sont empressés d'aller fouiner dans les arrière-cuisines pour sortir des ouvrages à la titraille bien anxiogène : *Sécurité alimentaire : peut-on avoir confiance ? Si les légumes chinois sont dangereux, les japonais sont-ils vraiment plus sûrs ?* Et les mêmes de répondre bien évidemment à toutes ces questions : non ! L'accident nucléaire de Fukushima en mars 2011 et les milliers de terabecquerels de rejets radioactifs dispersés sur le nord du territoire nippon ont encore plus ruiné la supériorité sanitaire supposée de la production nationale. Des niveaux d'iode et césium radioactifs supérieurs aux normes ont en effet été découverts dans plusieurs produits agricoles, ponctuellement interdits à la vente, ce qui a jeté le soupçon sur l'ensemble de la production locale. Alors que le Tohoku (nord-est) est une des régions maraîchères les plus florissantes de l'archipel, elle est devenue dans l'esprit des Japonais une terre empoisonnée. Si bien qu'il ne suffit plus depuis 2011 d'écrire « kokusan » pour bénéficier de la confiance du consommateur, il faut en plus mentionner la localité exacte de production. Les épinards, aubergines, champignons, pêches et autres légumes et fruits réputés du terroir de Fukushima, où la nature est pourtant extraordinairement belle, n'ont plus eu bonne presse. Pire, dans le cas de la viande, il a un temps fallu prouver que les bêtes n'avaient pas été nourries avec du foin ou de la paille provenant des terres contaminées des préfectures de Miyagi, Iwate ou Fukushima. Cette dernière, la plus frappée d'anathème, a, en désespoir de cause, lancé en août 2011 sur Internet une vaste campagne de promotion de ses produits délaissés par les clients apeurés par la radioactivité. « Je n'aime rien tant que ma région », plaida l'un des créateurs du site « Fukushima shinhatsubai » (nouveautés de Fukushima), dont l'objectif fut de montrer que « la région s'activait pour s'assurer un nouvel avenir ». Les internautes se sont vus proposer un moteur de recherche d'informations très détaillées sur les contrôles journaliers de radioactivité effectués pour chaque fruit, légume, viande, poisson, produit laitier et autre aliment. À l'automne 2011, dans les supermarchés du centre de Tokyo, des barquettes de champignons étaient barrées d'un autocollant assurant que des contrôles avaient été effectués. Chez des marchands de riz, un écriteau assuraient que le « riz nouveau » avait été passé au « compteur Geiger ». Un phénomène intéressant de solidarité et d'empathie se produisit toutefois parallèlement à la désaffection. Les personnes âgées, disant n'avoir plus rien à craindre, se sont, dès le lendemain de l'accident, montrées favorables à l'achat d'aliments de Fukushima pour aider les agriculteurs sinistrés. Bien que moralement solidaires, les jeunes, notamment les mères de famille, étaient les plus réticents à encourir un éventuel risque, ne faisant guère confiance aux autorités certifiant la non dangerosité des produits commercialisés. Des entreprises ont par ailleurs pris la décision de servir en priorité dans leurs cantines des légumes certifiés conformes en provenance des exploitations de Fukushima. Des dizaines de commerçants et restaurateurs de l'ensemble du Japon s'étaient en outre portés volontaires pour soutenir les producteurs de Fukushima afin que les aliments du terroir continuent de se vendre, mais d'aucuns ont dû renoncer à leurs bonnes actions après avoir reçu des lettres d'insultes et de menaces. La crise de Fukushima a confirmé qu'il est extrêmement difficile dans ce genre de situation de prendre des décisions et d'en faire admettre la rationalité à une opinion publique craintive et incrédule parce qu'échaudée, en dépit d'efforts de pédagogie et d'information où la malhonnêteté n'est pas nécessairement présente contrairement à ce qu'ont tendance à penser les étrangers.

L'exigence de traçabilité renforcée par ces crises a au moins le mérite d'offrir un motif supplémentaire d'innovations pour les industriels du secteur de l'électronique, lesquels profitent des craintes publiques pour faire l'article de leurs systèmes de suivi alimentaire.

La technologie veille au grain

Fortement poussé par l'État, cet axe de développement va donner du grain à moudre à de nombreux chercheurs et ingénieurs dans les mois et années à venir, le Japon ambitionnant là encore d'être le premier de la classe. Une des sommités des nouvelles technologies au Japon, le professeur Ken Sakamura, éminence grise du gouvernement en la matière, en a d'ailleurs fait un de ses chevaux de bataille. L'homme, qui pourrait être plus riche que Bill Gates s'il avait monnayé ses inventions informatiques au lieu d'en faire cadeau à la communauté industrielle, a notamment conçu une nomenclature de codes, baptisés *ucode*, qui permet d'assigner à chaque objet et à chaque composant ou contenant de ce dernier, existant ou à venir, ainsi qu'à tout lieu, un numéro d'identité absolument unique au monde pendant des millénaires. « Si un *ucode* était apposé sur toutes les choses que l'on utilise, parfois pendant des années sans les avoir soi-même achetées, on les gérerait mieux et cela réduirait les risques », souligne M. Sakamura. En effet, même si aujourd'hui tous les aliments et autres produits du commerce comportent des codes à barres, pour le commun des mortels, ces pictogrammes n'ont aucune signification. Sans compter qu'ils sont parfois similaires pour deux objets jumeaux et qu'une fois le produit acheté, on s'empresse souvent de décoller l'étiquette ou de jeter l'emballage. Il n'existe pas en outre sur Internet de service où il suffirait d'entrer les chiffres associés à une boîte de conserve ou à une barquette de viande pour en connaître l'histoire, savoir qui l'a produite, où, quand et comment, ou bien si la nourriture en question a fait l'objet d'un quelconque avertissement, rappel pour vice de production par exemple. Avec la nomenclature *ucode*, chaque œuf pondu, chaque fruit vendu, chaque bol de nouilles instantanées, chaque tuile d'un toit, chaque appareil audiovisuel, chaque pièce de voiture peut se voir allouer un numéro unique auquel sont rattachées des informations sur son origine, son histoire, son parcours et ceux des autres *ucode* qui lui sont associés par un lien quelconque (ingrédients, chaîne de production). Pour consulter ces données et connaître ainsi la provenance et la vie d'un produit et de ses composants, quels qu'ils soient et d'où qu'ils viennent, pour peu que l'information soit publique, il suffit soit de saisir le numéro de code dans une base de données en ligne générale, soit, dans le cas d'un pictogramme ou d'un marqueur électronique, de le lire avec un terminal tel qu'un téléphone portable. D'un point de vue technique, l'*ucode* est un métacode, c'est-à-dire qu'il peut englober tous les autres (code à barres traditionnels, JAN, UPC, EAN, ISBN, adresses IP, numéros de téléphone…) grâce à un codage dont la construction permet de l'étendre à l'infini. L'*ucode* a convaincu tous les grands spécialistes de systèmes de gestion logistique et d'identifiants électroniques japonais (NEC, Hitachi, Fujitsu, Renesas Technology, Toppan Printing, Dai Nippon Printing). Il est employé *in situ* dans des entreprises du Japon. Des producteurs numérotent ainsi unitairement chacun des œufs issus de leurs poules elles-mêmes estampillées. Des distributeurs de produits pharmaceutiques, qui livrent quotidiennement les hôpitaux, gèrent les commandes boîte par boîte, avec un dispositif logistique reposant sur un repérage et un suivi en temps réel par *ucode* beaucoup plus performants et pointus que les systèmes par simples codes à barres. Des entrepôts de stockage alimentaire expérimentent ce principe, ce qui permet de savoir à tout instant où se trouve telle mangue, telle carotte, telle pomme, et de voir en temps réel que la cagette qui contient tel fruit est posée sur tel chariot en cours de manutention, la position de chaque étiquette active étant repérable avec une précision de trente centimètres au sol.

La nature garde néanmoins tous les droits

Las, quels que soient les moyens déployés pour se sustenter à satiété sans anxiété, le Japon restera toujours dépendant de l'extérieur. Il ne changera rien à l'ingratitude de son sol, pas plus qu'il ne fera revenir des millions de citadins à la campagne pour cultiver les terres. Le voudraient-ils d'ailleurs qu'ils ne le pourraient pas, faute de place. Les trois plus importantes agglomérations, Tokyo, Nagoya et Osaka, concentrent à elles seules quelque 60 millions de résidents, soit environ 45 % du total. Résultat, une densité d'individus au kilomètre carré qui va d'un quart de la moyenne nationale (égale à 343 habitants par kilomètre carré) à plus de quinze fois cette dernière. Au centre de Tokyo s'entassent ainsi plus de 5 750 personnes par carré de mille mètres de côté, contre seulement 72 sur l'île de Hokkaido. Le Japon n'est pas dans son ensemble surpeuplé, mais c'est tout comme puisque neuf Japonais sur dix vivent en zones urbaines sur des surfaces étriquées.

Et pourtant, en dépit d'une nature malfaisante et pour le moins astreignante, les habitants du pays du Soleil-Levant, et ce n'est pas le moindre de leurs paradoxes, lui vouent un véritable culte, une attitude qui résulte de la religion animiste shinto qui sommeille en beaucoup d'eux. Ce qui procède de la nature provient d'une divinité. De nombreuses journées sont ainsi fériées en l'honneur des phénomènes et éléments naturels, qu'il s'agisse des équinoxes ou du jour de la mer. L'alternance des saisons scande la vie collective. Chaque année, la floraison des cerisiers est attendue comme le Messie. Des inspecteurs municipaux font le tour des parcs et jardins pour repérer le premier bourgeon et décréter officiellement le début des festivités. Des fournisseurs de services sur téléphone portable demandent à leurs abonnés de rapporter les éclosions et de signaler au passage l'emplacement des arbres en mauvais état pour appeler au secours les bonnes âmes aux mains vertes. La première fleur découverte fait la une des journaux télévisés et des quotidiens, événement incontournable et récurrent, marronnier dans le jargon médiatique. Si, par malheur, l'agence de météo se trompe de date dans ses prévisions, son patron fait très officiellement acte de contrition devant les caméras (les excuses télévisées sont une pratique très courante), non sans expliquer dans les moindres détails les raisons de cette bévue. C'est qu'en cas d'erreur, les entreprises et associations se trouvent prises au dépourvu, obligées de chambouler les calendriers des traditionnelles et obligatoires beuveries collectives organisées sous les pluies de pétales roses et blancs. Un tel cafouillage s'est produit en avril 2007, le public était furieux, pas contre la nature, elle a tous les droits, mais contre ses météorologues.

Trêve de railleries, depuis les années 1970, les Japonais sont sans doute, avec les habitants des pays du nord de l'Europe, parmi les plus sensibilisés du monde aux problèmes énergétiques et surtout les mieux armés techniquement pour y faire face, préserver l'environnement et viabiliser la biodiversité. Le Japon n'est-il pas le pays où fut aussi adopté, le 11 décembre 1997, le protocole de Kyoto, du nom de l'ex-capitale impériale, après deux années et demie d'âpres négociations internationales ? Cet accord prévoit, pour les nations qui l'ont ratifié (les États-Unis n'en sont pas), des engagements chiffrés de limitation et de réduction des émissions de gaz à effet de serre (dioxyde de carbone notamment), lesquels sont jugés responsables du réchauffement climatique. Le Japon avait promis d'abaisser de 6 % les rejets incriminés au plus tard en 2012 par rapport au niveau de 1990. Las, les bonnes résolutions encore insuffisantes des foyers et de quelques secteurs, ainsi que l'augmentation du nombre des usines, ont rendu l'objectif quasi impossible à atteindre, d'autant qu'ont été relancées des centrales thermiques après l'arrêt de la plupart des réacteurs nucléaires à cause des séismes de Niigata en 2007 et du tsunami de 2011 au nord-est. La France, plus vernie par la nature, eut moins de difficultés : elle s'y est mise plus tardivement, en partant d'un niveau proportionnellement plus élevé (donc plus facile à faire chuter dans les premières années) et délocalisant ses sites de production… et la pollution avec. Les Japonais ne renoncent pas pour autant à contribuer à l'assainissement de la planète. Ils multiplient les initiatives gouvernementales et privées pour mieux sensibiliser l'opinion et doper les efforts des industriels ou autres forces vives de la nation. Le pays du Soleil-Levant espère de plus montrer l'exemple au cours des décennies prochaines, visant une réduction de moitié au moins des émissions de gaz carbonique d'ici 2050, grâce à des technologies locales de pointe qui ont intérêt à être quasi miraculeuses.

Les missions japonaises spatiales d'observation de la Terre et autres astres sont aussi généralement présentées sous l'angle environnemental au grand public, et réellement utiles de ce point de vue. Les actes de chacun au quotidien n'accompagnent toutefois pas toujours les professions de foi. Entre traditions pour la bonne bouche et privations pour la bonne cause, les Japonais préfèrent parfois les premières aux secondes, comme dans le cas de la pêche à la baleine qu'ils refusent d'abandonner, usant et abusant de faux prétextes scientifiques. À la vérité, ils aiment la chair fraîche écarlate du géant cétacé, grossi en liberté. Elle leur inspire plus confiance que celle du grassouillet bœuf élevé par un fermier yankee, fût-il un militant actif d'une association internationale de défense de la nature. Interdire aux Japonais de pêcher des baleines pour les déguster ? Autant priver les Français de gibier dominical ou de foie gras à Noël. Ils en glisseront en cachette dans leur assiette, comme feu François Mitterrand ses ortolans. Tradition ancestrale, la consommation de chair de cétacés fait partie de la culture culinaire nippone et doit le rester, hurlent les avocats zélés de cette pratique dénoncée par les étrangers défenseurs des espèces marines menacées. Les pêcheurs nippons sacrifient des baleines pour des recherches scientifiques, autorisées par la convention de Washington de 1946 (article 8), et le peuple consomme les restes, justifient les intéressés qui se jouent ainsi du moratoire sur la chasse commerciale en vigueur depuis 1986. Qui est assez naïf pour mordre à l'hameçon ? D'autant que cette disposition est en décalage avec la réalité présente, selon le gouvernement français. Il est en effet désormais possible de conduire des programmes de recherche de grande envergure sans tuer, grâce aux progrès technologiques qui n'étaient pas prévus par les auteurs de ladite convention, argue Paris.

De plus, les quotas de chasse scientifique échappent à tout contrôle puisqu'ils sont décidés de manière discrétionnaire par le pays chasseur conformément à la réglementation de la Commission baleinière internationale (CBI). La France et vingt-six autres pays ont protesté en décembre 2006 auprès des autorités japonaises contre leur nouvelle campagne de chasse dite scientifique doublant le nombre de prises prévues (plus de mille quatre cents par an en l'occurrence) et incluant, pour la première fois, la baleine à bosse et le rorqual commun, des espèces classées comme vulnérables par l'Union internationale pour la conservation de la nature. Mi-2008, en total désaccord sur le nombre de bêtes et l'évolution des quelque quatre-vingt-trois espèces de baleines connues, les pays favorables à la chasse et les nations protectrices des cétacés s'affrontaient toujours au sujet d'un règlement révisé en cas de levée du moratoire de 1986. Aucun des deux camps ne disposant de la majorité requise des trois quarts des membres de la CBI, cette question centrale est dans l'impasse. Niant qu'ils sont en train de détruire un écosystème pour satisfaire leur gourmandise, les pêcheurs et mangeurs de baleine nippons (ainsi que les Norvégiens) se battent violemment en pleine mer avec les représentants d'associations de défense de l'environnement comme Greenpeace et Sea Shepherd. Ces dernières ont réussi à l'hiver 2010-2011 à mettre fin prématurément à la campagne annuelle, à force de harceler les bateaux japonais, mais l'année suivante la chasse repris, avec des escortes pour barrer les assaillants. Des baleines, les Japonais en ingurgitent depuis la nuit des temps, et il en reste encore autant, s'énervent les porte-parole des chasseurs nippons, sous l'œil approbateur de quelques navigateurs solitaires, y compris français, qui n'apprécient guère de se retrouver loin des terres nez à nez avec ces énormes cétacés.

Chair noble d'abord réservée aux classes aisées, la baleine (*kujira*), cuisinée de différentes façons comme du poisson, crue ou cuite, s'est invitée à la table de la famille

Tout-le-Monde durant l'ère Edo, au début du XIXᵉ siècle. Suspendue pendant les années de conflit, la pêche nippone fut de nouveau autorisée par le général américain MacArthur en 1946. Lorsque l'an suivant le premier navire est revenu les soutes pleines de baleines, les citoyens, qui avaient réellement faim, en furent tout émus : enfin des protéines, enfin une nourriture contre l'anémie. Les écoliers se régalaient. Aujourd'hui grisonnants, ils s'en souviennent. La baleine était bon marché, un aliment au rapport qualité/santé/prix inégalé. Les Américains avaient à l'époque admis que la consommation baleinière permettrait de lutter contre les carences alimentaires dont souffrait le peuple nippon. À présent, « sous l'influence de lobbies écologistes, voire de représentants de pays sans côtes maritimes qui ne connaissent rien au fonctionnement du milieu halieutique » (*dixit* des pêcheurs et cuisiniers japonais), les Yankees sont en première ligne aux côtés des Australiens pour empêcher la flotte de bateaux baleiniers nippons de remplir leur ventre. Mais le peuple japonais est toujours (voire de plus en plus) attaché aux vertus nutritionnelles de la chair de baleine, riche en protéines, pauvre en mauvaise graisse, anti-allergène, et anti-âge paraît-il même. Sensibles à ces arguments, les jeunes, qui étaient réticents à en consommer, redécouvrent aujourd'hui les mets de baleine, de même que les mitrons des cantines d'école, à la faveur des campagnes de promotion de la saine cuisine japonaise et de la lutte contre les mauvaises habitudes alimentaires importées. Et c'est ainsi qu'un touriste qui ne lit pas le japonais peut, à son cœur d'écolo défendant, acheter dans un supermarché une barquette de *sashimi* de baleine, et même trouver excellente la chair écarlate en la qualifiant de bon thon !

Troisième partie

INNOVATION ET CONSOMMATION,
LES DEUX POUMONS DE L'ÉCONOMIE

Introduction

UN PEUPLE BIGREMENT ORGANISÉ

Quelque 127 millions d'humains obnubilés par le temps, obsédés par l'exactitude, intransigeants sur les principes, perfectionnistes, procéduriers, à cheval sur l'hygiène, amateurs de bonne chère et un brin grégaires, obligés de s'approvisionner aux comptoirs étrangers et vivant en majorité dans des conurbations gigantesques aux rues sans nom, sur un territoire à la merci des folies climatiques et des furies terrestres, forcément, cela exige une certaine organisation. Or, sur ce plan, les Japonais se contentent rarement du minimum vital, même pour les choses en apparence les plus triviales. On reste béat d'admiration devant leur capacité à trier, répertorier, dénombrer, une habitude bien ancrée, enseignée dès le plus jeune âge, qui fait le bonheur des fabricants de classeurs, étiquettes, boîtes de rangement ou logiciels de base de données. « Combien de fois avez-vous interprété ces standards du jazz ? », s'enquit un jour un journaliste auprès du compositeur et multi-instrumentiste américain Keith Jarrett ? Réponse du virtuose idolâtré au pays du Soleil-Levant : « Cela, c'est aux Japonais qu'il faut le demander, ils listent, comptent, catégorisent et archivent tout. »

Vénération de l'ordre, bon sens, quête d'efficacité et souci de la sûreté ont fait des Nippons des as du factage, des spécialistes des flux et des experts hors pair de la logistique, qu'il s'agisse de gérer des personnes, des marchandises ou des informations, voire les trois à la fois. Par obligation et raison, ils ont inventé des concepts, conçu des mécanismes de régulation et imaginé des dispositifs organisationnels et industriels d'une efficience et d'une amplitude inconnues ailleurs.

Le recette est presque toujours la même : une longue observation du contexte, un constat des lacunes, une vision de la situation idéale à atteindre, une fine analyse des habitudes, des pratiques et des phénomènes, une vaste exploration des solutions et moyens potentiels, une once d'imagination, une belle dose de bon sens, une pincée d'inventions, une grosse louche de technique, des milliers de tests, une armée de mitrons pour cuisiner le tout, sans oublier le zeste d'optimisation au fil des dégustations. La perfection est illusoire, la rechercher n'en est pas moins un devoir. Plusieurs exemples permettent d'illustrer ces principes qui ont généré des méthodes et infrastructures inédites dont les Japonais n'imaginent plus se passer : les portillons et automates dans les transports, les systèmes d'information sur le trafic routier, les supérettes ouvertes en permanence (*konbini*), les coursiers nationaux de porte à porte (*takuhaibin*) ou encore les systèmes de production industrielle. Ces infrastructures sont des fondements essentiels sur lesquels s'appuient de nombreux développements de services et produits innovants. Ils sont aussi la trace matérielle d'un mode de pensée pragmatique combiné à un sens aigu des affaires, dont les piliers sont la qualité, l'efficacité, le service, la commodité, le confort, la fiabilité, et la sécurité.

Chapitre XII

PORTILLONS INTELLIGENTS,
SYSTÈME INFORMATIQUE DE RÉSERVATION,
PONCTUALITÉ AÉRIENNE :
UN TRAIN D'AVANCE

Quatre-vingts usagers à la minute

Lorsqu'au cours de la période de haute croissance le taux de remplissage des métros et trains de banlieue aux heures de pointe matinales finit par avoisiner les 300 %, pour réguler le flot incessant et réduire le nombre d'accidents, il fallut bien trouver un moyen autre et plus humain que les cordes dressées sur le passage des hordes de salariés pressés. Même patients, ponctuels, polis et dévoués à leur entreprise, les habitués des rames de sept heures ne supportaient plus d'être transbahutés chaque matin dans des wagons pleins à craquer, d'y pénétrer au forceps poussés par des commis de quai aux mains gantées, de servir de marchepied à un compagnon d'infortune et d'accoudoir à l'autre. Les poinçonneurs assaillis de toutes parts et autres employés de gare ne se satisfaisaient pas davantage de leur rôle de bourreau, ou de victime expiatoire. Augmenter le nombre de rames, remplacer les hommes par des portillons corvéables à merci, il n'y avait en théorie guère d'autre option. Mais lorsque les compagnies, pleines de bonne volonté, consultèrent les nouveaux spécialistes locaux de la mécatronique naissante, contre toute attente, plus d'un les envoya promener : trop coûteux, trop complexe, trop risqué. Aucune station de métro ou gare du monde n'était encore dotée d'automates de contrôle, et encore moins de machines capables chacune de valider à longueur de journée jusqu'à quatre-vingts billets par minute, seuil minimal requis pour diluer les bouchons matinaux, en amont des quais comme à la sortie. De surcroît, le cahier des charges stipulait que les portiques devaient se fermer en une fraction de seconde au cas où un étourdi s'y engouffrerait sans titre de transport en règle. Il ne se trouva sur le moment guère qu'une toute petite entreprise de la région du Kansai (ouest), Tateishi Denki, inconnue du grand public, assez folle, inspirée ou philanthrope pour relever le défi : une demi-seconde par ticket et pas de passe-droit. Par chance, cette firme quasi artisanale fondée et dirigée par Kazuma Tateishi, un patriarche intellectuel prolixe, comptait en son sein une poignée de jeunes ingénieurs, pas encore trentenaires, experts des capteurs et mécanismes automatiques. Ces techniciens étaient de surcroît prêts à tout pour mettre fin à leur calvaire quotidien de passagers excédés du train de sept heures. Inutile de préciser que nul ne songea à développer des engins similaires aux tourniquets récalcitrants suivis de lourds vantaux du type de ceux avec lesquels les Parisiens se débattent dans le métro. Ne laissant passer au mieux qu'un individu jeune et agile en dix secondes, des mécanismes aussi retors eurent constitué au Japon un remède bien pire que le mal. On ne reprochera rien à la RATP. En France, le problème n'est peut-être pas tant le nombre d'individus à canaliser que la proportion de resquilleurs à bloquer. Le modèle de portes automatiques imaginé par les Nippons est donc fort différent. Il ressemble à deux murets parallèles d'un mètre de long sur un de haut, espacés de soixante centimètres environ et ouverts par défaut. On glisse son ticket dans une fente à droite en passant entre ces deux éléments et on le récupère à la sortie, un mètre plus loin, composté. On n'a pas attrapé son billet que le passager suivant a déjà introduit le sien. Et ainsi de suite, en flux tendu. Deux individus à la seconde. Si par inadvertance plus que par volonté de frauder, un imprudent distrait tente de passer sans ticket ou avec un titre non valide, deux battants à hauteur des genoux se ferment brutalement à la sortie, alertés par des capteurs de présence à l'entrée. Imparable ! Le dispositif est bardé de technologies de pointe dont certaines, découvertes par hasard, ont depuis fait florès et enrichi Tateishi Denki. Un des pères des portillons, nommé Asada, eut par exemple le premier l'idée d'utiliser une piste magnétique pour enregistrer les informations sur les tickets de métro, précédemment perforés, en regardant défiler sur son magnétophone la bande sur laquelle était couché un morceau de Glenn Miller. Dès le lendemain, il pria un fabricant perplexe de lui sortir un rouleau de papier recouvert de matériau magnétique pour expérimenter ce procédé de mémorisation de données. « Essayez, ça ne mange pas de pain, mieux, cela peut vous changer la vie ! », implora-t-il. « Bon d'accord », soupira l'autre, par pitié. Une semaine plus tard, Asada recevait la marchandise. Tests à l'appui, l'idée était bonne. Son collègue s'inspira quant à lui du mouvement d'une feuille d'arbre glissant le long d'une pierre sur un cours d'eau, lors d'une séance de pêche avec son fiston. Il créa ainsi un astucieux mécanisme d'entraînement et de redressement desdits tickets magnétiques dans les portillons. Le système remet dans le bon sens, sans délai supplémentaire, un billet introduit de travers ou à l'envers. Par ailleurs, pour économiser de la place, les portiques sont bidirectionnels, réversibles. Ils contrôlent les billets tant à l'entrée des quais qu'à la sortie, lesquelles sont indifférenciées et permettent de gérer sans redondance l'inversion de flux de voyageurs entre le matin et le soir. Une preuve de bon sens, si l'on ose dire. La double vérification systématique des billets au départ et à l'arrivée rend de plus inutile la présence de contrôleurs dans les rames, lesquels ne pourraient de toute façon pas s'y déplacer compte tenu du taux de remplissage hors barème. Ce mode opératoire permet aussi de calculer le prix du trajet dépendant de la distance parcourue et de vérifier que le ticket acheté lui correspond. Dans le cas contraire, il est possible d'ajuster le prix en bout de course, *via* des machines spéciales, sans écoper d'une amende. Les portillons automatiques de gare entrés en service à partir de 1971, une première mondiale, ont rendu moins pénible le quotidien des citoyens et des composteurs. Bien sûr, avant d'arriver à un tel niveau de quasi-perfection que tout étranger, habitué au pire, remarque instantanément, il fallut plusieurs années, ponctuées de vilaines surprises. Les ingénieurs n'avaient en effet pas prévu en première approche que les passagers glisseraient dans la fente des tickets froissés et mouillés, ou encore que des non-habitués des transports publics y introduiraient directement des billets de banque ! Rétrospectivement, les scènes de tests des prototypes dans les ateliers sont hilarantes. Les concepteurs avaient convoqué une trentaine de mères de famille qu'ils faisaient défiler à toute vitesse à la queue leu leu en boucle entre les deux portants pour valider le dispositif, et détecter les éventuels pépins dans différents cas de figure pour le moins cocasses (passagers avec cartons et baluchons, valise, enfants en bas âge sur le bras, panier de courses…). Continuellement améliorés, ces portillons sont désormais installés par milliers dans les gares et stations de métro du pays, comptabilisant des centaines de millions de passages quotidiens à raison d'une demi-seconde par individu. La foule s'y déverse, sans marquer le moindre temps d'arrêt. Des modèles similaires régulent aussi les accès dans les entreprises ou lieux événementiels. En outre, depuis 2001, les nouvelles moutures sont enrichies d'un lecteur de carte à puce sans contact multi-trajets. Cette dernière, qui remplace le ticket magnétique, est aussi intégrée dans les téléphones portables qui en deviennent encore plus multifonctionnels. Là encore, les Japonais, qui entamèrent les recherches très tôt, furent les premiers à imaginer cette solution électronique inusitée et reprise depuis dans de nombreux pays, dont la France. En 2011, alors que JR fêtait les 10 ans de la carte Suica, la plupart des 35 millions d'usagers de la mégapole tokyoïte et des millions d'habitants des autres villes nippones possédaient et utilisaient quotidiennement un tel passe-partout. Les trajets sont débités sur le solde d'argent contenu sur la puce (Felica de Sony). Dans le cas du mobile ou sur demande pour les cartes en plastique, le porteur ne se soucie plus de rien. La puce se recharge en monnaie virtuelle automatiquement, par débit sur le compte en banque, une transaction effectuée *via* le réseau cellulaire. L'usager n'est ainsi plus obligé de se rendre à un distributeur pour convertir un billet de banque contre l'équivalent en argent immatériel enregistré sur la carte. Toutes les compagnies de train, métro et bus des grandes agglomérations ont adopté un système de billet électronique commun qui permet d'emprunter n'importe quelle ligne et de changer de mode de transport (train, bus, métro) avec la même carte à puce ou le même téléphone portable, sans rencontrer le moindre obstacle. Fluide.

Aujourd'hui, Tateishi Denki s'appelle Omron, un groupe qui doit son développement à ses pépites mécatroniques inégalées (mécanisme d'entraînement et de redressage des tickets, détecteurs de présence), lesquelles lui ont conféré durant des lustres un quasi-monopole de fait sur les portiques des gares et métros nippons. Spécialisé également dans les distributeurs automatiques (titres de transport et billets de banque), les capteurs sensoriels, les feux de signalisation, les instruments de mesure, les appareils médicaux, Omron comptait mi-2011 quelque 35 700 salariés dont 24 300 hors du Japon.

Le premier système informatique de réservation ferroviaire

Outre les portillons et distributeurs automatiques de tickets de métro et de train régional, une autre révolution technique contribua dans les années 1960-1970 à améliorer notablement la qualité des prestations des compagnies ferroviaires et la vie de leurs usagers : l'informatisation du système de réservation et de vente des billets de grandes lignes. À la fin des années 1950, alors que les deux tiers des trajets de toutes distances étaient effectués en train, les procédures de réservation manuelles étaient à bout de souffle et les employés littéralement débordés. Il fallait parfois plus d'une demi-journée pour obtenir un titre de transport sur les grandes lignes. De quoi là encore ruiner la légendaire affabilité des autochtones. Des jeunes chercheurs d'Hitachi, âgés à l'époque d'une vingtaine d'années, prirent l'affaire en main. Le premier dispositif informatique concocté par ces derniers rencontra hélas de sérieux ratés au rodage. Les programmeurs étaient parfois eux-mêmes victimes des très aléatoires attributions automatiques de siège, trois ou quatre personnes se retrouvant avec des réservations en tout point identiques. Panique dans les wagons. On arrête tout. Ou plutôt non, on recommence à zéro. Les efforts redoublèrent et la solution vint du travail d'équipe. Les ingénieurs d'Hitachi, qui n'avaient pas mesuré la subtilité des horaires et aménagements des rames ni des modèles d'affectation de places en fonction de la composition de la clientèle, formèrent alors à la programmation informatique des experts en la matière détachés par les compagnies. Résultat, en 1972, le délai d'émission d'un billet aux guichets chuta de façon vertigineuse du jour au lendemain à… six secondes ! Et les Japonais pouvaient une fois de plus s'enorgueillir d'avoir réalisé une nouvelle première mondiale en informatisant leur mode de réservation. Cela ne suffisait pas à les combler, puisque depuis, ils n'ont jamais arrêté de perfectionner le dispositif. Il ne faut aujourd'hui plus que trois secondes une fois la commande dictée pour obtenir une réservation de grande ligne, grâce aux progrès techniques et à l'agilité proprement déconcertante des guichetiers. Le système n'impose quasiment aucune frappe au clavier, tout se passe par sélections multiples sur un écran tactile affichant de gros boutons archilisibles que les préposés finissent d'ailleurs par connaître par cœur. La mémoire est dans les mains. La gestuelle, l'entraînement, la répétition, la concentration, toujours la même méthode. Plus d'un million et demi de réservations de places sur les liaisons longue distance sont effectuées chaque jour auprès des surnommées *midori no madoguchi* – guichets de voyage ferroviaires multiservices – que tout Japonais connaît et dont il révère la promptitude, même si Internet et les sites de réservation par téléphone mobile finiront pas avoir raison d'elles.

Mais le train de 7 heures est toujours plein

Toutefois, malgré toutes ces belles mécaniques et en dépit des efforts permanents des compagnies, en 2011, à l'heure du pic matinal (entre sept et huit heures), le taux de remplissage moyen des rames *intra-muros* et des trains de banlieue traversant Tokyo était encore proche de 190 %. On s'y encaque encore souvent et on s'en plaint toujours autant. Et ce, bien que la capacité de transport ait augmenté de 65 % dans les trois dernières décennies. Car dans le même temps le nombre d'usagers a continué de croître (+ 27 % entre 1975 et 2005). Outre la multiplication des portillons, il fallut donc aussi construire de nouvelles lignes, allonger les rames, augmenter leur fréquence, loger davantage de voyageurs debout en bloquant les banquettes en position relevée le matin avant dix heures, réduire les temps d'arrêt en doublant le nombre de portes, le tout sans le moindre compromis sur la sécurité et la ponctualité. Même si la densité de population des vingt-trois arrondissements de Tokyo n'est pas, loin s'en faut, la plus élevée du monde (Paris compte près de quatre fois plus d'habitants au kilomètre carré), le souci relève du nombre total d'individus : 12 millions de résidents et 35 millions si l'on élargit le cercle à la proche banlieue, soit quatre préfectures limitrophes qui forment l'agglomération de Tokyo. Les allées et venues sont incessantes, cette conurbation, poumon économique du Japon, concentrant des dizaines de milliers d'entreprises, commerces, écoles et lieux de manifestation publique. Les Japonais emploient d'autant plus volontiers les modes de locomotion en commun que leur couverture est dense et leur fréquence élevée. Toutes distances confondues, plus d'un quart des trajets sont effectués en train. Près des deux tiers des habitants de l'agglomération de Tokyo ont moins de dix minutes de marche à effectuer pour rejoindre une station, ce qui les incite de plus en plus à renoncer à l'achat d'une voiture. Dans les grands centres urbains nippons, l'automobile particulière, *my car*, est d'ailleurs souvent réservée aux *duraiba*, virées du dimanche en famille ou entre potes. Elle est en revanche très peu employée pour les allers-retours quotidiens domicile-travail. D'autant qu'une voiture en ville est un gouffre financier. Tout est payant (le stationnement temporaire, la place de parking obligatoire à proximité du domicile, les péages de voies urbaines rapides, les redoutés contrôles techniques récurrents, l'essence, l'assurance, etc.), le tout à des tarifs prohibitifs. Les habitants de la conurbation de Tokyo, où les gares de train et métro se comptent par centaines, ont tous en tête une partie du complexe plan des lignes. Ils divisent leurs trajets en plusieurs tronçons et mixent les modes de locomotion. Il n'est qu'à compter le nombre de bicyclettes garées devant les bouches de métro et stations ferroviaires pour comprendre que le transport multimodal est une pratique courante. Les déboires sont rares : pas de grèves, peu d'aléas. Trains et métros fonctionnent tous sur le même principe : les quais de départ et d'arrivée sont toujours les mêmes pour tous les trains d'une ligne donnée quels que soient l'heure et le jour, y compris sur les liaisons longue distance et voies rapides. Les usagers ne cavalent donc pas en tous sens sans savoir sur quelle plate-forme se rendre. Ils ne s'agglutinent pas devant un tableau qui fait durer le suspense ou refuse obstinément de révéler l'information souhaitée, puisque, dans le cas présent, elle est en permanence affichée. La Yamanote-sen à la gare du quartier de Shimbashi à Tokyo, c'est la voie 4 dans un sens, 5 dans l'autre, du matin au soir, du lundi au dimanche, du 1er janvier au 31 décembre, depuis des années. Et ce schéma est vrai partout : les quais sont attribués à des lignes fixes. S'il en allait autrement, que tout soit sans arrêt modifié au gré des heures et circonstances, la pagaille serait constante, d'une part à cause de la densité infernale du trafic et des flots de passagers, et d'autre part du fait que plusieurs compagnies exploitant des réseaux enchevêtrés œuvrent dans des gares contiguës.

En nombre de passagers par kilomètre sur réseau ferroviaire, le Japon se classe au troisième rang mondial, tout juste derrière l'Inde et la Chine, deux vastes pays dont la population est dix fois supérieure à celle de l'archipel ! La France, carrefour de l'Europe au réseau interconnecté avec ceux de ses voisins, arrive au cinquième rang, avec un volume de voyageurs cinq fois inférieur à celui du Japon. Aux heures des migrations matinales et nocturnes, les rames, qui font chacune jusqu'à quatre cents mètres de long, s'enchaînent toutes les deux à trois minutes. Par comparaison, la grande majorité des quais des métros parisiens s'étendent sur soixante-quinze mètres, les plus longs atteignant seulement cent vingt mètres. La célèbre Yamanote-sen, ligne circulaire de trente-cinq kilomètres qui dessert vingt-neuf gares au centre de Tokyo, voit défiler plus de trois cents rames dans chaque sens durant ses vingt heures de service quotidien, avec des pointes à vingt-quatre trains de deux cent soixante-quinze mètres par heure, soit un toutes les deux minutes trente. Le taux de remplissage atteint jusqu'à 215 %, avec en moyenne 3 800 passagers par rame ! Et ce n'est pas la plus chargée. La Chuo-sen, transversale d'est en ouest, de banlieue à banlieue, transporte près de 90 000 individus par heure aux pires moments, alors même que les trains se succèdent toutes les deux minutes.

La ponctualité toujours…

Malgré cette trépidante activité sans répit, les longues interruptions de service sont extrêmement rares, et le plus souvent dues à des conditions météo difficiles (rafales de vent, pluies torrentielles, tempêtes de neige, etc.). On déplore peu de drames. Le cas échéant, ils sont hélas plus souvent imputables à des erreurs humaines qu'à des problèmes techniques, un facteur qui contribue à renforcer, s'il en était encore besoin, la confiance accordée par les Japonais aux technologies. Le printemps 2005 a ainsi été gâché par la pire catastrophe ferroviaire depuis un accident qui fit 184 morts et 800 blessés en 1947 dans la préfecture de Saitama, près de Tokyo. Le 25 avril 2005, un train desservant la banlieue de la mégapole industrielle d'Osaka s'encastra violemment dans un immeuble résidentiel. Bilan : 555 blessés et 107 morts, dont le conducteur âgé de vingt-trois ans. Ce dernier s'était lancé dans une courbe à 110 kilomètres à l'heure sur un tronçon où la vitesse était fixée à 70. La rame, emplie de travailleurs, n'était pas en phase avec l'horaire prévu. 9 heures 18, elle accusait une minute et dix-sept secondes de retard. Le conducteur n'avait pas stoppé sa machine en face des marques des quais à la gare précédente. Il avait dû reculer. Il avait perdu du temps, une minute vingt précisément. Il voulait le rattraper pour que les passagers ne ratent pas une correspondance primordiale. Il encourait des pénalités. Choqués par ce drame, consécutif à plusieurs dysfonctionnements mis en évidence au cours d'une minutieuse enquête, les Japonais reconnurent sur le moment, et de façon très fugitive, les dangers de l'exigence stricte de respect des horaires et des indications… avant que la vie du rail ne reprenne son train-train quotidien, que les compagnies n'investissent dans de nouveaux moyens techniques censés interdire ce type de catastrophe, et que la ponctualité naturelle ne revienne au galop.

Le Shinkansen, véritable métro à grande vitesse trans-national, n'a pour sa part heureusement jamais déraillé en marche en plus de quarante ans de service. Il n'est sorti des voies qu'une fois après avoir été freiné automatiquement par le système de détection de séisme lors du tremblement de terre de Niigata en 2004. Les Japonais, qui adorent les trains, indispensables à leur bien-être, vouent un véritable culte à ce bolide et baissent honteusement les yeux devant l'image largement diffusée de l'engin piteusement immobi-lisé en travers des voies. Il n'y a pas lieu pourtant de se sentir humilié. Car le pire a bel et bien été évité. Le dis-positif parasismique a parfaitement fonctionné. Idem en 2011. Un nouveau Shinkansen encore plus performant, Hayabusa, venait tout juste d'être mis sur les rails pour doper le tourisme dans la région du Tohoku (nord-est), jusqu'à la préfecture d'Aomori, quand le séisme du 11 mars est survenu. Les rames qui circulaient à vive allure n'ont pas déraillé. Neuf secondes avant que les premières secousses ne soient ressenties et une minute dix avant les plus vio-lentes, les Shinkansen du Tohoku ont automatiquement freiné. Il y avait alors 27 trains pleins en circulation à grande vitesse.

Denshamania

La plupart des Japonais sont fiers de leurs compagnies, surtout lorsqu'ils les comparent avec les chemins de fer étrangers. Les moyens techniques et ferroviaires nippons, durement mis à l'épreuve, ravissent les quelque 2 millions de Japonais passionnés par les trains, les fameux « tetsudo otaku » (« férus du chemin de fer »). Sans atteindre ce stade monomaniaque, plusieurs autres millions de Nippons manifestent aussi un intérêt marqué pour la vie du rail, y compris des filles. Ils louent leur qualité et leur efficacité, saluent la serviabilité des employés, la propreté des rames, et la fiabilité du service. Nombreux sont les amoureux du rail qui collectionnent les livres, vidéos, maquettes et autres objets relatifs à ce mode de locomotion essentiel. Les marchands d'appareils photo, d'enregistreurs audio, les fournisseurs de services internet ou encore les développeurs de jeux vidéo ont ainsi une clientèle captive. Les inconditionnels du transport ferroviaire consacrent en effet un temps fou à voyager en trains, à les photographier ou enregistrer, à longer les voies abandonnées ou inachevées, à visiter les gares ou encore à collectionner les titres de transport.

La *denshamania* – manie des trains – semble se transmettre de génération en génération depuis l'ère Meiji durant laquelle leurs silhouettes ont commencé de sillonner le pays, laissant alors une traînée de fumée noire sur leur passage. Les octogénaires se souviennent des wagons qui les ont transportés un beau jour jusqu'à Tokyo, encore pleine de séquelles de guerre, pour entrer dans une entreprise paternaliste dans laquelle ils se sont rendus chaque matin par le train bondé de sept heures. Leurs enfants ont usé leurs fonds de culotte depuis leur plus jeune âge sur les banquettes des métros, sont allés à l'Exposition universelle d'Osaka en 1970 par les premiers Shinkansen qu'ils peuvent admirer au musée du Chemin de fer. Les gamins d'aujourd'hui sont tout autant que leurs ancêtres fascinés par les nouvelles versions de ce train à grande vitesse. L'entrée en service d'un nouveau modèle de Shinkansen, au profil toujours plus étonnant, est un réel événement festif accompagné d'une série incroyable de produits dérivés (dragonnes pour téléphone portable, étuis pour carte de

train, maquettes, gâteaux et autres friandises commémora-
tives...). Lorsque mi-2007 la série Shinkansen N700 fut
mise sur les rails de la ligne Tokaïdo, reliant Tokyo à Osaka,
la plus fréquentée, toutes les télévisions et autres médias
nippons ont décrit par le menu les nouveautés à bord :
prises électriques pour téléphone mobile et ordinateur dans
les sièges, ventilateurs pour les mollets fatigués, sièges inclinables à 140 degrés, salles de réunion, salons de maquillage,
emplacements pour changer les bébés, cabines isolées pour
les fumeurs avec puissants extracteurs, toilettes de luxe,
écrans d'actualités et autres informations en couleur dans
chaque wagon. Plus d'un mois avant la date fatidique, les
gares étaient tapissées d'affiches annonçant la mise en
exploitation de l'engin, le 1er juillet. Et les Japonais de se
ruer comme en 1964 sur les réservations pour être parmi les
premiers à grimper à bord. Photos et vidéos prises avec les
téléphones portables étaient disponibles le jour même sur
les populaires sites Internet de partage de contenus. Plus
surprenant encore, les simulations de train figurent parmi
les jeux vidéo les plus populaires depuis qu'ils existent. Le
but est pourtant *a priori* rébarbatif et aux antipodes des
futuristes univers spatiovirtuels habituels, puisqu'il s'agit
tout bêtement de conduire une rame de la ligne circulaire
tokyoïte Yamanote-sen en respectant les drastiques consignes
réellement en vigueur : être à l'heure à la seconde, rouler
aux vitesses prédéfinies sur chaque tronçon, klaxonner aux
passages risqués et s'arrêter pile, au centimètre près, en face
des marquages de porte tracés au sol sur les quais, comme
doivent impérativement le faire les vrais cheminots. Pour se
prendre vraiment au jeu, il existe même une manette spéciale, reproduisant les commandes des locomotives, à rac-
corder à la console. Imagine-t-on un petit Parisien rêver
devant sa télé d'être conducteur de RER ? Les concepteurs
du jeu ont en outre poussé le réalisme des dernières versions
sur machines de salon ultrapuissantes jusqu'à faire défiler
les paysages réels en séquences vidéo, filmées depuis une

vraie cabine de conduite. Dans la même veine, les annonces vocales et musiques composées spécifiquement pour chaque gare desservie par la Yamanote-sen sont disponibles en CD chez les disquaires, figurant en bonne place aux côtés des albums des starlettes nippones. Les obsédés maladifs des trains, appelés les *tetsudo otaku*, ont mêmes leurs idoles, jeunes filles posant devant des locomotives et autres symboles du rail pour exciter la passion de ces individus excessifs qui s'en étaient aussi donné à cœur joie avant le séisme du 11 mars avec la mise sur les rails de Hayabusa (faucon en japonais). Les billets pour le premier trajet ont été vendus en moins de trente secondes ! Ce nouveau modèle de Shinkansen (autrement appelé E05) se distingue de nombre de ses prédécesseurs par sa couleur verte et par « un long nez » qui n'en finit pas de prolonger l'avant de la locomotive. Son nom a été choisi à la suite d'un appel à propositions auprès du grand public. L'appellation Hayabusa n'est pas arrivée en tête mais l'argumentaire qui l'accompagnait a convaincu les dirigeants de la compagnie ferroviaire. Pour mémoire, Hayabusa est aussi le nom de la sonde spatiale nippone qui a ému la population japonaise en 2010 en rapportant sur Terre des poussières de l'astéroïde Itokawa, après une mémorable épopée de sept ans, scandée par une multitude de problèmes techniques. De nombreux internautes avaient pour leur part souhaité que ce nouveau Shinkansen se nomme Hatsune, comme le personnage féminin aux cheveux bleus-verts du populaire programme de composition virtuelle Vocaloïd de Yamaha. Le fait que le nom Hayabusa ait finalement été retenu pour le nouveau train est cependant largement salué au Japon comme un hommage à la science et aux techniques japonaises. Le nouveau train est censé en être une remarquable illustration, ne serait-ce que par son aérodynamisme surprenant, les innovations qu'il embarque. Il est composé de trois classes, à l'instar des avions long-courrier : la classique, avec des sièges nouveaux à coussin-oreiller ajustable, prises électriques et autres fioritures ; la « Green », avec des sièges très inclinables, une prise de courant dans l'accoudoir et une liseuse dans le dossier, et surtout la toute nouvelle « Gran class » dont l'aménagement est digne d'une première sur ligne aérienne, avec hôtesse et tout le toutim. La campagne de promotion dudit Hayabusa était aussi du plus bel effet. Quant aux mots justifiant le concept, ils prirent un sens encore plus profond après le séisme destructeur du 11 mars, bien qu'ayant été écrits avant : « *L'expression* made in Japan *exprime la force de réaliser des rêves. Cette force n'a pas disparu. N'est partie que la confiance en nous. Encore une fois, marchons vers le haut, allons loin. Bientôt, le Japon prendra un nouvel et juste élan. Nous réaliserons de nouveaux rêves* », écrivait avant le séisme la compagnie JR pour promouvoir Hayabusa, « made in a dream ».

À l'heure en l'air aussi

Concurrent du rail sur les trajets longue distance, le transport aérien est confronté aux mêmes problèmes de saturation et impératifs de ponctualité, de sécurité, de rapidité et de qualité. La course à la vitesse oblige ainsi les compagnies à déployer des trésors d'ingéniosité pour réduire les temps d'attente, à défaut de disposer d'appareils supersoniques, le grand rêve de l'industrie aérospatiale japonaise, encore jalouse du *Concorde* désormais hors service. L'aéroport de Tokyo-Haneda, situé dans la baie de la capitale, est à ce jour la plus importante plate-forme asiatique. Près des deux tiers des passagers des vols nationaux transitent par Haneda, soit environ 60 millions d'individus par an. Cette infrastructure aéroportuaire a inauguré en octobre 2010 un terminal supplémentaire pour les vols internationaux et s'est offert une augmentation de capacité de 40 %, avec l'ajout d'une quatrième piste qui, faute de place sur terre, fut construite en mer sur une plate-forme semi-flottante.

Les deux principales compagnies aériennes japonaises, privées, Japan Airlines (JAL) – ex-fleuron national qui a dû déposer le bilan en 2010 mais s'est requinqué ensuite en se saignant et en s'amputant –, et All Nippon Airways (ANA), transportent chacune environ 45 millions de passagers par an sur les liaisons intérieures. Elles étaient toujours jusqu'à 2010 les seules au monde à utiliser des gros porteurs Boeing 747 de près de cinq cents sièges sur des trajets nationaux, à raison de dizaines d'allers-retours par jour pour relier les principales grandes villes du pays. Et ils étaient pleins ! Se livrant une féroce compétition, elles n'ont aujourd'hui encore de cesse de grignoter quelques secondes par-ci par-là pour diminuer les durées d'embarquement et de parcours. C'est à celle qui réussira à faire grimper le maximum de passagers en un minimum de temps et à proposer la fréquence de vols la plus élevée sur les liaisons archidemandées (Tokyo-Sapporo, Tokyo-Fukuoka, Tokyo-Osaka). JAL et ANA étaient capables de remplir un « superjumbo » 747 en un quart d'heure, avant d'abandonner ces aréonefs trop gourmands en carburant au tournant de la décennie 2010.

Pour les vols intérieurs, les passagers sont autorisés à se présenter aux guichets seulement une quinzaine de minutes avant l'horaire de départ prévu, lequel est d'ailleurs quasiment toujours respecté. Leur secret ? Des moyens humains et techniques exceptionnels. Les voyageurs sans bagages, très nombreux sur les lignes nationales, peuvent embarquer à bord d'un avion aussi simplement qu'ils s'engouffrent dans le métro. Il leur suffit en effet de franchir un portique du même type que ceux installés aux entrées des quais de gare, grâce à un billet électronique contenu sur une puce sans contact dans leur téléphone portable. Depuis 2008, l'enregistrement préalable au guichet n'est plus nécessaire, « *skip check-in* », *dixit* ANA. La confirmation se fait *via* Internet, par site mobile interposé. Le confort et le gain de temps sont d'autant plus appréciés que le même téléphone, assistant de vie des Japonais, peut aussi servir de titre de transport sur les lignes de métro et de train arrivant directement au terminal de départ, en provenance du centre de Tokyo, en vingt minutes.

Chapitre XIII

NIPPON FUTÉ

La fluidité, maître mot, est tout autant recherchée sur les routes, encombrées en semaine par les bus, camions et autres véhicules collectifs ou logistiques, et envahies le week-end par les cars de touristes et bagnoles briquées des innombrables amateurs de *duraiba*. Avec plus de 70 millions d'automobiles et poids lourds circulant sur les milliers de kilomètres de bitume, notamment aux abords des centres urbains, les ralentissements sont inévitables. Les salariés japonais, qui pour la plupart se privent de voiture les jours ouvrés, se rattrapent le week-end. Ils sont ainsi des millions à partir en pèlerinage le dimanche à l'aurore aux mêmes lieux recommandés par les magazines et sites Internet. Nippon futé, qui ne veut pas les contrarier, ni surtout empêcher les livreurs de faire marcher le commerce, s'en remit une fois encore à la technique pour solutionner, en partie, le problème. Dans les années 1980, au cours desquelles la situation était devenue gravissime, l'État et les services de police réfléchirent à un système d'information en temps réel sur l'état du trafic, cornaqués et aidés par les champions locaux de l'automobile, de l'électronique et de l'informatique. Prévoir, prévenir, améliorer, viser l'idéal, toujours la même quête obsessionnelle, facteur d'innovation.

Baptisé VICS (système de diffusion d'informations routières), ce vaste dispositif automatique d'analyse de la circulation, est entré en service en 1996. Il couvre depuis 2003 l'ensemble du territoire. Les données recueillies sur le terrain par une diversité de moyens sont expédiées à un centre de gestion public. Ce dernier les mouline avant d'adresser les informations sur les points de congestion et temps de parcours vers des cartes lumineuses simplifiées disposées le long des principales artères. Les mêmes éléments géolocalisés renseignent aussi en continu des sites Internet et les médias, s'inscrivent sur les panneaux d'informations dans les terminaux des aéroports et autres lieux de transit. Diffusées par ondes hertziennes, réseaux sans fil locaux et faisceaux infrarouges, ces données sont également reçues en temps réel directement par les systèmes de radionavigation par satellite (GPS) embarqués dans un nombre croissant d'automobiles. En 2011, une voiture particulière sur trois et plus d'un tiers de l'ensemble des véhicules en circulation étaient dotés d'un équipement compatible VICS, un acronyme dont les Japonais ignorent le développement littéral mais dont ils savent l'utilité. Il se vend plus de trois millions d'autoradios GPS par an au Japon, premier pays producteur et utilisateur de dispositifs de radioguidage très haut de gamme, avec 5,5 millions d'unités fabriquées annuellement. L'Allemagne, qui arrive en deuxième place, en produit cinq fois moins. Une majorité de voitures neuves proposées sur le marché nippon, y compris les désormais populaires minicars, sont équipées en première monte, ou en option à l'achat, de matériels de plus en plus sophistiqués, avec localisation GPS, VICS, lecteur de DVD, disque dur, télévision, connexion à Internet et autres fonctionnalités.

Forcément, les rues n'ont pas de nom

Considérés comme des gadgets de riches frimeurs dans certains pays, à l'instar du téléphone portable avant 1995, ils sont au contraire perçus au Japon comme quasi indispensables pour être sûr d'arriver à l'heure, à bon port et sans encombre. C'est que dans les villes nippones, jungles urbaines sans toponymie digne de ce nom, trouver une adresse relève de la gageure, même pour les taxis. En effet, les adresses sont ainsi structurées : code postal, préfecture, ville, arrondissement, nom et numéro de quartier, numéro de bloc, numéro et nom d'immeuble, numéro d'appartement, nom de la personne. La numérotation des différents emplacements ne répond toutefois à aucune logique ou nomenclature unique facile à mémoriser. Les numéros d'immeuble dans les blocs sont liés à la parcelle de terrain. Même si de grandes artères, qui peuvent faire des kilomètres et emprunter plusieurs orientations successives, sont parfois nommées, elles ne sont pas pour autant numérotées. Traversant plusieurs arrondissements et quartiers, les adresses d'un côté et de l'autre ou d'un bout à l'autre n'ont de fait rien à voir ! Bilan, le plus souvent on tourne en rond sans rien comprendre, on perd du temps, on arrive en retard et on est obligé de s'excuser platement. Inadmissible. Si bien que les Japonais ont la sage habitude de ne jamais partir à l'aventure sans GPS ou autre plan avec comme points de repère les gares, bureaux de poste, gratte-ciel, magasins et autres lieux fixes remarquables. On ne compte pas le nombre de services de guidage en temps réel archiperfectionnés pour téléphones portables, avec plans d'une clarté et d'une précision exceptionnelles. Indispensable outil. De surcroît, les cartographies numériques indiquent parfois en temps réel les événements ponctuels comme les travaux. Et Dieu sait qu'ils sont nombreux, mais toujours signalés, surveillés et jalonnés de balises lumineuses. À Tokyo, le cumul des durées de chantiers routiers, souvent effectués de nuit et le week-end aux moments de bas trafic, avoisine chaque année cinquante mille heures !

Les assistants de conduite électroniques, de plus en plus intelligents, ne sont donc pas du luxe, même si les Japonais ne se satisfont pas du bas de gamme. Ils les veulent fonctionnellement riches, ergonomiques et esthétiquement en harmonie avec le tableau de bord. Ainsi la plupart des modèles, dessinés exclusivement pour telle ou telle voiture, ne sont-ils pas de simples copilotes, au demeurant « plus doués que les femmes pour déchiffrer les plans », si l'on en croit ces messieurs. Ils sont aussi de véritables « concierges », indiquant les commerces, hôtels, restaurants, parcs de stationnement, stations-service, toilettes publiques, postes de police de quartier – *koban* –, et une flopée de détails pratiques (menus, horaires d'ouverture, tarifs, places disponibles, promotions en cours, etc.). Certains appareils sont aussi pourvus d'une fonction domotique qui permet par exemple d'allumer la climatisation de la maison quelques minutes avant d'arriver afin que les pièces soient à bonne température sans pour autant que le propriétaire ait laissé l'air conditionné tourner toute la journée hors présence humaine. Les constructeurs automobiles (Toyota, Nissan, Honda, Subaru, etc.) ainsi que les spécialistes locaux de ces matériels (Pioneer, Clarion, Fujitsu-Ten, Kenwood) proposent des services spécifiques *via* des sites Internet réservés à leurs clients et accessibles directement depuis le terminal de bord muni d'un module de connexion à la Toile par réseau cellulaire. Les conducteurs et passagers se lèchent les babines en visionnant directement sur l'écran des photos de mets somptueux présentés par des guides gastronomiques en ligne concoctés à partir de magazines régionaux. Les mêmes se dandinent en écoutant les tubes téléchargés sur le disque dur de leur véritable ordinateur de bord, *via* des catalogues de musique également proposés par les constructeurs. Ils bâillent d'impatience de rejoindre l'hôtel dans lequel ils ont réservé une chambre, toujours *via* leur terminal. Par souci de sécurité, nombre d'informations sont énoncées par un outil de synthèse vocale qui évite que le conducteur regarde trop souvent l'écran. Des afficheurs doubles sont en outre capables de reproduire simultanément deux images en plein cadre, l'une, la télévision par exemple, visible uniquement par le passager, l'autre, le plan, perceptible par le conducteur. Le tout est complété par des alertes sonores et visuelles à proximité d'une école ou lorsque le véhicule s'approche dangereusement de la voiture qui le précède. Toyota, Nissan et Honda ont de plus mis en place chacun un centre d'appel pour que leurs clients n'aient même plus à tripoter les boutons de leur terminal ni à scruter les menus. Il suffit que le conducteur appuie sur une touche pour contacter un opérateur et lui faire part de ses requêtes, même les plus inattendues. Le serviteur, disponible 24 heures sur 24, peut programmer à distance une adresse dans le système GPS de bord, réserver une table de restaurant pour son interlocuteur, effectuer toutes les démarches à sa place en cas de panne, d'accident ou autre imprévu, y compris avertir qui de droit que « papa aura dix minutes de retard pour récupérer son fiston au cours de piano… à cause des embouteillages ». Avec la mise en circulation en 2010 de voitures électriques, le besoin d'information est encore plus impérieux, la hantise des conducteurs étant de ne pas trouver de stations de recharge de batterie, lesquelles étaient rares au départ.

La voiture anti-accident

À l'avenir, un petit robot monté sur le tableau de bord, muni de caméras en guise d'yeux, fera office d'ange gardien, moniteur de conduite remplaçant avantageusement les grigris pendus au rétroviseur. Les voitures dialogueront directement avec la route et les bas-côtés que les autorités prévoient d'équiper de panneaux, capteurs électroniques et autres marqueurs intelligents. Les prototypes sont déjà testés. Le groupe d'électronique japonais Pioneer a pour sa part mis au point une technique de radionavigation reposant sur la reconnaissance de points de repère dans des images vidéo filmées par la voiture et montrées à l'écran à la place d'une carte en deux ou trois dimensions. Une caméra frontale dans le véhicule capte ce que le conducteur voit. Cette image s'affiche sur le terminal GPS et les indications se superposent dessus montrant précisément au conducteur où il doit aller. Pioneer dit avoir conçu ce système « par souci de commodité », car les utilisateurs d'appareils de guidage et localisation par satellite (GPS) ont parfois du mal à faire le rapprochement entre la scène réelle qu'ils ont sous les yeux et le plan affiché sur l'écran. Le dispositif de Pioneer fait lui-même cette analyse grâce à l'identification automatique des enseignes de boutique, des feux rouges et autres informations. Il reconnaît dans la scène filmée ces éléments qui correspondent à des références géolocalisées stockées dans la base de données cartographique (magasins, croisements, signalétiques, etc.), selon un procédé proche du raisonnement humain. Le groupe d'industrie lourde et constructeur automobile Fuji Heavy Industries (marque Subaru) a lui aussi imaginé un outil d'aide à la conduite fondé sur une caméra stéréo qui voit la route en trois dimensions, alerte le conducteur sur un danger et freine à sa place. Cette caméra stéréo permet de capter des images tridimensionnelles à partir desquelles le système signale automatiquement la présence de voitures, cyclistes ou piétons aux alentours, pour mettre en garde le conducteur et même se substituer à lui. FHI avait été le premier constructeur mondial en 1999 à avoir installé une caméra d'assistance à la conduite dans une voiture. Cet œil électronique permet aussi de suppléer les lacunes des rétroviseurs et d'éliminer les angles morts. Le spécialiste nippon des capteurs sensoriels et feux de signalisation, Omron, est lui aussi dans la course, avec un système d'analyse du regard, déjà employé pour les appareils photo numériques, et qui permet de déceler la somnolence ou le manque d'attention d'un conducteur pour lui remettre les yeux en face des trous. Même la police profite des prouesses techniques des constructeurs et travaille en bonne intelligence avec eux, ce qui a notamment permis à Honda de proposer en 2008 un service d'alerte sur les lieux où ont déjà été déplorés des dégradations ou vols de voitures, de pièces détachées ou d'effets personnels. L'automobiliste disposant d'un terminal compatible est prévenu par une alerte visuelle et sonore si la zone dans laquelle il se trouve ou le lieu vers lequel il se dirige sont répertoriés comme présentant des dangers particuliers. Le système lui indique par exemple que tel quartier de tel arrondissement est à tel rang sur une échelle de risques, et éventuellement que dix vols de voitures y ont été constatés, sur la base de données fournies par les services de police des différentes municipalités. Ce type de dispositifs automatiques est généralement bien perçu par les Japonais, même s'il réduit leur vigilance ou ampute leur jugeote et bien que les cambriolages et autres délits soient proportionnellement nettement moins nombreux chez eux que dans les autres grands pays industrialisés. Les électroniciens ont également été appelés à la rescousse par les concessionnaires de voies rapides urbaines et nationales payantes pour mettre en place un système de portes automatiques à paiement sans contact et supprimer ainsi les temps d'arrêt aux péages, cause majeure de ralentissements. Le montant des trajets est défalqué automatiquement sur le compte bancaire *via* un terminal à carte de crédit communicant installé à bord. Les véhicules franchissent ainsi les barrières sans s'immobiliser, ce qui a éliminé les bouchons aux portes de l'inesthétique autoroute aérienne encerclant Tokyo.

Les bouchons freinent la croissance

Les incessantes modifications du contexte, du fait par exemple des variations saisonnières ou de la construction de nouvelles infrastructures (commerces, résidences, centres d'affaire, etc.), obligent cependant le ministère des Transports et les municipalités à réviser régulièrement leurs plans de gestion du trafic. Il n'est ainsi par rare de voir, assis sur des tabourets sur les trottoirs de Tokyo, des intérimaires recrutés pour dénombrer les voitures et piétons. Contre toute attente, ils ne sont pas aidés dans ce travail fastidieux par de perfectionnés appareils électroniques. Ils sont seulement munis d'une batterie de compteurs mécaniques (un par sens et par voie), du type de ceux employés par les hôtesses dans les avions pour compter les passagers. Ainsi, ces tâcherons passent-ils des journées à appuyer par réflexe sur la bonne gâchette chaque fois qu'un véhicule ou un individu traverse leur champ de vision, tout en effectuant des pointages horaires réguliers sur des formulaires spécifiques. Autant de données qui viendront alimenter les ordinateurs centraux pour élaborer des schémas d'optimisation, imaginer de nouveaux outils, donner matière à plancher aux chercheurs, faire tourner des usines, créer de nouveaux produits ou services, et ainsi de suite. Notons que le développement de tout cet équipement high-tech s'inscrit dans la même logique que les moyens mis en œuvre pour les réseaux ferroviaires : anticiper, prévenir, sécuriser, fluidifier, simplifier, optimiser et éviter l'aléa humain.

L'État japonais, véritable usine à statistiques et moteur de ces innovations, espère aussi qu'elles contribueront à réduire les émissions polluantes et aideront à faire fondre le volume incommensurable d'heures passées en pure perte par les livreurs et autres travailleurs dans les embouteillages. Il reste encore du chemin à faire. Qui, à l'instar des hommes-compteurs, observe attentivement le trafic sur les routes nippones, remarquera en effet en quelques minutes qu'aux côtés des très nombreux taxis (53 000 à Tokyo) roulent en majorité des camionnettes, véhicules frigorifiques, bennes et semi-remorques, emplis de sable, de planches, de structures métalliques, d'ordures ou de cartons de produits du commerce. Sur les quelque 5,6 milliards de tonnes de denrées transportées par voie terrestre à travers l'archipel, plus de cinq milliards le sont sur les routes. La quantité ne cesse d'augmenter. De fait, si l'ensemble des entreprises ont fort logiquement tout à gagner d'une amélioration du trafic, le secteur de la grande distribution est particulièrement demandeur, en raison de son souci de ponctualité, du zonage commercial, de la répartition de la population et de l'exigence de qualité, critères déjà maintes fois évoqués. Les fruits et légumes vendus chez les petits détaillants et supermarchés des agglomérations ne sont pas censés venir à maturité dans les camions. Les Japonais sont du genre fine bouche. Les *bento*, plateaux-repas qui constituent le menu du midi de millions de salariés, sont à consommer le jour même de leur confection, bien qu'étant préparés à plusieurs kilomètres de leur point de vente. Il faut donc les livrer immédiatement après leur mise en boîte pour avoir le temps de les écouler avant l'heure de péremption, inscrite sur l'étiquette.

Chapitre XIV

LES *KONBINI*, UNE INFRASTRUCTURE MODÈLE ESSENTIELLE

La plus belle illustration de la gestion de flux « à la japonaise », à grand renfort de technologies, se trouve dans le modèle mis en place par les réseaux de *konbini*. Ces supérettes multiservices, ouvertes 24 heures sur 24 à longueur d'année, sont une industrie récente à part entière, quasiment inconnue en Europe sous une forme aussi structurée, et dont nul Japonais ne peut désormais se dispenser. D'une surface de moins de cent mètres carrés, elles ne peuvent nullement être assimilées à des supermarchés, ni à des épiceries de quartier, ni à toute autre forme de magasin de détail existant en France. Loin d'avoir tué les petits commerces, les *konbini* ont en réalité donné à certains un second souffle, les aidant à se reconvertir et à s'adapter aux changements de la société.

Au nombre de 44 000, installées à tous les coins de rue des villes nippones, ces boutiques d'un genre unique qui emploient au total plus de 600 000 personnes sont si essentielles qu'elles sont considérées comme « la cinquième infrastructure vitale » après les réseaux d'eau, de gaz, d'électricité et de télécommunications. Chaque bourgade compte au moins un *konbini*, y compris pour les plus reculées d'entre elles. En traçant un cercle de cinq cents mètres de rayon sur une carte à partir de n'importe quel point de Tokyo, on en englobe au bas mot cinq. Il n'est pas rare que quatre enseignes se partagent un même carrefour, ou bien encore que la même chaîne occupe trois des quatre emplacements disponibles. Les *konbini* ont pignon sur rue dans toutes les zones résidentielles et les quartiers d'affaires, ils occupent les sous-sols des buildings de bureaux, les terrains près des usines, ils se nichent à proximité ou à l'intérieur des gares, dans les stations de métro, sur les campus, dans les halls des hôpitaux, dans les hôtels, dans les aéroports, sur les aires d'autoroute, dans les sites touristiques, dans des bureaux de poste et même dans des écoles. Bref partout où l'humain vit ou passe plus ou moins fréquemment. Commodité de temps, de lieu et d'action, telle est leur charte fondamentale. Nulle part en revanche et sur aucun d'eux ne figure en caractères stylés la mention « Maison fondée en 1945 », ni « De père en fils depuis 1868 ». Et pour cause, ces pas de porte au logo criard toujours illuminé, au design simpliste et stéréotypé immédiatement reconnaissable, toujours propres, suréclairés et impeccablement rangés, ouvrent et ferment ici et là au gré des évolutions locales.

Contraction japonisée du terme *convenience store*, les *konbini* sont arrivés sur l'archipel sous la bannière Seven Eleven dans le milieu des années 1970 par l'entremise du groupe de distribution Ito Yokado. Ses dirigeants, en quête de nouveautés pour faire fructifier leur business, étaient confrontés comme leurs concurrents aux modifications comportementales des consommateurs rendus plus prudents par l'inflation, à un déficit d'emplacements disponibles, au durcissement des lois pour protéger le petit commerce et à la flambée des prix des terrains qui limitaient le potentiel d'extension des grandes surfaces. Ito Yokado dépêcha alors deux émissaires aux États-Unis pour y dénicher des concepts de magasins et outils de vente innovants, dans le but de compléter astucieusement son réseau de supermarchés, mais sans le cannibaliser, c'est-à-dire en captant une autre clientèle. Ne parlant pas un mot d'anglais, les deux gars écumèrent des dizaines de commerces, logeant dans des hôtels bon marché, explorant un univers bien différent du Japon et désespérant de rapporter au pays quoi que ce soit de bien prometteur. Jusqu'au jour où le bus qui les conduisait de ville en ville fit escale sur une aire d'autoroute. « C'est cela », s'exclama l'un d'eux en y découvrant une boutique de produits de première nécessité à un emplacement où aucun autre commerce n'existait. La petite surface en question s'appelait Seven Eleven, un nom découlant directement de ses horaires d'ouverture, de sept heures du matin à onze heures du soir. Les deux compères firent alors des pieds et des mains pour rencontrer les gérants de cette chaîne de boutiques américaines. Au terme d'âpres négociations, ils achetèrent à prix d'or les « manuels de bonnes pratiques » et la licence d'exploitation au Japon de la marque Seven Eleven. À la lecture des milliers de pages de ces catalogues traduits en japonais par un anglophone du groupe, ils restèrent pantois, pas loin de penser qu'ils s'étaient fait arnaquer. Et pour cause, on n'y trouvait que des banalités destinées à former des néophytes au rendu de la monnaie et autres tâches basiques. Bref, pas de quoi révolutionner le commerce et encore moins donner un nouvel essor au groupe. Pas question pour autant de renoncer à une licence si chèrement payée. Une équipe fut donc mise en place pour lancer l'affaire. Un an de travail et le premier Seven Eleven japonais leva le rideau en 1973, dans un quartier d'entrepôts et de PME dans la baie de Tokyo, à l'emplacement d'une échoppe d'alcool à l'agonie. Son jeune propriétaire, qui avait hérité d'une boutique familiale, s'était porté volontaire après avoir eu vent du projet dans la presse. Le premier client qui se présenta à sept heures, un ouvrier, ressortit fièrement au bout de dix minutes avec une paire de lunettes de soleil. Puis les curieux affluèrent, repartant chacun avec un ou deux articles (aliments, accessoires, papeterie). Le chiffre d'affaires du magasin doubla par rapport à la période antérieure, ce qui était inattendu. Mais ni la rentabilité ni le salaire du tenancier n'avaient progressé à ce rythme. Les frais étaient en effet écrasants et la gestion des rayons bouffait les journées du jeune gérant père de famille, et la moitié de ses nuits. Contrariées par la peine causée à ce dernier, les équipes d'Ito Yokado entreprirent une minutieuse analyse de la situation. D'où il ressortit que certains articles restaient des mois en rayon sans trouver preneurs, que des produits alimentaires livrés en trop grande quantité devaient partir à la benne pour cause de péremption, alors que d'autres étaient épuisés en une demi-journée, faute de mètres carrés pour en stocker davantage. Le problème principal relevait donc de l'approvisionnement. Les livraisons étaient trop espacées et ne correspondaient pas au mode de consommation de la clientèle alentour, « au jour le jour, en petite quantité ». Ito Yokado remodela donc le concept à sa façon, jetant aux orties les préceptes américains. Ainsi se mit en place le modèle économique révolutionnaire et entièrement *made in Japan* des *konbini*. La clé du succès ? Une gestion de marchandises dont l'objectif ultime tient en une formule : « Pas de stock en arrière-boutique, pas de retour d'invendus, pas de clients insatisfaits, un service hors pair et une extrême propreté. » Autrement dit, une offre parfaitement en phase avec la demande potentielle, disponible 24 heures sur 24, sept jours sur sept. Aujourd'hui, le mastodonte issu d'Ito Yokado, rebaptisé Seven & I Holdings, compte au Japon quelque 13 500 *konbini* Seven Eleven, dont plus de 1 500 à Tokyo *intra-muros*. Il s'est même offert l'honneur de sauver de la banqueroute, en le rachetant, le groupe Seven Eleven américain, celui-là même dont il avait voulu s'inspirer avant de forger sa propre méthode qui, l'histoire le prouve, était la seule véritablement viable.

Konbini : *zéro stock*

La fine infrastructure gagnante mise en place et améliorée au fil du temps s'appuie sur un réseau de magasins en franchise alimentés en flux tendu par des centres de stockage locaux. Ces derniers sont divisés en diverses catégories gérant chacun des produits ayant des températures de conservation voisines ainsi que des modes et délais de consommation identiques (quelques heures, quelques jours ou plusieurs semaines). Des camions, partant de ces différents entrepôts spécialisés, suivis par GPS, livrent plusieurs boutiques selon un circuit qui minimise les kilomètres, la consommation d'énergie, la pollution, le bruit et le temps de parcours. Un même magasin reçoit par exemple trois fois par jour des *nigiri* (boules de riz fourrées) et des *bento* à vingt degrés en provenance d'un centre de stockage proche du lieu de préparation. Un autre camion, frigorifique, parti d'un entrepôt différent, apporte à la même fréquence des sandwichs, salades, lait et produits dérivés. Un troisième plus réfrigérant encore livre quotidiennement des surgelés, des crèmes glacées et des glaçons en sachet. Un quatrième arrive toutes les nuits avec des boissons en canettes et bouteilles accompagnées des bols de nouilles instantanées, confiseries et autres articles divers qui se conservent longtemps à température ambiante. Un cinquième distribue enfin la presse chaque matin. Au total, neuf types de véhicules et plusieurs centaines d'exemplaires de chaque participent à ce défilé national orchestré de bout en bout par la société mère. Cela peut sembler énorme, mais en 1975, juste après la mise en place de ce modèle logistique inusité, un même magasin pouvait recevoir jusqu'à soixante-dix livraisons par jour, effectuées par autant de camions ! De plus, comme le groupe gère tout au sommet, aucun des centaines de distributeurs ou fournisseurs n'approvisionne directement un *konbini*. Ils livrent aux entrepôts, ce qui contribue à réduire le nombre total d'engins sur les routes et permet à l'entité centrale de maîtriser tous les maillons de la chaîne jusqu'à la facturation. Le décompte des produits livrés se fait à l'unité près. S'il ne manque qu'un yaourt dans un rayon, le camion n'en apportera pas deux. Mais ledit yaourt arrivera avec deux packs de lait et quatre ou cinq sortes d'autres produits de catégorie similaire, de sorte que, desservant plusieurs boutiques au cours d'une même tournée, cette dernière sera justifiée, rationnelle et rentable.

L'ajustement pointu de l'offre à la demande que cette mécanique suppose met en œuvre une autre infrastructure unique : le dispositif de gestion des flux bidirectionnels d'informations, sans lequel toute la procédure décrite précédemment serait infaisable. Toutes les caisses enregistreuses de chaque *konbini*, appelées POS (*point of sale*), sont reliées par réseau informatique dédié au QG du groupe dont il dépend. La structure centrale de Seven Eleven connaît instantanément l'état des ventes et stocks en rayons de chaque référence, par boutique, grâce au suivi des livraisons et encaissements *via* les codes à barres. Les commandes de réassortiment se font automatiquement en fonction des ventes réelles propres à chaque magasin. Lors d'un passage en caisse, la première chose que fait le vendeur, à l'insu même du client, consiste à saisir le sexe et l'âge estimé de la personne, au moyen de fonctions préprogrammées sur le terminal de paiement. Puis il scanne le code à barres des articles. De là découle une batterie de statistiques compulsées par des serveurs avec diverses autres études pour analyser les habitudes de consommation et le type de clientèle fréquentant chaque point de vente. Qui a acheté quoi, où, à quelle heure, pour quel montant ? Quelles sont les boissons les plus prisées, les *nigiri* les plus appréciés par telle ou telle catégorie de clients, que préfèrent les adolescentes à l'heure du déjeuner ? Et les jeunes hommes salariés ? Sans même engloutir des sommes effarantes dans des études marketing diligentées par des cabinets de consultants, grâce à leurs caisses enregistreuses intelligentes et communicantes, les gérants des *konbini* savent tout, hormis le nom des clients. Leurs pages de chiffres et camemberts de pourcentages fondés sur ces montagnes de données sont une véritable mine d'or pour les sociologues et autres analystes des tendances.

Konbini : *laboratoire de sciences humaines*

On y découvre ainsi que les adolescents et messieurs célibataires représentent 36 % des habitués de Seven Eleven, devant les hommes mariés (28 %), les 36 % restants se répartissant à quasi-égalité entre épouses et jeunes filles. Sachant généralement exactement ce qu'ils sont venus chercher au *konbini*, la majorité des clients ne restent pas plus de cinq minutes à chaque passage. Hormis les 10 % qui sont capables de se tenir debout des heures à lire les magazines sans les acheter, les neuf dixièmes de la clientèle ressortent moins de trente minutes après être entrés. Les trois quarts du chiffre d'affaires d'un *konbini* proviennent de l'alimentaire, dont la moitié est destinée à une consommation immédiate. Le reste se subdivise entre produits de soins, papier toilette, papeterie, piles, briquets, tabac, presse et services divers. Toutes ces instructives données, d'une troublante précision, en disent beaucoup sur les modes de vie des Japonais. Notamment que les hommes ne sont pas des adeptes de la tambouille ni des courses en grande quantité. Ils préfèrent acheter au *konbini* du coin de la nourriture prête à consommer matins et midis, et faire de même le soir quand ils ne vont pas au restaurant avec leurs collègues. Les femmes, en revanche, se contentent généralement d'en-cas au déjeuner si elles travaillent, et cuisinent réellement le reste du temps. Mais, comme les collégiennes, elles grignotent des bonbons, dépensent beaucoup en produits hygiéniques et lisent nombre de magazines, tous articles que l'on trouve aussi dans les *konbini*. Amassés, passés au tamis, ces précieux renseignements permettent d'affiner l'offre au jour le jour, d'optimiser la nature et la fréquence des livraisons, de développer de nouveaux produits et de cibler davantage telle ou telle catégorie d'individus en fonction de la structure de la clientèle de chaque point de vente. Ainsi lors de l'ouverture d'une nouvelle boutique à proximité d'un collège de filles ou dans un quartier d'affaires peuplé de jeunes cadres dynamiques, les gérants ont *a priori* une idée claire de la panoplie d'articles à privilégier et de la logistique à mettre en place. Ils n'ont qu'à prendre pour référence l'historique d'une de leurs enseignes implantées dans une zone présentant des similitudes et ajuster ensuite le dispositif en fonction de la réalité constatée. Dans le premier cas, les friandises, gadgets et produits de soins auront la vedette. Dans le second on ne manquera pas de vanter l'efficacité des boissons énergisantes et antistress ainsi que les nouvelles bières et *bento* spéciaux. Toutefois, dans tous les *konbini* appartenant à un même groupe, on retrouvera les mêmes références, en quantités variables, homogénéité, économie d'échelle et image de marque de l'enseigne obligent.

Konbini : *franchement pratique, et lucratif*

Loin de s'en tenir aux seuls aliments, produits de soins, papier toilette et autres besoins du quotidien, les *konbini* sont en outre devenus au fil des années des guichets multiservices. De jour comme de nuit, il est possible d'y expédier des fax, d'y faire des photocopies, d'y réserver des places de théâtre ou de concert, de retirer de l'argent, d'effectuer des virements, voire de déposer des chemises et pantalons à nettoyer dans des consignes de ramassage, ou encore d'y régler à toute heure, en liquide, ses factures de gaz, de téléphone ou d'électricité. Ils sont aussi depuis la fin des années 1990 des centres d'encaissement pour les produits commandés sur Internet, y compris des billets d'avion. Les clients qui rechignent à communiquer un numéro de carte bancaire choisissent ce mode de paiement plus rassurant et tout aussi pratique, puisqu'il se trouve forcément un *konbini* à cinq minutes à pied. Il leur suffit de se présenter dans l'un d'eux, au hasard, avec une copie imprimée de la commande passée, laquelle est accompagnée d'un code à barres que le vendeur scanne comme celui de tout autre article. Compagnies aériennes ou autres prestataires sont informés en temps réel de l'acquittement grâce à l'interconnexion de leur réseau informatique avec ceux des *konbini*, où qu'ils se trouvent sur le territoire. Le client le sait qui reçoit *illico* un courrier électronique sur son ordinateur ou téléphone portable pour le remercier d'avoir payé. Cette belle mécanique suppose non seulement des outils techniques mais aussi, voire surtout, de nombreux partenariats multisectoriels au sein desquels le *konbini* joue le rôle de tiers de confiance.

Le modèle imaginé par Seven Eleven Japon il y a plus de trente ans s'est montré si efficace qu'il a naturellement été imité. Le secteur compte aujourd'hui au Japon quelque 44 000 points de vente détenus par quatre poids lourds et plusieurs autres acteurs mineurs qui se livrent une concurrence acharnée, laquelle les conduit à innover sans répit. Derrière Seven Eleven et ses 13 500 points de vente sur l'archipel, pour la plupart en franchise, arrivent Family Mart, Lawson, Mini-Stop ou encore Sunkus/Circle K. Autant d'enseignes que tous les Japonais fréquentent quotidiennement (18 %), quatre ou cinq fois par semaine (14 %), tous les deux ou trois jours (31 %), de façon hebdomadaire (15 %) ou à deux trois reprises dans le mois. Toutes les chaînes renouvellent en permanence l'assortiment, 70 % du catalogue de références sont remplacés chaque année. Depuis quelque temps, elles mettent surtout en avant leurs produits exclusifs conçus en interne par des équipes de centaines de chercheurs, parfois en collaboration avec des petits producteurs qui trouvent là un nouveau débouché pour relancer l'agriculture et l'industrie locales et valoriser un patrimoine régional. En majorité constitués d'aliments prêts à consommer (*bento*, *nigiri*, nouilles instantanées, salades, sandwichs, biscuits, bonbons, etc.) et de boissons dont les Japonais sont friands (thés verts, eaux aromatisées, bières), ces produits sont fabriqués dans des usines détenues en propre ou confiées à des prestataires qui gomment parfois leur marque au profit de celle de leur donneur d'ordres. Chaque chaîne ouvre plusieurs centaines de nouveaux *konbini* chaque année et en ferme quelque dizaines, ce qui se solde par un rythme net de croissance de plus de cinq cents par an. Cette progression tend toutefois, et c'est logique, à ralentir. Le stratagème est celui de la domination, comme au jeu de go. Chaque groupe s'ingénie à créer des territoires, où le concurrent ne peut poser ses pierres, afin d'y capter la plus grosse part de marché et de rendre toute offensive caduque. Aucun ne tente de s'immiscer dans un espace où un rival a déjà assis son pouvoir, ce qui serait vain et suicidaire. L'extension du réseau se fait le plus souvent par le biais d'adhésion de petits commerçants qui convertissent leur pas de porte périclitant en *konbini*, moyennant la signature d'un contrat donnant-donnant extrêmement précis. En échange d'un soutien financier, d'une formation, d'une méthode de gestion, d'une logistique, d'un code de conduite et d'équipements, ils sont tenus à un cahier des charges draconien. Le commerçant reverse à la maison mère des royalties qui correspondent à une partie de son bénéfice d'exploitation, c'est-à-dire une proportion des recettes de ventes moins le coût des marchandises livrées et autres frais. Le chiffre d'affaires global de cette catégorie particulière de commerces se monte à près de 9 000 milliards de yens (85 milliards d'euros) par an, soit plus que les revenus mondiaux de Sony en 2011. Un rapide calcul montre que chaque boutique encaisse quelque 17 millions de yens par mois (160 000 euros), soit plus de 530 000 yens par jour (environ 5 000 euros). Le panier moyen, généralement constitué d'un ou deux produits (un *bento* et une boisson, deux *nigiri* pour se caler l'estomac, un magazine, une paire de chaussettes ou un collant de rechange, un parapluie jetable), ne dépasse certes guère 600 yens, mais chaque *konbini* reçoit quotidiennement en moyenne la visite de près de mille individus. L'épicier du coin le plus courageux et le plus verni de Paris, ouvert jour et nuit à longueur d'année sans relâche, si tant est qu'il existe, a sans doute du mal à aligner de tels chiffres, même en l'absence de concurrents. Et encore n'est-ce là que la moyenne nationale. Dans les centres d'affaires de la capitale nippone, les points de vente les mieux placés accueillent bien davantage de chalands, surtout le matin et à l'heure du déjeuner. La réduction du temps de passage en caisse par individu, fût-elle minime, constitue un facteur stratégique de compétitivité. Grappiller quelques secondes par client suppose là encore une optimisation de l'artillerie technique, déjà balèze, notamment celle des systèmes de paiement. D'où l'adoption massive par les *konbini* du porte-monnaie électronique.

Konbini : *fer de lance de l'innovation au service du client*

L'acheteur n'a qu'à effleurer un terminal de lecture avec son téléphone mobile ou une carte à puce en plastique sans contact pour régler son dû et empocher au passage des points de fidélité. Emballez, c'est payé ! Pas de piécettes à chercher au fin fond de la poche, pas de code à saisir ni de signature à apposer, c'est rapide, ludique, sûr, net et sans bavure. Ce mode de paiement dématérialisé, qui connaît un engouement surprenant depuis 2006, permet de diviser par deux la durée d'encaissement, à la grande satisfaction des *salarymen* toujours pressés de regagner leur bureau pour avaler à grand coups de baguettes leur *bento* et une gorgée de thé tout en gardant les yeux collés sur l'écran de leur PC. Qui plus est, le paiement électronique élimine en partie la gestion de la menue monnaie ainsi que les erreurs de rendu autrement difficiles à éviter aux heures de rush. Les gains de productivité et l'amélioration du service qui accompagnent cette innovation permettent aux boutiques de s'y retrouver assez rapidement, même si l'investissement initial, pour équiper les points de vente de terminaux dédiés et gérer le système, n'est pas négligeable.

Si, avant son instauration en 1975, la pertinence de l'ouverture non-stop 24 heures sur 24 des *konbini* faisait débat (sans toutefois engendrer une révolte syndicale), aujourd'hui, hormis quelques gouverneurs qui pensent, peut-être à tort, que cela permettrait des économies d'énergie et une diminution des rejets de CO_2, plus personne ne la remet globalement en cause. Il y a des clients, ravis, à toute heure du jour ou de la nuit. Les gérants des *konbini*, regroupés en association, sont les premiers à s'en féliciter à la lecture de leur chiffre d'affaires, de même que les étudiants et autres travailleurs à temps partiel salariés de ces boutiques. Le 24 heures sur 24 est tellement plébiscité que des supermarchés au cœur des villes l'ont adopté. Plus de 80 % des Japonais jugent cette disponibilité permanente bien commode, qu'ils résident en ville ou à la campagne. Ils sont aussi autant à estimer que la présence en tout lieu de ces boutiques refuges est rassurante, notamment la nuit, en cas de problème quelconque. Les gérants ne s'y sont d'ailleurs pas trompés qui mettent en avant cet élément pour se doter de moyens de sécurité et de surveillance de plus en plus performants. Et ce, même si l'on ne court guère le risque d'être braqué dans les mégapoles nippones qui sont des havres de paix comparées à Paris ou New York. De surcroît, lors des fréquents désastres naturels, le rôle des *konbini*, forts de leur logistique réactive et parfaitement rodée, est reconnu comme crucial par les autorités. Seven Eleven et ses rivaux sont les premiers à se mobiliser pour livrer les boissons et aliments de première fraîcheur et prêts à consommer, lesquels font souvent cruellement défaut dans ces circonstances. Quitte à s'éclairer à la chandelle, les *konbini* situés dans les zones sinistrées ne baissent le rideau qu'en cas de force majeure, lorsque l'ouverture représente un danger trop important. Les maisons mères ont intégré dans leur manuel de procédures les règles à suivre en cas de séisme ou typhon. Ainsi, après les ravageurs tremblements de terre de Kobe et Niigata ont-elles immédiatement installé une cellule de crise centrale et dépêché sur place des camions de *nigiri* et autres ravitaillements.

Chapitre XV

TAKUHAIBIN, INDISPENSABLES COURSIERS NATIONAUX
PORTE À PORTE

Les *konbini* ne sont pas les seuls « services publics » créés et gérés par le secteur privé, que les Japonais bénissent et dont l'absence à l'étranger les sidère. Une autre désormais grande et essentielle industrie logistique est née sur l'archipel à la même époque : les *takuhaibin*, littéralement « livraisons rapides à domicile », toujours sans équivalent de taille comparable en France ou ailleurs. Il s'agit schématiquement de services de coursiers nationaux de porte-à-porte pour particuliers et entreprises. Ils sont à la fois complémentaires et concurrents de la poste, elle-même sortie en 2007 du giron de l'État, conformément à une loi adoptée en 2005. Soutenus par des réseaux tentaculaires physiques (flotte de camions, entrepôts) et logique (flux de données), les *takuhaibin* transportent de bout en bout toutes sortes de plis et colis à travers le pays, employant des moyens différents pour chaque catégorie d'objet. Tous les Japonais font appel à leurs services d'une qualité et d'une ponctualité irréprochables.

Les deux grands acteurs du secteur se nomment Yamato Takkyubin et Sagawa kyubin. L'initiative vient du premier. Transporteur traditionnel depuis 1919, avec à l'époque quatre camions, Yamato a survécu à deux guerres, mais a failli succomber à la flambée des prix du pétrole en 1973. N'ayant pas pris en compte à temps les changements intervenus dans les années de haute croissance, la firme s'était laissé distancer par ses concurrents. Choc pétrolier salutaire puisqu'il conduisit le P-DG à renverser la philosophie qui prévalait dans le milieu. À l'époque, les transporteurs routiers ne s'intéressaient qu'aux entreprises, aux grands comptes. Les particuliers expédiaient leurs paquets par la poste et tout le monde semblait se satisfaire de cette situation... tout le monde, sauf le nouveau patron de Yamato, Masao Ogura. Car il existait en réalité une demande potentielle insatisfaite, jugeait-il. La poste refusait les colis de plus de six kilogrammes. Au-delà, les particuliers devaient s'en remettre à une compagnie ferroviaire et apporter leur paquet à un comptoir de gare. « Ce marché est sacrément intéressant. La poste offre un bien piètre service. Les citoyens doivent se déplacer jusqu'au guichet et faire la queue pour expédier un paquet sans savoir quel traitement il subira, ni quand il arrivera. Si on se lance en proposant une offre meilleure, j'ai la certitude que ce sera un succès », répétait à ses troupes le P-DG. Par traditionnelle voie postale, il fallait à l'époque compter quatre ou cinq jours avant qu'un carton parti de l'île septentrionale de Hokkaido arrive à Tokyo. La question clé était de savoir si les familles étaient réellement demandeuses d'autre chose, autrement dit s'il existait un réel potentiel de marché. « Oui, évidemment », répondait M. Ogura. Et le même d'appuyer son assertion sur les cargaisons de fruits et légumes que les mères restées à la campagne envoyaient à leur fiston « monté travailler à la capitale ». Ou encore les vêtements propres et repassés que les épouses faisaient parvenir à leurs maris résidant seuls du lundi au samedi dans un petit studio à proximité de leur lieu de travail. Toutefois, pour donner corps à cette louable ambition, il fallait réunir plusieurs conditions, la plus importante étant la constitution d'un réseau national, et la deuxième de se différencier de la poste par un service rapide et une prise en charge des colis un à un, un transport de domicile à domicile et un délai de remise garanti.

Takuhaibin : *simple comme un coup de fil*

« *Denwa ippon, shuka ikko demo, kazoku he* », « un coup de fil, même pour un seul colis à expédier à un proche, on vient le chercher, on le livre le lendemain, ce n'est pas cher, c'est clair, c'est simple ». Le slogan était né et avec lui le concept du *takuhaibin*. Le premier jour, le 23 janvier 1976, Yamato Takkyubin enregistra onze commandes. Mais ils durent se battre les petits gars de Yamato. Car plus d'un, à commencer par la poste, publique à l'époque, et les transporteurs privés leur mirent durant des années des dizaines de bâtons dans les roues. Les fonctionnaires traînaient des pieds pour leur délivrer les autorisations administratives requises pour opérer dans chaque région. *In fine*, comme le répètent à l'envi les actuels dirigeants du groupe, « *okage sama de…* », « grâce aux clients qui nous ont toujours soutenus, nous avons franchi un à un tous les obstacles ». C'est en effet par le bouche à oreille positif que Yamato s'est imposé, faute d'avoir eu initialement les moyens d'envahir les écrans et magazines de publicité. « Tu l'as déjà reçu ? Sans blague. C'est dingue, ils sont venus chercher le colis hier », s'exclamaient au téléphone les expéditeurs recevant un coup de fil de remerciements des destinataires. « Quoi, hier ? Ah ben ça alors, et en plus tu n'as pas eu à te déplacer. C'est fichtrement pratique et bon à savoir. » Et c'est ainsi que, jour après jour, les affaires ont prospéré, Yamato exploitant parfaitement l'exigence de qualité, de fiabilité et de ponctualité des consommateurs japonais, prêts à payer plus cher un service rapide pourvu qu'il soit effectivement rendu. Les silhouettes entre mille autres reconnaissables des livreurs à casquette verte et uniforme rayé beige toujours propre et parfaitement repassé de Yamato font désormais partie du paysage urbain. On les voit partout s'activer, sautant de leur camionnette ou poussant leur chariot vert à logo jaune dans les rues, déambulant dans les couloirs des entreprises, sonnant à la porte d'un particulier, lecteur de code à barres et téléphone portable toujours arrimés à la ceinture. Tout Japonais est capable d'identifier instantanément la mascotte de Yamato, un *kuroneko* – chat noir.

Depuis sa création en 1976, l'activité connaît une croissance continue, que rien n'a contrarié, pas même les années de crise suivant l'éclatement de la bulle spéculative. C'est que le catalogue de prestations s'est enrichi d'année en année, en s'appuyant sur une fine observation des pratiques des citoyens et évolutions des modes de vie. Les Japonais, gastronomes, s'offrent régulièrement des produits frais et mets régionaux : Yamato les livre le lendemain, les transportant soigneusement dans des paquets isothermes et des camions frigorifiques. Les documents confidentiels et objets précieux ? Ils sont enfermés dans des coffres à code que seuls l'expéditeur et le destinataire connaissent. Dans les gares et trains bondés, les nombreux adeptes du golf en été et des sports d'hiver détestent gêner le reste des passagers avec des objets aussi lourds, dangereux et encombrants que des skis et sac emplis de cannes : Yamato vient chercher leur équipement la veille du départ et le livre à la station, à l'hôtel ou au club avant même que les vacanciers ne débarquent. Ce *takuhaibin* transporte aussi les bagages jusqu'à l'aéroport la veille d'un grand départ, sur un simple coup de fil. Voilà pourquoi dans les navettes conduisant aux aéroports, les Nippons n'ont qu'une minivalise à roulettes alors que les étrangers croulent sous des sacs à dos difformes plus gros qu'eux. Yamato, qui scrute les changements comportementaux des foules pour combler les manques structurels, n'est jamais en mal d'idées afin de servir les fantasques consommateurs, comme l'illustre l'une de ses dernières innovations : Dreamquest. Il s'agit d'un service Internet, accessible par ordinateur et téléphone mobile, qui permet à un individu de demander en quelques clics à un préposé de Yamato de lui trouver n'importe quel produit aperçu dans un quelconque magazine, de l'acheter et de le lui livrer *presto subito*. 90 % de ces toquades, émanant surtout des incorrigibles filles, sont satisfaits. Yamato a par ailleurs conclu des partenariats avec des *konbini* et autres commerces de proximité qui font office de points de dépôt. Il est enfin un assistant logistique et un tiers de confiance pour les commerçants en ligne, encaissant en liquide, par carte ou autre moyen, les paiements pour les produits vendus sur Internet et transportés par ses soins. La barre symbolique du milliard de livraisons annuelles effectuées par Yamato a ainsi été franchie en 2003. En 2007, le cap de 1,2 milliard était à son tour pulvérisé, soit quelque 3,3 millions de colis pris en charge… par jour, sans compter les près de deux milliards de catalogues et autres imprimés adressés nommément à des particuliers par les entreprises. Après plusieurs années de stagnation, une nouvelle forte augmentation était perceptible en 2011, avec plus de 1,3 milliard de colis transportés. Il faut dire que Yamato n'a jamais lésiné sur les moyens. « Le service d'abord, les bénéfices viendront après », tel était le *leitmotiv* du patron et concepteur du service en 1976. « Cela coûte de l'argent au départ, mais si les clients sont satisfaits, les profits finissent par arriver », ajoutait-il médusant ses subordonnés. « Tenir ce genre de propos, c'est le rôle d'un patron », assurait-il. Il ne s'était pas trompé. Les quatre cinquièmes du chiffre d'affaires du groupe, soit quelque 1 000 milliards de yens (près de 10 milliards d'euros) proviennent de l'activité porte-à-porte (*takuhaibin*), laquelle est plus que rentable. Le groupe dispose d'un réseau diffus de plus de 71 bases régionales, 6 300 centres municipaux, 260 000 points de collecte disséminés sur l'ensemble de l'archipel. Il utilise une flotte de plus de 45 000 véhicules (du semi-remorque au vélo semi-électrique), et emploie pas moins de 140 000 personnes. Le groupe s'est fixé des ambitions très élevées pour fêter ses 100 ans en 2019, une façon de motiver l'ensemble des salariés qui rappelle celle mise en œuvre par Panasonic pour l'an 2018.

Takuhaibin : *une longueur d'avance mais toujours à l'heure*

Comme dans le cas des *konbini*, la clé du succès repose sur la qualité du service, le respect de la promesse faite aux clients, la disponibilité sept jours sur sept, la ponctualité et la gestion en temps réel des marchandises. Les expéditeurs peuvent à tout moment savoir où se trouvent leurs envois. Si le destinataire n'est pas là au moment de la livraison, le préposé de Yamato laisse un message dans la boîte aux lettres, avis sur lequel est inscrit son numéro de téléphone mobile, pour permettre à la personne concernée de le joindre directement, afin de caler un horaire de réception. Dans tous les cas, que ladite personne l'ait ou non contacté, le *Yamato man* effectuera le même jour un deuxième passage, le bureau local dont il dépend n'étant jamais éloigné de l'adresse de destination, compte tenu du maillage très fin mis en place. Cette toile physique est doublée depuis 1979 d'un réseau d'informations et de télécommunications qui permet de tracer les paquets. Les codes à barres sont apparus sur les colis l'année suivante, et depuis plus de vingt ans les chauffeurs et coursiers, baptisés SD (vendeurs livreurs), sont équipés d'un scanner portatif, conçu en interne, qui permet de simplifier le suivi instantané de tous les objets pris en charge. L'arsenal technique ne cesse d'ailleurs d'être renforcé pour offrir un service de plus en plus pointu. Car depuis quelques années, Yamato n'est plus seul sur ce créneau. Il doit affronter la concurrence stimulante de Sagawa, qui dévore les parts de marché des autres petits acteurs du secteur. Yamato doit aussi se préparer au réveil de la poste dont les prestations se sont déjà notablement améliorées du fait de l'efficacité redoutable de ses rivaux. Elle vient désormais aussi chercher les plis à domicile, grâce à un partenariat avec un autre acteur privé trop petit pour tailler seul des croupières à Yamato et Sagawa. Les citoyens et entreprises sont *in fine* les grands gagnants de cette course de vitesse, leurs colis parcourant l'archipel de bout en bout de plus en plus vite, choyés par des livreurs aussi polis que ponctuels, pour un coût qui tend à baisser. Sagawa assure même un service 24 heures sur 24, sept jours sur sept. Malgré le vieillissement et la diminution de la population, Yamato et ses rivaux restent optimistes sur leurs perspectives de croissance : les vieux auront de plus en plus recours aux livraisons, les jeunes achèteront de plus en plus par Internet… et renverront davantage de produits qui ne leur plaisent pas à l'expéditeur. Le patron de Yamato est enfin persuadé que les rappels de batteries et autres composants défectueux d'appareils high-tech vont se multiplier, du fait des avaries résultant inévitablement du raccourcissement obligatoire des délais de développement et de test. Ces retours de marchandises nécessiteront selon lui le recours à des transporteurs porte à porte dont le réseau logistique sans égal garantira le meilleur taux de récupération et de remplacement.

Chapitre XVI

Toyota : anticiper pour arriver à temps

Juste à temps, ni en avance, ni en retard, pile au bon moment, tel est aussi le *leitmotiv* des entreprises manufacturières nippones, à commencer par la première d'entre elles, Toyota, lequel a bâti sa compétitivité sur son mode de production. Numéro un mondial de 2007 à 2010 avec quelque 8 millions de véhicules assemblés chaque année, et autant de vendus, Toyota est pourtant jeune dans le secteur. Il n'a conçu sa première voiture de tourisme qu'à la fin des années 1950, après bien des péripéties. Son premier projet de berline fut tué dans l'œuf par les banques dont la générosité fut brutalement stoppée par les mesures économiques mises en œuvre en 1949 sous la férule du financier américain Joseph Dodge. Sans une soudaine commande de 4 000 camions militaires pour les besoins de l'armée américaine en guerre en Corée, Toyota aurait peut-être succombé à la grève de ses 6 000 ouvriers de l'époque brutalement privés de salaire faute de ressources. Sans l'ambition et la ténacité de ses dirigeants et ingénieurs, il aurait peut-être suivi les conseils peu avisés du gouverneur de la Banque du Japon. Ce dernier jugeait à l'époque les industriels japonais incapables de développer, produire et vendre une voiture *made in Japan* du chassis au toit, et leur enjoignait d'accepter les offres de sous-traitance de Ford et de ses compatriotes américains. Se plier au fordisme, ah non ! Plutôt crever, peut-être pas, mais tout tenter, ça oui ! La production à la chaîne « à la va-comme-je-te-pousse » ne correspondait guère à l'idée que se faisaient les dirigeants de Toyota d'une entreprise manufacturière japonaise. Contrairement aux chaînes Ford tournant à plein régime pour arriver au maximum de leur capacité de production, au risque d'accumuler les stocks excédentaires par rapport aux besoins du marché, Toyota a conçu et mis en pratique une théorie fondée sur la demande identifiée et qualifiée en aval pour régir la chaîne en amont. Le toyotisme est de ce fait le contraire du fordisme. Son but : ne sortir que le nombre de pièces nécessaires à un instant « T » à toutes les étapes de la fabrication, en éliminant au passage les gaspillages de toute nature. « *Hitsuyou na mono, hitsuyou na toki, hitsuyou dake* », « ce qu'il faut, au moment requis, et seulement cela ». De ce gimmick découle un corpus procédural qui régit de bout en bout la production toyotiste. Cette approche, que Toyota mit en œuvre avec brio, s'appuie sur une conception inverse à celle de Ford. Elle est fondée sur la demande réelle, et non sur la capacité des usines. Et ce alors même que la période de haute croissance des années 1955 à 1970 aurait pu conduire Toyota à faire comme la plupart des autres sociétés, c'est-à-dire à produire autant que possible afin d'abreuver le marché de tout et n'importe quoi, puisque les consommateurs avalaient tout.

Toyotisme : anti-fordisme

À l'instar des *konbini* qui ne reçoivent que la quantité de marchandises qu'ils sont censés écouler dans un court laps de temps donné sans les entasser dans les arrière-boutiques, les usines de Toyota sont approvisionnées par leur fournisseurs au jour le jour en fonction du nombre de véhicules à produire pour satisfaire une demande démontrée. Adeptes des formules rhétoriques, les dirigeants de Toyota sont les gardiens du bréviaire de la famille Toyoda, fondatrice du groupe, et notamment des formules d'Eiji Toyoda. Objectifs : zéro stock, zéro délai, zéro défaut, zéro gâchis, zéro litige.

« *Just in time* » et « automatisation sous contrôle humain » sont les deux piliers de la méthode Toyota, lesquels reposent sur un ensemble de tactiques fondamentales : le *kanban* – étiquetage –, la standardisation des procédures enrichies au fil des suggestions des salariés, la maîtrise de la chaîne par l'homme, la polyvalence, la formation continue et le *kaizen* intégral (amélioration permanente de l'ensemble).

Le *kanban* consiste littéralement à accompagner d'un flux d'informations la fabrication d'un produit et de ses éléments. Il s'agit d'étiquettes où sont portées tous les renseignements et instructions concernant le lot auquel elles sont associées. L'ouvrier sait à chaque étape exactement le nombre de pièces à produire grâce aux demandes formulées sur les *kanban* par ses collègues de l'étape suivante. Il reçoit par ailleurs la quantité juste de composants qu'il a lui-même exigés des travailleurs des maillons antérieurs et ainsi de suite en remontant la chaîne. Il s'agit d'asservir la production en aval à celle située immédiatement en amont. C'est donc l'inverse de la méthode Ford où chacun fabrique le plus vite possible autant de pièces qu'il voit arriver de composants à la queue leu-leu, sans même savoir combien viendront s'amonceler sur son plan de travail. D'où les stocks en bout de course si d'aventure la production excède les commandes. Deux cultures, deux façons de faire. Le modèle Ford, forgé aux États-Unis, reflète une approche très individualiste, chaque ouvrier se concentrant sur son boulot, même si celui d'à-côté ne suit pas. À l'inverse, la méthode Toyota, révolutionnaire parce que s'inscrivant à rebours des pratiques communément en vigueur dans l'industrie des années 1950, s'appuie sur l'interdépendance entre postes, la polyvalence et le travail d'équipe. Si le suivant n'a rien demandé, c'est qu'il n'a pas encore éclusé ce qu'il a déjà reçu, il est donc inutile de l'alimenter de nouveau. Mieux vaut aller lui donner un coup de main. Les fournisseurs en amont sont pliés aux mêmes impératifs, l'ambition ultime du toyotisme étant d'arriver à ce qu'en tout point de la chaîne, on ne déplore ni en-cours de commande, ni retard de livraison, ni problème de qualité. Cette exigence oblige, d'une part, à éliminer tous les obstacles susceptibles de créer un delta entre la demande et l'offre (les gaspillages, *muda*) et, d'autre part, à favoriser tout ce qui contribue à assurer un flux régulier sans grains de sable (les mécanismes facilitateurs, *shikumi*).

Toyota : les « 7 M » et les « 5 S », ne pas gâcher et bien ranger

Les têtes pensantes de Toyota ont tôt identifié sept catégories de *muda* (7 M) à faire disparaître petit à petit et cinq *shikumi* (5 S) à améliorer sans cesse. Les gaspillages constituent, selon eux, une source intarissable dans laquelle on peut toujours puiser matière à progresser, et les *shikumi* sont des outils à toujours peaufiner.

L'équation fondamentale de départ était la suivante : travail fourni = production + gaspillages. Si bien que la production calée sur la demande augmente mécaniquement pour égaler la quantité de travail fournie quand les déperditions tendent vers zéro. Pour y parvenir, on peut découper le problème en sept sous-équations et dans chaque cas se débrouiller pour que le second terme à droite se rapproche d'une quantité nulle : production = mouvements + brassage d'air, délais de production = heures de travail + temps perdu, quantité produite = marchandise correcte + articles viciés, temps de transport = durée théorique du parcours + détours inutiles, processus de production = procédés indispensables + formalités superflues, ressources consommées = commandes + surproduction, logistique = administration des flux + gestion des stocks. Résultat, si l'on élimine simultanément le brassage d'air, les temps perdus, les articles viciés, les détours inutiles, les formalités superflues, la surproduction et la gestion des stocks, on atteint le maximum de rendement. Comment y réussit-on ? Réponses de Toyota : en s'organisant, en s'appuyant sur l'intelligence humaine et en ne perdant pas de vue l'objectif final : le client.

S'organiser, cela veut dire trier le bon grain de l'ivraie – *seiri* –, disposer ses affaires de façon rationnelle – *seiton* – pour ne pas s'épuiser bêtement en gestes inutiles, nettoyer – *seijo* – et répéter régulièrement ces tâches ingrates – *seiketsu* – en repoussant la tentation forte d'y renoncer – *setsuke*. Et voilà les fameux « 5 S », les cinq moyens facilitant la réduction des *muda*. Le *kaizen* – optimisation incessante –, terme souvent improprement employé pour qualifier l'intégralité de la méthode Toyota, consiste en réalité uniquement à améliorer l'ensemble des complexes procédures qu'elle met en œuvre. Le *kaizen* vise donc à minimiser les *muda* et maximiser les *shikumi* pour que l'équation de départ « travail fourni = production + gaspillages » se rapproche de l'idéal « production actuelle = travail fourni = commandes ». L'optimisation perpétuelle suppose que l'on recherche toujours une efficacité supérieure, sans jamais se satisfaire pleinement de l'existant.

Comme le répètent à l'envi les fondateurs et dirigeants de Toyota, le *monozukuri* – fabrication de produits –, c'est d'abord de l'*hitotsukuri* – fabrication d'hommes. Ce qui signifie qu'il faut former les salariés sans relâche, hisser leurs compétences, les faire évoluer à d'autres postes au fil des gains de productivité réalisés dans les travaux moins évolués, les rendre responsables et polyvalents, leur faire confiance, les impliquer dans les décisions, tout en leur inculquant une culture de travail collectif. « Si on n'utilise que des machines vendues sur catalogue, on ne construit que des lignes de production sur catalogue, qui ne sortent à la chaîne que des véhicules de catalogue et on n'obtient au bout du compte des ouvriers sur catalogue », plaisantait un haut dirigeant retraité du groupe.

Des robots costauds, des hommes cerveaux

Là se trouve transcrit de façon ironique le concept de « l'automatisation sous contrôle humain ». C'est l'homme qui régit les robots, lesquels ne sont là que pour faire à sa place des travaux de forçats et autres tâches usantes, dangereuses, inintéressantes. Mais ils sont bêtes et méchants, ces robots. Ils ne font que ce qu'on leur demande. Une presse moule de la ferraille, mais elle ne voit pas qu'elle vient de la fracasser. Elle ne se rend pas davantage compte du fait que la machine suivante refuse les pièces qu'elle produit ou que l'ouvrier du poste en aval est débordé. C'est à l'homme de surveiller, de réguler le flux, de trouver des astuces pour élever les performances d'une automation, de détecter le plus tôt possible un pépin avant qu'il ne se répercute sur les étapes en aval, s'amplifiant au passage. Mieux vaut ralentir ou stopper une chaîne dans son ensemble plutôt que d'en sortir une pièce défectueuse. Le cas échéant, tout le monde doit participer à la localisation et à la résolution du problème. « Ce n'est pas mon affaire » est une phrase bannie. Cette philosophie ne s'arrête pas aux portes des usines Toyota. Puisque les fournisseurs sont soumis aux mêmes devoirs, ils ont les mêmes droits à l'entraide. Si l'un d'eux est en difficulté, Toyota, ou les entreprises qui ont depuis adopté sa méthode, se porte à son secours. Ainsi, lorsqu'à la suite du séisme dévastateur de Niigata en 2007, les dégâts ont forcé le fabricant de joints japonais Riken à cesser de produire, Toyota a mis en suspens toutes ses usines et dépêché *illico* trois cent cinquante techniciens chez son pourvoyeur de pièces pour l'aider à remettre ses machines en marche. Les autres onze constructeurs d'automobiles japonais, également approvisionnés par Riken, ont agi pareillement. Il n'a fallu qu'une semaine pour revenir à la normale. La même solidarité prévalut en 2011 lorsque l'une des principales usines du fabricant de micro-processeurs pour automobiles Renesas Electronics fut mise hors service par le violent séisme du 11 mars. Le groupe a reçu immédiatement l'aide de tous ses clients et fournisseurs, dont en premier lieu Toyota. D'aucuns ont glosé sur les « limites » de la méthode Toyota du « juste à temps » et de l'absence de stocks, puisqu'en l'occurrence elle s'est traduite par « pas de joints Riken ou pas de puces Renesas = pas de voitures nippones ». Mais à vrai dire, ce genre d'incident fait partie des cas prévus, tout comme l'est le ralentissement soudain de la demande. L'ampleur du drame de 2011 a cependant dépassé les estimations, puisqu'il a fallu attendre septembre pour que la cadence de production redevienne normale. La crise n'en fut pas moins perçue comme une occasion supplémentaire de progresser puisque sa résolution exigea la création de nouveaux moyens, tout comme les défis naturels obligent les hommes à déployer des trésors d'ingéniosité.

En réponse aux exigences du marché et pour affronter la concurrence, Toyota a en quelque sorte industrialisé les valeurs de la société nippone, elles-mêmes imposées par les contraintes naturelles (prévoyance, ponctualité, patience, curiosité, ambition, expérimentation, solidarité, respect, responsabilité, amour du travail bien fait). Mais si le constructeur a pu le faire de si belle manière, c'est parce que les surnommés *Toyota men* ont compris et appliqué les préceptes, du haut en bas de l'échelle, et que le groupe n'a jamais perdu de vue l'objectif final : la priorité donnée au service et à l'innovation, devant le souci d'amasser de l'argent, à l'instar de Yamato. Quant à la méthode, elle n'est qu'un outil, ni plus ni moins. De fait, si nombre de dirigeants d'entreprises de par le monde, envoûtés par des cabinets de consultants, tentent de copier le toyotisme, bien peu y parviennent réellement pour trois raisons majeures : parce qu'ils se trompent de finalité (voulant seulement produire plus avec moins, au lieu de produire mieux en éliminant les gaspillages), parce qu'ils n'en adoptent qu'une partie (le juste à temps et l'automatisation, sans la prévalence du contrôle humain), parce que leurs salariés ne l'appliquent pas (par individualisme, manque de curiosité, incompréhension, défaut de management, déresponsabilisation ou refus de se plier à des principes et de participer à leur amélioration). À l'évidence, la culture, la formation intellectuelle, les relations sociales, la valeur accordée au travail et le fonctionnement général de la société nippone mis en exergue dans les précédents chapitres se prêtent mieux à l'adoption de ce corpus que la mentalité individualiste dominante dans les entreprises et autres structures occidentales.

Les *success story* d'Omron avec ses portiques, des *konbini* ouverts 24 heures sur 24, sept jours sur sept, toute l'année, des *takuhaibin* se déplaçant partout, ou de Toyota, champion des avancées automobiles, obligent tout naturellement à souligner un autre facteur majeur, à savoir la priorité donnée au client, à son confort, à sa sécurité. La clé de la réussite de ces entreprises et de leur expansion se trouve dans l'obsession de ne jamais décevoir celui auquel leurs produits ou services sont destinés, de pressentir ses besoins et d'attiser ses envies, fût-ce par de toute petites trouvailles.

Chapitre XVII

1960 À 2011,
LA CONSOMMATION AU JAPON :
DES « 3 C » AUX « 5 R »

Grâce aux clients

Satisfaire la clientèle, garantir sa sécurité, embellir son quotidien ne sont assurément pas l'apanage des entreprises japonaises. Toute société de service ou entreprise manufacturière honnête du monde vise *a priori* ces mêmes objectifs. Toutefois, les groupes nippons bénéficient d'un environnement particulier, à la fois contraignant et stimulant. L'impératif est double : d'une part répondre à l'exigence de qualité, de sophistication et de fiabilité imposée par les autorités nippones et voulue par les consommateurs japonais dans un univers concurrentiel plus ouvert, et d'autre part entretenir, par des avancées techniques, leur compétitivité sur les marchés extérieurs où la compétition se joue davantage sur les prix, du fait de contingences socioculturelles différentes de celles prévalant sur l'archipel. Ce contexte les oblige à faire barrage aux compétiteurs étrangers par une élévation technique de leur mode de fabrication, de leurs produits et de leurs prestations, en adéquation avec les évolutions de la société qu'ils doivent anticiper et accompagner au lieu de les suivre. Conjuguer ces deux exercices divergents imposés revient à proposer plus et mieux au meilleur tarif, sans compromis sur la qualité, et à adapter finement l'offre aux particularismes de chaque marché. Parce que leur survie en dépend, parce que la mondialisation ne leur laisse pas le choix, les agriculteurs, les industriels, les groupes de grande distribution ou prestataires de service nippons ne peuvent se permettre de sacrifier le saut qualitatif, la vision à long terme et le progrès technique sur l'autel du plus petit dénominateur commun, du profit immédiat et du bas de gamme bon marché. Ils y perdraient leur âme, la confiance de leurs compatriotes et leur force de frappe à l'échelle internationale, sachant pertinemment que sur le seul terrain du mieux-disant tarifaire, à prestations égales, ils seront toujours moins forts que leurs homologues des pays regorgeant de main-d'œuvre sous-payée et exploitable à volonté.

1960-1972 : tout nouveau tout beau

Depuis les années 1960 marquées par un bond des salaires et du niveau de vie, les Japonais aiment le shopping. Le mimétisme était alors entraîné par le modèle de l'*American way of life*, à l'époque synonyme d'accès à la modernité. Tous rêvaient de posséder « *my home* », un deux-pièces/cuisine équipée, les *sanshu no jingi* – TV, machine à laver, réfrigérateur – puis les « 3 C » (TV couleur, climatisation et voiture particulière). L'électroménager en vedette était déjà *made in Japan*, truffé de technologies locales et parfaitement adapté à la taille des appartements, aux habitudes des ménagères et aux normes locales. Le voisin avait une TV Sharp ou Sony, pourquoi pas eux ? Il paradait en automobile familiale Subaru 360, Nissan « Fair Lady » ou Toyota « Crown », il leur en fallait une aussi.

Une fois atteint et même dépassé le niveau de vie de l'Américain moyen, les Nippons prirent le large. Ce fut le boom des voyages et divertissements dans le sillage de l'Exposition universelle d'Osaka (1970) et de la campagne publicitaire « *Discover Japan* ». Et les Japonais de sillonner l'archipel avec en bandoulière l'indispensable nouvel appareil photo Canon et, au poing, l'innovante et unique caméra à film 8 millimètres Fujifilm. Les fillettes rêvaient d'une poupée mannequin Rikachan. À la maison, madame grignotait du chocolat en regardant « Ginza Now » à la télé, un programme de variétés en direct d'un restaurant du quartier commercial de Ginza à Tokyo. Avant d'enchaîner des heures supplémentaires, monsieur faisait une courte pause au bureau pour savourer une bière Sapporo, Asahi ou Kirin et un bol de nouilles instantanées Nissin. Débarrassés de leurs devoirs scolaires, les enfants se ruinaient les dents avec des caramels en lisant des *manga* ou en jouant à *Othello*, jeu de société alors en vogue.

1973 : chasse au gâchis

La chasse au gâchis, provoquée par le choc pétrolier de 1973, raviva les ventes de matériels électroménagers parés de nouvelles vertus *sho-ene* – économes en énergie –, moteur d'innovation et défi technique que les industriels nippons relevèrent dès cette époque avec brio et constamment depuis. Le chaton rose *Kitty-chan* (« Hello Kitty ») de Sanrio naquit à cette époque (1974), animal apatride indémodable et transgénérationnel, symbole de douceur paisible tranchant avec le contexte politico-économique international explosif (conflit au Proche-Orient, vague d'attentats visant les grandes entreprises au Japon, croissance en berne). Les vendeurs des boutiques du quartier high-tech d'Akihabara à Tokyo hélaient les mères de famille pour leur vanter les merveilles de la nouveauté *made in Japan* du moment : le VTR « Betamax » de Sony ou « VHS » signé Victor Company of Japan (JVC), magnétoscope à cassette « in-dis-pen-sable » pour enregistrer leur *drama* (série TV) favori. 1979, grande année, fut marquée par le lancement des téléphones analogiques de voiture (NTT), objets dont rêvaient les businessmen, et par le *hit souhin* (carton commercial) par excellence : le révolutionnaire Walkman de Sony, baladeur musical à cassette magnétique sur lequel se ruèrent les Japonais avec un enthousiasme insensé. Nul médecin ou sociologue ne s'alarmait sur l'archipel des « générations d'autistes que ce genre d'appareils allaient entraîner » aux dires de leurs homologues européens. Les médias étrangers se perdaient en conjectures sur ces incroyables Nippons qui mettaient de l'électronique jusque dans les toilettes, avec les WC à jet d'eau, un concept inédit inventé au même moment, non sans peine, dans le centre de recherche et développement du groupe Toto, devenu depuis numéro un mondial des sanitaires.

1980 : fêtes et high-tech

C'était le début de la *matsuri jidaï* – l'époque fêtarde – des folles années 1980, le Japon ayant, en partie grâce à ses trouvailles technologiques, passé sans grands dommages le deuxième choc pétrolier de 1978. Les platines à disques compacts (CD) firent leur apparition dans les salons et les futuristes et furtives montres-TV aux poignets. Les enfants pestaient pour qu'on leur achète un *Game and Watch*, petit jeu électronique de poche de Nintendo avec des pieuvres, des singes et autres figures animales, et des Choro Q, voitures miniatures automatiques de Takara. Leurs aînés, eux, se décarcassaient à remettre en ordre le satané Rubik's Cube ou se déchaînaient dans les bars sur les bornes vidéo de *Space Invaders*. Dans la foulée déboula avec fracas en 1983 la première console de jeux de salon, la Famicom de Nintendo, qui fit bien sûr un tabac tout comme le lecteur de CD portable, nouvelle mouture moderne du Walkman de Sony, l'année suivante. Puis débarquèrent sur les étals nippons le premier Caméscope vidéo à capteur CCD (double invention de Sony), le premier appareil photo à objectif autofocus (Minolta) et le *Wapuro* (*Word Processor*, de Toshiba), machine à écrire électronique capable de convertir automatiquement et instantanément en kanji les termes japonais saisis phonétiquement sur un clavier alphanumérique. Les nouveautés électroniques se succédaient à un rythme effréné confirmant l'inventivité et la compétitivité de l'industrie locale des semi-conducteurs, des automations et des instruments de précision. Ces appareils se hissaient *illico* au sommet des palmarès de ventes, tous types de produits confondus, traduisant l'appétence déjà vive des foules pour la high-tech, fierté nationale.

1985-1992 : *tout se vend*

Suivit la folie des grandeurs à l'origine de l'infernale spéculation financière et immobilière, une période marquée par le rejet dégoûté des « 3 K », *kitanai* – sale –, *kitsui* – pénible – et *kiken* – dangereux –, professions laissées aux citoyens de seconde zone, souvent d'origine étrangère, majoritairement chinoise ou coréenne. Les classes moyennes et aisées se jetaient à corps perdu dans le *money game* (investissement en Bourse), claquaient leurs primes dans les produits de luxe étrangers, les parcs de loisirs et salles de jeux, ou des gadgets débilitants. *Nandemo ureru*, tout se vend, se félicitaient les entreprises, « surtout les produits chers », rigolaient les profiteurs. Ce fut aussi la grande époque des *otaku*, terme à l'époque péjoratif désignant les adolescents et jeunes adultes pris dans un tourbillon électronumérique. Reclus dans un univers virtuel en marge de la société, ils passaient des jours et nuits devant leur ordinateur ou une nouvelle Nintendo Super Famicom, version dernier cri du divertissement vidéo, achetée le jour même de son lancement à Akihabara.

La commercialisation en 1993 des premiers vrais téléphones mobiles (modèles numériques, norme dite de deuxième génération), le boom des bipeurs de poche Pocket Bell, la démocratisation des ordinateurs personnels avec menus et fenêtres, la rupture créée en 1994 par la PlayStation, première console de jeux de salon signée Sony, ou l'invention, laborieuse mais bien vue, de l'appareil photo numérique par Casio en 1995 renforcèrent encore la place des produits techniques grand public dans les dépenses de consommation des foyers. Ce phénomène était particulièrement accentué dans les familles de la génération du baby-boom où les enfants, les baby-boomers juniors, étaient alors lycéens ou étudiants. La popularité croissante d'Internet à partir de 1995-1996 accentua encore cette déferlante électrovirtuelle. Cette dernière se retrouvait aussi dans les *puricura*, cabines où l'on se photographie à plusieurs sur fonds plus ou moins psychédéliques pour en tirer un lot de plusieurs mini-autocollants à partager pour les coller dans des albums personnels. En perte de vitesse depuis que les téléphones portables/appareils photo les remplacent, les *puricura* étaient à l'époque un incroyable phénomène de société. Les collégiennes et lycéennes en étaient folles.

1995-2002 : la consommation de crise

Toutefois, l'explosion de la bulle financière au début de cette décennie 1990, le séisme de Kobe en 1995, l'attentat au gaz sarin dans le métro de Tokyo deux mois plus tard et les restructurations douloureuses modifièrent simultanément les comportements et priorités d'achat. Les mères de famille quittèrent les enseignes dorées de Ginza pour les tristes travées sans âme des hypermarchés aux promotions quotidiennes. Elles découvrirent les *100 yens shops*, magasins de marchandises consommables souvent importées de Chine (ustensiles de maison, papeterie, briquets, accessoires divers, etc.), au tarif unique de 100 yens (75 centimes d'euro actuels). Ces économies de bouts de chandelles autorisaient moralement les familles à continuer de s'octroyer quelques petits plaisirs par l'acquisition d'objets divertissants (derniers modèles de téléphones mobiles avec fonction de courrier électronique, animaux virtuels « Tamagochi » de Bandaï, nouvelles consoles de jeux), quitte à recourir, pour les achats de biens durables onéreux, à des crédits à la consommation aux taux d'intérêt exorbitants consentis par des officines sans scrupules.

La *kaimono minzoku* – civilisation des achats –, expression revendiquée par les autochtones dans la période de haute croissance des années 1960, puis durant la fièvre des années 1980, n'a de fait jamais vraiment disparu. Elle hiberne un peu dans les périodes de froid économique et se réveille vite quand la confiance revient, tout en tirant plus ou moins les leçons des errements passés.

Ces dernières années émergent diverses tendances directement influencées par le contexte politico-socio-économique intérieur incertain et l'environnement mondial déstabilisant. Après chaque crise, le Japon avait toujours trouvé dans le passé, à l'extérieur, un modèle de société duquel s'inspirer pour se fixer un objectif à atteindre et surpasser. Ce fut la Chine dans les premiers siècles, l'Europe, de la restauration de l'empereur Meiji (1868) à la Seconde Guerre mondiale, puis les États-Unis à l'issue de ce conflit. Mais sortie de la triste décennie 1990, la société japonaise du début du XXIᵉ siècle, qui ne comprend pas où va l'Europe bancale et n'a rien à envier aux États-Unis, ne sait plus où trouver un référentiel idéal, sinon peut-être dans son propre passé. Secouée, déboussolée, la « belle nation » qu'appellent de leurs vœux les conservateurs nostalgiques se cherche dans le regard des autres, alors qu'elle est elle-même, par certains côtés, devenue un exemple pour ses voisins asiatiques.

De fait, cette perte de repères rejaillit sur l'état d'esprit des consommateurs. En 2001, ils étaient sur la défensive, une attitude prudente renforcée par les attentats du

11 septembre aux États-Unis et les premiers retours de bâton suivant l'engouement pour Internet. Le succès du film *Le Voyage de Chihiro* du maître de l'animation Hayao Miyazaki s'inscrivait dans cette quête de racines et de sens. En 2002, dirigé par le charismatique, populiste, libéral et têtu Junichiro Koizumi, le peuple se sentit repris en main, un peu soulagé, en partie apaisé, mais il restait sur ses gardes. On n'osait pas aller trop loin : on saluait partout la grandeur d'âme du « petit » (en français dans le texte), les petites choses qui font du bien, le petit plaisir de s'offrir quelque chose de joli, d'authentique, de discret (épicerie fine, commerces de proximité, meubles d'artisans ébénistes, minivéhicules).

2003 : Roppongi Hills, symbole de la reprise

En 2003, les perspectives économiques redevenant favorables, la confiance revint peu à peu, stimulée par l'inauguration du nouveau lieu de branchitude éphémère, le gigantesque complexe Roppongi Hills à Tokyo. Les Nippons sont sensibles à ce type de symbole. La construction de la tour de Tokyo en 1958 l'avait déjà révélé. Les mégaprojets immobiliers à vocation commerciale ou touristique ont un impact perceptible sur le moral des citoyens, sur la consommation et sur le dynamisme des quartiers qui les accueillent. Tokyo, qui se prend à rêver d'accueillir de nouveau les jeux Olympiques, est entrée dans une nouvelle phase de mutation qui se traduit par l'émergence soudaine d'une nouvelle forêt de gratte-ciel, le plus souvent à proximité des gares, points de convergence de toutes catégories de clients potentiels. Qu'elle soit choisie ou non pour les olympiades, la capitale nippone profite de ces « grands travaux » qui stimulent les clients et dopent les affaires. Plus d'une vingtaine de nouveaux buildings pharaoniques aux architectures folles devraient sortir de terre dans les prochains mois et années, constructions impressionnantes auxquelles s'ajouteront d'autres projets, si d'aventure le comité des JO retient

Tokyo pour 2020. Les architectes de renom et promoteurs immobiliers se livrent une véritable bataille pour afficher les meilleures enseignes et attirer dans la foulée des millions de visiteurs dépensiers. Ils alignent les noms de grandes marques, se prévalent d'héberger les tables d'un chef cuisinier français étoilé et font la une des magazines sélects. Le plus impressionnant est de constater à quel point les Japonais sont réceptifs à ces changements. Alors même que ces lieux sont *a priori* là pour des années, ils s'y précipitent par milliers les premiers jours, découvrant ainsi dans les pires conditions les aménagements fantaisistes, inédits et toujours bluffants. Provoquée par la presse et les télévisions, fanatiques de ce genre de sujet « conso » populaires, la déferlante, le jour de l'inauguration, est telle qu'elle oblige la mise en place de véritables cordons d'hôtesses, vigiles et policiers pour canaliser la foule dans les ascenseurs, escaliers, commerces, et ce, dès la sortie du métro le plus proche et jusque dans les parkings et rues alentour. On vit en 2007 une queue de 15 000 personnes à l'ouverture d'un nouvel empire de l'électronique, Yamada Denki (un million de références en rayon), près de la gare de Shinagawa dans la partie sud de Tokyo.

Les jeunes femmes, marathoniennes du lèche-vitrine, se ruèrent de la même façon en 2003 à Roppongi Hills pour découvrir les hauteurs de ce complexe ultramoderne de tours de commerces, bureaux, espaces culturels et résidences de standing. Roppongi Hills devint vite le repaire des juvéniles et richissimes patrons rescapés de la bulle Internet, coqueluches des médias et idoles des jeunes. Certains tombèrent de leur piédestal par la suite, anges déchus, mais à l'époque, la politique théâtrale de Koizumi et la hargne de la Roppongi zoku, le clan des riches de Roppongi, dont le chef du gouvernement revendiquait la paternité spirituelle, redonnèrent espoir aux jeunes, avides de liberté et peu enclins à se couler dans le rôle du salarié modèle aux ordres et à la merci de ses supérieurs. Cependant, hormis peut-être les demoiselles au fort pouvoir d'achat, qu'aucune conjoncture ne peine ni ne freine, les Japonais restaient encore dans leur ensemble raisonnables, les claques du passé et les incertitudes sur l'avenir tempérant les ardeurs. L'attentisme était d'autant plus opportun que le Japon était plongé depuis plusieurs années déjà dans une spirale déflationniste, laquelle conduisait les foyers à reporter leurs achats importants dans l'espoir de bénéficier plus tard de meilleurs prix. Le syndrome du PC en somme, objet dont on diffère sans cesse l'acquisition en anticipant l'inéluctable baisse tarifaire d'une génération de machines dès qu'apparaît la suivante. En dépit d'une attitude circonspecte, les Japonais ne renoncèrent pas pour autant à s'offrir de temps en temps un week-end dans un hôtel de luxe, quelques jours à Hawaii ou Guam. Cependant, ils ne recommencèrent pas à mener grand train comme au temps de la bulle.

2004 : TV à écran plat, Lohas, etc.

En 2004, le besoin de renouveau s'accentua qui se matérialisa par l'envolée des ventes de téléviseurs haute définition à écran plat, pour suivre les exploits des vedettes du base-ball Matsui et Ichiro ou le parcours des athlètes nationaux aux jeux Olympiques d'été à Athènes. 2005 fut placé sous le signe de la reconstruction et de l'affirmation décomplexée de soi, une forme de révolution intérieure empreinte d'une volonté égo-logique. Et chacun de rechercher un style de vie à la fois bon pour lui-même (corps et âme) et, par induction, bénéfique à autrui, à l'image du nouveau chantre de la culture Lohas (vie durable et saine) qu'est devenue la star nationale de la musique électro-acoustique Ryuichi Sakamoto. Les voitures hybrides, la consommation de produits naturels et respectueux de l'environnement ou encore la vague du recyclage s'inscrivirent dans ce mouvement qui s'amplifie depuis, encouragé par les inquiétudes mondiales sur le réchauffement climatique. En 2006, prédomina l'envie d'être soi-même, de progresser, d'assumer sa personnalité, sa nationalité et ses différences, tout en se recentrant sur ses amis et sa famille. Cette tendance *jibun rashii* – tel que moi-même –, « à l'aise dans ma peau », « bien dans ma tête » se vit dans les ventes massives de jeux d'entraînement des méninges, dans la promotion des effets bienfaiteurs de la marche à pied et dans la consommation d'aliments diététiques naturels pour lutter contre la nouvelle peste, le surnommé *metabo* – syndrome métabolique –, prise d'embonpoint dont sont victimes, plus ou moins malgré eux, les quadragénaires et leurs aînés.

Les « 5 R », « refuser, réduire, réutiliser, réparer, recycler » devinrent un slogan à la mode, toujours d'actualité et sans doute pour longtemps. Le dernier chic ? Aller faire ses emplettes à vélo avec *my bag*, cabas réutilisable, et refuser ainsi les monceaux de sacs en plastique que distribuent à la pelle les commerces alimentaires. Autre grande mode récente, dîner au restaurant en dégustant les mets *washoku* avec *my hashi* – mes baguettes – pour réduire l'usage des équivalents jetables dont la fabrication accentue le déboisement de la planète. Il est aussi bien vu de sortir de son sac à main un gobelet personnalisé pour boire un breuvage de son choix dans les chaînes de café. Le commerce d'occasion, né dans les années de crise, trouve dans cette approche « écolo » un nouveau motif de développement plus valorisant. Les Japonais, autrefois honteux d'entrer dans une boutique de seconde main, surfent aujourd'hui sur les sites d'enchères de particulier à particulier et portent fièrement leur vieux PC au guichet de reprise d'une enseigne spécialisée au lieu de le mettre à la benne, même s'ils n'en retirent qu'une pincée de yens. Au pire, ils le donnent à une des nombreuses camionnettes qui sillonnent régulièrement les quartiers résidentiels pour récupérer gratuitement à domicile les produits high-tech obsolètes et les recycler.

2005-2006 : bien dans sa peau de consommateur japonais

De nature très attentifs à l'hygiène, les Nippons prennent désormais encore plus soin de leur corps, à la grande joie des fabricants de cosmétiques et gérants de salon d'esthétique pour femmes et hommes. L'absorption de bière baisse, celle du thé vert « *healthy* » et des eaux minérales du même tonneau bondit. Les *onsen* – sources thermales volcaniques – et les restaurants gastronomiques tirent aussi profit de la soif de combiner plaisir, altruisme et bien-être personnel. L'envie de se donner bonne conscience, d'être en forme et en harmonie avec son entourage se manifeste aussi par l'augmentation du temps passé tranquillement chez soi le soir et le week-end. Elle se devine dans la hausse des inscriptions à des activités extraprofessionnelles, sportives, éducatives, caritatives ou culturelles.

Les affiches *order made* (fabriqué sur commande) dans les boutiques sont également de plus en plus visibles et vendeuses, qui traduisent à la fois le souhait de se différentier et celui de s'offrir des produits durables dont la valeur augmente au fil des ans. Ainsi s'arrachent les montres japonaises de grande précision, les chaussures en cuir sur mesure, les costumes bien taillés, les *kimono* et *yukata* (version estivale) qu'on se repassera de parents à descendants, les reproductions de jouets d'antan en bois, ou encore les ensembles acoustiques de salon au son analogique non trafiqué pour audiophiles amateurs de jazz et de musique classique.

La revendication de soi se lit également dans les titres des best-sellers en librairie, où sautent aux yeux les kanji formant le terme *Nihon* – Japon – et *Nihonjin* – Japonais. Elle se traduit aussi par l'explosion des sites communautaires en ligne sur cooptation. On s'y retrouve par affinité pour partager ses passions, exprimer poliment ses idées à un cercle fermé de personnes sélectionnées auprès desquelles on se sent en confiance et bonne compagnie.

2007-2008 : les 100 yens shops ne font plus recette

Ces tendances fortes nées en 2005-2006 se prolongent depuis. Les Japonais de 2007-2008 étaient en quête d'équilibre entre vie professionnelle et vie privée, entre ancien et nouveau (mode « vintage »), entre plaisir sensoriel et bienfaits fonctionnels (alimentation), entre loisirs et enrichissement intellectuel (divertissements ludoéducatifs), entre appartenance à un groupe d'individus, aux traits identifiables au premier coup d'œil, et affirmation de soi, par le détail (téléphones en vogue, mais personnalisés, vêtements à la mode, mais coupés sur mesure, marque connue, mais discrète). Ils paraissaient un peu moins obsédés par l'apparence externe et plus préoccupés par leurs neurones et organes. Regain économique aidant, les autochtones manifestaient davantage l'envie de créer au lieu d'imiter, étaient encore plus sélectifs, précautionneux et prêtaient une attention redoublée à la sécurité. Ils choisissent désormais les produits non plus seulement pour leurs aspects fonctionnels et tangibles (*mono*, la chose), mais aussi en prenant en considération la part abstraite (*koto*, le fait), c'est-à-dire la façon dont ils sont pensés, leur provenance, leur histoire, la philosophie qu'ils sous-tendent et la manière par laquelle ils sont promus et vendus, d'où l'importance des normes, des labels et des services associés. La combinaison de ces facteurs se traduit par exemple par une recherche accentuée de produits sûrs et de services très haut de gamme issus d'entreprises perçues comme socialement responsables, qui font grand cas de la préservation de la biodiversité, s'évertuent à réduire leurs émissions de gaz à effet de serre, minimisent la consommation de ressources (électricité notamment), mettent en avant la santé et valorisent l'entraide intergénérationnelle. Fût-ce anonymement et à destination de personnes membres de sites communautaires, les consommateurs nippons expriment plus franchement leurs impressions personnelles sur tel ou tel service ou article du commerce. Ce phénomène dit du *kuchi komi* – bouche à oreille, négatif ou positif – oblige *de facto* les entreprises à repenser leurs pratiques commerciales pour retourner à leur avantage une menace potentielle, celle du mauvais écho qui se propage et s'amplifie. Les firmes de tout secteur l'ont compris qui vantent les moyens mis en œuvre pour abaisser les rejets de gaz carbonique, expliquent leurs programmes de recyclage de matériaux et produits, font des dons aux organisations à but non lucratif, mettent en place des dispositifs d'écoute des difficultés des salariés, créent des sites participatifs internes, aménagent des crèches d'entreprise ou proposent massivement à leurs salariés des journées de télétravail. Ces actions, plus ou moins médiatisées, rejaillissent positivement sur leur image de marque et leur chiffre d'affaires. Le *monozukuri* redevient une fierté nationale, une valeur patrimoniale que revendiquent tous les secteurs, y compris dans les hautes technologies.

Dans un Japon où régnait quasiment le plein emploi malgré la crise financière (moins de 4 % de chômeurs en 2007), les boutiques *100 yens shops* se faisaient plus discrètes depuis la reprise entamée en 2002 et finalement nettement moins fréquentées que les *konbini*. Pour éviter la banqueroute, les *100 yens shops* devinrent plus sélectifs, surtout face aux importations chinoises, quitte à trahir leur nom en proposant des produits à 300, 500, 700 voire 1 000 yens, de meilleure facture. Les magasins de vêtements bon marché, comme Uniqlo, qui ont fleuri dans les années 1990, ont certes continué de prospérer, mais ils ont dû revoir leur stratégie pour concentrer les réductions de coûts sur la logistique et améliorer la valeur intrinsèque de leurs collections. Les cargaisons de T-shirts à 500 yens « ça eut payé », durant quelques années, « mais ça ne paye plus ». Désormais, le bon prix n'a de raison d'être que s'il est rapporté à une valeur qualitative. Brillent ainsi dans les vitrines Uniqlo des vestes de cuir exclusives à plus de 250 euros. Les consommateurs ne regardent plus seulement les chiffres, ils se focalisent sur le pays d'origine, le tissu et la coupe. Uniqlo doit à présent effacer son image de « magasin des années de crise », faire preuve d'originalité, surprendre, engager des créateurs professionnels connus, et ne pas passer outre la finition, la présentation en rayons et le service. En s'associant à l'entreprise de textiles et fibres techniques Toray, Uniqlo propose des vêtements certes basiques mais ayant des caractéristiques uniques. Tel est le cas par exemple des sous-vêtements d'hiver « HeatTech » dont le tissu conserve la chaleur corporelle, ou bien des tenues « Surfine » en été, basées sur une matière qui absorbe la sueur et les odeurs. Les McDonald's et autres chaînes de restauration rapide aussi sont contraintes de revoir leurs menus et l'intérieur de leurs établissements. Au moment où les citoyens se préoccupent davantage de leur santé et de l'origine des aliments, le « Big Mac » à 100 yens fait certes encore saliver, mais gare à la provenance des ingrédients et à la propreté des lieux. Le groupe a ainsi été forcé de faire un tri dans son réseau, de fermer des petits points de vente de vilaine apparence pour se concentrer sur ceux plus spacieux et plus avenants avec une décoration raffinée éloignée de celle des habituels « fast-food » ressemblant à des stations-service.

Carrefour, l'hypermarché symbole de la crise

L'échec des hypermarchés français Carrefour au Japon illustre aussi à merveille à la fois les différences d'habitudes entre Japonais et Européens et les changements intervenus du fait du regain économique amorcé en 2002. Arrivé sur l'archipel en crise fin 2000, le numéro deux mondial de la grande distribution espérait séduire les autochtones avec ses techniques de vente importées de France et une stratégie de bas prix. Passé les premiers mois où l'enseigne française bénéficia de la curiosité des foules attirées par la nouveauté et les étiquettes, les travées furent de plus en plus désertées. Le « cachet » France que d'aucuns espéraient y trouver n'était pas visible aux abords des glaciales allées interminables, des linéaires sans âme tout en hauteur. Cette organisation, à l'opposé des pratiques nippones, où les clients poussent des Caddie « famille nombreuse » empruntés aux hypers français, a totalement dérouté le consommateur local. Habitués à faire leurs courses alimentaires au jour le jour, par souci de fraîcheur et de commodité, les Japonais n'ont jamais vraiment perçu l'intérêt d'aller passer des heures à cavaler en banlieue éloignée dans un immense entrepôt labyrinthique pour s'y procurer des produits identiques à ceux qu'ils peuvent dégoter plus aisément au pied des gares sur leur trajet domicile-travail ou au *konbini* ou super-marché en bas de chez eux, le tout avec un service deux fois plus humain. Pour autant, persuadé qu'il réussirait à imposer son modèle économique européen, Carrefour ouvrit encore quatre nouveaux hypermarchés en 2003 et 2004, portant son total sur l'archipel à huit. Las, après plus de quatre ans d'essais infructueux pour se frayer une place sur un marché japonais très disputé, Carrefour a fini par se résigner. Il a officialisé en mars 2005 la vente de ses magasins au Japon à un groupe local (Aeon), pour seulement 25 % de leur chiffre d'affaires, un niveau de trans-action très inférieur à la pratique courante dans la distribution. La marque Carrefour a été conservée quelques années supplémentaires, puis a fini par disparaître.

À l'inverse, les supermarchés nippons Daiei, qui ont failli être totalement liquidés du fait d'investissements immobi-liers déraisonnables brutalement dévalués par le dégonfle-ment de la bulle, se sont rétablis au moment même où Carrefour jetait l'éponge, grâce justement au groupe Aeon. Comment ? En valorisant les produits originaux, régionaux, frais, soigneusement disposés. Les fruits et légumes étaient entassés dans des cagettes chez Carrefour ? Chez Daiei, ils sont tous du même gabarit et parfois emballés d'un film protecteur voire d'une mousse antichoc pour les plus fragiles (pêche, kaki). Si, par inadvertance, un client passe en caisse avec une pomme talée (elles sont vendues à la pièce), la caissière va lui en faire apporter une autre impeccablement lisse. Autrement dit, Daiei n'a pas systématiquement cassé les prix pour capter le maximum de clients en important des tonnes de denrées de Chine ou d'ailleurs, ce qui aurait été vain. Il s'est inspiré du modèle des rayons alimentaires des grands magasins, mettant l'accent sur la qualité, l'originalité, le conseil et la sécurité, en s'associant avec des petits producteurs japonais, tout en continuant à afficher des tarifs attrayants, concurrence oblige.

Idem pour les grands magasins Seibu placés momentanément, comme Daei, sous l'égide d'un organisme public de « revitalisation » des entreprises. Seibu, qui s'était ruiné dans des achats de terrains de golf et autres lieux de loisirs éloignés de son domaine de compétences, avait laissé vieillir ses magasins. Au point qu'ils étaient devenus rebutants pour la juvénile clientèle féminine raffinée très lucrative. Fusionné avec Sogo, un autre groupe du même secteur, aidé par des spécialistes du redressement d'affaires, puis repris par le géant de la distribution Seven & I holdings, Seibu a radicalement changé de visage. Il a revu et le design de ses magasins, et son catalogue de produits pour cibler directement les dépensières jeunes salariées célibataires. Il doit son retour en grâce auprès de ces hyperexigeantes consommatrices à une stratégie tout entière tournée sur l'originalité, l'exclusivité, la personnalisation des services, la présentation en rayon, la disponibilité et le nombre des personnels, bien formés.

Second exemple significatif : les *konbini*. Depuis 1995 et jusqu'à ces dernières années, ils se sont battus sur les prix pour faire face aux *100 yens shops*. S'ils continuent aujourd'hui, comme toujours, de chercher à offrir les meilleurs tarifs en optimisant leur gestion logistique, ils se démènent aussi pour appâter les clients avec des *bento* et *nigiri* de meilleure qualité gustative et diététique, de première fraîcheur et empaquetés de façon « artisanale » pour un tarif de 20 % supérieur au prix habituel de ce genre d'en-cas.

2008-2011 : la quête vaine de sécurité

Mi-2008, alors que la situation économique nationale était redevenue favorable, portant à l'optimisme les entrepreneurs et par voie de conséquence les salariés et consommateurs, l'embellie fut brusquement interrompue lorsque la crise financière américaine dégénéra soudain en calamité économique internationale, à la suite de la déconfiture de la banque Lehman Brothers le 15 septembre. Le « Lehman shock » provoqua une véritable panique au Japon, tant dans les milieux d'affaires que chez les citoyens lambda. Et tout le monde de fermer les écoutilles, de stopper net les projets, de geler les plans de construction d'usine, de suspendre les embauches et d'annoncer en cascade des restructurations massives à coup de suppression de milliers d'emplois *via* la rupture anticipée ou la non reconduction de contrats à durée déterminée. Toyota, Sony, Panasonic, Canon, tous les grands noms de l'industrie nippone agirent de la sorte. Dans ce contexte exécrable, les consommateurs sombrèrent dans la déprime. Alors qu'ils commençaient tout juste à être rassurés, voilà que de nouveau tout s'effondrait, qui plus est à cause des bêtises des banques américaines. Et le Japon de rechuter dans la déflation, conséquence d'un écart énorme entre l'offre, trop opulente, et la demande, atrophiée. La brutale baisse d'activité fut telle que l'archipel retomba en récession, étranglé par la compression des exportations et de la consommation privée interne. La guerre tarifaire recommença, notamment entre enseignes de restauration et magasins alimentaires, jusqu'à ce que la reprise internationale fin 2009/début 2010 fasse rebondir les prix des matières premières stoppant *de facto* l'infernale spirale de baisse. Il fallu attendre mi-2011 pour que l'indice des prix à la consommation redevienne positif, de façon artificielle en réalité puisque la remontée s'expliqua avant tout par la flambée des cours des ressources énergétiques et les répercussions de ces variations sur les coûts de revient.

Début 2011, alors que les clients avaient un peu recouvré l'envie d'acheter des voitures, des téléviseurs, des réfrigérateurs ou des climatiseurs, en profitant de subventions étatiques pour stimuler la demande, un nouveau coup les atterra : le séisme du 11 mars. Sur le moment, les magasins alimentaires furent dévalisés. Les semaines suivantes, les rideaux tirés à 19 heures de la plupart des commerces et restaurants habituellement ouverts jusqu'à point d'heure en disaient long sur la piètre santé de leurs affaires. Parallèlement, les incertitudes persistantes en Europe à cause de l'endettement de la Grèce et d'autres nations, ainsi que les hoquets de l'économie des États-Unis, provoquèrent des achats importants de yens sur les marchés des changes. Considérée comme une valeur refuge, la devise nippone grimpa en flèche pour atteindre son record d'après-guerre face au dollar qui tomba à moins de 76 yens en août 2011 et vis-à-vis de l'euro qui descendit à son plus bas cours en dix ans, en dépit de la mauvaise passe traversée par l'archipel. Résultat : les entreprises furent de nouveau obligées de serrer les boulons. Dans de telles circonstances économiques et sur fond d'instabilité politique (six changements de Premier ministre entre septembre 2006 et septembre 2011), une recrudescence des craintes – inévitable – s'est de fait produite.

Au temps regretté d'Izanagi

Baladés au gré des brutales fluctuations conjoncturelles internationales, les consommateurs japonais apparaissent finalement très versatiles et presque schizophrènes. Prêts à dépenser des fortunes dans des produits haut de gamme, ils sont aussi paradoxalement à l'affût des promotions sur les produits du quotidien, se disputent les échantillons gratuits de nouvelles boissons « révolutionnaires » ou de « délicieuses pâtes encore plus instantanées », collectionnent les bons de réduction. Ils n'oublient jamais de récupérer le petit *presento* qu'un malin vendeur leur a mis de côté, et font provision de papier toilette et d'essuie-tout au premier signe d'inflation ou crainte de pénurie (par exemple après un séisme), encore traumatisés par la flambée des prix de ces indispensables produits hygiéniques au lendemain du premier choc pétrolier. Les citoyens japonais, notamment ceux qui se souviennent de la période *Izanagi keiki* (1965 à 1970), autrement dit la génération du baby-boom, sont perplexes. Car le fait est que la récente expansion n'avait rien à voir avec celle de la fin des années 1960 où l'augmentation annuelle moyenne du produit national brut était de 11,5 %. Par comparaison, de février 2002 à 2007, la croissance était certes au rendez-vous, mais elle n'a progressé qu'au rythme de 2 % en moyenne par an. Au temps d'Izanagi, les ménages étaient les locomotives de l'économie. L'inflation allait bon train, mais les revenus suivaient. Les créations d'emploi se comptaient par millions. L'ample évocation actuelle des années de haute croissance *Showa sanju nendai* (1955), *Showa yonju nendai* (1965), dans les livres, les films (*Always san chome yuhi*, *Tokyo Tower*), les compilations musicales ou les objets populaires (maquette lumineuse de la tour de Tokyo, réplique du premier Shinkansen, reprise de design de paquets de bonbons, etc.), donne à penser que les Japonais n'ont qu'une envie : la revivre. Cette nostalgie, que les commerçants et publicitaires exploitent sans vergogne, transpire aussi dans les discours des entrepreneurs qui voudraient à nouveau « changer la vie des citoyens » et raviver chez les jeunes salariés l'énergie créatrice qui animait leurs parents. Les médias, les entreprises et l'État auraient aimé voir dans les TV haute définition à écran plat, les appareils photo numériques et les téléphones de troisième génération, objets dont tout le monde s'équipa, les nouveaux « 3 C » de 2002-2007. Ces biens, certes archiprisés, n'eurent toutefois pas la charge symbolique et émotionnelle des « 3 C » d'*Izanagi keiki* (TV couleur, voiture, climatisation) qui marquaient un réel bond du niveau de vie des ménages. Le passage du noir et blanc à la couleur sautait aux yeux, celui de la télévision standard à la haute définition est apprécié, sans plus. Les familles japonaises d'aujourd'hui n'attendent plus de révolution matérielle, elles ont tout. Elles se contentent de s'offrir du mieux et s'en passent sans trop se lamenter quand elles n'en ont pas les moyens. Toute nouvelle reprise n'est plus ressentie comme telle par le Japonais *lambda* du fait des accès qui ont fait long feu, d'incertitudes sur le lendemain, de hausses inéluctables des charges fiscales, de la conjoncture mondiale, qui tire à hue et à dia, et de la stagnation globale des salaires, les patrons privilégiant les investissements industriels en recherche, équipements et infrastructures.

Ils ne savent plus quoi acheter, ils ont tout !

Dans l'ensemble, les Japonais ne se sentent toutefois pas misérables, bien que 15 % d'entre eux vivent avec moins de la moitié du revenu médian. Ils s'inquiètent néanmoins pour l'avenir, sachant que leur retraite est loin d'être assurée et que le climat économique de leur pays est de plus en plus influencé par les vents venus du large. Ils se sentent spirituellement appauvris. Autrement dit, les Japonais actuels sont peut-être de façon générale un petit peu moins matérialistes aujourd'hui que par le passé. La possession de biens n'est plus perçue comme une condition du bonheur, ce qui était le cas au cours des décennies précédant la crise. De sorte que la consommation ne profite que partiellement de ce nouveau besoin de bien-être intérieur. C'est d'ailleurs cette prise de conscience qui pousse les entreprises à promouvoir différemment leurs marchandises en mettant l'accent sur la qualité de service, sur la sécurité, sur les valeurs familiales, sur les traditions nationales, sur l'artisanat local ou sur les préoccupations mondiales (environnement, répartition de la richesse). Pour autant, bien que la consommation intérieure soit jugée trop molle et l'économie nationale trop dépendante des exportations et donc des clients étrangers, américains notamment, les débours des Nippons représentent quand même *grosso modo* 60 % du produit intérieur brut. En réalité, la baisse des achats en valeur n'est qu'un chiffre parmi tant d'autres qui montre surtout que les clients changent et avec eux la répartition de leurs dépenses. Ils ne sont certes plus si nombreux à s'endetter pour une voiture, mais continuent, surtout les filles, à consacrer une part importante de leur temps libre au shopping.

La structure familiale, bien différente de celle des années 1960, influe aussi sur les modes de consommation. En 2011, sur les quelque 48 millions de foyers recensés sur l'archipel, environ 15,8 millions n'hébergeaient qu'une personne, soit davantage que ceux des ménages avec un ou plusieurs enfants (14 millions). Le nombre des premiers augmente rapidement, alors que celui des seconds fléchit. Les couples vivant sans enfant étaient quant à eux plus de 10 millions. S'ajoutaient à cela environ 5,9 millions de maisonnées composées de plus d'un individu, mais sans lien marital ou filial direct, et environ 4 millions de femmes ou hommes vivant seul avec un ou plusieurs enfants. En moyenne, un foyer japonais comptait en 2011 à peu près 2,50 personnes, contre 3,22 en 1980. Ce nombre devrait continuer de décliner pour tomber à moins de 2,30 en 2030. À cette date, 37 % des maisonnées seront composées d'une seule personne et seulement 22 % de couples avec enfant.

« Les accidents économiques des années 1990, le tremblement de terre de Kobe suivi par l'attentat au gaz sarin en 1995, les attaques du 11 septembre 2001 à New York et enfin le désastre du 11 mars 2011 ont ébranlé le modèle antérieur selon lequel on pouvait être heureux si l'on atteignait un certain niveau de prospérité économique et d'équipement matériel. Cette fois, en effet, tout le monde a clairement compris que c'en était définitivement fini du modèle passé, qu'il fallait en fabriquer un nouveau, sans quoi le pays se dirigeait vers le naufrage. Je pense que le drame du 11 mars et l'accident atomique de Fukushima vont réveiller un sentiment idéaliste dans la société nippone », nous confia en août 2011 l'écrivain à succès Haruki Murakami. Selon lui, « les Japonais ont pris conscience du fait qu'il leur faut désormais repenser leur société, en redéfinir les termes ». Reste à savoir comment.

Chapitre XVIII

CONSOMMATION EN BERNE,
MAIS CLIENTS EN MASSE

En dépit de ces changements conjoncturels, de gros chocs ponctuels (comme le tsunami du 11 mars) et d'un pouvoir d'achat qui fait de plus en plus le grand écart, la société japonaise fut et reste submergée par une offre sans cesse renouvelée de produits et services qui laisse souvent pantois le visiteur étranger. Riches ou non, les Nippons sont continuellement poussés à consommer, fût-ce avec davantage de discernement. Au risque de généraliser sans pour autant trop caricaturer, il est possible de dresser à ce jour une demi-douzaine de profils génériques d'acheteurs différemment ciblés, reflets des personnalités japonaises.

La poule aux œufs d'or

La reine, celle que tous les commerçants nippons rêvent de séduire, c'est bien entendu la versatile jeune Japonaise citadine, salariée, célibataire, la trentaine et sans enfant. La jolie demoiselle, libre, magnifiquement maquillée, élégamment ou originalement vêtue, celle que l'on croise balançant nonchalamment son sac Vuitton les yeux rivés sur l'écran de son étincelant téléphone portable dernier carat dans les artères huppées de Ginza à Tokyo. Tous, boutiques de vêtements, fabricants de cosmétiques, champions de l'électronique, bijoutiers, hôtels, restaurants, voyagistes, *konbini*, clubs de loisirs et autres pourvoyeurs de produits et services, convoitent le fort pouvoir d'achat de cette perle, pas si rare, dont l'essentiel du budget est dévolu à sa personne et à ses incommensurables envies. Bon chic bon genre, plus ou moins pincée, lectrice des magazines féminins *Mini*, *CanCam*, *Oggi*, *Ginza* ou *Very*, publications qui sont autant de catalogues de conseils de mode, elle dilapide chaque mois des dizaines de milliers de yens (centaines ou milliers d'euros) en plaisirs personnels. Son but, à l'instar de celui de toutes ses copines-clones : ressembler trait pour trait à la top model vedette du moment, suivre à la lettre ses bons conseils et adopter son style de vie. Elle trouve la ligne vestimentaire des joueuses de golf si variée et classe qu'elle vient même de s'inscrire dans un club au cœur de Tokyo pour parader sur le green. *Single parasite*, nourrie, logée et blanchie par ses parents, y compris passés trente ans, ou bien résidant seule dans un petit studio au design minimaliste ou infantile, cette nymphette repousse le plus tard possible le mariage. Elle ne se préoccupe pas seulement de ses vêtements et de son fond de teint, elle est aussi une bonne vivante, bien entourée, qui se soucie de son parcours professionnel et cherche un mode de vie aussi équilibré que raffiné. Elle dort six heures par nuit, se lève aux aurores et ne saute surtout pas le petit déjeuner traditionnel (riz, soupe) ou occidental. *Oshare* – élégance – est son terme préféré. Toujours partante pour les voyages organisés (jugés sans risques), adepte des grands magasins chics et des *select shops*, elle fréquente aussi les grands restaurants, parfois seule ou avec des amies de la même *layered zoku* – clan des filles à plusieurs facettes. Elle ne rechigne pas à goûter des grands crus, apprécie le champagne à la coupe, suit des cours d'œnologie, s'offre même de temps en temps une nuit dans un hôtel de luxe à Tokyo, à quelques minutes de chez elle, juste pour profiter d'un confort et de services très haut de gamme qu'elle n'aura jamais à domicile, surtout en n'ayant qu'une petite chambre chez ses parents. Sa dernière lubie ? Une virée dans les beaux quartiers nocturnes de Tokyo vautrée au fond d'une limousine *masshiro* – blanche impeccable – de huit mètres de long avec chauffeur ganté à casquette, flanquée de deux ou trois copines, pour fêter ses vingt-cinq ans en sirotant du mousseux. Crachent les décibels, que la vie est belle. Mazette, on la prend pour une star du show-biz, elle adore.

Cette « miss » indépendante, un brin cachottière et un tantinet dépensière, qu'il vaut mieux avoir en photo que pour compagne, est aussi une fervente lectrice de romans, une experte des échanges d'e-mails sur téléphone portable. Elle sélectionne rigoureusement tout ce qu'elle achète et consomme sur la foi d'informations glanées sur les sites Internet qu'elle consulte sur l'écran de son mobile dans les trains, métros ou cafés. Dans les *konbini*, elle se rue sur les bonbons et glaces choisis en fonction de leur teneur en calories et de leurs bienfaits supposés.

Cette pimbêche allumeuse mais dure à cuire a son pendant masculin, nettement moins dragueur mais tout autant courtisé par le monde marchand : le jeune homme célibataire et peu pressé de porter une alliance, qui, lui aussi, dispose de rondelettes sommes à dépenser en vêtements, accessoires de mode, sorties, loisirs ou appareils électroniques.

Le gendre idéal mais célibataire endurci

Personnage double, ce trentenaire est comme deux clients en un, *on* en semaine, *off* le week-end. *Salaryman* sémillant que l'on croise dans les métros matinaux du lundi au vendredi, tiré à quatre épingles, en costume-chemise-cravate parfaitement assortis, chaussures noires étincelantes, chaussettes discrètes, baladeur iPod dans la poche, tenant d'une main son sobre sac noir Armani et de l'autre son portable de dernière génération, il se mue le week-end en pseudo-adolescent à casquette Nike et tennis New Balance flânant seul ou avec sa copine du moment. Il passe chaque matin plusieurs dizaines de minutes à choisir ses vêtements, prend soin de sa peau, se rase de très près, impérativement, se parfume à juste dose, accorde une attention toute particulière à ses cheveux abondants, raides et rebelles. Il fréquente les salons d'esthétique et les magasins de vêtements sans se forcer. Il fait du sport (aïkido, ski, surf), boit du café très fort, avale des boissons énergisantes pour se donner du tonus au travail et des bières « premium » dans les *bier garden* avec ses collègues pour dissoudre le stress des heures supp qu'il ne compte même plus. Diplômé, motivé, fraîchement embauché, il parcourt le *Nikkei*, quotidien économique, bible des décideurs, debout dans le métro, et gère en chemin ses actions *via* son mobile. Il descend trois stations avant l'arrivée pour finir à pied, podomètre arrimé à la ceinture. Dans les librairies, on le surprend souvent aux rayons business, planté devant les innombrables ouvrages sur l'art d'investir en Bourse, les méthodes pour préparer un Master of Business Administration (MBA) ou les bréviaires des dirigeants de Toyota ou Matsushita qui ont propulsé leur groupe au sommet. Ce jeune homme fringant partage ses loisirs entre consoles de jeux, home cinéma, cours d'anglais et tests de bonnes manières en discussions d'affaires. Sa silhouette est aussi très visible à des créneaux horaires invariables dans les *konbini* où il achète sa canette de café du matin, ses cigarettes, son plateau-repas du midi voire son en-cas du soir (une salade et trois crèmes dessert) lorsqu'il n'a pas déjà dîné avec ses camarades de bureau. Il paye bien sûr avec son téléphone portable à puce sans contact, lequel lui sert aussi parfois de badge d'entreprise et de ticket de métro multitrajets. Ce « gendre idéal » ne roule pas des mécaniques. Il ne cherche pas à afficher une quelconque virilité, n'est en rien vulgaire. Il réussit même l'exploit d'apparaître comme l'exact opposé d'un « bling-bling », malgré ses Ray Ban ou sa grosse montre. Il se veut au contraire lisse, bien éduqué, filiforme, un brin timide, laissant transparaître une lueur de féminité. Il n'est peut-être pas un gentleman, mais n'est pas davantage un goujat vis-à-vis de ses congénères comme peuvent parfois l'être les *salarymen* d'un autre âge. S'il ne s'efface pas toujours pour laisser la place aux dames, c'est davantage par maladresse que par manque de délicatesse.

Ce jeune homme sans soucis financiers et son équivalent féminin sont certes des cibles très convoitées par tous les fabricants de produits et prestataires de service, mais ils se montrent de plus en plus difficiles à attraper, car de moins en moins « bons clients ». Les produits « attrape-nigauds », non merci. Instruits par les déconvenues de leurs aînés consécutives à la déconfiture après-bulle, ils prennent des précautions. Ainsi sont-ils nombreux à mettre chaque mois de l'argent de côté, ou bien à investir le plus tôt possible dans un logement ou autre valeur sûre. Ils sont mûrs et réfléchis ce qui n'est pas encore le cas des seize à vingt-cinq ans en pleine période de délires.

Les excentriques entre deux âges

Individus aux looks insensés mais savamment étudiés qui hantent jour et nuit les rues des quartiers branchés de Shibuya et Harajuku, portables rivés aux deux mains, yeux levés vers les quatre gigantesques écrans vidéo publicitaires emblématiques des lieux, les « déjà plus ados mais pas encore adultes » sont une catégorie sur laquelle lorgne en permanence le secteur marchand. Vivant chichement dans des petites piaules ou plus souvent chez leurs parents (*happy para*, heureux parasites), lycéens, étudiants ou *freeter* se contentant d'un petit job, ils mangent au McDo, dépensent en fringues, accessoires de mode (Vuitton mêlé à Coach, Nike et Uniqlo), télécommunications mobiles, gadgets électroniques, jeux vidéo, *manga*, disques et DVD, tout leur argent de poche ou maigre salaire gagné à temps partiel au *konbini*, dans un restaurant, un service d'assistance téléphonique ou une chaîne de magasins de vêtements. Ce sont eux qui définissent les modes, eux que les créateurs du monde entier viennent reluquer, photographier, sonder, autopsier, copier. On leur distribue par poignées à même le trottoir des échantillons de cosmétiques à tester pour élaborer une stratégie de vente sur la base de leurs réactions recueillies par questionnaires en ligne sur mobiles. Ils fréquentent les magasins de « classement des produits vedettes », se réunissent pour discuter devant les *konbini* où ils passent des heures à éplucher les magazines tendance. On en voit aussi danser en formation synchrone et chanter en duo ou trio devant les gares tokyoïtes d'Ikebukuro, Shinjuku ou Akihabara, espérant qu'un producteur à la recherche de nouvelles têtes les remarquera. Le fait est qu'ils ont des chances d'être repérés pour devenir les nouveaux *talento*, jeunes starlettes éphémères de la J-Pop, propulsées par les maisons de disques malignes et sans scrupules au sommet des hit-parades des musiques en ligne, le temps que leur genre s'épuise. Ils sont abonnés au club Tsutaya, du nom de la chaîne de vente et location de CD, jeux vidéo et DVD dont le vaisseau amiral domine leur repaire, le carrefour de Shibuya à Tokyo. En dépit parfois d'une allure terrorisante de loubards de banlieue, de punks déjantés, de grossières pin-up ripolinées montées sur des bottes échasses ou en équilibre très précaire sur des taillons aiguilles, ces jeunes sont absolument inoffensifs. Ils se réunissent en « cercles » pour soutenir des causes qui leur tiennent à cœur : lutte contre la drogue, très peu consommée, campagne pour la propreté des rues, adhésion à des programmes humanitaires mondiaux. Ils sont aussi des usagers fétiches des opérateurs de téléphonie mobile. Rois du *keitai* – portable – ou *sumaho* (smartphone), ils ont toujours le dernier modèle en date, en maîtrisent toutes les fonctions, ont téléchargé le top 25 des applis, sont capables de rédiger des e-mails de plusieurs milliers de caractères sur le clavier riquiqui en un rien de temps. Certains ont même écrit seul ou à x-mains des romans entièrement tapés sur le pavé alphanumérique de leur mobile. Plusieurs de ces nouvelles, souvent des histoires de jeunes en quête d'eux-mêmes, sont devenues des hits en téléchargement (plusieurs millions de lecteurs) voire des best-sellers en librairie par la grâce d'éditeurs opportunistes. Ces « adulescents » ont leurs raccourcis, écrits ou parlés, le langage « KY » qui consiste à créer des sigles en caractères romains en fonction de la prononciation d'une expression en japonais. « KY », le plus connu de tous, signifie *kuki yomenai* – qui ne sait pas lire l'ambiance – pour qualifier un individu qui ne pige rien au contexte et agit maladroitement, comme le Premier ministre Shinzo Abe durant son court passage au pouvoir, *dixit* les magazines d'alors. Il en existe des dizaines d'autres du même ordre compilés dans des dictionnaires : CB : *cho bimyo*, trop subtil, délicat, HD : *himadakara denwasuru*, j'te téléphone parce que j'ai rien d'autre à foutre !, IT : *aisu tabetai*, j'ai envie de manger une glace, IW : *imi wakannai*, j'entrave que dalle, GMM : *guzen machideatta motokare*, j'ai croisé par hasard mon ex en ville.

L'emploi de ces expressions codées est largement favorisé par les échanges électroniques, surtout par téléphone mobile, mais ne s'y limite pas, même si le portable, appareil polyvalent, occupe au moins un cinquième du temps de ces indéfinissables jeunes Nippons. Objet polymorphe, obligatoire accessoire de mode ostentatoire, le *keitai* ou le *sumaho* (smartphone) fait pour eux office d'ordinateur, de baladeur, de livre de poche et de portefeuille. Oubliant les bonnes manières, ils en viennent parfois, par habitude, à adresser une lettre de démission à leurs pourvoyeurs de petits boulots sous la forme d'un e-mail mobile du plus mauvais effet. Leur facture moyenne mensuelle crève les plafonds. Ils achètent par ce biais aussi bien des musiques, clips, romans, jeux vidéo, *manga* numérisés que des vêtements ou des cosmétiques expédiés par *takuhaibin* dans les vingt-quatre heures. Passant un temps infini à écumer les catalogues en ligne et à s'échanger les bons plans sur les sites communautaires mobiles, ils se ruent sur les « ventes flash » d'exclusivités proposées dans des commerces virtuels pour mobiles conçus spécifiquement à leur intention. Le montant d'un achat dans une boutique pour *keitai* peut atteindre plusieurs dizaines de milliers de yens (plusieurs centaines d'euros). Lorsqu'ils se présentent chez Louis Vuitton, nul vigile ne leur barre la route. Et pour cause, ils y laissent des fortunes. Le maroquinier-roi leur a même créé des collections particulières qu'on ne trouve que dans certains de ses magasins de Tokyo. C'est que Vuitton est pour eux, comme pour les autres, « une marque de statut », non mais ! La mode qui naît au gré des mélanges savamment étudiés de ces jeunes symboles de Shibuya, sans réel équivalent à l'étranger, inspire autant Marc Jacobs (designer de Louis Vuitton) que ses homologues de boutiques bon marché japonaises (Uniqlo, Comme ça du mode), espagnole (Zara) ou américaine (Gap). Si bien qu'elle se diffuse par petites touches successives dans les autres segments de population et à travers le monde, par l'entremise des magazines, sans même que les lecteurs et lectrices en repèrent la vraie origine.

La jeune famille modèle

La quatrième catégorie de clients très appréciés du monde commerçant est celle des familles modèles : papa, maman, trente-cinq à quarante-cinq ans, « baby-boomers juniors », un ou deux enfants. Une espèce en voie de disparition qu'il faut chouchouter et encourager à procréer. Cette clientèle, citadine en très grande majorité, ne fréquente guère les *konbini* pour les courses familiales. Elle arpente en revanche le week-end les sous-sols alimentaires haut de gamme des grands magasins ainsi que les rayons des supermarchés en semaine. Résidant à quelques minutes de leurs parents, ces couples, mariés (sinon ils n'auraient pas d'enfants), confient volontiers leurs gamins à leurs ascendants pour savourer quelques instants de complicité dans un grand restaurant. Madame, salariée bien occupée mais qui aime cuisiner pour les siens, commande régulièrement par Internet, directement aux producteurs régionaux, du tofu, du riz, des fruits et légumes frais livrés le lendemain sous pli isotherme en camion frigorifique par *takuhaibin*. Dans le garage du pavillon ou la résidence de proche banlieue de Tokyo, les deux vélos, avec panier pour les courses à l'avant et siège pour enfant à l'arrière, jouxtent le monospace Toyota, Honda, Nissan ou le minivéhicule vert pomme Suzuki ou Daihatsu. Le chien gambade dans les quelques mètres carrés de gazon alentour. En librairie, c'est au sous-sol loisirs, plus particulièrement au rayon yoga (forme de relaxation), ikebana (art floral) ou origami (pliage le papier) qu'on les trouvera. Ils emmènent volontiers les mômes le week-end dans les luxueux centres commerciaux et à *kidzania*, nouveau type de parc à thème très couru ou les petits peuvent s'initier avec un réalisme parfait à diverses professions.

Ados : éduqués pour consommer

Les enfants, surtout lorsqu'ils atteignent la tranche de dix à quinze ans, intéressent particulièrement les créateurs de produits, surtout les collégiennes, des consommatrices en puissance déjà bien expérimentées, grosses lectrices de nouvelles et *manga*, dévoreuses de confiseries, fans de produits dérivés portant la tête d'Hello Kitty ou autre personnage *cho-kawaiii* – trop choux – de la même veine. Le budget consacré chaque mois à un adolescent japonais se situe entre 400 à 500 euros, hors argent de poche (20 à 50 euros mensuels). Tous ou presque ont un téléphone portable personnel avec diverses fonctions spécifiquement pensées pour ces imbattables expéditeurs de courriels. Ils échangent plusieurs dizaines de messages par jour. Les couturiers façonnent des vêtements irrésistibles leur donnant un air craquant *otona poï* – style adulte – *kawaï* ou *kakoï* – trop mignons – ou de lolitas et jeunes gens au caractère bien trempé. Les malins fournisseurs de divertissements embobinent et déculpabilisent les parents en proposant des jeux ludoéducatifs pour consoles portables de dernière génération, vantent le côté familial des modèles de salon ou réveillent leur nostalgie avec des jouets qui leur rappellent leur enfance passée. Êtres chéris des commerçants, les enfants de moins de quinze ans sont hélas de moins en moins nombreux. Ils ne représentaient guère plus de 13 % de la population en 2011, une proportion sur le déclin. Le premier bébé naît désormais quand la mère a près de vingt-neuf ans, le deuxième arrive deux ans plus tard en moyenne.

La manne des futurs retraités

Pour contrebalancer la baisse du nombre de jeunes dans la population, les marchands se tournent vers la *dankai no seidai*, les ménages de la génération « nombreuse et homogène », « baby-boomers » qui formèrent la large classe moyenne des années 1960-1970. Sexagénaires proches de la retraite, ils vivent à quelques kilomètres de leurs enfants, « les baby-boomers juniors », qui ont depuis plusieurs années quitté le foyer. Ces derniers sont désormais remplacés par un petit chien gâté. La mère, parfois devenue grand-mère, a passé la moitié de sa vie à éduquer sa progéniture et à gérer sans piper mot la maison. Le père, technicien, ingénieur, commercial, comptable dans une grande entreprise manufacturière, ou encore fonctionnaire, a donné l'essentiel des trois ou quatre décennies écoulées à son employeur pour rapporter l'argent au foyer. Il ne rêve pas de la retraite, mais s'y prépare quand même, tout en espérant pouvoir jouer les prolongations jusqu'à soixante-dix ans.

Les courses, madame les fait en semaine, tous les matins ou presque, au supermarché et chez les détaillants des encore nombreux *shotengai*, ruches de petits commerçants. Elle et ses amies occupent à midi les tables des restaurants cotés de Tokyo les jours ouvrables. Elles visitent ensemble les grands magasins, vont au théâtre, fréquentent des clubs d'investissement en Bourse, prennent des photos avec leur nouvel appareil photo numérique ou leur téléphone portable. Cette quinquagénaire ou sexagénaire nippone appartient à une ou plusieurs communautés en ligne sur la cuisine ou sites consuméristes et donne quelques heures de son temps à diverses associations. Elle trie les ordures ménagères autant que possible et apprend les recettes des chefs cuisiniers du prestigieux Imperial Hôtel de Tokyo sur sa console de jeux DS, avec l'appli Cookpad téléchargée sur son iPad ou son smartphone ! Pour s'habiller « jeune », elle demande régulièrement à sa fille de l'accompagner dans les boutiques de mode dans lesquelles elle n'ose pas entrer seule. Les primes d'été et d'hiver, de nouveau distribuées par les entreprises requinquées, passent en partie dans le remboursement anticipé des dernières échéances du prêt immobilier, une petite part est mise de côté et quelques centaines de milliers de yens dévolus aux achats pour le plaisir (téléviseur à écran plat, maquettes de train électrique, kimono, petit voyage de trois ou quatre jours). Ces ménages de la *dankai no sedai*, nombreux, restent toutefois très raisonnables. Leur prudence est une des causes de la lenteur du redémarrage de la consommation dans son ensemble. Ils craignent pour leurs vieux jours et se méfient des promesses et messages rassurants délivrés par un gouvernement pas toujours très éclairé. En librairie, ils filent directement aux linéaires « santé, vie pratique, finances personnelles », pour tenter de comprendre les nouveaux mécanismes de régime-retraite débattus à n'en plus finir au Parlement, se renseigner sur les diverses modalités de placements et les risques à éviter, apprendre comment entretenir muscles et neurones, ou connaître la vérité sur les effets secondaires des compléments alimentaires. Monsieur fait aussi un petit détour par le rayon des livres sur les trains (sa passion) ou le golf, un sport qu'il a commencé à pratiquer comme tout le monde durant la période de la bulle et auquel il voudrait pouvoir consacrer plus tard davantage de temps. Une fois sortis de la vie active, ces couples conservent une partie de leurs habitudes passées, mais dépensent davantage en loisirs, plaisirs et bien durables (sorties, voyages, gastronomie, réfection de la maison). Ils vont se promener en semaine à Tokyo DisneyLand et se déhanchent au bowling. Souvenirs, souvenirs. Ils n'ont plus vingt ans, mais c'est tout comme. Au besoin, ils donnent un petit coup de pouce financier à leurs enfants. En 2007, en théorie première année des départs massifs à la retraite de cette génération du baby-boom, environ un cinquième de la population avait plus de soixante-cinq ans, une proportion qui sera d'un quart en 2015, selon les projections de l'État.

Ces millions de couples classe moyenne au crépuscule de leur parcours professionnel se distinguent d'une autre catégorie de consommateurs, de même âge ou un peu plus jeunes mais de niveau social bien plus élevé, ceux que l'on baptise ici les « bobos ».

« *Bobos* » *nippons et autres fortunés*

« Bobos » : cette étiquette d'origine américaine ou française, transcrite en syllabaire japonais, revêt dans l'acception nippone un côté « riche bourgeois » beaucoup plus marqué et un sens « jeune bohème » nettement moins prononcé que dans la définition hexagonale. Au point qu'ils se confondent parfois avec les nantis de la *fuyuso*, la couche des fortunés, celle qui fait l'objet d'une rangée complète de livres de conseils marketing dans les librairies.

Couples pas forcément mariés de plus de quarante ou cinquante ans dont les enfants, s'ils en ont, ont quitté le foyer, les « bobos nippons » disposent d'un très fort pouvoir d'achat, cumulent les passions mais sont hypersélectifs. Monsieur est patron, grand médecin spécialisé, avocat réputé ou navigue dans les hautes sphères politiques, médiatiques ou artistiques. Il collectionne les costumes et chemises portant ses initiales, les montres à aiguilles et les séries limitées de stylos Mont-Blanc, Omas, Namiki ou Montegrappa. Madame ne travaille pas, ou bien exerce une profession indépendante ou très haut placée. Elle cultive avec soin sa personne et le lopin de terre sur la terrasse au dernier étage de la résidence grand luxe à Aoyama, à quelques pas du quartier des designers de Tokyo. Audiophile, monsieur fume des cigares en écoutant des symphonies, les concerts improvisés de Keith Jarrett ou la Callas dans la pièce insonorisée pendant que madame s'exerce à la calligraphie ou se relaxe dans le bain à bulles. On ne les croisera pas dans un supermarché et encore moins dans un hyper de banlieue. Horreur ! Ils ne jurent que par les petits commerces ou les rayons des traiteurs des grands magasins où un « *yasai* sommelier » – conseiller expert en légumes – peut les instruire. Ils veillent à la provenance comme à la composition de tous les aliments qu'ils daignent acheter. Les clients des grandes marques et du *order made* (sur commande), des chemises coupées sur mesure à 3 millions de yens (près de 30 000 euros), du fait main, de l'artisanat authentique, ce sont d'abord eux, même s'ils partagent ces privilèges avec des spécimens d'autres tribus moins fortunés mais tout autant raffinés, à commencer par les jeunes salariés célibataires. Dans les librairies de quartier, spécialistes des livres anciens, les rayons « philosophie » ou « histoire » ont leur préférence, surtout ceux où s'alignent les ouvrages sur la période d'Edo, juste avant la restauration de l'empereur Meiji (1868).

Ils circulent en Mercedes, BMW ou Toyota Lexus hybride avec ordinateur de bord, équipements audiovisuel grand luxe et service de concierge joignable 24 heures sur 24.

Ils sont membres de clubs privés et réservent parfois la suite présidentielle du Mandarin Oriental Hôtel à un million de yens (7 000 euros) dans le quartier de la finance de la capitale, Nihonbashi, où ils convient une dizaine d'amis à partager un dîner français préparé spécialement par le chef des lieux dans la cuisine adjacente à la salle à manger privée. La grande majorité de la clientèle des palaces de Tokyo est en effet composée de Japonais et en partie même de Tokyoïtes assouvissant le désir de se faire dorloter par un personnel aux petits soins et poli à souhait, prêt à répondre aux plus délirants caprices. Du bonheur matériel à profusion. Un panorama imprenable sur Tokyo, depuis les baies vitrées au quarantième ou cinquantième étage, y compris devant les urinoirs, que demande le peuple ? Voyager sans partir, ni transport, ni logistique. Lorsqu'ils s'évadent plus loin, ils réservent forcément en première, y compris sur les lignes intérieures.

Gagne peu, achète ce qu'il peut

À l'opposé de cette classe de riches, arrivent des grands ensembles de consommateurs, les moins originaux et les moins attirants d'un point de vue purement mercantile : les personnes sans argent en trop et/ou sans passions et/ou radins, les couches basses de la société, ouvriers de petites PME de province, travailleurs pauvres (intérimaires, employés à temps partiel non choisi au statut précaire), vieillards isolés, jeunes sans profession, victimes non rescapées des restructurations. Moins repérables dans les artères des grandes villes nippones que les autres groupes de consommateurs, mais en nombre croissant depuis les années 1990, ces Japonais défavorisés vivent en plus forte proportion dans les régions éloignées des grands centres urbains. Disposant de maigres revenus, parfois uniquement constitués d'aides sociales, ils ne consomment guère que des produits alimentaires ou autres articles de première nécessité qu'ils choisissent d'abord en fonction du prix : le plus bas. Les jeunes hommes dans cette situation sont condamnés à rester seuls : aucune fille n'accepte d'épouser un garçon dont le pouvoir d'achat est réduit au strict minimum, et dont l'avenir professionnel est bouché voire inexistant. Quant aux vieux démunis et esseulés, ils préfèrent parfois voler dans le but d'attirer l'attention sur eux ou de se faire jeter en prison, un environnement peuplé et sûr.

Des clients carrément extravagants

S'il est difficile de préciser pour chacune de ces grandes catégories de consommateurs le nombre d'individus qu'elles englobent, une chose est néanmoins certaine : dans chaque cas, ils sont des millions. Pour se faire une idée de la proportion que ces groupes typiques représentent au sein de la population, il suffit de grimper dans un métro à Tokyo. Au premier coup d'œil, il est en effet possible de caser au moins les deux tiers des passagers dans un de ces ensembles. Reste cependant une question : les profils ci-dessus décrits sont-ils si extraordinaires, si différents de ceux que l'on rencontre dans les autres pays développés. Les Tokyoïtes sont-ils si éloignés des Parisiens, New-Yorkais ou Londoniens ? Oui. Car les Japonais s'en distinguent par un jusqu'au-boutisme caricatural et des attitudes ou pratiques de tribus que l'on peine à retrouver de façon si manifeste chez leurs faux homologues étrangers. Ainsi en va-t-il des jeunes filles célibataires aux goûts de luxe et moyens de les assouvir, des businessmen trentenaires stéréotypés, qui jamais n'iront au bureau en jean ou mal rasés, ou encore des ex-mères au foyer qui font en groupe la tournée des restaurants étoilés, prennent des cours de photo, et peuplent les musées et salles de théâtre en matinée. Quant aux jeunes qui enfouissent tout leur argent dans les fringues griffées, les accessoires de luxe, les soins du corps, les musiques et les télécommunications mobiles, il s'agit le plus souvent d'étudiants qui profitent du répit qu'offre la vie universitaire ou de jeunes en phase de transition mais qui, pour la plupart, décident un jour, avec l'âge, de rentrer dans le rang. Ils sont *de facto* difficilement assimilables aux jeunes des banlieues françaises ou américaines, certes vêtus de casquettes, baskets et survêtements Adidas, Nike ou Lacoste, mais fréquemment sans diplômes, le plus souvent privés d'emploi et parfois même rompus aux trafics en tous genres. À conjoncture, culture, environnement et parcours différents, comportements dissemblables.

L'analyse des modes de consommation des Japonais au fil des décennies laisse de plus apparaître des constantes transversales, liées à l'éducation, aux coutumes, aux habitudes, aux valeurs, aux règles et au cadre de vie contraignant. Ces caractéristiques sont plus ou moins marquées selon les groupes de consommateurs, mais sont toujours présentes. Il s'agit essentiellement de l'importance accordée aux marques et à la qualité de service, de la recherche de l'équilibre prix/fonctions, de l'adoption massive de concepts ou produits, de l'évitement des risques, du rôle prescripteur des femmes, de la *mono mania* – manie des choses –, de la porosité aux publicités, de l'attrait pour les technologies et de la préférence manifeste pour les créations issues de firmes nationales, surtout dans les secteurs où elles se sont le plus magistralement illustrées.

Ils ne choisissent rien au hasard

Entre deux produits de catégorie identique, le client japonais aura le plus souvent tendance à opter pour celui qui porte une griffe connue et/ou offre le plus de fonctionnalités, dont l'ergonomie lui sied le mieux, fût-il plus onéreux. Une vaste enquête conduite début 2007 auprès de 5 000 adultes le prouve. Quelque 60 % des femmes et 40 % des hommes prêtent un intérêt au logo et à sa renommée.

Les messieurs de plus de cinquante ans y sont même plus attentifs que leurs cadets, alors que chez les femmes, les moins de trente ans y sont les plus sensibles. Les Nippons aiment les *shinise* – vieilles maisons – qui cultivent un art et/ou une tradition, qui privilégient la qualité et qui s'honorent d'un savoir-faire, nationalement ou mondialement reconnu. Le maroquinier français Louis Vuitton, chouchou des Nippons depuis des générations, sera toujours préféré au nouveau venu dans ce secteur, fût-il japonais. Les deux « C » de Chanel ou le « H » d'Hermès conserveront toujours une valeur d'estime plus forte que les initiales nouvelles, supériorité que leur confèrent leur antériorité et leur prestige planétaire. Selon la même étude, Louis Vuitton est le premier au palmarès des griffes les plus aimées. Nul besoin d'ailleurs de compulser beaucoup de statistiques pour s'en rendre compte. Tokyo est sans doute la ville du monde où la densité de personnes « vuittonisées » au kilomètre carré est la plus élevée. Les « L » et « V » enlacés devancent les autres grands noms du milieu dans toutes les tranches d'âge chez les filles, hormis chez les quinquagénaires qui affectionnent davantage Hermès. LV surpasse Gucci et Dunhill chez les hommes de trente à cinquante ans. Aucune marque nippone de vêtements ou accessoires de luxe ne figure dans la liste des plus appréciées par les Japonais. À l'inverse, dans le secteur, plus récent, de l'électronique, les noms nippons (Sony, Panasonic, Hitachi, Toshiba, Sanyo ou Sharp) tiennent le haut du pavé. Dans ce domaine, les « vieilles maisons », ce sont elles, même si elles n'ont pour certaines que moins d'un siècle d'ancienneté. Dans le monde automobile, bien que les géants américains puissent se prévaloir d'un parcours plus long que leurs concurrents nippons, ces derniers ont démontré en un court laps de temps leur attention aux particularités du contexte japonais, leur capacité à anticiper, leur promptitude à réagir aux changements comportementaux et leur capacité à innover techniquement en termes de design, de sécurité ou de confort. Bilan : les constructeurs japonais monopolisent le marché local. Les français Renault, Peugeot et Citroën, regroupés, ne vendent pas plus de 20 000 voitures par an au Japon, dans un marché annuel de quatre à cinq millions d'unités neuves. Les seuls groupes automobiles étrangers qui s'en tirent à peu près, et encore, sont les allemands BMW, Mercedes-Benz ou Audi, auréolés de la valeur accordée à leur blason.

La réputation pèse lourdement sur la décision finale d'achat ou la sélection d'un lieu. Les Japonais n'aiment pas entrer dans un restaurant au hasard. Ils préfèrent le choisir avant, en se concertant, en s'informant, en interrogeant des proches. D'où le succès incroyable des sites dits « gourmets » (en français dans le texte) ou des guides en librairie. L'enseigne qui fait le plus jaser ou celle recommandée par les médias ou les proches remporte le morceau. Éduqués à apporter le maximum de soin à tout ce qu'ils font et à prêter une attention parfois démesurée à tout ce qu'ils touchent et ingèrent, les Nippons font facilement la moue devant la camelote mal présentée, mal emballée, de mauvaise tenue, vendue en vrac, sans marque. Sans trop exagérer on pourrait même dire que l'écart de prix étant souvent perçu comme un critère de différence qualitative, le précautionneux et exigeant chaland du cru évitera par suspicion l'article le moins cher, il pèsera le rapport qualité/prix au trébuchet. Et gare au marchand mal avisé qui aura laissé en rayon un produit de quelques heures périmé ou mal étiqueté. Le scandale n'est pas loin. Un pâtissier chocolatier, Fujiya, qui fêtait alors son centenaire, en a fait l'amère expérience en 2007. Il a dû baisser durant trois mois le rideau de ses quelque neuf cents boutiques au Japon pour avoir employé de façon répétée des ingrédients plus ou moins impropres à la consommation, sans toutefois qu'aucune intoxication n'ait été nulle part déplorée. C'est un audit commandé par le groupe qui a révélé les tricheries sur les dates, entre autres petits arrangements sans doute plus fréquents dans d'autres pays qu'au Japon. Mais ici, cela ne pardonne pas. De surcroît, dès que la presse s'en mêle, les délateurs sortent du bois et un esclandre en entraîne une enfilade d'autres. Des maisons renommées peuvent ainsi s'écrouler du jour au lendemain, les clients les fuyant comme la peste, malgré les inévitables excuses publiques et démissions en cascade.

Comme dans la plupart des pays d'Asie, la femme japonaise joue un rôle prescripteur au foyer. C'est elle qui tient les cordons de la bourse et décide des achats du quotidien pour la famille. Son avis pèse, autant sinon plus que celui de son époux, pour la sélection des biens durables (électro-ménager, mobilier, voiture). Mère, elle s'occupe de tout ou presque pour les enfants. Célibataire, elle n'a de comptes à rendre à personne et fait figure de modèle pour les publicitaires avides d'entraîner ses congénères dans son sillage.

Ils ne font rien à moitié

Nippons et Nippones de tout âge ont en outre ceci de particulier et de remarquable qu'ils font à fond tout ce qu'ils entreprennent. Ce sont autant des stakhanovistes des études que des loisirs ou du travail. Ils se lanceront rarement dans une activité sans s'être au préalable équipés de A à Z. Avoir les bons outils, les entretenir avec soin, c'est se donner les moyens matériels d'arriver à ses fins. L'éducation est pour beaucoup dans cette habitude, à la plus grande joie des commerçants qui réussissent sans peine à vendre une panoplie griffée digne d'un professionnel à un débutant. Dès sa première leçon, le tennisman en herbe japonais arrivera sur le cours déguisé en champion du monde. *Idem* pour le golfeur, sosie du petit prodige local, Ryo Ishikawa, dès son inscription au club, ou pour le cycliste, emmailloté, caleçonné, casqué, épilé et chaussé comme le vainqueur du Tour de France avant même d'avoir donné son premier coup de pédale. Le tout donne évidemment sur le terrain de drôles de scènes où le vétéran d'apparence se révèle être un néophyte nullissime, et qui parfois le restera, en dépit de sa persévérance et des dizaines de milliers de yens dépensés en cours du soir. Ce phénomène ne se limite pas aux disciplines sportives. Il en va de même pour les arts (musique, calligraphie, ikebana, origami), pour l'informatique, pour l'apprentissage d'une langue étrangère, autant de pratiques très en vogue. Le nouvel adepte de jazz va se démener pour se constituer rapidement la discothèque idéale. Il va d'emblée investir dans un matériel audio de haut niveau voire aménager une pièce dédiée à l'écoute. Il trouvera aisément tout le nécessaire dans les boutiques spécialisées. *Idem* pour les nouveaux et nombreux amateurs de vin ou de cigares. Il faut souligner que les rayons des librairies japonaises sont chargés de manuels didactiques généralement très récents et très bien faits, sur tout, pour tous, quel que soit le niveau d'avancement. Les passionnés, qui se recrutent dans toutes les catégories de consommateurs, forment ainsi un marché d'une importance grandissante à mesure que croît le nombre des retraités et que s'équilibre le temps consacré à la vie professionnelle et aux activités personnelles. Les sociétés de tous les secteurs sont *de facto* à l'affût de ces personnes éprises d'une discipline, sachant qu'elles peuvent être à l'origine d'une vague de fond souvent amplifiée par les médias. De surcroît, nombre de lieux proposent des prestations étendues aux heures très matinales (à partir de 6 ou 7 heures), une offre appréciée des jeunes hommes et femmes célibataires souvent piégés le soir par des heures supplémentaires impromptues.

L'otaku n'est plus un pestiféré

Plus rares, plus difficiles à cerner mais encore plus maladivement accros à une pratique ou une catégorie d'objets sont les *otaku*. Autrefois péjoratif et uniquement réservé à la peuplade de jeunes marginaux reclus dans un univers virtuel, collectionneurs de poupées mannequins sexy, de *manga* et de jeux vidéo, le terme d'*otaku* a pris ces derniers temps un sens plus large et dénué de toute connotation dépréciative. Par un curieux retournement opéré par les malins cabinets d'études marketing, l'*otaku*, hier pestiféré, est aujourd'hui d'abord perçu comme un consommateur. Pas comme les autres : meilleur. Ce terme revêt désormais aussi l'acception d'« acheteur compulsif », de « mono maniaque » (*mono* signifiant aussi chose ou objet en japonais). Les quelque deux millions d'*otaku* recensés sont archirecherchés, compte tenu de l'énorme potentiel de recettes qu'ils représentent dans une douzaine de domaines, et de leur pouvoir de décider du sort de nouveaux produits au sein de leur communauté réhabilitée. Ainsi distingue-t-on les *otaku* de l'informatique, les *otaku* des *manga*, les *otaku* de la *Jap'animation*, les *otaku* du *keitai* et autres objets électroniques nomades, les *otaku* du voyage, les *otaku* des montres, les *otaku* des arts ou les *otaku* des vêtements. Peu importe le prix, quand ils ont jeté leur dévolu sur une nouveauté, ils se saignent aux quatre veines, remuent ciel et terre, *moe, moe*, ils sont tout excités, et ils l'obtiennent, cet objet de leur désir, avant de se jeter avec la même folie animale sur un autre, une fois le coït accompli. La figure de l'*otaku* est désormais si bien vue que le septuagénaire personnage politique Taro Aso, tour à tour secrétaire général du gouvernement, ministre de l'Intérieur, des Télécoms et des Affaires étrangères, dans divers cabinets, puis chef de l'exécutif, porte en bandoulière son badge d'*otaku*. L'homme est fan de *manga* ! Un concept ou un article qui fait florès dans une communauté d'*otaku* peut ainsi remplir les coffres de la firme qui l'a créé. Toutefois, il a assez peu de chances de se répandre à l'ensemble des couches de la population, compte tenu de son caractère très ciblé. En revanche, une idée qui séduit ceux qu'on nomme les avant-gardistes, autre catégorie surreprésentée au Japon, a une probabilité bien plus forte de faire tache d'huile.

Des booms chroniques

Les avant-gardistes sont moins fanatiques que les *otaku*, plus équilibrés, mais tout autant sélectifs et informés. Ils dessinent réellement les tendances de consommation de masse. Dans le domaine de la mode, ce sont par exemple les jeunes de Shibuya. Ils sont en plus d'excellents conseillers pour leur entourage, contrairement aux *otaku* dont le jargon et les critères d'évaluation échappent au commun des mortels. Lorsque les pragmatiques avant-gardistes choisissent un objet, c'est en parfaite connaissance de cause sur la base d'éléments objectifs. *De facto*, leur jugement, fondé sur une expertise distante se répand par bouche à oreille dans leur environnement proche ou désormais sur Internet, phénomène du *kuchi komi* auquel les Nippons accordent le plus grand crédit. Si leur verdict est positif, ces défricheurs entraînent ensuite dans leur sillon une autre catégorie plus importante encore de consommateurs, les utilisateurs précoces, avant que les foules ne soient également prises dans la nasse, alertées par les blogs et autres sites où pullulent les « infos conso ». Ce processus par vagues n'est pas vrai seulement au Japon, mais le suivisme y est beaucoup plus fréquent et le cas échéant de plus grande ampleur qu'ailleurs. Les industriels qui proposent leurs marchandises tant sur l'archipel qu'à l'étranger en font souvent la remarque : on observe au pays du Soleil-Levant des « booms » impensables ou sans commune mesure avec les modes passagères constatées ailleurs. Tout le peuple japonais semble soudain se ruer sur le même article, concept ou service, adopter la même pratique, après une phase d'amorçage plus ou moins longue, le temps qu'il faut pour que le message se diffuse des avant-gardistes à M. Tout-le-Monde. Les accès d'enthousiasme pour une offre commerciale rencontrés en Occident ont rarement l'envergure de ceux que traduisent au Japon les courbes de ventes d'un produit, les chiffres de fréquentation d'un lieu ou les statistiques sur la pratique d'une discipline. Ce fut le cas pour les *pachinko* dans la période de 1950 à 1970, pour les bornes de jeux vidéo *Space Invaders* dans la décennie suivante, pour les fameux animaux virtuels « Tamagochi » de la firme de jeux Bandaï ou pour les montres « G-Schock » de Casio dans les années 1990. Les plus retentissants booms récents sont indiscutablement ceux des consoles de jeux vidéo portables DS/DS Lite de Nintendo et des téléphones portables haut de gamme à large écran tactile (*sumaho* ou smartphone). Plus de quinze mois après la sortie au Japon du modèle DS Lite, cette machine y demeurait quasiment introuvable. Les innombrables amateurs de tous âges se l'arrachaient au rythme des arrivages hebdomadaires. Il est certes courant au pays du Soleil-Levant que les nouveaux produits électroniques très attendus traversent une période de pénurie de quelques jours ou semaines après leur lancement, les plus impatients se disputant les premiers exemplaires parés d'une valeur plus que symbolique. Toutefois, cela ne dure généralement guère plus d'un mois ou deux, les rayons se remplissant de nouveau quand les acheteurs pressés sont enfin servis et que les chaînes des usines atteignent leur rythme de croisière. Mais pour la DS Lite, la demande a continué d'excéder largement l'offre. Le groupe Nintendo de Kyoto ne parvenait pas à suivre la cadence bien que produisant plus de 2,5 millions de consoles par mois pour alimenter le marché mondial. Quant aux smartphones, ils ont mis du temps à s'installer (le premier modèle d'iPhone d'Apple vendu au Japon en 2008 n'a séduit que peu de monde), mais ensuite, ce fut la ruée sur les versions ultérieures et les modèles concurrents de fabricants japonais basés sur le système d'exploitation Android du groupe de services internet américain Google. Bien que certaines saisons soient moins florissantes, pour des raisons conjoncturelles, les folies momentanées se produisent régulièrement et concernent à peu près tous les domaines, secteur des services compris. Une nouvelle variété de tofu ou de thé vert, un restaurant, un parc d'attraction, un gadget idiot, un disque, un livre, un loisir ou une pratique quelconque peuvent ainsi déclencher une frénésie massive déconcertante. À l'instar de la saga *Harry Potter*, des essais philosophiques ou économiques parviennent ainsi à se vendre au Japon à quatre ou six millions d'exemplaires en quelques mois, après que les premiers lecteurs en ont publié ici ou là une critique positive !

Chapitre XIX

MARKETING DÉCOMPLEXÉ, PUBLICITÉ OMNIPRÉSENTE

Hit shohin, *carton commercial et marketing malin*

Glisser un produit dans le classement des *hit shohin* (cartons commerciaux) est le rêve de tous les concepteurs de nouveautés. Le taux de ratage est certes très élevé, mais les tentatives innombrables. Des dizaines de milliers d'articles sont ainsi testés en rayon annuellement, avec plus ou moins de bonheur. Six cents nouvelles variétés de nouilles instantanées élaborées par an, le consommateur n'en avale pas tant. Peu importe. Proposez, proposez, il en restera toujours quelque chose. Même si un très petit nombre de ces produits défrayent la chronique, parfois parce qu'ils sont distribués gratuitement dans les rues par dizaines de milliers d'exemplaires pour amorcer la pompe lors de méga-campagnes promotionnelles, le jackpot permet le cas échéant de financer les échecs, et la créativité n'en est que plus attisée. L'un des moyens de gagner le gros lot consiste à s'emparer d'un événement quel qu'il soit ou d'un phénomène préexistant pour l'exploiter à profusion, jusqu'à ce que le filon soit totalement tari à force de déclinaisons multiformes, ou tant qu'un autre typhon commercial ne l'a pas balayé. Les Japonais sont des caïds des souvenirs et produits dérivés. Ils n'imaginent pas une seconde aller dans un musée ou à Tokyo DisneyLand sans en rapporter une babiole ou figurine quelconque pour décorer leur mobile, leur sac à main ou leur chambre. Alors que les parcs à thème homonymes du monde rament pour attirer les visiteurs et peinent à trouver la rentabilité, le gigantesque Tokyo Disney Resort, un lieu de rendez-vous entre amoureux, enchaîne les parades avec une santé éclatante. Il enregistre quelque 25 millions d'entrées par an, des Nippons essentiellement, qui, contents de leur visite, reviennent souvent. En 2010, Tokyo DisneyLand, qui en 25 ans a forgé sa propre méthode *made in Japan* pour satisfaire la clientèle du cru, caracolait en tête, dans le classement annuel des lieux les plus attrayants. Les Japonais en ressortent tout émus, avec dans leur portefeuille et leur téléphone mobile une photo d'eux-mêmes accolés à Mickey. Ils louent la qualité de l'accueil, des prestations et des attractions. À tel point d'ailleurs que des banques et autres entreprises y envoient leurs ouailles pour prendre des cours afin d'améliorer leurs relations avec les clients. Une carte de crédit avec la trombine de Mickey ? Mais oui bien sûr, il suffit de la demander, par ici s'il vous plaît. Tout personnage vedette d'un dessin animé, japonais ou non, est ainsi décliné en une large collection d'articles en tous genres. Les grands films, et notamment les superproductions locales, sont accompagnés d'un CD, de bloc-notes, de livres retraçant le tournage, de cartes postales, de médaillons portant le titre, voire de reproductions d'objets emblématiques dudit long-métrage. Tous ces articles sont vendus directement dans les cinémas et dans les enseignes spécialisées. Les librairies consacrent un coin spécial au thème abordé dans le film en question. Rebelote pour la commercialisation en DVD.

Les entreprises de tout secteur jouent aussi sur cette forme de fétichisme matérialiste dont font preuve les Nippons. Elles créent des mascottes et collent leurs figures sur des bibelots qui trouvent facilement preneur. Le pingouin de la carte de train à puce sans contact Suica de la compagnie JR ou le chien blanc « otosan » des campagnes de publicité de l'opérateur de télécommunications mobiles Softbank sont des célébrités. De la même façon, tout événement populaire donne naissance à une flopée de gadgets pour l'honorer : ce fut le cas lors de l'Exposition universelle d'Aichi en 2005 avec les caractères Moriso et Kiccoro ou pour la mise sur les rails de nouveaux Shinkansen en 2007 et 2011, avec des dragonnes de mobiles, *bento* et gourmandises spéciales.

L'énorme marché des cadeaux

Existent par ailleurs au Japon des traditions incontournables qui remplissent bien les caisses de certains commerces. Cas exemplaire, le « marché de la boîte de friandises de gare ». Lorsqu'un Japonais part en déplacement, ne fût-ce qu'une journée, à l'autre bout du pays ou *a fortiori* à l'étranger, il n'oublie jamais au retour de glisser dans sa mallette, pour ses collègues et/ou sa famille, quelques gâteaux ou autre spécialité locale. Ces modestes mais indispensables présents, achetés pour une douzaine d'euros à la dernière minute dans les innombrables boutiques de gare ou d'aéroport, représentent un énorme business compte tenu des centaines de millions de déplacements longue distance effectués chaque année pour raisons professionnelles ou privées. Le marché du cadeau dans son ensemble est d'ailleurs florissant et malicieusement entretenu. Son montant ne cesse de progresser pour dépasser, en 2007, 17 000 milliards de yens (160 milliards d'euros). Que ce soit par rites ou pure gentillesse, les Nippons offrent et reçoivent beaucoup, et toutes sortes de choses. Les cadeaux alimentaires très fréquents et tout autant appréciés (corbeilles de fruits, gâteaux, saké, prunes salées ou autres onéreuses délices locales) représenteraient environ un tiers du total.

Les *presento* d'entreprises constituent une autre coutume vivace. Il ne s'agit pas seulement dans ce dernier cas de trucs de pacotille à 100 yens, mais aussi fréquemment d'objets de plusieurs milliers de yens, voire de voitures ou de luxueuses télés à écran plat, pour remercier à juste proportion les très gros clients d'entreprises en pleine forme.

Les prétextes ne manquent pas pour pousser les consommateurs à puiser dans leur trésorerie, qu'il s'agisse d'événements personnels (naissance et autres innombrables festivités marquant les étapes de la vie d'un enfant, mariage), de fêtes nippones ancestrales (*oshogatsu*, le nouvel an, *obon*, célébration des morts en août), de l'adoption de coutumes étrangères (Noël et la Saint-Valentin par exemple), ou de la création *ex nihilo* de jours de ceci et semaines de cela. Or les Nippons sont très sensibles à ce type de prétextes ultra-fréquents. Ils sont incroyablement disciplinés et se plient à ces modes plus ou moins éphémères avec un plaisir non feint. Même si les goûts sont en train de changer, le beaujolais nouveau a souvent fait un malheur sur l'archipel. Fut une époque pas si lointaine où il était même conseillé de réserver ses bouteilles pour ne pas être le bec dans l'eau.

Toujours une bonne raison d'acheter

Chaque saison rime aussi avec au moins une offensive commerciale, pas seulement du fait des variations météorologiques, mais aussi en raison du calendrier institutionnel. Ainsi, au printemps, le thème surexploité est celui de la « nouvelle vie ». C'est que chaque 1er avril marque le début de l'année scolaire et budgétaire. Une majorité des entreprises accueillent alors par dizaines, centaines ou milliers des nouvelles recrues, les *shinnyushain*, lesquels entament alors une *shinseikatsu* – nouvelle vie. Les fréquentes mutations et montées en grade, décidées en février, prennent effet au même moment. Les boutiques, à commencer par les hypermarchés de l'électronique et de l'électroménager nippons,

des malins s'il en est, profitent à plein de ces chambarde-
ments à grande échelle pour proposer des offres spéciales,
notamment destinées à faciliter l'acquisition de biens pour
ceux qui, nouveaux locataires d'un appartement vide,
doivent tout acheter : le réfrigérateur, le lave-linge, le four
à micro-ondes, l'indispensable autocuiseur à riz, l'aspirateur, le téléviseur, le lecteur/enregistreur à DVD, l'ordinateur et tout le toutim. Bref, le confort minimal. Ainsi, qui va
faire un petit tour dans les travées d'enseignes telle que Bic
Camera à Tokyo à partir de la mi-mars, se heurte sans cesse
à des affiches géantes sur lesquelles sont inscrits en gros
caractères, les termes « Promotions de soutien à la nouvelle
vie ». Et ces panneaux incontournables, ou les spots de pub
à la télé, de présenter des ensembles préconstitués d'équipements vendus en bloc pour un tarif largement inférieur à la
somme des prix habituels de chaque appareil proposé. Les
magasins de vêtements et de décoration d'intérieur ne sont
évidemment pas en reste. Dans les commerces où sont vendus de nombreux produits importés (alimentation, accessoires ménagers), on profite parfois d'un regain marqué du
yen face aux devises des pays d'origine de ces biens pour
organiser d'attrayants soldes d'*endaka* – hausse du yen –, en
répercutant sur le prix final en rayon tout ou partie de la
baisse mécanique de la facture d'achat à l'extérieur.
« Quand le yen augmente, les vacances à l'étranger coûtent
moins cher », clament également les agences de voyage. Et
c'est vrai ! Même l'entrée en vigueur d'une loi ou l'octroi
d'un nouveau droit est source de profits commerciaux. La
mise en place de la portabilité de la numérotation mobile,
une mesure légale qui permet de conserver son numéro
d'appel même en cas de changement d'opérateur, s'est ainsi
transformée en octobre 2006 en gigantesque foire promo-
tionnelle dans toutes les boutiques de téléphones du pays.
Rabais et autres offres incitatives, chaque opérateur a sorti le
grand jeu dépêchant partout des armées de vendeurs en
uniformes pour tenter de rafler un maximum de clients dès

le premier jour, alors même que cette nouvelle possibilité restera valide des années.

L'obligation pour les entreprises de proposer à leurs ouailles un suivi et des mesures pour lutter contre le surpoids (et ses conséquences sur la santé) depuis le 1er avril 2008 a de la même façon donné lieu à une nouvelle lignée d'appareils de *fitness*, de services Internet spécialisés, de tensiomètres de poche, de podomètres ou de pèse-personnes avec diagrammes corporels, quantification de la masse musculaire, capteur à faisceau infrarouge pour sonder l'épaisseur de graisse (6 centimètres au maximum !) et autres fonctions high-tech. *Metabo taisaku* – mesures contre l'embonpoint – devint un puissant slogan pour une masse impressionnante de produits dont le lien avec la lutte contre l'obésité n'est pas toujours évident à comprendre. Passons : au commerce tout est bon. 19,5 millions d'individus seraient concernés. Cela a néanmoins l'avantage d'inciter les Nippons à reprendre goût à la saine nourriture japonaise, eux qui n'ont cessé de grossir depuis les années 1950, au cours desquelles ils ont adopté les mauvaises habitudes alimentaires occidentales. Les hommes de dix-sept ans, qui pesaient en moyenne moins de 55 kilogrammes en 1955, en faisaient en 2008 près de dix de plus au même âge. Un phénomène qui s'explique aussi par le fait qu'ils sont en moyenne plus grands (1,70 mètre en 2008 à dix-sept ans, contre 1,62 mètre en 1955 au même âge). Les choses vont se rééquilibrer puisque la firme préférée des enfants et adolescents, Nintendo, leur fait désormais faire du sport devant la télé dès le plus jeune âge avec sa populaire console de jeux Wii et ses accessoires pour se déhancher au lieu de rester affalés dans un canapé.

Autre exemple de détournement mercantile : *cool biz*. Depuis 2005, le gouvernement a décrété période « sans cravate et en bras de chemise » les chauds mois d'été (juin à septembre) pour que les climatisations puissent tourner au ralenti sans que les salariés ne suffoquent au bureau.

Prière de s'habiller « cool » pour limiter les rejets de gaz à effet de serre. Sans un ordre venu d'en haut, aucun col blanc qui se respecte n'ose en effet tomber la veste, par respect pour ses interlocuteurs professionnels. Et tous les ministres de défiler sur les écrans de télé en chemise à manches courtes, col ouvert, et autres tenues décontractées. Cette mesure « environnementale » fut exploitée par toutes les boutiques de vêtements pour pousser ces messieurs à renouveler leur garde-robe, à choisir des costumes en tissu technique refroidissant et à remplacer la cravate traditionnelle par un modèle qui n'enserre pas le cou, mais se fixe au col de chemise. À l'été 2011, l'obligation de faire des économies de courant redoubla du fait de l'arrêt des trois quarts des réacteurs nucléaires de l'archipel. Opération *super cool biz*. Ainsi vit-on immédiatement arriver sur les étals une lignée de nouveaux appareils électroniques, électroménagers et informatiques moins voraces, comme des téléviseurs à batterie, ou des vêtements rafraîchissants comme des vestes à ventilateurs intégrés ou foulards à glaçons. Se produisit parallèlement une accélération du renouvellement d'équipements actuellement trop énergivores. Les publicités des temples de la consommation, tel Bic Camera, déjà enclins à jouer sur l'argument d'un usage plus raisonnable d'énergie, accentuèrent leurs campagnes en ce sens. Le terme « setsuden » (emploi modéré de l'électricité) fut entonné à qui mieux mieux.

Mariages inoubliables

Quel que soit l'événement, les Japonais s'évertuent en outre à tout faire dans les règles de l'art, ce dont profitent par exemple les prestataires de mariage. Environ 700 000 noces sont célébrées chaque année au Japon, c'est beaucoup, mais loin du pic atteint en 1972, meilleur millésime, avec 1,1 million de nouveaux couples officialisés. Les Japonais en âge de convoler sont désormais moins nombreux et ils donnent leur main plus tardivement, surtout à Tokyo et dans les autres grandes villes du pays : ces derniers temps, les Nippones convolaient en moyenne à vingt-huit ans et les hommes japonais à vingt-neuf ans et huit mois. Le secteur n'est pas déprimé pour autant, il étend ses affaires en Chine où les jeunes à marier ne manquent pas. Même au Japon, il n'y a pas péril en la demeure puisque les trois quarts des mâles trentenaires disent vouloir un jour se marier, estimant que si la vie en solo a des avantages (liberté temporelle et économique), la vie à deux c'est peut-être mieux, surtout quand on devient vieux. Cela les rassurerait d'être plus tard accompagnés de femmes dévouées. Et puis, ne pas être marié, c'est être marginalisé, une crainte que partagent aussi les filles.

Il est vrai au surplus que les noces japonaises ne manquent ni de piquant ni d'originalité. Généralement on « achète » son mariage en « package » tout compris : la location du temple ou de la chapelle et de la salle de banquet, les habits de noces, la coiffure, la cérémonie, les faire-part et invitations, les cadeaux aux convives, le repas, le film, les photos, les alliances, le voyage et tout le tralala. Le tout est commercialisé par des officines spécialisées, lesquelles sont parfois des succursales de grands magasins ou d'hôtels où les festivités ont souvent lieu. Un mariage au Japon ne s'improvise pas, tout doit être étudié, prévu, minuté, au prix de multiples rendez-vous préparatoires, d'essayages et de répétitions. Le cérémonial commercial est orchestré de bout en bout, dans les moindres détails, par un « producteur », comme pour une émission de télévision. Des prestataires proposent même des simulations informatiques, procession virtuelle tridimensionnelle, pour gagner du temps et réduire les frais, tout en affichant ainsi une image high-tech toujours bien vue. Les futurs époux adorent. Ils trouvent cela drôle et peu commun. Fixé en semaine ou le week-end, un pack de noces coûte en moyenne plus de 3,5 millions de yens tout compris, soit la bagatelle de près de 33 000 euros.

Les tarifs peuvent grimper à des niveaux dix à vingt fois plus élevés. La cérémonie a lieu soit dans un temple, pour les noces à la japonaise, soit dans des fausses chapelles, copies plus ou moins fidèles de lieux chrétiens, logées dans les étages élevés des grands hôtels ou trônant au cœur d'un village de carton-pâte aux allures de DisneyLand. Peu importe que les Japonais soient bouddhistes, shintoïstes ou athées, pour la forme, ils se marient aussi dans la pure tradition chrétienne, en robe blanche et costume queue de pie noir, puis troquent le bel habit contre une tenue plus féerique ou déjantée pour se déhancher et se prêter à l'incontournable karaoké. D'ailleurs, des salles spécialisées dans ce divertissement indémodable proposent désormais des services complets de mariage. Mais il y a plus surprenant encore pour épater la galerie. Depuis mars 2005, il est en effet possible de convoler en justes noces à Centrair, c'est-à-dire dans une somptueuse chapelle logée dans le terminal ultra-moderne de l'aéroport international de Nagoya (au centre du Japon), à quelques pas des portes d'embarquement, juste avant de s'envoler vers Honolulu. Les voyages de noces sont un point sur lequel les jeunes couples ne mégotent pas. La destination indétrônable depuis des lustres reste Hawaii, pour sa mer bleue et toutes ses promesses de bonheur infini. Arrive en deuxième position l'Italie : image de romantisme oblige. Paris ne vient qu'en septième place, après l'Australie, l'île d'Okinawa (paradis de longévité), la Grande-Bretagne ou l'île de Hokkaido. Une fois passé ce moment de plaisir, immortalisé dans des albums photo qui à eux seuls constituent un marché lucratif, advienne que pourra. Quelque 260 000 divorces sont désormais dénombrés annuellement, deux fois plus qu'en 1972.

Fidélité commerciale

S'il est *a priori* illusoire de tenter de fidéliser les clients dans ce type d'activité maritale, dans les autres domaines, les marchands de rêve, offreurs de services ou vendeurs d'articles de toute nature ne s'en privent pas. Ainsi, presque tous les types de commerces, de la grande surface d'électronique aux pharmacies en passant par les supermarchés, les *konbini*, les grands magasins ou les loueurs de CD et DVD, proposent un programme de fidélité qui donne droit à des points de réduction à cumuler et à valoir sur un achat ultérieur. La concurrence étant féroce, la valeur pécuniaire de points offerts atteint souvent 20 % ou même 30 % du prix d'un produit. Si bien que l'acquisition d'un téléviseur à 450 000 yens (4 250 euros) peut générer 90 000 points, soit 90 000 yens (850 euros) de remise consentie sur l'achat suivant. Cet exemple ne relève pas de l'exception. Le portefeuille des Nippons est ainsi bourré de cartes de fidélité. L'encours total des points accumulés par les Japonais et utilisables en lieu et place de yens sonnants et trébuchants est évalué, tous domaines confondus, à environ 500 milliards de yens (plus de 4,5 milliards d'euros). L'existence de ces monnaies parallèles, généralement valables dans une pléiade de commerces réels et virtuels, n'est d'ailleurs pas sans inquiéter les autorités qui ignorent quels en sont leurs effets, positifs ou négatifs, sur l'économie. D'autant que le phénomène ne cesse de prendre de l'ampleur du fait notamment de l'intégration dans les téléphones portables d'une puce sans contact, composant à mémoire qui permet de faciliter le stockage et l'utilisation d'un jeu de cartes de fidélité et des points associés. Cette innovation ouvre de plus la voie à une amplification de la relation commerciale et du marketing direct, un bénéfice qui pousse davantage de commerces à entrer dans le circuit. La puce transforme aussi le mobile en aspirateur à pubs et coupons. Le porteur est invité à approcher son téléphone de bornes électroniques installées sur le pas de porte ou aux caisses des boutiques pour attraper un bon de réduction numérique qu'il n'égarera pas aussi facilement qu'un équivalent en papier et qui s'autodétruira une fois la date de péremption dépassée. Intelligent, ce ticket de ristourne virtuel saura même se rappeler au bon souvenir de son bénéficiaire lors d'un passage en caisse dans le magasin ou restaurant concerné, grâce à la localisation géographique, ou lorsque l'utilisateur règle directement avec son mobile.

Publicité à domicile, jusqu'à l'écœurement

Les consommateurs nippons sont en outre en permanence bombardés de messages à vocation commerciale. Les Parisiens se plaignent du nombre de prospectus entassés dans leur boîte aux lettres ? Ils n'ont pas vidé quotidiennement celles des Tokyoïtes. Elles vomissent chaque jour des dizaines d'imprimés publicitaires pour toutes sortes de boutiques, services ou produits. Les neuf dixièmes finissent bien sûr dans la poubelle opportunément placée à proximité pour accueillir ces kilos de paperasserie. Ce monstrueux gâchis, qui fait la fortune des imprimeurs, tranche cependant avec l'attitude écologique dont se prévalent pourtant les firmes japonaises. Mais le destinataire *lambda* paraît résigné, *shikata ga nai* – y'a rien à faire.

Les Français pestent contre les tunnels de publicité à la télévision ? Ils n'ont pas regardé les chaînes privées japonaises. Même les journaux d'information télévisés sont sponsorisés et saucissonnés par des spots parfois choquants au regard des reportages qu'ils encadrent. Il arrive aussi qu'on en rie, comme ce jour de 2005 où une publicité pour « les ascenseurs les plus rapides du monde », signée Toshiba, suivait un sujet sur les émeutes dans les banlieues françaises où, précisait l'envoyé spécial, « l'ascenseur social est en panne ». Heureusement, il est toujours possible, pour échapper à ce harcèlement commercial, de se réfugier sur les chaînes publiques de la NHK (générale et éducative), totalement exemptes de promotions autres que celles de leurs programmes, événements (conférences, expositions, concerts) et publications (livres, DVD, magazines, manuels éducatifs). Ailleurs, les films et séries sont tronçonnés en huit tranches *a minima* par des enfilades de spots de plus ou moins bon goût qu'aucun jingle n'annonce. Indigeste. Il est bien évidemment impossible dans ces conditions de suivre le fil de l'histoire. Pour autant les Japonais ne semblent pas dégoûtés. Ils passent en moyenne plus de trois heures et demie par jour devant le petit écran. Un téléspectateur sur trois avoue en outre suivre les publicités par intérêt et une proportion identique les laisser défiler passivement sans y prêter vraiment attention, mais sans rouspéter. La plupart reconnaissent une certaine réceptivité et accordent du crédit aux annonceurs. Quant au tiers restant, les publiphobes, ils zappent ou enregistrent leurs programmes favoris pour les suivre en différé en enjambant sans remords les rivières commerciales. Mais à petit malin, malin et demi. Car face à ce phénomène qui ruine en partie la portée des messages, un nouveau concept a été testé en 2006 qui pourrait bien faire recette : il consiste à intégrer le discours publicitaire directement dans le scénario des fictions *via* le dialogue des acteurs. Un discret avertissement est affiché durant les dix ou vingt secondes concernées pour signaler qu'il s'agit d'une séquence à caractère promotionnel. Le téléspectateur intéressé peut consulter les détails directement sur son téléviseur numérique en appuyant sur une touche de sa télécommande, ou bien en allant faire un tour sur le site Internet de l'annonceur dont l'adresse est affichée en bas de l'écran. Le tout peut éventuellement être accompagné d'un code à barres en deux dimensions, pictogramme à photographier avec un téléphone portable, qui sert aussi de télécommande universelle, pour accéder directement à un service mobile, rapidement, sans rien avoir à saisir au clavier. Trop facile. Irrésistible.

Le menu publicitaire qui accompagne les magazines de débats, les divertissements et les variétés est encore plus infâme. D'autant qu'on peine parfois à distinguer ce qui relève du contenu ou de la publicité qui l'entrecoupe. À toute heure du jour ou de la nuit sont diffusés des talk-shows foutoirs pathétiques animés par des *talento* un tantinet vulgaires dont les propos sont ponctués de bulles style *manga* placardées sur l'écran, le tout pour présenter et évaluer des produits, services, bars, restaurants, lieux de divertissement, spectacles, disques ou magasins. Une émission diffusée sur une chaîne régionale ne se casse pas la tête : elle pêche directement son contenu dans les prospectus ramassés ici et là, soi-disant pour en vérifier la pertinence. Cette promotion déguisée est aussi le principal fonds de commerce d'une partie de la presse magazine ou des sites Internet et « mailmag ». Les ménagères de plus de cinquante ans sont fanatiques de ce genre de programmes et les principales cibles d'un téléshopping qui se porte ma foi très bien, tout comme la pub dans son ensemble. Alors que les grands médias (TV, radio, presse magazine et journaux) voient leur recettes publicitaires s'éroder au profit des nouveaux supports, ils rivalisent dans le déploiement de nouveaux moyens pour conserver une forte attractivité. Cela passe ici comme ailleurs par l'exploitation de techniques de plus en plus élaborées pour accompagner les nouveaux comportements de leur public.

La puissance presque intacte des médias de masse

Bien que leurs revenus promotionnels fléchissent, les médias traditionnels japonais (presse écrite, télévision, radio) constituent toujours une puissante machine qui fait plus que résister à la déflagration mondiale provoquée par la circulation instantanée des informations sur Internet, espace sans frontières. Si la presse gratuite s'est comme partout ailleurs développée, au Japon, il s'agit presque exclusivement de magazines à vocation publicitaire. Les journaux d'information payants bénéficient toujours d'un lectorat massif, captif. La presse quotidienne s'est adaptée à la nouvelle conjoncture créée par Internet avec des portails en ligne dynamiques. Les Japonais, qui prouvent là encore leur fidélité et leur attachement aux maisons réputées, maintiennent donc à leurs journaux une grande confiance, en dépit de la multiplicité des sources potentielles (jugées insuffisamment fiables) qu'offre le réseau des réseaux. Trois grands quotidiens, l'*Asahi Shimbun*, le *Yomiuri Shimbun* et le *Nihon Keizai Shimbun* ou *Nikkei* n'ont de plus pas hésité à s'allier sur la Toile pour mieux s'imposer, en proposant un site commun où l'internaute est invité à comparer leurs articles et éditoriaux rédigés sur les mêmes thèmes. En outre, du fait de leur réticence à exprimer ouvertement des opinions personnelles sur des sujets polémiques ou à prétendre remplacer les journalistes, les citoyens nippons n'utilisent pas le Net pour créer un nouveau pouvoir face ou aux côtés des médias traditionnels. Pour le Japonais *lambda*, le réseau des réseaux est surtout un territoire virtuel de rencontres amicales et un lieu d'échange de bons plans pour consommer plus intelligemment, du moins le croit-il. S'agissant du traitement des faits d'actualité, les agences de presse, chaînes de télévision et journaux ne voient pas leur suprématie contestée.

Les chiffres parlent d'eux-mêmes. Quelque 70 millions d'exemplaires de quotidiens sortent chaque jour des rotatives installées au Japon. Les plus grands journaux diffusent deux éditions par jour, l'une, imposante le matin, l'autre, différente sur le fond et la forme, plus maigre, en début d'après-midi. Les journaux généralistes nationaux sont partout en vente en même temps, aux quatre coins de l'archipel, grâce à l'extraordinaire logistique nippone dont nous avons déjà signalé l'efficacité. Certains disposent d'une flotte d'avions et d'hélicoptères pour acheminer leur production auprès de grossistes exclusifs. Tous comptent une base importante d'abonnés archifidèles, parce que dorlotés, qui reçoivent les dernières éditions par porteur, dimanches et jours fériés compris. Le plus important quotidien national, le populaire *Yomiuri Shimbun*, de centre droit, tire chaque matin à plus de 10 millions d'exemplaires. L'*Asahi Shimbun*, plus au centre, suit avec 8 millions d'unités devant le très grand public *Mainichi Shimbun* situé au centre gauche et le *Sankei* (très à droite). Le quotidien économique *Nikkei*, bible des milieux d'affaires, totalise également 4 millions d'exemplaires journaliers. À ces montagnes de papier, s'ajoutent les journaux sportifs, la presse quotidienne sectorielle (industries, grande distribution, monde agricole) et les non moins influents journaux régionaux, comme le *Tokyo Shimbun* distribué dans la capitale et alentour. Au total, ce sont donc 546 exemplaires de quotidiens qui sortent des presses chaque matin pour mille habitants, un volume qu'aucun autre pays n'égale. La France plafonne à 170 pour 1 000, la Grande-Bretagne à moins de 300 pour 1 000, les États-Unis à 180 pour 1 000 et l'Allemagne à 260. Dotés de moyens humains et matériels astronomiques, les grands titres nationaux disposent de bureaux dans tous les recoins du pays et s'offrent même le luxe de créer des éditions différentes dans chaque région. Le *Yomiuri* publié dans le Kansai n'est pas le même que celui vendu à Tokyo, chaque version étant concoctée dans des rédactions centrales différentes. Le *Yomiuri* et l'*Asahi* comptent chacun plus de 2 500 journalistes et assimilés (photographes, assistants de rédaction) soit autant que l'Agence France-Presse (AFP) dont les bureaux de correspondants (rédacteurs et photographes) sont pourtant installés dans quelque 165 pays. Les autres grands titres (*Mainichi Shimbun*, *Nikkei* et *Sankei*) en emploient chacun plus de 1 500. Même les quotidiens régionaux affichent des chiffres spectaculaires (500, 1 000, 1 500 journalistes) battant à plate couture les plus grands journaux nationaux français. Les reporters des médias de masse nippons sont partout, mobilisables à tout instant. Qu'un fait surgisse à n'importe quel endroit du Japon et ils sont immédiatement capables d'y dépêcher une équipe basée à proximité. Ce pouvoir de réaction se mesure chaque jour, pour des faits de grande ou moyenne importance. Lorsqu'entre 2005 et 2007 une série d'atterrissages forcés et autres incidents mineurs se sont produits sur plusieurs aéroports du pays, y compris sur des petites infrastructures régionales, les images étaient visibles dans les minutes suivantes à la télévision et les photos à la une des journaux de l'après-midi pour un fait survenu le matin. Les grands quotidiens nationaux ont un journaliste en permanence à l'aéroport de Narita près de Tokyo, vigie qui suit tout ce qui s'y passe, à l'instar de nombreux reporters disséminés à travers le pays dans des lieux jugés stratégiques. Ces médias emploient aussi, bien évidemment, des correspondants permanents à l'étranger, rejoints en cas de besoin par des envoyés spéciaux. Cette réactivité et capacité de projection sur des terrains extérieurs n'est pas, comme c'est souvent le cas à l'étranger, l'apanage des agences de presse (Jiji et Kyodo pour le Japon). Elle vaut pour tous les quotidiens nationaux comme pour les télévisions publiques et privées organisées en *keiretsu* – réseaux – émettant sur divers canaux (un national et plusieurs régionaux).

Bénéficiant d'un lectorat encore très important, les journaux conservent donc pour l'heure les faveurs des annonceurs dont les investissements viennent généreusement compléter les revenus tirés des abonnements et ventes en kiosque.

Outre les quotidiens sportifs, les hebdomadaires et les mensuels d'actualité souvent affiliés aux mêmes mastodontes, il existe également dans le paysage de la presse écrite nippone une collection impressionnante de plus de 3 000 publications régulières en tout genre, sur tous les thèmes, émanant d'éditeurs de toutes tailles. Une grande partie, surtout les magazines destinés à la gent féminine, ressemblent toutefois à des catalogues de produits ou à des manuels de conseils divers, allant du fascicule plutôt didactique au quasi-recueil de publireportages qui ne disent pas leur nom.

La complémentarité des médias, la convergence entre les techniques de diffusion et les télécommunications ainsi que les relations incestueuses entre programmes de télévision et commerces attisent d'autant plus la créativité des éditeurs, des producteurs, des annonceurs et agences de publicité que la quasi-intégralité des foyers nippons peuvent, sous réserve d'abonnement, bénéficier d'une connexion rapide à la Toile, le plus souvent par fibre optique, infrastructure dont le potentiel laisse augurer un éventail inédit d'outils promotionnels interactifs et personnalisés accompagnant une vaste palette d'autres services en cours de déploiement (télé-surveillance, télémédecine, télétravail, etc.).

Ils ne lâchent pas le client potentiel d'une semelle

Abreuvés de publicités chez eux, les Japonais le sont aussi lors qu'ils mettent les pieds dehors. Dans les rues commer-çantes de Tokyo, le passant, dont les yeux sont happés par les écrans vidéo et les néons, est sans cesse sollicité pour attraper en marche un message distribué par des préposés déguisés en mascotte de la firme dont ils font la promotion. Les vendeurs haranguent les nuées de piétons à même le trottoir. Munis de micros ou porte-voix plus ou moins effi-caces, ils s'égosillent pour couvrir la voix du voisin qui fait la même chose, sur fond de musique « poum plaf » distordue crachée par des enceintes saturées. L'indifférence polie étant légion, les commerçants et entreprises la contournent en offrant désormais fréquemment des coupons de réduction de restaurant ou un paquet publicitaire de mouchoirs en papier que personne ou presque ne dédaigne. Un apéro gra-tuit ou une vingtaine de Kleenex, ça ne se refuse pas. Le samedi, à la sortie des grandes gares de Shibuya ou Shinjuku à Tokyo, les sons tonitruants jaillissent de toutes parts, autant que les piétons sur les trottoirs. Une partie des quelque 3 millions de distributeurs de boissons et cigarettes posés sur tous les trottoirs devraient être progressivement équipés d'un écran vidéo. Les affiches en papier seront un jour remplacées par des équivalents à encre électronique, offrant la possibilité d'alterner plusieurs publicités ou informations en fonction de l'heure, du jour, de la météo ou de tout autre critère pertinent, le tout en étant alimentés par un serveur distant. D'aucuns imaginent même des systèmes qui présentent une série de publicités en fonction de la personne qui fait face à l'affiche électronique, grâce à une caméra et à un dispositif d'analyse capable de déduire son sexe et son âge. Pour titiller le regard et l'ouïe plus sûrement encore qu'une simple affiche fixe muette, inanimée, plaquée sur un mur, d'étonnants semi-remorques lumineux, fonctionnant au gaz naturel ou autre carburant non polluant, parcourent aussi inlassablement le jour et la nuit les artères des grandes villes, surmontés d'une énorme réplique tout feu tout flamme de la dernière variété de coupelle de nouilles instantanées ou d'une canette géante de boisson énergisante, couverts d'affiches de film ou de la jaquette du dernier album d'un quelconque « boys band » en vogue. Il est même parfois possible de s'approprier la pub ambulante en photographiant avec son téléphone portable une sorte de code à barres peint sur le camion, lequel renvoie directement à un site Internet mobile. Ces poids lourds ne sont jamais que la version moderne des bateleurs déguisés qui, au son de tambours et trompettes, montaient et descendaient les ruelles commerçantes d'antan.

Dans les boutiques, les caisses enregistreuses comportent un large écran vidéo en couleurs, orienté vers le client, où tournent en boucle des clips sur les nouveautés et offres exceptionnelles en cours. À l'avenir, les éclairages des rayons et autres dispositifs de transmission sans fil ou sans contact enverront directement et automatiquement un signal codé avec textes, sons, photos voire vidéos vers les téléphones portables des chalands, au fil de leur parcours dans la boutique, pour susciter leur attention sur les bonnes affaires du moment. La même chose est techniquement possible dans les rues, *via* les lampadaires et des puces électroniques émettrices. La municipalité de Tokyo a d'ailleurs dessiné un projet qui va dans ce sens, pour délivrer des informations et publicités géolocalisées aux piétons. Plusieurs tests ont déjà eu lieu notamment dans le quartier de boutiques de luxe et restaurants de Ginza. Le même type de service est également proposé en cinq langues aux abords et à l'intérieur du nouveau complexe de bureaux, commerces, musée d'art et résidences Tokyo Midtown, lieu cosmopolite de la capitale. Les visiteurs peuvent louer un petit assistant numérique qui leur sert de guide interactif multimédia personnel.

Pub : du plancher au plafond

L'envahissement publicitaire n'est pas moindre dans les transports en commun. À bord des trains urbains et métros, les affiches, jamais saccagées, habillent les parois et pendent du plafond par rangées de deux ou trois tous les cinquante centimètres. Les écrans vidéo (seize par wagon, soit plus de cent par train), de plus en plus fréquents, alternent informations sur le trafic, actualités et spots de pub. Qui veut entendre le son n'a qu'à caler sa radio FM de poche sur la fréquence idoine. Les carrosseries extérieures des rames sont parfois elles-mêmes entièrement repeintes aux couleurs d'un annonceur le temps d'une campagne. Pas un emplacement exploitable n'est laissé vierge, jusqu'au plancher. Même les tunnels noirs entre deux stations ne sont pas épargnés. Y sont en effet parfois projetées à espaces réguliers des images qui, du fait de la vitesse du train et des propriétés de l'œil humain, donnent l'illusion d'une séquence animée. Autant dire qu'à moins d'être endormi (ce qui est tout de même le cas d'un dixième des usagers) les messages adressés par ce type de technique ne laissent pas indifférents. Sensation d'hallucination garantie.

À l'intérieur des gares et sur les quais, tout espace commercialisable est mis à profit, y compris le sol, les rebords de marches d'escalier, les fronts et dessus des portiques, les rampes d'escaliers mécaniques ou les toilettes. À la gare d'Osaka, les filles ont même accès à un espace de maquillage où plus de trois cents cosmétiques offerts par Shiseido sont utilisables à volonté, moyennant un petit droit d'entrée de 2 à 3 euros. La généralisation des titres de transport sur carte à puce sans contact ouvre aussi la porte à une nouvelle forme de réclame, que l'on pourrait baptiser « le marketing par portillon ». De quoi s'agit-il ? D'un dispositif central qui permet d'envoyer un e-mail sur le mobile d'un individu au moment où ce dernier franchit une porte d'accès aux quais. Ce courriel personnel est expédié dans les vingt secondes après le franchissement d'un des portiques (qui lit le numéro de la carte), quel qu'il soit, où qu'il soit sur une des lignes concernées. Ce délai est impératif pour garantir la pertinence du message. Son contenu dépend en effet du lieu, de l'heure, du profil et des préférences prédéfinies de l'utilisateur, volontairement inscrit à ce service. L'e-mail est divisé en deux parties, l'une est informative, l'autre est publicitaire. La première peut par exemple indiquer au voyageur qu'un match de base-ball venant de se terminer, les rames sur telle ligne risquent d'être bondées et qu'il aurait donc tout intérêt à aller prendre un café avant d'embarquer. La partie publicitaire liée peut quant à elle fort opportunément être accompagnée d'un coupon de réduction pour une boisson dans une brasserie alentour ! Le système permet de connaître la direction prise par un voyageur, en fonction des lignes de train auxquelles le portique emprunté donne accès ou de la rue sur laquelle débouche la sortie. Le dispositif s'appuie sur ces données circonstancielles pour concocter un message qui n'est pas seulement géolocalisé à un instant « T » mais qui anticipe aussi le mouvement du destinataire. Les informations sur les déplacements s'accumulant au fur et à mesure dans les bases de données, les contenus sont de plus en plus et de mieux en mieux ciblés. Ainsi, le système se souvient-il si un destinataire de coupons les a réellement utilisés dans la période de validité prédéfinie, et, le cas échéant, à quel moment. Les e-mails contiennent aussi généralement des liens vers des sites Internet mobiles. Selon les études conduites par Omron, le pionnier des portiques automatiques à l'origine de ce concept, le taux de clics sur ces adresses se situe entre 20 % au plus bas et 30 % au plus haut. C'est énorme ! Mieux, la moitié des connexions ont lieu dans les dix minutes suivant l'envoi du courriel et les trois quarts dans la demi-heure. « Tout le monde lit ses e-mails dans le train, n'est-ce pas ? » se félicite l'entreprise. Autre enseignement, plus le temps passe, plus les abonnés cliquent, car l'information s'affine pour devenir de plus en plus pertinente donc attrayante. Plusieurs autres voies de développement sont à l'étude ou en cours de test pour perfectionner l'outil. Parmi ces derniers figurent par exemple le couplage avec la localisation en temps réel par GPS afin d'alerter une deuxième fois l'utilisateur et de le guider lorsqu'il arrive à proximité d'un lieu pour lequel il a précédemment reçu un coupon. Cette technique est aussi perçue comme une puissante machine à sondages et enquêtes. Elle permet d'interroger le chaland en temps réel au cours de son cheminement, par exemple pour lui demander par courriel mobile interposé ce qu'il pense du nouveau décor de la gare traversée. Elle peut aussi servir à évaluer la visibilité d'une campagne d'affichage : « Avez-vous remarqué la publicité devant laquelle vous venez de passer ? » Toutes les informations sur les déplacements emmagasinées dans les serveurs sont aussi considérées comme de précieuses données par les urbanistes, pour aménager intelligemment l'espace en sachant précisément quels individus traversent tel endroit à tel instant, empruntent telle ligne, fréquentent tel restaurant ou utilisent tel service, etc. L'analyse de ces statistiques sert aussi à la mise en place de systèmes de points de fidélité ou autres offres incitatives visant à réorienter les consommateurs en puissance vers des zones commerçantes un peu désertées.

Des magasins d'échantillons aux sites consuméristes

Plus attrayants encore et en voie de développement avancé sont les magasins où l'on distribue gratuitement des échantillons aux clients. Moyennant une inscription et quelques yens symboliques, chacun peut venir chaque jour y récupérer jusqu'à dix produits à tester, majoritairement des cosmétiques ou nouveaux aliments. Les femmes adorent. Des distributeurs automatiques de rations d'essai dans les lieux de transit (gares, stations de métro, centres commerciaux) viennent renforcer cette coûteuse mais efficace forme de publicité. Les passants intéressés par un article présenté doivent au préalable s'inscrire sur un site Internet mobile. Ils reçoivent alors sur leur portable par e-mail un code à saisir sur l'automate pour que ce dernier libère l'échantillon de leur choix. Certains fabricants, cornaqués par des agences créatives, poussent même le concept de l'essai gratuit jusqu'à organiser plusieurs fois par an dans les salons de grands hôtels des rassemblements des meilleures testeuses (les hommes sont assez rares) pour leur faire cadeau d'une sélection de produits d'une valeur de plus de 200 euros. Dans tous les cas, les firmes attendent en retour que les bénéficiaires de leurs largesses aient la délicatesse de répondre à un questionnaire, moindre des choses. Ils espèrent aussi des appréciations enjouées sur Internet susceptibles de générer un *kuchi komi* (bouche à oreille) potentiellement lucratif, compte tenu du nombre croissant de membres des plates-formes Internet communautaires consuméristes où l'on se refile les bons tuyaux. D'autres fabricants en mal d'inspiration ont carrément conçu de A à Z un produit à partir des idées formulées par mille internautes volontaires recrutés sur ce type de site participatif. L'expérience a initialement été tentée pour une nouvelle variété de soupe de nouilles dont la recette finale fut décidée par consensus. La mixture, mélange cuisiné à l'aveuglette par une communauté de consommateurs potentiels, a réellement été mise en vente. Elle avait quand même un drôle de goût, forcément. Qu'à cela ne tienne. La formule « vous décidez, on fabrique, vous consommez, on encaisse » est désormais reprise pour d'autres produits dont le principal argument de promotion devient alors leur mode de conception original. Et ça marche. Divers instituts de recherche marketing et autres prestataires de service profitent de ces phénomènes populoconsuméristes pour proposer aux entreprises des synthèses des impressions postées par les internautes au sujet de tel ou tel produit. Les logiciels les plus sophistiqués savent par exemple faire le tri entre les commentaires positifs et négatifs sur la base d'une analyse automatisée du sens des phrases.

D'une manière générale, les Nippons, et surtout les filles, ne rechignent en outre guère à s'abonner à des services de publicité ou minimagazines électroniques sur téléphone portable. Comportant des liens vers des sites Internet pour mobiles, ces publications régulières, qui mêlent vraies ou fausses informations et promotions, sont à l'origine de la plupart des visites de commerces en ligne et des commandes qui s'ensuivent. Les Japonais n'ont quasiment aucune appréhension à utiliser leur portable pour acheter des biens onéreux, même une voiture d'occasion, et font preuve d'une patience insensée pour dérouler les listes de produits proposés sur des milliers de sites pour téléphone mobile. Ils répondent aussi volontiers aux dizaines de sondages qui leurs sont proposés à maintes occasions, parfois iconoclastes, sur tous les sujets, en échange d'un petit présent, laissant ainsi sans grande réticence leurs coordonnées et profil à des dizaines de sociétés.

Le consommateur ? Un fieffé menteur !

Cependant, les enquêtes d'opinion sont parfois sujettes à caution, surtout au Japon où, en vis-à-vis, les « gentils consommateurs » ont tendance à dire aux sondeurs ce qui fait plaisir à entendre plutôt que leur réel avis. NTT Data, une filiale du géant des télécommunications japonais NTT, a trouvé la parade : une machine qui permet de détecter directement dans le cerveau du sondé la teneur exacte des sensations réellement perçues. Ce nouvel appareillage, un casque bardé de capteurs connecté à un dispositif d'analyse informatique, décèle dans l'activité des neurones si le goût d'un nouveau thé vert glacé écœure ou provoque un réel plaisir gustatif, ou si le design d'un nouveau téléphone portable rebute le client, quoi qu'il en dise. NTT Data propose ainsi un service marketing de tests clé en main aux entreprises désireuses de vérifier l'impact d'un produit en cours de développement ou de mesurer l'efficacité d'une publicité. D'autres firmes songent à installer des webcams sur les téléviseurs connectées à un système d'analyse distant *via* Internet, ce qui permettrait de scruter les réactions des téléspectateurs lors de la diffusion de spots et autres programmes sur le petit écran. Selon leurs concepteurs, ce genre d'outil à faire frémir a également vocation à quantifier les effets d'une drogue antistress ou d'un programme de relaxation. Ils sont aussi efficaces, paraît-il, pour évaluer la pertinence d'une méthode d'enseignement *in situ* ou par réseau interposé. Même si NTT Data ne fait pas mention de l'usage potentiel de tels dispositifs pour les sondages politiques d'intentions de vote, rien, sinon la morale plus que la loi, n'interdit d'y songer. D'autant qu'au Japon, campagnes électorales et publicités se ressemblent à s'y méprendre. Sur les places publiques, les hommes politiques braillent leur nom et promesses, perchés au faîte de camions garés à côté de podiums promotionnels où des minettes, en tenue plus ou moins légère, censées représenter l'idéal féminin, explicitent les miracles de nouveaux cosmétiques ou les offres incontournables, forcément incontournables, des opérateurs de télécommunications mobiles.

Chapitre XX

ENTREPRISES LIBRES D'INNOVER

Vraiment trop bons clients

Alors que de telles pratiques commerciales susciteraient en Occident une *bronca* chez les défenseurs des libertés personnelles, les Nippons n'y voient rien de répréhensible, pour peu qu'ils ne soient pas pris en traître. À condition qu'ils aient donné leur consentement, ce qu'ils font souvent de bon cœur, ils sont ravis de bénéficier de suggestions pertinentes qui leurs sont précisément destinées. Ils trouvent cela *tanoshii* – amusant –, voire valorisant. Ils sont enchantés quand l'information arrive toute seule, sans qu'ils aient à la chercher. Et quand elle vient à point nommé et qu'elle correspond à leurs goûts, c'est le pompon. Quant aux annonceurs, inutile de dire qu'ils sont aux anges : ils attendaient depuis si longtemps que le progrès technique leur permette de cibler aussi personnellement et opportunément le client. Voilà selon eux un moyen de cesser de dilapider des millions de yens en prospectus.

L'inventivité des annonceurs pour drainer les foules vers leurs services paraît illimitée tant la technologie offre de possibilités nouvelles. La pub subliminale, fantasme depuis des décennies, est bel et bien aujourd'hui devenue une réalité. Groupes de technologies et agences de publicité japonais invitent lecteurs et téléspectateurs à photographier des photos dans la presse ou des images à la télé, avec un téléphone portable, afin d'y faire surgir en retour des vidéos, un moyen ludique de relier les médias entre eux. Ce principe, dit de « réalité augmentée », consiste à utiliser la caméra du téléphone portable et un logiciel dédié pour reconnaître une image précise à laquelle est au préalable associée une vidéo stockée sur un serveur. Sur l'écran du téléphone, l'illustration fixe photographiée reconnue est alors remplacée par le clip correspondant. Une entreprise de dispositifs parasismiques a opté pour cette technique afin de rendre plus compréhensibles ses pages de publicité dans la presse. « Il ne nous est pas facile de bien expliquer aux lecteurs nos systèmes complexes, mais avec ce principe de réalité augmentée qui permet de montrer des vidéos, nous pensons que cela est plus aisé à saisir », justifia la firme Iida Sangyo. La plus grande galerie commerciale virtuelle nippone, Rakuten, a pour sa part distribué un magazine gratuit dont certains articles recelaient de tels messages cachés. L'opérateur de télécommunications mobiles NTT Docomo a, quant à lui, développé un logiciel pour déchiffrer un message encrypté dans un son diffusé à la télévision ou à la radio. Ce signal, inaudible par l'humain, est décodé par le téléphone qui se connecte alors automatiquement au site Internet mobile d'un annonceur. La même chose est également en cours de développement avec des vidéos diffusées à la télévision, sur des écrans publics. Ces technologies, que certains jugeront terrifiantes, trouvent néanmoins leur légitimité dans le fait qu'elles peuvent aussi être employées par ailleurs à des fins informatives non commerciales ou pour marquer une œuvre multimédia soumise à des droits d'auteur et la retrouver parmi celles qui circulent illégalement sur Internet.

Pour effrayantes qu'elles puissent paraître, si les inventions précédemment décrites se matérialisent sans rencontrer de forte résistance, c'est qu'elles profitent d'un attrait parfois aveugle du public pour les technologies innovantes, souvent considérées comme un facteur de progrès positif, ce qui facilite considérablement la tâche de leurs créateurs.

La high-tech consommée à haute dose

Depuis les années 1950-1960, l'électronique, l'informatique, l'électroménager, la domotique, la robotique ou les télécommunications sont pour beaucoup synonymes de « mieux vivre ». « Quel est l'achat effectué au cours de l'année passée dont vous vous félicitez le plus ? », s'enquérait récemment le géant de la publicité Dentsu auprès de mères de famille nippones de trente à quarante-cinq ans. Réponses de ces dames dans l'ordre décroissant : un ordinateur et un abonnement à Internet à haut débit, une voiture, un enregistreur de programmes télé sur disque dur et support optique (DVD), un appareil photo numérique, un nouveau téléphone portable, un sac ou autre produit de grande marque étrangère, une maison, un nouvel aspirateur « cyclone » sans sac, un lave-vaisselle et, en queue de liste, une machine à laver. Autre exemple frappant : tous les ans, le quasi-quotidien du secteur du marketing et de la distribution, le *Nikkei Ryutsu Shinbun*, établit, sur le modèle des classements de tournois de sumo, un double hit-parade des produits, services et concepts du millésime écoulé, tous secteurs confondus. Ce palmarès des cartons commerciaux de l'année, baptisé *hit shohin banzuke*, a beau balayer très large (de la nourriture aux sports en passant par les cosmétiques ou les lieux en vogue), la haute technologie s'y taille généralement une grosse part, révélant l'appétence des foules pour les produits électroniques et les prestations allant de pair.

Les gigantesques hypermarchés du high-tech nippons, qui occupent des emplacements de choix à la sortie des gares au cœur des villes, ne désemplissent pas. La plus grande FNAC d'Europe ne fait pas le quart des Yodobashi Camera, Bic Camera ou Yamada Denki japonais, ouverts toute l'année, dimanches et jours fériés compris, jusqu'à 21 heures ou 22 heures, et où s'alignent un million de références. On y surprend même des quinquagénaires le samedi soir en train de fouiner dans les rayons de jeux pour console portable DS de Nintendo, et des jeunes filles se prélassant dans les dernières versions de fauteuils électroniques de relaxation et massage aux coups de marteau régis par des microprocesseurs.

Des petits plus irrésistibles

Dans ces temples de la technologie, qui se livrent une guerre sans merci, même les objets les plus basiques (souris d'ordinateur, calculatrices de poche, casques audio, indispensables autocuiseurs à riz) s'y trouvent en dizaines ou centaines de variantes. *Shinhatsubai* – nouveautés –, les trois idéogrammes qui forment ce terme sont partout présents. Les arrivages sont pluriquotidiens et la guerre tarifaire incessante, entraînant une incroyable valse des étiquettes. Les vendeurs sont mêmes obligés de corriger les prix au marqueur en cours de journée faute de temps pour imprimer un nouveau lot d'affiches lorsque le concurrent d'à côté vient de lancer une promotion impromptue. En outre, quels que soient les articles, le tarif du modèle antérieur chute vertigineusement quand arrive, trois ou six mois plus tard, son successeur, enrichi de fonctionnalités inédites. Les champions locaux de l'électroménager, Hitachi, Sharp, Toshiba, Panasonic continuent ainsi à vendre au Japon des réfrigérateurs, machines à laver, fours, lave-vaisselle, plaques de cuisson ou climatiseurs à tour de bras, deux à dix fois plus chers que les produits de marque peu connue. Pourquoi ? Parce que leurs appareils s'en distinguent par un luxe de fonctions nouvelles fondées sur des innovations techniques dont ils ont le secret et qui font mouche dans l'esprit des consommateurs. Les vendeurs, très compétents, font preuve d'une patience infinie pour expliquer de façon extrêmement pédagogique les points forts et faiblesses de chaque modèle. L'argumentaire publicitaire est appuyé par des détails techniques, avec schémas et graphiques vulgarisateurs. Les climatiseurs pulsent des ions négatifs qui éliminent les pollens et autres particules dans l'air : ils trouvent immédiatement preneurs. C'est qu'ils font chuter ainsi les risques d'allergie auxquels se disent sujets les Japonais. Ces appareils ont beau être plus onéreux, cet apport fonctionnel les rend attrayants, d'autant que, autre argument massue, ils sont dotés d'un filtre autonettoyant. Bon sang, mais c'est bien sûr, un calvaire de moins pour les ménagères ! Les nouvelles générations de machines à laver ou lave-vaisselle prennent moins de place, consomment trois fois moins d'eau, d'électricité et de détergent que les modèles antérieurs. Plus coûteux à l'achat, ils sont plus avantageux à l'usage. Vendu ! Les aspirateurs, moins volumineux, silencieux, de plus en plus puissants, de moins en moins dévoreurs d'énergie, sans sac à changer, nettoient l'air en même temps qu'ils engloutissent les poussières du sol. Madame craque. Les autocuiseurs à riz parlent et guident le néophyte, aidant le jeune célibataire éloigné de maman, le père de famille paumé ou les enfants à faire cuire leur ration tout seul, même quand la maîtresse de maison est absente. Emporté ! Cette stratégie de montée en gamme concerne aussi le domaine archiconcurrentiel des équipements audiovisuels. Les téléviseurs sont de plus en plus plats et leur rendu de mieux en mieux défini, ils sont aussi économes en énergie et constitués de panneaux entièrement recyclables. Ils intègrent parfois un emplacement pour loger un disque dur amovible, permettant de réduire le nombre d'équipements en donnant la possibilité à chaque membre du foyer de conserver par devers lui ses programmes fétiches sur un support personnel. Les vidéophones de porte, en couleurs, envoient des alertes et images sur le téléphone portable du résident si quelqu'un se présente chez lui en son absence. Les luxueux et enveloppants fauteuils de massage, un produit vedette au Japon depuis des décennies, ne cessent de se perfectionner pour que leur insensé mécanisme, régulé par un véritable ordinateur de bord, simule le doigté d'un kinésithérapeute diplômé. La liste est encore longue de ces matériels novateurs. Ces petits « plus *alpha* » (expression consacrée) sont souvent pensés pour les autochtones et éventuellement appliqués aux produits exportés s'ils ont une valeur ajoutée de portée universelle (vertus écologiques et économes, existence d'une demande, niveau de prix admissible). Bien entendu, dans tous les pays, les produits blancs ou bruns s'enrichissent régulièrement d'innovations techniques qui ne sont pas toutes originaires du Japon. Toutefois, au pays du Soleil-Levant, la largesse de l'éventail d'appareils électroniques, la vitesse avec laquelle apparaissent les concepts nouveaux et s'enchaînent les versions dans chaque catégorie de produits est particulièrement saisissante. Elle résulte de deux facteurs : d'une part l'émulation entre les nombreux acteurs locaux de ces secteurs pour se démarquer, et d'autre part la nécessité permanente d'innover pour enrayer la guerre tarifaire que tentent d'imposer des compétiteurs asiatiques dont la première, voire la seule, arme, est le prix.

La commodité, un autre facteur d'innovation

Les Nippons sont aussi, voire surtout, très pragmatiques, qui s'évertuent à résoudre un à un chaque petit problème ou à améliorer la commodité d'un produit ou d'un service. Exemple : le coiffeur minute, « coupe seulement, 10 minutes, 1 000 yens », slogan de l'enseigne QB House, créatrice de ce concept en 1996. À l'instar des *konbini*, sa réussite repose non seulement sur une étude poussée des besoins et habitudes des Nippons, mais aussi sur l'utilisation astucieuse de l'électronique, de l'informatique et des télécommunications au service du gain de place, de la productivité et de la rentabilité. Les QB House, au nombre d'environ 420 sur l'archipel fin 2011, s'adressent essentiellement aux salariés pressés mais soucieux de leur apparence. D'une surface de moins de trente mètres carrés pour trois ou quatre coiffeurs, les QB House sont presque tous implantés à proximité ou à l'intérieur des gares et autres lieux de transit. Au-dessus de la porte de chaque QB House clignote un feu vert, jaune ou rouge, lequel signale la durée d'attente approximative : cinq, dix ou plus de quinze minutes. Nul besoin d'entrer et de déranger le personnel pour se renseigner. Le temps est calculé en fonction du nombre de clients déjà présents à l'intérieur, lesquels sont comptés automatiquement grâce à des capteurs sensoriels installés sur les fauteuils et reliés à un système informatique. Cet outil, qui transmet également ses données au serveur central du groupe, permet ainsi de comptabiliser combien de coupes sont effectuées chaque jour par chaque boutique, d'analyser la fréquentation, d'ajuster les horaires d'ouverture et d'occuper éventuellement de nouveaux emplacements dans les zones saturées. Une fois à l'intérieur des lieux, le client achète un ticket à un distributeur automatique, ou bien paye le tarif unique de 1 000 yens (moins de 10 euros) avec le porte-monnaie électronique contenu dans sa carte de train ou dans son téléphone portable. Lorsque vient son tour, il prend place sur le siège de coiffage, après s'être promptement débarrassé de sa veste dans le vestiaire attenant. Chez QB House, on ne lave pas les cheveux, on les coupe seulement, avec des ciseaux et autres instruments à usage unique ou stérilisés dans un appareil spécial placé à portée de main du coiffeur, lequel n'oublie bien entendu pas de nettoyer le siège et le sol après chaque client. Lorsque la coupe est achevée, un coup d'aspirateur dans la chevelure pour ramasser les restes, et au suivant. Les QB House, qui sont en train de s'exporter ailleurs en Asie, ont coiffé plus de 12,5 millions de têtes nippones en 2011, soit une moyenne quotidienne de plus de 34 000, c'est-à-dire plus de 80 par échoppe chaque jour. Ces enseignes n'ont certes pas une excellente réputation, mais elles font du chiffre. Les hommes y vont discrètement et les femmes n'y mettent quasiment pas les pieds, hormis dans les quelques espaces spécialement conçus pour elles, ou bien pour faire couper les cheveux de leur rejetons, avant que ces derniers n'atteignent l'âge où le look devient leur principale préoccupation. L'image de marque des QB House a bénéficié en 2011 d'un coup de pouce inattendu du Premier ministre nommé fin août, Yoshiko Noda, lequel était un fidèle client d'un des salons QB House de Tokyo où il convia même les caméras.

L'observation des petits embêtements du quotidien constitue aussi le point de départ de nombre d'idées qui, mine de rien, nécessitent des recherches parfois importantes en amont et créent un marché, donc des emplois, en aval. Quelques exemples entre mille : tous les emballages de produits japonais sont prédécoupés, de sorte que l'on ne surprend pas un Nippon en train de se saccager la dentition ou une Japonaise se ruiner les ongles en ouvrant une bouteille ou un paquet quelconque. Au « crotte, il flotte » d'un Français, que répond un Nippon ? « Et alors ? » C'est que pour lui, il n'est nullement problématique qu'il se mette à pleuvoir subitement, car toutes les boutiques (*konbini*, pharmacies, magasins d'électronique, kiosques à journaux...) sortent alors immédiatement leurs stocks de parapluies jetables à 300 yens (2,80 euros) sur lesquels se précipitent les individus qui n'avaient pas prévu l'averse en dépit de tous les moyens existants pour ce faire (alertes sur mobiles notamment). Simultanément, sont installés aux entrées des distributeurs de sachets en plastique pour que ceux qui entrent avec un parapluie détrempé ne sabotent pas les produits en rayon. À la sortie, ils n'auront qu'à glisser ledit sachet plein d'eau dans une poubelle spécialement installée à cet effet. Deuxième cas probant : dans les trains à grande vitesse Shinkansen, les sièges peuvent être orientés par les passagers à volonté en appuyant sur une pédale.

On n'est ainsi pas obligé de voyager trois heures durant face à un inconnu écœurant se goinfrant de *nigiri* et ingurgitant bière sur bière. Inversement, une famille de quatre personnes a la garantie de pouvoir partager un espace commun en mettant les sièges en vis-à-vis. Et alors ? Eh bien par ce coup de pédale, la qualité du service monte d'un cran.

Voudrait-on une démonstration encore meilleure du pragmatisme japonais et des progrès techniques qu'il induit, qu'on n'aura aucun mal à la trouver… au petit coin. Il s'agit des fameuses toilettes électroniques avec siège chauffant, détecteur de présence, déodorant, jet de lavage, chasse d'eau à force centrifuge déclenchée par une commande à infrarouge, rabat automatique, économiseur d'eau, son fictif de chasse d'eau pour couvrir les bruits gênants, fonction pèse-personne avec quantification du taux de graisse, ou encore analyseur d'urine pour les modèles destinés par exemple aux maisons de repos. Lancées par Toto en 1980, les « révolutionnaires Washlet » qui réchauffent, lavent et sèchent le derrière par un jet d'eau et d'air ont exigé des années de recherches et des tests à faire pipi de rire, les ingénieurs priant leurs collègues et proches de participer aux expérimentations pour collecter un maximum de données sur la température et la pression idéales de l'eau pulsée. Comme redouté, les courts-circuits se sont évidemment produits, eau et électricité (nécessaire pour réguler le système) ne faisant *a priori* pas bon ménage. Mais tout comme les techniciens d'Omron face à leurs portiques, ceux de Toto étaient obsédés jour et nuit par la ferme volonté de résoudre ce dilemme. La solution est tombée du ciel. Les feux de signalisation routière, comment font-ils pour continuer de fonctionner sous une pluie battante ? se demanda l'un d'eux, tout dépité, un jour d'averse. Et le même de s'enquérir du secret de l'étanchéité des circuits et de commander alors à l'industriel concepteur du procédé d'appliquer sa technique au dispositif électrique des toilettes électroniques. Bingo. Il fallut ensuite convaincre la presse d'accepter des publicités pour des WC, une évocation de l'intimité que les chefs d'édition jugeaient salissante. Mais tout bien réfléchi, eux aussi succombèrent au slogan osé : « Mes fesses, je les veux propres. » Tous les foyers japonais et lieux publics (entreprises, magasins, hôtels) sont ainsi aujourd'hui équipés de ce type de WC intelligents dont les autochtones ne peuvent plus se passer alors que leurs fonctions continuent de susciter l'étonnement quand ce n'est pas la risée en Occident. La présence de telles toilettes, plus hygiéniques, est même un facteur essentiel pour drainer des clients, surtout les filles, dans les commerces. Connaissant l'obsession des Nippons pour la propreté et leur hantise de ne pas pouvoir se libérer d'une envie pressante, les magasins, centres commerciaux et autres lieux publics n'hésitent pas à consacrer des dizaines de mètres carrés à l'aménagement de lieux d'aisances de grand luxe avec de spacieuses salles de maquillage. Les compagnies aériennes nippones l'ont bien compris aussi qui ont commencé d'équiper leurs nouveaux avions de ce type de toilettes électroniques que l'on trouve également dans les plus récents Shinkansen. Toto réussira-t-il son récent pari de convertir les Européens aux bienfaits de ces *Washlets* ?

Télécommunications mobiles : cinq ans d'avance, au moins

Un autre objet, qui n'a pas trente ans, démontre davantage encore l'imagination sans bornes des ingénieurs nippons et la différence d'attrait pour les technologies entre les utilisateurs japonais et leurs homologues étrangers : il s'agit du *kakasenai keitai*, vital téléphone mobile. Cet accessoire de cent grammes est certes devenu le lot commun de la majorité des habitants des nations industrialisées, mais nul pays, sauf peut-être la voisine Corée du Sud, ne peut légitimement prétendre rivaliser avec le Japon en termes de services, fonctions et usages associés. Nul besoin d'être un expert installé depuis des années au Japon pour mesurer l'importance prise par le mobile dans la vie quotidienne de ses habitants. Catherine Deneuve, qui n'avait pas mis les pieds à Tokyo depuis dix ans, le remarqua d'emblée lors d'un bref passage dans la mégapole début 2007. Bien que star ici comme ailleurs, il lui était soudainement devenu plus facile de flâner *incognito* dans les rues, la plupart des individus étant tout entiers absorbés par l'écran de leur téléphone polyvalent. Même si comme partout les jeunes sont les plus attachés à leur sacro-saint mobile, le phénomène est néanmoins transgénérationnel. Les femmes de cinquante ans et plus s'en servent comme terminal de données autant que comme outil de communication vocale interpersonnelle. Il n'est ainsi par rare de voisiner dans le métro avec une quinquagénaire en kimono occupée à jouer à *Tetris* avec son mobile, consultant un site d'informations ou en train de rédiger un e-mail avec une dextérité qui ne laisse pas de surprendre.

Premier à avoir inauguré un réseau cellulaire commercial analogique (première génération) en 1979, à être passé au numérique (deuxième génération) début 1993 et à avoir essuyé les plâtres de la troisième génération en octobre 2001, le Japon a dès l'origine fait figure de pionnier dans le secteur des télécommunications mobiles personnelles. Et il le reste. (Quelque 125 millions d'abonnements à un service mobile étaient recensés fin 2011 sur l'archipel, pour une population de 127 millions de personnes, dont 13 % de moins de quinze ans et 20 % de plus de soixante-cinq ans. Le taux de pénétration (nombre d'utilisateurs rapporté au nombre d'habitants) n'est certes pas plus élevé qu'ailleurs, même plutôt moins du fait de la pyramide des âges, mais l'écart avec les autres pays réside dans le rôle et la valeur assignés aux terminaux.

Début 2008 quelque 85 % des clients avaient déjà opté pour une offre cellulaire et un appareil de troisième génération (3G ou même 3,5G) une proportion qui atteignit

100 % en 2011 avec l'arrêt des réseaux de deuxième génération (équivalent du GSM qui reposait sur une technologie locale inusitée en Europe ou ailleurs, le PDC). Plus aucun téléphone cellulaire de deuxième génération n'est commercialisé au Japon depuis 2005, 2006 ou 2007 par les trois principaux acteurs du secteur japonais que sont NTT Docomo (plus de 60 millions de clients fin 2011), KDDI (34 millions) et Softbank Mobile (27 millions). Tous les mobiles vendus sont conçus sur la base de spécifications incontournables et très précises imposées aux fabricants par les opérateurs. Depuis le départ, ces derniers mènent la danse, et tous les fournisseurs de terminaux japonais se sont pliés à leurs *desiderata* stricts, allant même jusqu'à accepter de masquer leur nom et logo au profit de ceux de leur donneur d'ordres. Résultat, la plupart des mobiles achetés sur l'archipel sont de marque japonaise : Sharp, NEC, Panasonic, Casio, Toshiba, Hitachi, Fujitsu, Kyocera, ou Sony. Le finlandais Nokia, leader mondial (avec environ 25 % de parts de marché dans le monde en 2011), et ses suivants dans le classement international sont des nains au Japon, où s'écoulent pourtant environ 50 millions de terminaux par an. À l'inverse, les Japonais restent dans ce domaine souvent cantonnés au marché nippon. Leurs produits, trop sophistiqués et trop calés sur les spécificités nippones, ne rencontrent pas le même engouement ailleurs même si les concurrents étrangers s'inspirent intelligemment de leurs idées et leur achètent la plupart des composants de base de leurs terminaux (module photo, circuits intégrés, écrans, etc.). L'arrivée sur le marché du modèle iPhone du groupe d'informatique américain Apple a toutefois bousculé la donne. Softbank, troisième opérateur de services mobiles au Japon, a commencé à proposer la gamme iPhone au Japon en juillet 2008, coupant alors l'herbe sous le pied de NTT Docomo, plus important opérateur japonais, qui était au départ sur les rangs. La première variante d'iPhone commercialisée dans l'archipel

(qui était la deuxième d'Apple) n'a pas d'emblée séduit les Nippons, mais les suivantes ont acquis une grande popularité qui a permis à Softbank de gagner de nombreux nouveaux abonnés, grâce à un monopole de facto sur ce produit, lequel a été brisé en 2011 par KDDI à son tour autorisé à intégrer l'iPhone dans sa gamme.

Le téléphone cellulaire, nouvel appendice corporel

À quoi ressemblent les téléphones mobiles nippons ? À des « couteaux suisses vitaux », selon les hommes, à des « accessoires de mode indispensables » selon les filles. Tous les appareils sont en effet pourvus d'une palette éclectique de fonctions, le plus souvent utilisées malgré l'apparente futilité d'une partie d'entre elles. Exclusifs et parfois même fabriqués en série limitée, ils bénéficient d'un design léché, œuvre d'un créateur renommé, sont constitués de matériaux soigneusement sélectionnés, le tout pour cibler telle ou telle catégorie de clients de toutes générations. Ces terminaux, munis d'un large écran en couleurs, donnent accès à des milliers de sites spécifiques, voire aux pages Internet normalement destinées aux ordinateurs lorsqu'il s'agit d'appareils dits « smartphone » inspirés de l'iPhone mais souvent enrichis de fonctionnalités souhaitées par les exigeants mobilautes nippons. L'échange d'e-mails traditionnels (jusqu'à 5 000 caractères japonais), avec icônes animées, fontes colorées et autres fioritures, fait partie des fonctions de base depuis 1999. Les Japonais n'utilisent pas les SMS puisqu'ils disposent tous sur leur téléphone d'une adresse électronique mobile. Depuis l'origine, il est donc possible d'envoyer et recevoir de longs courriels classiques accompagnés de liens et pièces jointes entre mobiles ou de mobile à ordinateur et *vice versa*, pour un prix ridicule frôlant la gratuité. À l'appareil photo, intégré en 2001, s'ajoute le lecteur de QR Code et Color Code, sortes de codes à barres en deux dimensions qu'il suffit de cadrer sur une affiche publicitaire, dans un magazine ou sur une carte de visite pour saisir des adresses de site ou des coordonnées personnelles sans utiliser les touches du clavier. La consultation de pages d'informations, de cartes météo ou de magazines, le téléchargement de sonneries, chansons intégrales, jeux ou applications diverses, de même que le shopping en ligne (cosmétiques, vêtements, légumes frais, CD/DVD, etc.), les enchères, la réservation de billets d'avion ou de places de concert, la lecture de livres, le boursicotage, la recherche d'horaires de métro ou de train et la création de blogs ou la participation à des sites communautaires (SNS) font partie des utilisations les plus fréquentes. La liste n'est pas exhaustive, loin s'en faut. Bilan : la facture mensuelle moyenne par abonné dépasse allègrement les 40 euros et grimpe chez les jeunes adultes bien plus haut. Elle est pour plus de moitié imputable aux échanges de données dont la proportion augmente et comble en grande partie la baisse inéluctable du tarif des communications vocales. La plupart des mobiles font aussi office de baladeur audio/vidéo numérique, avec une capacité de stockage en théorie illimitée puisqu'ils disposent tous systématiquement d'un emplacement pour carte additionnelle amovible (mini-SD, micro-SD ou autre) ou d'un mode de stockage en ligne, en plus d'une mémoire interne confortable. De ce fait, plus de 90 % des musiques téléchargées au Japon le sont à partir des mobiles, tant en volume (nombre de titres) qu'en valeur (montants dépensés). Le récepteur de signaux de positionnement par satellite GPS fait désormais également partie des composants implantés en standard, puisqu'à la demande des autorités, cet outil de localisation géographique est obligatoire sur tous les nouveaux mobiles vendus au Japon depuis le 1er avril 2007. Les services de secours ont en effet souhaité et obtenu cette mesure pour pouvoir déterminer la provenance exacte d'un appel d'urgence émis depuis un portable, même si compte tenu de la complexité toponymique, la personne en détresse n'est pas capable de dire précisément où elle se trouve.

Évidemment, le récepteur GPS est avant tout employé comme outil de radioguidage sonore et visuel en temps réel avec cartes en deux ou trois dimensions par les piétons, cyclistes ou même des automobilistes qui ne disposent pas d'un équipement de bord. Grâce à la reconnaissance vocale, l'utilisateur peut dicter ses requêtes de trajet, sans rien saisir au clavier. Les fonctionnalités de porte-monnaie électronique, cartes de crédit ou de fidélité, badges d'entreprise, titres de transport multicompagnies/multitrajets, sont en passe d'être généralisées, puisque désormais, une grande partie des nouveaux modèles sont pourvus d'une puce sans contact inamovible (Felica de Sony), différente de la puce SIM. Rapide, pratique, ludique, tel est le sentiment de la plupart des autochtones utilisateurs de ces services en fort développement. Même si un téléphone peut stocker plusieurs dizaines de milliers de yens (plusieurs centaines d'euros), le risque de se le faire dérober est minime. En cas de perte, un signalement au poste de police du coin suffit le plus souvent, celui qui le trouve s'empressant généralement de l'apporter aux autorités compétentes. Pour autant, comme les Nippons aiment être rassurés *a priori* et adorent les technologies avant-gardistes tape-à-l'œil, les opérateurs et fabricants n'hésitent pas à doter leurs appareils de fonctions de sécurité avancées, lesquelles lèvent les craintes même si *in fine* elles s'assimilent à des gadgets très rarement employés. Outre les banals codes PIN (que personne au Japon n'utilise !) existent ainsi des mobiles avec reconnaissance d'empreintes digitales, signature vocale, authentification faciale ou bipeur à glisser dans une poche qui sonne quand le mobile est un peu trop loin. La différenciation biométrique de l'utilisateur par l'iris de l'œil ou le réseau vasculaire du doigt est aussi pensée pour les terminaux mobiles. Autre grande fonction en vogue depuis mi-2006 : la télévision numérique terrestre (TNT) mobile. De nombreux modèles intègrent un récepteur de signaux de télé hertzienne diffusés depuis les sites émetteurs de radiodiffusion traditionnels (différents des antennes relais des infrastructures cellulaires des opérateurs). Pour regarder, gratuitement, les programmes des chaînes terrestres nationales ou régionales (NHK, Fuji TV, TV Tokyo, Nippon TV…), il suffit donc d'allumer la télé du mobile, sans avoir à se connecter à un quelconque service, une fonctionnalité qui permet aussi d'accéder à des guides électroniques de programmes ainsi qu'à des émissions interactives. Il existe aussi depuis bien longtemps des modèles spécifiques pour personnes âgées. Ils sont pourvus d'une fonction loupe d'écran, de touches d'accès direct à certains numéros (urgences, famille), d'un mode d'écoute par transmission osseuse et d'un système de ralentissement du débit de la parole de l'interlocuteur. Pour les enfants, sont proposés des téléphones étanches, avec exercices scolaires, emploi du temps, livres d'images, manuel d'usage respectueux d'un téléphone en public, portails de services bridés avec contrôle parental, alarme stridente et signal d'alerte géolocalisé en cas de danger. D'autres enfin, destinés aux adolescents et jeunes adultes fans de jeux, intègrent des dispositifs de reconnaissance de mouvements et diverses possibilités plus ou moins gadgets visant à séduire les plus exigeants ou les plus marginaux. Au total, environ deux cents à deux cent cinquante modèles de mobiles en différentes variantes colorées sont en permanence disponibles dans les rayons des enseignes spécialisées et hypermarchés de l'électronique. Le rythme d'arrivée des nouveautés est élevé, du fait d'une concurrence acharnée, du taux important de renouvellement lui-même stimulé par l'ajout incessant de nouveaux services et fonctions.

Tous ces exemples et d'autres illustrent l'approche des industriels et prestataires de service japonais, toute entière tournée vers la commodité, la qualité, l'amélioration du service. Soutenue par l'innovation technologique, cette stratégie s'appuie à la fois sur l'analyse de la demande immédiate et à venir, sur une observation des pratiques, sur l'évolution des comportements et parfois même sur les orientations de recherche données par l'État. Et lorsqu'une machine peut et prouve qu'elle sait mieux que l'homme effectuer efficacement une fonction, personne ne proteste. L'installation de portillons ou de distributeurs de tickets de train et de métro l'a prouvé. Il est vrai que l'objectif premier de la mise en place de tels dispositifs n'est pas tant la suppression de personnels que l'optimisation fonctionnelle (meilleure régulation, gain de temps). Devant chaque enfilade d'automates dans les banques et sur les quais des gares et stations de métro, on trouve toujours un préposé prêt à aider un client ou un passager qui rencontre un souci avec la mécanique, s'est perdu ou a égaré son ticket.

« *Okyaku sama no niizu* », anticiper et comprendre les besoins du client, exprimés ou non, est ainsi une phrase que l'on entend sans arrêt dans les propos des dirigeants, chercheurs, techniciens ou commerçants japonais. La réduction des coûts, qui fait bien sûr aussi partie de leurs préoccupations, s'opère par petites améliorations successives des procédés de fabrication, de la chaîne logistique ou des matériaux. Elle ne saurait toutefois se faire au détriment des fonctionnalités, de la qualité, de la sécurité ou de la prestation, en sabrant les dépenses de recherche, en licenciant du monde ou en négligeant les finitions. Les entreprises et fournisseurs de service assument aussi le risque de chiffonner leurs actionnaires en dégageant moins de marges les premières années suivant le lancement d'un nouveau produit ou concept. Ils se rattrapent ensuite. Ils consentent même parfois à tomber dans le rouge tout en démontrant que leurs recherches et projets sont à moyen ou long terme rémunérateurs. Ce raisonnement n'est toutefois viable que parce que l'argument de la valeur fonctionnelle rencontre un écho très fort auprès des clients nippons friands de nouveautés, lesquelles sont *a contrario* parfois jugées superflues ou carrément idiotes par les Occidentaux.

La vulgarisation technoscientifique essentielle

La forte sensibilité des Japonais aux arguments techniques et innovations fonctionnelles s'explique non seulement par l'offre pléthorique de produits innovants émanant d'acteurs locaux mondialement reconnus, mais aussi par le fait que les consommateurs nippons sont bercés par les techniques dès leur plus jeune âge, incités à les comprendre par la télévision, par la presse et à l'école, forcés de les utiliser au quotidien chez eux, au sein de leurs entreprises ou dans les lieux publics, et ce jusqu'à la fin de leurs jours.

La chaîne éducative du groupe audiovisuel public, NHK, enchaîne les cours de mathématiques, de vulgarisation technologique et autres programmes destinés tant aux écoliers qu'à leurs parents et grands-parents, à toute heure du jour et de la nuit. Ces émissions, généralement bigrement bien fichues, bien qu'abordant des thèmes *a priori* rébarbatifs, sont en outre accompagnées de livrets vendus en librairie qui en reprennent et complètent le contenu.

Une visite au musée des Technologies du futur (Miraikan) à Tokyo, lieu d'apologie des découvertes et travaux scientifiques nippons, est également particulièrement instructive. On y croise autant d'enfants et d'adolescents que de seniors, autant de femmes que d'hommes. Tous écoutent religieusement les explications de centaines de bénévoles, étudiants en sciences ou ingénieurs retraités avides de partager leurs connaissances. Ainsi, se trouver nez-à-nez en ces lieux un jour de semaine, à dix heures du matin avec deux *Shibuya girls* (minettes habillées dans le style sexy de ce quartier tokyoïte) piaffant des *sugoï, sugoï* – génial, extra – en apprenant comment fonctionne le routage des données sur Internet, cela surprend, même quand on a passé des années à étudier l'engouement technologique des autochtones ! Eh oui, ces deux demoiselles nippones, comme tant d'autres adolescents, étaient bel et bien ravies de piger à cet instant par quel miracle elles parviennent à s'échanger en quasi-temps réel à longueur de journée des « deco-mails » (courriers électroniques décorés) entre mobiles de nanas, et pourquoi parfois, quand tout le monde fait la même chose au même moment au pied de la statue du chien Hachiko à la gare de Shibuya, ça bouchonne ! Il faut dire que la mise en scène du mécanisme qui régit l'adressage de paquets de données sur un réseau informatique est plutôt attrayante et aisée à comprendre. Les maternelles amènent les bambins au Miraikan pour se pâmer devant le robot humanoïde Asimo de Honda, un être mécatronique d'assistance avec lequel ils cohabiteront peut-être dans quelques années. Les grands-mères, qui se posent beaucoup de questions sur leur santé et sur la façon de maintenir leurs corps et méninges en bon état, viennent ici entre amies se renseigner sur le fonctionnement du cerveau, l'évolution des cellules, le vieillissement des neurones, percer les mystères de la génétique, découvrir les dernières technologies d'imagerie médicale (tomographie, IRM, PET…), mesurer les prouesses de la chirurgie par microrobots et endoscopes et se faire une idée plus précise sur les promesses des thérapies géniques.

Les technologies, une valeur nationale

En 2010, tous les Japonais, des bambins aux centenaires, se sont pris d'affection pour une sonde spatiale malchanceuse, *Hayabusa*. qui venait d'achever un épique voyage de sept ans et six milliards de kilomètres dans l'espace. « *Hayabusa* », lancée en 2003 pour récupérer des poussières de l'astéroïde Itokawa, était entrée en contact avec lui en septembre 2005. Par la suite, elle rencontra d'incroyables ennuis techniques à répétition, laissant pendant cinq ans planer le doute sur la présence ou non d'échantillons de ce corps terrestre dans la capsule de collecte. On se souvient ainsi des atermoiements de l'Agence d'exploration spatiale japonaise (Jaxa), annonçant un jour triomphalement avoir réussi à attraper des particules, puis le lendemain prévenant qu'il faudrait quand même attendre le retour sur Terre de la sonde pour en avoir le cœur net. La très faible gravité présente à la surface du petit astéroïde a en effet conduit les scientifiques japonais à imaginer un système de prélèvement certes ingénieux mais aléatoire. Un cornet devait recueillir la poussière projetée par l'impact d'une bille sur la surface de l'astéroïde, la sonde disposant de seulement trois billes. Des difficultés de télécommunications avec la sonde, des avaries avec les moteurs, les batteries et d'autres équipements ont forcé les techniciens à jouer le tout pour le tout, le voyage se transformant en une véritable odyssée prolongée de trois ans. De ce fait, *Hayabusa* est devenue pour les Nippons le symbole de la ténacité, du courage et du non-renoncement dans l'adversité. Il n'empêche, *Hayabusa* emportait des technologies qui, tels les moteurs ioniques, sont censées notablement étendre les possibilités d'exploration spatiale et propulser le Japon parmi les grands conquérants de l'univers ou au premier rang des fournisseurs mondiaux des technologies requises.

Fortes de ce succès qui fit l'objet d'une adaptation au cinéma en 2011, les équipes de *Hayabusa* lancèrent une deuxième mission du même type pour 2014-2015, implorant le gouvernement de leur consentir le budget adéquat, alors même que les ministères étaient mis à la diète pour cause de finances publiques dans un piteux état.

En 2011, les Japonais avaient un autre grand motif de fierté : le super-ordinateur « K » (kei, 10 puissance 16) qui fut sacré numéro un mondial devant un modèle chinois Tianhe-1A et le Jaguar américain. « K » détrôna Tianhe, en tête six mois auparavant, avec une puissance de calcul trois fois supérieure. « K est arrivé premier avec une force écrasante, l'industrie technologique japonaise prouve ainsi qu'elle est bien portante », s'est alors félicité le patron de l'institut de recherche Riken. Installé à Kobe, cité portuaire de l'ouest du Japon, le super-ordinateur « K », dont le développement a débuté en 2008, fut achevé en 2011. C'était la première fois depuis l'Earth Simulator (simulateur d'activité terrestre), numéro un de 2002 à 2004, qu'un engin nippon revenait en tête de palmarès. « K a été entièrement fabriqué au Japon, de la recherche au développement des processeurs, en passant par la conception de l'architecture et sa fabrication », insistent ses créateurs.

« Je suis ravi que nous ayons pu atteindre ce résultat, rendu possible grâce aux efforts considérables de tous les intervenants, malgré l'impact du séisme du 11 mars au nord-est du Japon » a souligné Michiyoshi Mazuka, alors président du groupe Fujitsu. Pour les Nippons, la course à la puissance informatique est une compétition internationale à laquelle le Japon doit participer, d'autant plus que la Chine est entrée dans la danse. Toutefois, l'ambition des Japonais n'est pas tant de pulvériser des records mesurés en petaflop par seconde que d'évaluer avec des experts de la médecine, des nanotechnologies, de biotechnologies, de la météorologie ou de la mécanique la réelle pertinence de l'architecture informatique développée.

S'il ne s'agissait que de parader dans un TOP 500 des meilleures machines, Fujitsu n'accepterait pas d'y consacrer autant d'argent, d'autant plus que NEC et Hitachi, autrefois très investis, ont, elles, dû quitter le projet à cause de la crise financière internationale de 2008-2009 pour des raisons pécuniaires. Le raisonnement du patron de Fujitsu ne se borne pas au seul calcul des coûts et déficits directs, mais tient compte des bénéfices collatéraux des recherches et développements menés dans le cadre des super-ordinateurs. « Quand NEC et Hitachi sont partis, la charge financière reposant sur nos épaules a certes augmenté, mais notre motivation a elle aussi redoublé. Des milliers de chercheurs ont partagé pendant des années le même objectif, en visant la place de numéro un mondial car il faut vouloir atteindre le maximum pour réellement progresser » expliqua-t-il. De surcroît, le fait de parvenir à un tel niveau renforce la notoriété de Fujitsu, groupe qui, comme tous ses homologues nippons, doit se démener pour attirer chez lui les meilleurs ingénieurs et chercheurs. « Maintenant, l'objectif est de passer à l'échelle de l'exaflop par seconde » soit 1 000 petaflop par seconde, une ambition que vise aussi par exemple en France le Commissariat à l'Energie Atomique (CEA) en partenariat avec le géant des puces américain Intel. Fujitsu a néanmoins sans nul doute raison lorsque le groupe affirme qu'il existe peu d'entreprises au monde capable comme lui de développer intégralement de tels systèmes en interne, du matériel aux logiciels gérant l'ensemble de l'architecture.

Le retour au premier rang du TOP 500 du pays du Soleil-levant était d'autant plus intéressant qu'il s'inscrivait dans un contexte politique très particulier et signait la revanche de scientifiques sur les financiers. En effet, lors de l'arrivée au pouvoir en 2009 du Parti démocrate du Japon (PDJ), de centre gauche, après plus d'un demi-siècle de domination de la droite, il fut décidé de faire des économies (opération « tri des activités »), en sabrant les budgets consacrés à des domaines jugés non prioritaires par le nouveau gouvernement. Celui-ci s'était fait élire sur l'argument de la « chasse aux gaspillages » au profit des citoyens. Or, furent dénoncés les coûts dits exorbitants du projet de super-calculateur, sur lequel une responsable de commission gouvernementale, Renho, ex-starlette devenue ensuite ministre, osa cette question : « Pourquoi viser la première place mondiale, la deuxième n'est-elle pas suffisante ? » Finalement, la mobilisation des prix Nobel japonais, qui allèrent frapper à la porte du bureau du Premier ministre, permit d'échapper à la coupe budgétaire décidée et de réanimer le projet un temps gelé.

Ironie du sort, puisque « K » est devenu numéro 1, le ministère des Sciences est remonté dans le train pour accompagner le développement avant 2020 d'un super-ordinateur japonais 100 fois plus rapide que « K », donc à l'échelle de l'exaflop. Le ministère a mis en place une équipe de travail associant notamment le Riken, Fujitsu, NEC et plusieurs autres industriels.

Les Japonais sont d'autant moins indifférents aux techniques qu'ils sont des millions à œuvrer, fût-ce indirectement, pour l'un des grands noms nippons. Ils profitent en outre au quotidien des apports des technologies dans le bon fonctionnement de la société (portillons des gares, distributeurs de billets ultrarapides, systèmes d'alerte précoce des séismes et tsunamis, réduction des accidents et embouteillages sur les routes, ponctualité des transports, signalisation et localisation des victimes lors des désastres). Ils respectent le rôle historique joué par les innovateurs Sony, Matsushita/Panasonic, Canon ou Toyota dans le redressement du pays après-guerre. Ils mesurent enfin le poids des techniques dans l'économie nationale et leur rôle dans le rayonnement mondial du Japon. Le haut niveau général d'éducation, l'habitude bien ancrée de lire les journaux, la publicité phénoménale et la curiosité qui animent la plupart des Japonais ont pour effet une large diffusion des nouveaux concepts et de leur usage. Exemple : presque tous savaient début 2007 que la dénomination One seg désignait le service de télévision numérique terrestre mobile lancé en 2006, et ce bien que cette appellation commerciale anglophone, et donc abstruse, découle directement de la technologie de diffusion employée. Entendons-nous bien : tous les Japonais ne sont pas des férus de technologie qui ne parlent que de cela à longueur de journée. À vrai dire, leurs conversations tournent davantage autour de la nourriture et des boissons, une obsession, de la mode, une passion, ou du chalandage, une fréquente occupation. Il n'empêche, sans même y prêter attention, ils utilisent une batterie d'équipements high-tech plus naturellement, plus instinctivement, plus souvent, ne serait-ce que du fait qu'ils n'ont pas le choix : les microprocesseurs, capteurs et autres composants et matériels électroniques sont partout.

Les Nippons ne sont pas non plus réfractaires aux innovations par réflexe de précaution. Ils font *a priori* preuve d'une bonne disposition à leur égard, ce qu'illustre par exemple l'adoption massive des cartes à puce sans contact de transport. Lorsque la compagnie de chemins de fer de Tokyo JR lança en 2001 le « passe sans contact » Suica, équivalent de Navigo de la RATP, ce fut un succès immédiat devant lequel s'extasièrent les médias. Quand, quelques années plus tard fut proposée une autre carte intégrale baptisée Pasmo par les compagnies de métro et bus, elles en écoulèrent plus d'un demi-million d'exemplaires le premier jour et se retrouvèrent en l'espace de deux mois en rupture de stock, obligées de suspendre leur délivrance face à une demande excédant largement leurs prévisions. Elles avaient commandé quatre millions de cartes pour l'année, estimant que le potentiel était faible compte tenu du fait que plus de vingt millions d'individus possédaient déjà l'autre carte équivalente, Suica, émise par JR. Mais les Nippons attachent une valeur symbolique et affective aux objets nouveaux qu'il est difficile d'anticiper. On la constate après-coup, on ne se l'explique que rarement, on s'en félicite éventuellement.

Sugoï, *la technique c'est génial !*

Face à ces systèmes, personne n'a hurlé au loup. Nul n'a prétendu que ces sésames à technologie d'identification distante par radiofréquences (RFID) allaient mettre à mal la liberté de se déplacer en permettant aux compagnies de retracer le cheminement des individus. Personne n'a regimbé sous prétexte que le porte-monnaie électronique adossé aux mêmes supports donnerait la possibilité auxdites compagnies de suivre les achats effectués par leurs passagers dans les gares. Au contraire, les usagers des métros se réjouissent de posséder ces titres de transports multitrajets qui leur évitent de devoir prendre des tickets magnétiques aux distributeurs et leur permettent de payer leur magazine au kiosque sur le quai sans bourse délier. De même, lorsque les *konbini* Seven Eleven ont lancé en mai 2007 leur carte de fidélité Nanaco couplée à un porte-monnaie électronique, ce fut la ruée. En moins de six mois, près de six millions de clients l'ont d'emblée exigée ou téléchargée sur leur téléphone mobile. Et pourtant, tout le monde sait très bien que ce nouveau moyen de paiement est un puissant outil de capture de données sur les habitudes de consommation des clients grâce à la conservation informatique de l'historique des achats associé au profil sociologique de chaque porteur. Mais peu importe. Car c'est tellement commode de régler son *bento* en un tournemain, simplement en effleurant la caisse enregistreuse avec la carte en plastique ou le dos de son téléphone. Sans compter que chaque transaction permet d'accumuler des points qui se transforment en autant de yens de ristourne sur les achats suivants. Et puis, après tout, si lesdits *konbini* sont en mesure, grâce à des statistiques plus fines, de mieux satisfaire la demande, qui s'en plaindra ? Peu de Japonais en tout cas.

Capteurs et puces, en voulez-vous ? En voilà !

Encore plus frappant et éloquent est l'enthousiasme pour les systèmes d'authentification des personnes par les techniques biométriques, fondées sur la différenciation physiologique. Le fait de devoir présenter la paume de sa main ou son doigt au-dessus d'une machine qui en capte à faible distance, sans contact direct, l'image du réseau vasculaire, pour effectuer un retrait d'argent à un distributeur n'effraie pas les Japonais. C'est même tout l'opposé : ils applaudissent. Quelque 80 % des personnes adhèrent d'emblée à ce type de solutions dans lesquelles ils voient un gage de sécurité supérieur aux autres techniques. Ils trouvent ces systèmes qui s'appuient sur l'unicité et la permanence de caractères physiques propres à chacun « ma foi bien pratiques » (pas de code secret à retenir), « rassurants » (falsification *a priori* impossible), ludiques (par leur côté magique ou futuriste) et hygiéniques (pas besoin de toucher un lecteur comme dans le cas des empreintes digitales). L'entichement est tel que les banques, qui toutes ou presque ont mis en place de tels dispositifs de sécurisation des transactions, en font sans crainte la promotion à la télévision.

Les cartes à puce ne seront d'ailleurs très prochainement même plus nécessaires, pas plus que les porte-monnaie. Les clients pourront régler leurs achats littéralement au doigt et à l'œil, sans sortir une pièce, un billet ou quoi que ce soit d'autre de leur poche, sinon une main, grâce à la combinaison des bases de données bancaires et des mêmes technologies d'authentification biométrique. Lors du passage en caisse, ils n'auront qu'à préciser qu'ils souhaitent voir le montant de leurs emplettes débité sur leur compte. Ils seront alors invités à placer un doigt ou leur paume au-dessus d'un lecteur de l'image de la structure des vaisseaux capillaires. Ces relevés biométriques seront alors transmis sous forme encryptée par liaison informatique, pour être immédiatement comparés selon un processus sécurisé à ceux préalablement enregistrés dans une base de données aux côtés des références bancaires du client. Comme pour un achat traditionnel payé par carte, le montant sera automatiquement défalqué sur le compte courant associé. Si aucun échantillon biométrique correspondant à l'image recueillie chez le commerçant n'est identifié dans les serveurs, la transaction sera refusée. En théorie, nul ne peut se faire passer pour un autre, le taux de faux rejet ou d'acceptation erronée étant techniquement infinitésimal. Des bibliothèques utilisent des procédés similaires, de sorte que la carte d'adhérent n'est plus requise pour emprunter un livre. Un restaurant d'*udon* – larges nouilles – de Tokyo offre une remise aux clients qui acceptent que chacun de leur passage à table soit enregistré dans la mémoire de ses ordinateurs, grâce à une prise d'empreintes digitales. Pour ce faire, les clients n'ont qu'à passer le doigt sur un lecteur après s'être inscrits une fois pour toutes. Au Japon, où les commerçants s'efforcent de chouchouter les *repeater* – habitués –, la mémoire informatique est jugée plus fiable et pérenne que la cervelle humaine pour les reconnaître, d'autant que le personnel change à toute heure. La prochaine étape sera l'encaissement direct du repas sur le compte en banque sur simple relevé d'empreintes.

Le paiement biométrique viendra ainsi s'ajouter à la dizaine de porte-monnaie électroniques à puce sans contact existants, pour remplacer les transactions en liquide que n'ont pas réussi à détrôner les cartes bancaires souvent réservées aux gros montants. Les encaissements de moins de 3 000 yens (27 euros) représentaient ces dernières années un volume annuel de plus de 60 000 milliards de yens (550 milliards d'euros), soit près du triple du montant des paiements par carte. Les prestataires de service de règlement dématérialisé sur mobile ou par biométrie convoitent cette manne, chacun des micropaiements effectués par ces nouveaux biais donnant lieu à une commission payée par les commerçants. Ces derniers ne sont pour leur part pas hostiles au fait de reverser un petit pourcentage de leur chiffre d'affaires aux pourvoyeurs de solutions de paiement, car ils se rattrapent par ailleurs du fait de la réduction du temps de passage en caisse et de la disparition progressive de la gestion de la menue monnaie. Ils se donnent aussi de cette façon une image « high-tech » que les clients affectionnent particulièrement.

L'engouement n'est pas différent pour les systèmes de contrôle d'accès fondés sur la reconnaissance de la voix, du visage ou de l'iris de l'œil. Les promoteurs immobiliers de résidences vantent à longueur d'annonces et de prospectus les « verrous » biométriques installés aux halls d'entrée et devant les ascenseurs dans des cités où l'insécurité n'est pourtant qu'un épiphénomène. C'est qu'il est bien appréciable de juste présenter son visage à la porte sans devoir taper un code ni chercher sa clé au fond du sac à main quand on rentre tard, avec une envie pressante, un tantinet ivre (les hommes le sont souvent) ou les bras chargés de commissions (ce qui est davantage le lot des femmes).

Le même genre d'appareillage est aussi bien entendu exploité pour gérer les entrées/sorties dans les entreprises. Ils y font office de pointeuses, comptables du nombre d'heures supplémentaires effectuées par chaque salarié et du temps de vacation des intérimaires. Les données sont transmises automatiquement aux systèmes de paye et personne ne semble ici s'offusquer de ce qui serait ailleurs considéré comme un « flicage » inacceptable.

Les sociétés utilisent sans états d'âme des étiquettes électroniques et moyens de localisation en temps réel. Le groupe de *konbini* Seven Eleven sait ainsi à tout moment où se trouvent ses 4 000 véhicules de livraison grâce au GPS embarqué à bord et si le chauffeur est en phase avec les horaires prédéfinis. Lorsqu'un desdits camions approche d'un carrefour risqué ou d'une école, une annonce vocale retentit automatiquement pour le mettre en garde. Le dispositif décèle aussi les anomalies (somnolence ou autre attitude anormale) et prodigue des conseils pour améliorer la conduite des livreurs. Une batterie de capteurs divers reliés à un module de communication sans fil envoie au QG du groupe des rapports techniques qui permettent aux mécaniciens de détecter les problèmes. D'où un diagnostic plus rapide des avaries qui se traduit par une réduction des temps et coûts de maintenance. Néanmoins, soucieux de ne pas stresser dangereusement ses conducteurs, Seven Eleven a trouvé une parade : les messages vocaux sont enregistrés par des voix qui leur sont familières (épouse, enfant) ! Le modèle Seven Eleven, qui englobe encore bien d'autres astuces, ne suscite apparemment pas la colère des syndicats. Il fait au contraire figure d'exemple.

Les compagnies de chemin de fer glissent de minuscules puces électroniques dans les uniformes de leur salariés, afin de se rendre compte immédiatement de la disparition de vestons, casquettes ou pantalons. Ces vêtements, aux couleurs de JR ou Odakyu, sont en effet très recherchés par les fans du rail qui les troquent sur Internet. Le phénomène ne serait pas gênant outre mesure s'il ne concernait que les adorateurs des trains, mais les compagnies craignent les imposteurs qui se feraient passer pour des employés de gare avec des motivations moins inoffensives.

Parce que la sécurité des enfants prime sur leur liberté

La sécurité des enfants sert aussi de prétexte au développement d'un impressionnant arsenal technique. La compagnie ferroviaire tokyoïte Odakyu et plusieurs autres de la région du Kansai proposent depuis 2007 aux parents un service sur téléphone portable qui leur permet de suivre quasiment en temps réel leurs petits sur le chemin de l'école. Et ce, grâce à leur carte de train urbain. Lorsque l'enfant passe les portillons d'accès aux quais, le numéro, unique, de son titre de transport est lu et un message est alors envoyé à l'adresse électronique mobile d'un proche. Le concept est cette fois encore signé Omron, le spécialiste des portillons. Des lecteurs de carte de train simplifiés, installés à l'entrée des écoles partenaires, déclenchent également l'envoi d'une alerte par e-mail. Pour bénéficier de ce service gratuit sur inscription, les enfants doivent posséder un abonnement à la compagnie ou une carte à puce sans contact. Le message est adressé à qui de droit dans les vingt secondes suivant le franchissement d'un portique, quel qu'il soit, où qu'il soit dans une des stations desservies par les lignes concernées. Ainsi, si le garnement descend au mauvais arrêt et va rôder à la périphérie d'une gare qu'il n'a *a priori* pas à fréquenter, sa mère est immédiatement avertie. De même, si cette dernière est sortie faire des courses, elle va presser le pas pour être de retour en même temps que son rejeton lorsqu'elle est informée qu'il est rendu à la station près de la maison. Avant de lancer cette offre, dont on pressent le ramdam qu'elle susciterait en Europe, et particulièrement en France, la compagnie Odakyu l'a testée auprès de 2 000 personnes. Résultat de l'enquête : 98 % des parents ont déclaré se sentir davantage rassurés. Et les enfants, qu'en pensent-ils ? Les plus petits, ceux qui sont en primaire, ne sont pas forcément informés, en revanche, les collégiens, plus matures, doivent donner leur accord, ce qu'ils ne rechignent guère à accepter. De son côté le groupe Matsushita/Panasonic a imaginé un dispositif fondé sur des étiquettes électroniques solidement arrimées au cartable des enfants. Quand les écoliers franchissent le portail de leur établissement, ils sont automatiquement détectés par le système et filmés par une caméra. L'information selon laquelle ils sont arrivés ou non à l'école est envoyée par courrier électronique à la mère. La gestion de l'historique des absences est automatique. Les parents et enseignants qui ont expérimenté le service sont ravis. Cette innovation a notamment été testée dans une école du nord du Japon, là où les conditions météorologiques sont les plus extrêmes, pour valider que le brouillard, la neige où la pluie ne bloquent pas la réception des ondes émises par les étiquettes dans un rayon de plusieurs mètres. Il faut tout prévoir. Les opérateurs de télécommunications mobiles proposent eux aussi une flopée de services de localisation des enfants munis d'un téléphone. Les parents peuvent visualiser sur leur propre terminal où se trouve leur petit protégé, plan détaillé à l'appui. Cette panoplie est complétée par les moyens de la société de sécurité privée Secom, connue comme le loup blanc au Japon. Au cas où un enfant serait injoignable, ou bien si ses tuteurs ne parviennent pas à le localiser seuls, Secom entre en action et dépêche sur le terrain ses hommes casqués, munis d'un talkie-walkie et d'un gilet pare-balles. Autrefois peu inquiets de laisser leur gamin de six ans circuler seul matin et soir en métro, les parents se font aujourd'hui du souci. Il a suffi de quelques affaires sordides et hypermédiatisées d'enlèvements et assassinats d'enfants pour les rendre très méfiants. D'où l'attrait grandissant pour ce type de services. Toutefois, si tous les pères et mères s'accordent à dire qu'il est bien de pouvoir savoir à tout moment où se trouvent leurs mômes (surtout lors d'un séisme ou autre situation inquiétante), une proportion non négligeable d'entre eux regimbe à confier un téléphone à un petit de moins de dix ans. Pour solutionner ce dilemme, Secom a dégainé un autre dispositif : un petit boîtier de localisation avec alarme qui ressemble à un mobile, mais sans les effets secondaires redoutés (consultations de sites pour portables peu recommandables, utilisation excessive, facture explosive). Il sert d'une part à situer son porteur et permet d'autre part à ce dernier de sonner l'alarme pour appeler les anges gardiens de Secom à la rescousse par simple pression sur un bouton. Toutefois, depuis 2008, la réticence des parents vis-à-vis du téléphone portable est moins forte, l'État ayant enjoint aux opérateurs de filtrer sévèrement les sites Internet mobiles, de sorte que l'accès aux contenus douteux est bloqué pour les abonnés de moins de dix-huit ans, sauf si les tuteurs exigent la levée de cette barrière automatique. Les ados de seize ou dix-sept ans sont furieux, mais leurs parents, eux, se félicitent que les autorités prennent des initiatives à leur place.

Plusieurs municipalités ou associations de quartier ont pour leur part constitué des « communautés de volontaires » prêts à réagir à la première alerte, grâce à un système d'alarme en réseau, pour porter secours immédiatement à un enfant non accompagné qui se sentirait soudain en danger. Sachant les parents toujours plus inquiets que de raison, certaines crèches et écoles ont mis en place un réseau de webcams auxquelles peuvent se connecter les pères et mères depuis un ordinateur ou un téléphone mobile. Au lieu de glisser leur œil par le trou de la serrure, ils observent ainsi discrètement et de partout le comportement de leur petit génie. Des jardins d'enfants testent pour leur part l'emploi d'un robot de compagnie capable d'amuser intelligemment la galerie et dont les yeux (des caméras) servent aussi à rendre la scène visible aux parents depuis l'extérieur. Des systèmes similaires pour permettre à des médecins de suivre à distance des vieillards en maison de repos ou des personnes atteintes de la maladie d'Alzheimer existent également.

Par ailleurs, comme le risque d'accident routier est sans doute au Japon plus important que celui de se faire kidnapper ou maltraiter par les maîtres d'école et assistantes de vie, les groupes nippons de technologies, rarement en mal d'idées, ont aussi conçu des dispositifs d'alerte des piétons et conducteurs, dans le but premier de réduire le nombre d'accidents. Le troisième constructeur automobile, Nissan, et le premier opérateur mobile japonais NTT Docomo ont imaginé un système qui prévient les automobilistes de la présence d'un individu sur la chaussée et *vice versa*. Le mécanisme mis en œuvre récupère les coordonnées géographiques précises des piétons équipés d'un mobile intégrant cette fonction de positionnement et les confronte à celles correspondant aux véhicules, pour anticiper le risque de collision. Une alerte s'affiche alors sur l'écran du système de radionavigation automobile et une autre sur celui du téléphone. Le gouvernement teste aussi un autre appareillage qui, au lieu d'utiliser les informations GPS, s'appuie sur l'analyse des scènes filmées aux carrefours accidentogènes. Si un danger est perçu, les conducteurs sont mis en garde par leur récepteur de radionavigation. L'alerte est adressée *via* des bornes émettrices, infrastructures déjà employées pour transmettre en temps réel aux véhicules l'état du trafic (système VICS). Lorsqu'un camion enclenche la marche arrière ou appuie sur le clignotant, une voix féminine s'échappe de ce monstre pour avertir les passants de la manœuvre (« attention, je recule », « attention, je tourne à droite »), tout comme le font les conducteurs de bus vis-à-vis de leurs passagers, *via* un microcasque sans fil glissé sous leur casquette. Dans un avenir très proche, les piétons seront prévenus de l'arrivée d'un cycliste sur le trottoir, par un bip émis par leur téléphone portable, grâce à une puce électronique intégrée dans le cadre de chaque bicyclette.

Où est le danger ?

Que conclure de ces exemples dont la liste, bien que non exhaustive, est déjà édifiante ? Eh bien que les Japonais perçoivent d'abord, voire, pour certains seulement, dans toute innovation le bénéfice d'usage avant l'hypothétique (mais non démontré) travers pervers. Cette façon de penser résulte de plusieurs facteurs socioculturels. Comme on l'a expliqué précédemment, les Japonais aiment se sentir en sécurité, encadrés, tenus par la main. Ils détestent l'incertitude et ont peur de mal se comporter. Ils veulent qu'on leur dise ce qu'ils doivent faire et comment. Dans les lieux publics, ils ont l'habitude de marcher dans les pas de guides, de suivre des consignes, qu'elles émanent d'humains ou s'appuient sur des moyens matériels (fléchage, annonces vocales automatiques). Quand rien n'est écrit ou dit, ils sont perdus, réclament qu'on les renseigne, de peur de commettre un impair. D'où l'enfilade de conseils, instructions et mises en garde partout.

Très confiants dans les machines, très attirés par la high-tech, les Japonais voient d'abord dans les innovations un outil à leur service et non une menace à l'encontre de leur liberté d'aller, de venir ou d'agir. Une machine qui les débarrasse d'une corvée est une amie. Ils se montrent sur ce plan assez peu suspicieux à l'égard des prestataires de service ou de l'État, lequel est selon eux censé prendre les initiatives, gouverner, au sens premier du terme, et agir pour le bien-être de ses citoyens. Le détournement des dispositifs de leur louable et avoué objectif initial par des tiers à des fins autres et potentiellement dangereuses ou liberticides ne fait pas partie, peut-être à tort, des principales craintes locales, du fait sans doute de l'absence de retentissants scandales. Les industriels arguent pour leur part qu'ils n'auraient rien à gagner à jouer avec le feu en utilisant des données à mauvais escient, sinon ruiner leur image et leur avenir. « *Kanosei ga takai, risku ga hikui, ok desu* », « potentiel élevé, risque faible, OK » : face au « bénéfice d'usage », les éventuels aspects négatifs, utilisation de données à l'insu des citoyens et autres formes d'atteinte à la vie privée, sont jugés négligeables. Les consommateurs ne rejettent pas un concept *a priori* pour peu qu'ils en mesurent le rôle positif et que les prestataires leur donnent des gages de confiance, *via* par exemple un label de qualité. Ils s'inquiètent d'autant moins qu'ils ignorent, ou font mine d'ignorer, que la pertinence d'un service (une publicité très bien ciblée, une indication qui tombe à point nommé sur leur mobile) repose en réalité sur une fine connaissance de leur profil et habitudes, issue de l'accumulation de données sur leurs actes dans la vie réelle et sur leurs pérégrinations sur Internet. L'espionnage est peut-être réel mais n'est pas perçu comme tel par la victime. Les Français, plus gros consommateurs mondiaux d'antidépresseurs, ne font-ils pas après tout un raisonnement similaire vis-à-vis de ces médicaments ? Ils les avalent sans trop s'angoisser s'ils jugent les effets secondaires négatifs mineurs au regard des bienfaits annoncés. Ils font confiance à leurs laboratoires de réputation mondiale. À l'inverse, les citoyens du Japon, pays qui ne peut se prévaloir de groupes pharmaceutiques de la taille d'un Sanofi-Aventis, sont beaucoup plus méfiants à l'égard de la pharmacopée. Ils jugent par conséquent les Français bien imprudents en la matière. Les Japonais n'ont jamais entendu parler de catastrophes humaines dues à leurs technologies électroniques, mais ils gardent en mémoire des scandales liés à l'ingestion mortelle de traitements pourtant dûment autorisés. Chacun ses peurs.

D'autres éléments culturels expliquent aussi les différences d'attitude à l'égard des technologies. Moins individualistes que les Occidentaux, les Nippons se sentent responsables de ceux qui les entourent. Dans les familles ou cercles de proches, le problème de l'un est aussi celui de l'autre. Chaque membre du groupe est un *jibun no bubun*, un bout de soi-même. Il est dès lors normal de lui venir en aide au bon moment, instinctivement, sans même qu'il en ait formulé la demande. Les Japonais ne voient donc pas ce qu'il y a de condamnable à suivre les gestes de grand-maman à distance *via* une caméra connectée à Internet, à être alertés en cas de consommation anormale d'eau, de gaz et d'électricité, ou à être prévenus qu'elle a peut-être été victime d'un malaise par un système relié à des capteurs sensoriels implantés dans le sol et les parois des toilettes pour détecter une chute ou une posture étrange, sans filmer. De même, veiller sur ses enfants et savoir où ils sont, c'est le rôle premier des parents, estiment-ils. Finalement, quel est le gamin le plus libre ? Celui auquel on interdit de prendre seul le métro, de peur qu'il n'en réchappe pas, ou celui que l'on autorise à gambader non accompagné, tout en le surveillant de loin par téléphone portable et autres dispositifs interposés ?

L'entreprise, une mère protectrice

Par ailleurs, dans la société nippone, l'entreprise reste en partie perçue comme une deuxième famille. Elle est jugée d'autant meilleure qu'elle prend soin de ses salariés, et s'inquiète en permanence de savoir où ils sont et ce qu'ils font, informations essentielles dans un fonctionnement en équipe. Un bon patron doit se soucier de ses subordonnés et assurer la cohésion de ses troupes, ce qui transparaît dans l'agencement des espaces de travail ouverts. Les bureaux individuels n'existent pour ainsi dire pas. Le chef, dont le poste est orienté vers les membres de son équipe, garde en permanence un œil sur eux, comme un maître d'école face à ses rangées d'élèves. Avant même que les nouvelles technologies n'envahissent les sociétés, l'emploi du temps de chacun était inscrit sur des tableaux manuscrits au vu et au su de tous les collègues. Nul ne s'absente sans dire où il va et quand il reviendra, par égard pour la collectivité. La mini-réunion du matin sert aussi au patron à déceler une inquiétude sur un visage et à s'enquérir auprès de l'intéressé de ses éventuels problèmes personnels. Ces pratiques, considérées comme essentielles pour la bonne marche du groupe, se modernisent *via* les technologies, mais la philosophie qui les sous-tend n'est pas différente. Ainsi raisonnent les Japonais. Ces pratiques ne sont pas plus aujourd'hui qu'hier assimilées à une forme de surveillance despotique. Ils considèrent qu'il y a viol de leur intimité lorsque des pans secrets de leur vie sont divulgués à leur insu ou lorsqu'ils se sentent diffamés, mais ils ne s'émeuvent pas du fait que leurs proches, leur employeur sachent où ils sont à un instant donné s'ils n'ont rien à se reprocher. L'État n'est pas non plus considéré comme un ennemi contre lequel il faut lutter, il se doit au contraire d'être partout présent et disponible à chaque instant pour protéger ses citoyens. Les Japonais ne sont pas des révoltés permanents. Ils n'entretiennent pas avec le pouvoir une relation fondée sur le rapport de force. Que les autorités puissent les localiser à tout moment est davantage perçu comme un bien utile que comme un mal nécessaire dans un pays où un séisme peut à tout moment engloutir des millions de personnes. Que cela serve de prétexte à l'État pour se doter de moyens de contrôle renforcés est possible, mais nul ne semble vraiment s'en inquiéter. Que des machines secondent les policiers dans leur tâche première de surveiller et de secourir ne choque personne. Tant mieux si des caméras confèrent aux îlotiers un moyen de patrouiller sans bouger, cela évite qu'ils ne soient pas là où tout le monde souhaite les trouver à tout instant, c'est-à-dire dans leur *koban* – miniposte de police de quartier –, pour renseigner les passants.

Confiance et autodiscipline suffisent

Il n'existe pas au Japon d'autorité indépendante du type de la Commission nationale informatique et libertés (CNIL) française, mais cela ne signifie nullement que les entreprises peuvent utiliser les données personnelles comme bon leur semble et en faire commerce sans limites. Le droit de chacun de préserver son jardin secret est inscrit dans la Constitution. Une loi, entrée en vigueur en 2005, encadre les pratiques, sans les brider, reconnaissant le rôle essentiel des bases de données pour toutes sortes d'activités. Le consentement des citoyens est par exemple nécessaire pour tout enregistrement dans un fichier nominatif dont l'usage doit être préalablement précisé. Tout autre traitement que celui indiqué est prohibé. Les tribunaux tranchent en cas de litige. Autrement dit, les règles de base ne sont pas très différentes de celles retenues en France. Mais, alors que les Nippons acceptent facilement d'être répertoriés pour bénéficier de services personnalisés, les Français renâclent de peur d'être épiés. La différence majeure se situe là, dans les têtes, dans les intentions que les uns prêtent aux autres. Par ailleurs, les industriels et sociétés de services exerçant au Japon, regroupés au sein de diverses organisations, éditent des guides de bonne conduite et prodiguent des conseils techniques ou autres pour aider leurs membres à s'y retrouver dans les arcanes réglementaires, apporter des éclairages aux citoyens et éviter les débordements. Il existe en outre depuis 1998 un label, Privacy mark, plus contraignant encore que la loi. Il certifie d'une part que l'entreprise concernée respecte les règles, et d'autre part qu'elle s'est dotée de moyens techniques ou procéduriers pour limiter les risques d'évasion de données et pour agir promptement le cas échéant. Les entreprises doivent par exemple signaler, dès qu'elles s'en rendent compte, les pertes ou vols de fichiers nominatifs de leurs clients. Plusieurs cas se sont produits ces dernières années, notamment chez les fournisseurs d'accès à Internet, les commerçants en ligne ou les banques. Tous se sont immédiatement confondus en excuses auprès des personnes concernées devant les caméras et ont mis les bouchées doubles pour corser leurs moyens de protection, sans que ces affaires ne dégénèrent en esclandres.

Plus de 8 300 entreprises ont reçu le label Privacy mark, notamment les maisons d'édition, agences de publicité, fabricants d'appareils électroniques et fournisseurs de services en ligne. Ces sociétés se plient aux contrôles imposés pour l'obtention de ce « visa » jugeant qu'il est dans leur intérêt de jouer la transparence, faute de quoi leur crédibilité et leur bonne foi seraient mises à mal, les citoyens étant de plus en plus sensibilisés par les médias à ces questions. Les journalistes, par ailleurs très à l'affût des problèmes touchant les entreprises ou l'État, ne manqueraient pas de s'en faire l'écho si les conduites répréhensibles étaient légion. Le but de ces instances d'autorégulation est surtout d'éviter les incidents fâcheux qui pourraient rejaillir sur l'ensemble d'un secteur et saboter un marché potentiellement juteux. D'aucuns jugeront cette attitude des Nippons envers les techniques et ceux qui les proposent bien naïve. Eux rétorqueront que les Européens ont l'esprit tordu, qu'ils cherchent d'abord le mal là où il n'est pas forcément. Ils argueront que l'approche progressiste japonaise, fondée sur la priorité accordée au bénéfice d'usage et sur la sincérité présumée des entreprises et de l'État, est davantage constructive. Le fait est que dans ce contexte, les fournisseurs de technologies et de services ne sont pas en permanence soupçonnés d'arrière-pensées nocives. Ils sont *de facto* moins frileux, plus libres, plus inventifs. Ils se sentent davantage les coudées franches pour innover dans la limite des règles en vigueur. Ils n'ont pas à craindre une révolte immédiate à chaque fois qu'ils mettent en route un projet, si tant est qu'il ait pour prime objectif la résolution d'un problème, une amélioration prouvée du bien-être des citoyens *via* la création de nouveaux produits et services, ou tout autre but bénéfique, commercial ou non, doublé d'une réduction au minimum des risques négatifs encourus. Les entreprises nippones ne sont bien entendu pas des saintes, altruistes, agissant pour le seul bonheur de l'humanité, avec un complet désintéressement mercantile. Comme le prouve la collection de moyens de propagande décrite précédemment, elles sont comme toutes les autres, elles veulent vendre. Cependant, leur approche est toute entière fondée sur l'innovation multiforme.

Et voilà pourquoi les entreprises réussissent

Ainsi s'est mis en place au Japon un cercle vertueux qui entretient un marché local et dope l'expansion internationale. Cette dynamique positive, fondée sur le développement de produits et services haut de gamme et/ou teintés de vertus économiques, écologiques, sanitaires, hygiéniques, ludiques ou ergonomiques, freine la spirale de chute destructrice des prix, bloque la concurrence « discount/bas de gamme » et limite les conséquences malheureuses (délocalisation, chômage) que générerait une quête effrénée du plus bas coût au détriment de la valeur ajoutée fonctionnelle. Toutefois, si les firmes nippones peuvent se permettre cette stratégie qualitative, c'est qu'elles ont l'énorme avantage de s'adresser sur leur propre marché à des clients (trop ?) bien disposés, raffinés, attachés au service, et prêts à le payer, avides de nouveautés et technophiles. Ces derniers réagissent forcément différemment des consommateurs d'un pays qui se débat depuis des décennies avec un taux de chômage élevé, où de plus en plus rares sont les familles dont un membre travaille directement ou non pour un grand nom des secteurs de l'électronique, des semi-conducteurs, de la robotique ou autres nouvelles technologies, où les usines disparaissent une à une au profit du secteur tertiaire, où l'éducation et l'État dédaignent les métiers manuels, où la technique fait peur faute d'être expliquée et comprise, où les termes scientifiques sont à bannir des articles ou discours, où le statut d'ingénieur est moins valorisant que celui de responsable financier, où la transmission du savoir de géné-ration en génération est tuée par la compétition indivi-duelle, où la satisfaction liée à l'accomplissement d'un travail bien fait tend à s'estomper, où la suppression du ser-vice client est synonyme de gain de productivité, où la ruse remplace la créativité, où l'argent devient l'objectif ultime de tout et de tous, où l'augmentation du pouvoir d'achat constitue l'*alpha* et l'*oméga* des promesses politiques par l'encouragement du « discount » au détriment du saut qualitatif des produits, des emplois et des salaires, et où, échaudé, on se méfie systématiquement du détournement des techniques à des fins malfaisantes sans en voir les apports. Quand pour le client final le prix est le premier, voire le seul, critère de sélection, loin devant la qualité, la sécurité ou les fonctionnalités, la machine infernale « bas prix, baisse des coûts », pour coller aux préoccupations des acheteurs, conduit forcément les entreprises manufacturières à tailler dans les effectifs, à fermer les usines, à sous-traiter leur production auprès d'ateliers chinois, roumains ou marocains plus compétitifs, à sabrer les budgets de recherche, à faire pression sur les salariés pour augmenter la producti-vité et à délocaliser aussi le service client, si tant est qu'il existe encore. Or, lorsque cette situation dure sans que per-sonne ne tire vite la sonnette d'alarme pour remettre la flèche dans le bon sens, celui de l'innovation industrielle et de l'investissement dans la formation des hommes plus qualifiés et mieux rémunérés, les mauvaises habitudes mor-tifères se prennent et elles s'enkystent. Surtout lorsque les entreprises continuent de la sorte à distribuer des dividendes et à afficher des bénéfices qui font illusion. Mais le retour de bâton à moyen terme est inévitable comme le prouve, entre autres, le déficit commercial abyssal de la France, faute de compter suffisamment d'entreprises innovantes exportatrices, en raison d'un portefeuille industriel déséquilibré, et du fait d'une propension des clients à se ruer sur des produits importés à trois sous, leurs revenus étriqués ne leur laissant de toute façon guère de marge. Des commissions peuvent bien dicter à l'État des centaines de mesures d'urgence pour relancer l'innovation, même judicieuses et mises en pratique, elles ne produiront que peu d'effets si les mentalités ne changent pas un tant soit peu, autrement dit si la peur et le soupçon permanents ne laissent pas une place plus importante à la confiance mutuelle, à la solidarité, au partenariat et à la prise de risques mesurée. Le tout sans pour autant verser dans l'angélisme dangereux dans lequel tombent parfois les Japonais.

Chapitre XXI

L'INNOVATION ANTIDÉLOCALISATION

Même si les entreprises japonaises, principales forces du pays du Soleil-Levant, bénéficient d'un environnement local propice à l'innovation, la concurrence au plan international les pousse néanmoins à transférer à l'extérieur une partie de leur production, pour rechercher les meilleurs compromis coût/qualité et rendre leurs offres compétitives à l'échelle mondiale. Pourtant, après avoir fortement délocalisé dans les années 1980 sur fond de hausse du yen, et dans les années 1990 en quête d'économies et de main-d'œuvre abondante, sur fond de crise, elles en sont aujourd'hui en partie revenues. Sans faire totalement machine arrière, elles sont devenues beaucoup plus rationnelles, plus parcimonieuses, et surtout plus sélectives sur le rôle de leurs installations et partenariats hors du Japon. Elles ont surtout maintenu ou, pour certaines, remis le cap sur la nouveauté, la qualité, le service et la protection de leur savoir-faire.

Ne se départant pas d'une vision de long terme, les plus clairvoyants n'ont jamais sacrifié la recherche, bien au contraire. L'auraient-ils fait d'ailleurs que personne n'aurait aujourd'hui le choix entre téléviseurs à technologie LCD ou plasma en haute définition de grande taille ou ne pourrait s'offrir un enregistreur haute définition sur DVD de nouvelle génération Blu-Ray, quelle qu'en soit l'origine, puisque les bonds techniques qui ont rendu possible l'industrialisation de ces produits, entre autres, ont vu le jour dans des laboratoires nippons (Fujitsu, Sharp, Sony, Toshiba, NEC ou Matsushita) durant la soi-disant « décennie perdue ».

Entre R & D et dividendes, il faut choisir

En période faste comme en plein marasme, quelque entreprise qu'ils dirigent, les patrons n'ont en réalité que trois leviers de commande : les dépenses de fonctionnement administratif, les investissements en biens d'équipement, et les montants alloués à la recherche et au développement. Le chiffre d'affaires, les bénéfices ou le prix des matières premières, eux, ne se décident pas, ils se constatent. Or, les groupes nippons qui se sont le plus rapidement échappés du long trou d'air des années 1990 sont précisément ceux qui ont le moins amputé les budgets consacrés à la recherche, à la formation, ou à l'achat de matériel. Ce sont aussi ceux qui ont le mieux su faire le tri entre les technologies matures, à abandonner, transférer ou délocaliser sans risques, et celles qui, au contraire, exigeaient d'être développées sur place et protégées. Sony, qui a traversé au milieu des années 1990 jusqu'à l'orée des années 2000 une phase de doute, laissant ses chercheurs dans l'expectative, perdant quelques-uns de ses meilleurs éléments, s'est de facto laissé distancer dans ses deux secteurs de prédilection, la télévision et l'audio, par ses deux plus gros concurrents locaux, Sharp (TV LCD) et Matsushita/Panasonic (modèles à plasma) d'une part, et par l'américain Apple avec son révolutionnaire baladeur numérique à mémoire iPod d'autre part. À l'inverse, Canon, Toshiba, Sharp ou Toyota, qui ont par tous les temps privilégié la recherche, misé sur l'extension des compétences de leurs salariés et flairé les tendances avant leurs rivaux (moyennant d'importants investissements), en récoltent aujourd'hui les fruits. Canon a anticipé la transition vers des systèmes bureautiques multifonctionnels dans le monde professionnel de même que le glissement progressif de la demande du grand public vers les appareils photo numériques compacts évolués et modèles à visée reflex. Toshiba a abandonné aux autres Asiatiques certains types de semi-conducteurs d'ordinateurs devenus non rentables pour se concentrer sur le développement et la production de microprocesseurs avancés et de mémoires dites « flash » pour téléphones, baladeurs, appareils photo ou PC portables. Quant à Toyota, il a compris avant tous ses compétiteurs la nécessité de concevoir des voitures plus légères, moins encombrantes, plus intelligentes et propres, propulsées par des énergies non dérivées du pétrole, électricité en tête. La première voiture à motorisation hybride, la Prius, est sortie de ses usines nippones en 1997. La troisième de la gamme est devenue la voiture la plus vendue de l'année au Japon en 2009.

Les mots des patrons des patrons

Les patrons successifs de Toyota ont en outre toujours eu en horreur les suppressions d'emplois justifiées par des délocalisations compétitives, considérant une telle mesure comme le dernier des remèdes à une crise conjoncturelle. Le P-DG du groupe lors des pires années de calamité économique, Hiroshi Okuda, le répétait à l'envi. Ses mots résonnaient d'autant plus que le même était à l'époque président de la plus importante organisation patronale japonaise, le Nippon Keidanren. Son successeur à ce poste, le P-DG de Canon, Fujio Mitarai, ne tint pas d'autre discours. Lui aussi considérait les ressources humaines et leur formation continue comme le plus précieux atout d'une entreprise aux côtés de son patrimoine technique et de ses capacités de production. Feu le créateur de Sony, Akio Morita, jugeait, quelques années auparavant, qu'une entreprise qui n'a plus de moyens de fabriquer elle-même les produits imaginés par ses ingénieurs court à sa perte et expose son pays aux risques d'une dépendance industrielle, et même financière, à l'égard de l'étranger. Dans son ouvrage *Le Japon qui peut dire non*, coécrit avec celui qui devint en 1999 gouverneur de Tokyo, Shintaro Ishihara, M. Morita fustigeait ainsi les États-Unis, affirmant ouvertement que si leur déficit commercial vis-à-vis du Japon était si massif, c'est qu'ils n'avaient eux-mêmes plus grand-chose à exporter, hormis des avions, quelques ordinateurs et des armes. Il ajoutait même, féroce, que sans les composants, matériaux et autres technologies nippons, ces produits américains n'existeraient sans doute pas. Morita disait aussi à qui voulait bien l'écouter qu'une entreprise ne doit jamais considérer ses travailleurs comme de simples outils à utiliser pour faire du profit. Il n'avait pas de mots assez durs pour les sociétés des pays occidentaux qui font passer les intérêts de leurs actionnaires ou de leur direction avant ceux des employés quand il s'agit de répartir les fruits du travail. L'approche japonaise, estimait-il, conduit les salariés à faire de leur mieux pour fabriquer les meilleurs produits, trouver les bons fournisseurs et vendre les produits de la façon la plus efficace. En entraînant le personnel à donner le meilleur de lui-même, en lui assurant une formation et un cadre de travail motivant, les gains sont garantis, ajoutait-il. Il insistait enfin sur le fait que les actionnaires japonais se montrent compréhensifs quand les dirigeants préfèrent utiliser les bénéfices année après année pour moderniser l'outil industriel et financer la recherche, car, tout comme les salariés, ils veulent que leur entreprise prospère. « Même s'ils connaissent une ou deux mauvaises années, les investisseurs japonais sont moins enclins que leurs homologues occidentaux à retirer leurs capitaux pour encaisser des profits immédiats », affirmait-il en 1993. Las, toutes les entreprises japonaises qui s'étaient prises au *money game* spéculatif des années 1980 n'avaient plus les moyens de suivre à la lettre les préceptes humanistes des dirigeants de Sony, Toyota ou Canon. Certaines ne pouvaient à l'époque éviter les volumineuses charrettes de licenciements, tant elles étaient aux abois et souffraient de réels excès de main-d'œuvre. Autrefois, elles supprimaient les postes, mais continuaient de payer à ne rien faire ceux qui les occupaient auparavant. Au lieu de les virer, elles leur laissaient leur titre (devenu fictif) et aménageaient un bureau au soleil, près de la fenêtre, d'où le surnom *madogiwa-zoku* – ceux du bord de la fenêtre – donné à ces salariés sans travail. Fin d'une époque. Aujourd'hui, ces mesures paisibles ne sont plus possibles. D'autant moins que, comme toute grande société cotée, les entreprises nippones ont désormais un actionnariat multinational qui rend plus difficile une stratégie de long terme, sans pour autant l'interdire. Fait notable : les groupes industriels qui avaient placé à leur tête durant la période de la fièvre spéculative, et après son éclatement, des spécialistes de la finance ou du marketing ont eu davantage de peine à sortir de l'ornière que ceux dirigés par d'ex-ingénieurs. Du fait de leur formation, les patrons qui ont fait carrière dans les laboratoires ou usines ont naturellement le regard un peu moins braqué sur les comptes. Ils ont tendance à privilégier le développement de produits, à mettre l'accent sur la recherche et à ne pas lésiner sur l'investissement en matériel (construction d'usines, renouvellement des machines). Ils encouragent la formation des salariés pour se démarquer par le haut. Quant aux nécessaires réductions de coûts, facteur de compétitivité essentiel dans l'univers marchand sans frontières, ils les font porter en priorité sur les gains de productivité par l'optimisation des procédés de fabrication, sur l'efficacité des robots, sur l'amélioration du rendement des matières premières, sur la rationalisation de la chaîne logistique, sur une sélection plus sévère de leur périmètre d'activités, sur les synergies industrielles, sur l'élimination des redondances et sur la diminution des dépenses administratives. Ce n'est sans doute pas un hasard si le retour à meilleure fortune de grandes firmes japonaises, Sony par exemple, suit celui de techniciens spécialisés aux commandes, en lieu et place de financiers interchangeables, un phénomène dont les politiciens et médias locaux se félicitent d'ailleurs. Sony est redevenu un champion des télés après l'arrivée d'un expert des technologies de l'image au poste de numéro deux du groupe, comme patron de son activité centrale, l'électronique.

Fabriqués au Japon, assemblés ailleurs

Aujourd'hui, si nombre de produits de marque japonaise sont flanqués d'une étiquette *made in China, made in Poland, made in Mexico* ou *made in Malaysia*, l'information n'est pas tout à fait exacte, elle est tronquée. Il faut lire entre les lignes, à l'intérieur des machines. Cet autocollant signifie en fait « assemblé en Chine, en Pologne, au Mexique ou en Malaisie ». Mais les composants, qui exigent des matériaux et techniques de pointe, proviennent pour la plupart d'unités de production bel et bien situées au Japon, appartenant auxdits groupes nippons eux-mêmes ou à leurs compatriotes fournisseurs. Le transfert de production à l'étranger ne concerne dès lors, et le plus souvent, que les activités propres aux pays étrangers (adaptation de produits) et les procédés finaux sans grande valeur ajoutée technique ou intellectuelle et que des robots ne font pas (ou pas encore) mieux et plus rapidement que des hommes, auquel cas il ne serait même plus nécessaire de réaliser ces tâches hors du Japon, au contraire. Aucune grande entreprise nippone des secteurs de l'électronique, des automations industrielles, de la chimie, de l'automobile, des systèmes de télécommunications ou encore de l'alimentation, pour ne citer que les plus importants, ne se rêve sans usine sur l'archipel. D'autant que la devise japonaise a fortement baissé depuis les années 1980 et que le contexte géostratégique a profondément changé avec le réveil de la

Chine, ambitieuse. De plus, les pouvoirs publics aident les industriels à ne pas déserter le territoire *via* des incitations fiscales et autres avantages. Les autorités locales et l'administration centrale font à nouveau usage à profusion du terme *monozukuri*, initient des programmes pour que les plus jeunes ne se détournent pas des métiers exigeant un savoir-faire manuel et une grande technicité qui ne s'acquièrent qu'auprès d'un ancien chevronné. Les écoles et lycées sont invités à se rapprocher des industriels pour sensibiliser les élèves à la « beauté du *monuzukuri* » et à la satisfaction intellectuelle qu'il y a à concevoir un produit, à perfectionner des procédés de production ou à perpétuer un secret de fabrication.

Lorsqu'on interroge les grandes entreprises nippones sur leur stratégie d'investissement au Japon et à l'extérieur, la réponse est invariable : à domicile les principales activités de recherche, le développement de produits et de procédés de production avancés, l'élaboration des plans de fabrication (usine mère), les contrôles de qualité ou de sécurité et la formation des ingénieurs et chefs de projet. À l'étranger sont essentiellement implantés des sites d'assemblage pour les marchés alentour, des services de vente et des filiales de maintenance. La part de la recherche conduite hors de l'archipel vise quant à elle à répondre à des besoins locaux et à adapter des technologies et produits à des contingences géographiques, des contraintes légales, des habitudes régionales ou des facteurs sociologiques particuliers.

Des usines à la pelle sur l'archipel

Cette prise de conscience des effets pervers d'une délocalisation débridée et les mesures prises pour maintenir un tissu industriel et des savoir-faire nippons portent. Il se construit toujours au Japon de gigantesques sites de production à des coûts faramineux. Selon le ministère de l'Industrie, quelque 1 764 nouvelles implantations et extensions d'usines de toutes tailles pour une surface totale de 2 332 hectares ont été recensées sur l'archipel en 2006, 1 526 en 2005, 1 248 en 2004. Le tournant s'est produit en 2002 au moment où le nombre de projets était descendu à son étiage (830 cas). Il ne s'est pas écoulé un trimestre en 2005, 2006 ou 2007 sans qu'un nouveau mégaplan de construction d'usine émanant d'un poids lourd industriel ne soit dévoilé. Sharp, Panasonic, Canon (composants électroniques), Honda, Nissan, Toyota, Suzuki, Daihatsu (automobiles), Fujitsu-Hitachi (dalles pour écrans plats plasma), Toshiba (semi-conducteurs), Bridgestone (pneus) ont tous mis en chantier au milieu des années 2000 de nouvelles infrastructures industrielles au Japon pour un investissement unitaire allant de 10 milliards de yens (plus de 90 millions d'euros) à 300 milliards de yens (2,8 milliards d'euros). La crise financière internationale de 2008-2009 a forcé à geler certains gros projets, mais ils ont souvent été relancés une fois le regain amorcé, même si la flambée insupportable de la devise japonaise vis-à-vis de l'euro et du dollar en 2010-2011 a obligé des sociétés à être plus prudentes dans le choix d'implantation de leurs sites de production en fonction des marchés-cibles, des articles fabriqués, de la main-d'œuvre requise et du degré de sensibilité des technologies employées.

Le cas exemplaire de Sharp, pionnier des TV LCD

Sharp et une quinzaine de ses fournisseurs ont par exemple investi près de 1 000 milliards de yens (9 milliards d'euros) à Sakai, dans la région industrielle d'Osaka, pour y construire en 2008-2009 le plus vaste complexe high-tech mondial de fabrication de dalles mères d'écrans plats à cristaux liquides (LCD), des panneaux de 3,05 mètres sur 2,85, pas plus épais qu'une carte de crédit (0,7 millimètre), ce que personne ne savait alors produire en série. Sharp, firme qui, à l'origine, en 1912, manufacturait des boucles de ceinturon et des crayons « bien serrés, bien taillés et soignés » (autant de termes se traduisant par *sharp* en anglais), s'est diversifiée dans le secteur des appareils électriques à partir de 1925. Choqué par le séisme qui ravagea l'est du Japon en 1923, et craignant qu'un tel cataclysme ne se reproduise à l'ouest, le patron de l'époque, fondateur de la société, Tokuji Hayakawa, décida alors de fabriquer un poste de radio, moyen d'informer les populations. Sharp fut ensuite le premier à commercialiser au Japon un téléviseur noir et blanc, en 1953. Continuant à étendre par la suite son champ d'activités, il ne cesse depuis plus de trois décennies de s'illustrer dans le domaine des technologies d'affichage à cristaux liquides dont il inaugura l'industrialisation. Son premier afficheur LCD, monochrome, riquiqui, équipait une calculatrice de poche, en 1973. Les Américains avaient laissé en plan les recherches, faute de résultats probants. Par le truchement d'une erreur de manipulation, un ingénieur persévérant de Sharp a trouvé l'astuce pour transformer des cristaux liquides récalcitrants en pixels d'écran obéissant à un courant. Le groupe a continué de stupéfier le milieu des techniciens avec des premières télévisions LCD en couleurs de 10 pouces (25 centimètres) de diagonale, 14 pouces, 20 pouces, 32 pouces. On croyait la limite atteinte, les dimensions plus élevées réservées aux téléviseurs à technologie plasma, initialement conçue par son compatriote Fujitsu. Que nenni, 40 pouces, 65 pouces et même un modèle de 108 pouces (2,75 mètres) commercialisé sur commande mi-2008. Et encore ne sont-ce là que les diagonales des écrans de télé, mais cela suppose qu'en amont l'entreprise est capable de fabriquer des dalles mères de surface nettement supérieure dans lesquelles sont découpés quatre, six ou huit écrans pour autant de téléviseurs. Avec sa nouvelle usine dont la construction a débuté en fin d'année 2007 pour une mise en route à l'hiver 2009, Sharp passa directement de la huitième génération de dalles mères à la dixième, de surface 60 % supérieure, un facteur essentiel de rentabilité… à condition toutefois de minimiser les défauts et pertes, d'où les barrières techniques. Les franchir exige des procédés ultracomplexes et très onéreux que seul un petit nombre de géants de l'électronique, en l'occurrence Sharp, S-LCD (coentreprise nippo-coréenne Sony/Samsung), LG Electronics (Corée du Sud), ou le taïwanais AU Optronics (AUO) savent concevoir et maîtriser en production de masse.

Sharp fabrique au Japon les dalles mères de larges dimensions, essentiellement destinées aux très grands écrans, même si les coûts salariaux y sont plus élevés qu'ailleurs. Pourquoi ? *Primo* parce que les fournisseurs des matières premières, de composants et de systèmes de production, japonais pour la plupart, sont sur place et qu'il ne s'en trouve pas de si performants et fiables ailleurs. Les fabricants nippons de matériaux avancés, tels que les films qui recouvrent les dalles ou bien encore les verres spéciaux, détiennent en effet la majeure partie, voire, dans certains cas, l'intégralité du marché mondial de ce type d'éléments. *Secundo*, par souci de qualité, du fait du niveau hors pair des techniques de production japonaises, robots en tête. *Tertio*, pour éviter toute fuite technologique, tant les moyens mis en œuvre constituent le nerf de la guerre. En outre, près des deux tiers du coût des dalles proviennent des matériaux et non des charges salariales. Plutôt que de s'acharner à faire des économies en délocalisant, avec tous les risques que cela comporte, il est plus judicieux d'augmenter la productivité des machines par des moyens optimisés conçus en interne, de réduire les frais logistiques en regroupant les fournisseurs en un même lieu, de mutualiser les infrastructures (électricité, eau, climatisation) et de pousser les recherches pour réduire les prix des matières premières en maximalisant leur rendement. Cette stratégie a conduit Sharp à élaborer des procédés uniques et savamment protégés.

L'envolée des ventes de nouvelles générations de téléviseurs durant les années 2000 n'est pas la seule qui a incité les grands groupes japonais à investir dans de nouvelles infrastructures de haute technologie. La même chose se produisit dans le domaine des écrans tactiles pour téléphones portables haut de gamme et tablettes numériques, ou dans celui des semi-conducteurs, qu'il s'agisse des mémoires « flash » ou des circuits intégrés à grande échelle (LSI) pour baladeurs audio/vidéo numériques, appareils photo, mobiles ou autres équipements électroniques grand public. Toshiba, un des deux grands fabricants de mémoires dites « flash » (NAND) au côté du sud-coréen Samsung a, coup sur coup, mis en chantier trois usines spéciales au Japon, ses quatrième, cinquième et sixième. Le groupe entendait ainsi asseoir sa suprématie en écrasant son principal concurrent avec une capacité de production indépassable, n'hésitant pas pour ce faire à se débarrasser d'activités devenues non stratégiques ou mort-nées (comme le format de DVD haute définition HD-DVD), ni à décaisser des sommes astronomiques (5 milliards d'euros par usine).

La préservation voire l'extension des moyens de production au Japon, en dépit du handicap que constitua l'ascension du yen depuis des décennies, déborde largement du cadre de l'électronique de pointe. Les géants de l'industrie lourde, Fuji Heavy Industries (FHI), Kawasaki Heavy Industries (KHI) et Mitsubishi Heavy Industries (MHI) ont ainsi tous inauguré de nouveaux sites au Japon en 2006-2007 pour la fabrication en matériaux composites du fuselage et de la voilure de l'avion long courrier Boeing 787 dont ces trois mastodontes ont obtenu 35 % de la production. Honda et Toyota, qui assemblent des véhicules dans de nombreux pays, ne désertent pas pour autant leur patrie où ils ont lancé en 2007 la construction de nouvelles usines. Plus d'un tiers des automobiles Toyota étaient encore produite au Japon en 2010.

En résumé, les groupes japonais ont certes déplacé des usines et investi fortement en Asie, en Europe, en Russie, en Amérique latine ou aux États-Unis, mais ils ne fabriquent à l'étranger que les produits aux technologies peu sensibles sur la base de spécifications et méthodes définies au Japon. Ils concentrent sur leurs terres une importante partie de leur activité industrielle. Quant aux coûts de production au Japon, ils ne sont pas systématiquement plus élevés, du fait des gains de productivité notamment dus à l'emploi d'outils efficaces. Les recherches poussées permettent de créer de nouveaux matériaux, d'améliorer le rendement des matières premières. Quant à la proximité des fournisseurs, elle réduit d'autant les frais de manutention.

Japon : atelier high-tech mondial

Cette bonne combinaison n'est toutefois possible que parce que le Japon dispose d'un réservoir énorme de petites et moyennes entreprises manufacturières, elles aussi détentrices de technologies uniques, recherchées tant par les groupes japonais que par les firmes américaines et européennes. Le premier baladeur musical numérique iPod d'Apple, par exemple. Produit venu des États-Unis ? Non, de marque américaine, imaginé en Californie, assemblé en Chine à partir de composants d'origine… japonaise. Même le fameux dos de l'objet, miroir de métal parfaitement poli, provenait d'un atelier d'une petite entreprise de Nagoya (centre-ouest du Japon). L'écran, le disque dur, une partie des circuits intégrés, la batterie sortaient pour leur part directement d'usines nippones. Et pour ses téléphones iPhone, Apple n'a pas trouvé meilleur écran tactile qu'au Japon, chez Sharp et Toshiba, lequel lui fournit aussi les mémoires Flash. Les téléphones Nokia, articles finlandais ? Non : développés en Finlande, fabriqués en Chine et bourrés d'électronique nippone. Bien que, hormis Sony, les fabricants de téléphones portables japonais n'aient que des miettes du marché mondial des terminaux (ventes au Japon comprises), la plupart des mobiles signés de leurs concurrents étrangers enferment des puces, des modules photo, des mémoires, des écrans, des batteries et autres éléments venus de l'archipel. Au final, même si dans les rayons des boutiques étrangères les parts de marché des appareils de marques japonaises tendent inéluctablement à baisser au profit des challengers chinois, sud-coréens ou taïwanais, les Nippons dominent toujours nombre de secteurs des composants électroniques, des machines, des composés chimiques et des matières synthétiques indispensables à la fabrication de moult produits. Les sociétés japonaises contrôlaient ainsi encore en 2010 quelque 70 % du marché mondial des matériaux composites (essentiels dans les secteurs aérospatial dès à présent et automobile bientôt), les deux tiers de la production des galettes de silicium (tranches de semi-conducteurs dans lesquelles sont gravés les circuits intégrés), environ 90 % des substrats de verre pour écrans plats et des filtres couleurs pour TV, 50 % des équipements de télécommunications et diffusion, 30 % de celui des systèmes industriels ou encore 40 % de celui des robots. Des firmes nippones de moins de vingt salariés propriétaires de techniques avancées s'enorgueillissent de détenir à elles seules la quasi-intégralité du marché mondial du type de produits sortant de leurs ateliers. Le Japon comptait en 2007 quelque 276 000 petites et moyennes entreprises manufacturières (PMI) dont 273 000 de moins de 300 salariés. Elles totalisaient environ 8 millions de travailleurs. La France revendiquait pour sa part environ 19 500 PMI de moins de 500 salariés employant 1,5 million de personnes et seulement 5 000 sociétés de plus de 250 salariés.

Grâce à cette imposante structure industrielle de transformation, 90 % des exportations nippones sont constituées de produits manufacturés. Les volumineuses expéditions depuis le Japon vers l'étranger de voitures et pièces détachées (20 % du total des exportations), de composants, appareils électroniques, scientifiques, optiques et électroniques (15 %), d'acier inoxydable (5 %), de machines industrielles, de systèmes de production d'électricité ou encore de composés chimiques permettent au Japon de dégager d'importants excédents commerciaux, alors même que sa facture d'importations tend à augmenter puisque le Japon achète à l'étranger plus de 80 % de l'énergie qu'il consomme, 60 % de sa nourriture, des ressources minérales et du bois, entre autres matières premières essentielles.

Une recherche privée dynamique qui fait envie

Tirant les leçons des excès passés de transferts d'activités au-delà des frontières, les industriels ont amplifié ces dernières années le cycle vertueux d'optimisation et d'innovation à domicile, poussés au train par leurs rivaux étrangers dont ils ne sous-estiment pas la force. Au contraire, ils auraient presque tendance à la surévaluer pour ne pas s'endormir sur leurs lauriers. Le tout les conduit à investir un pourcentage élevé de leur chiffre d'affaires dans la recherche et le développement (R & D). Ainsi, depuis des décennies, le nombre de chercheurs au Japon croît d'année en année. Ils étaient 580 000 en 1990, 760 000 en 1999, 830 000 en 2005 et environ 1 million en 2011. Les dépenses annuellement consacrées à la recherche dépassent 3 % du produit intérieur brut japonais, grâce au secteur privé dont les investissements représentent plus des trois quarts de l'ensemble. Même si elle se défend bien dans quelques secteurs importants comme la chimie ou l'énergie nucléaire, la France souffre sur ce plan d'un sérieux handicap par rapport au Japon, en pourcentage de la richesse nationale et *a fortiori* en valeur absolue. Ce désavantage résulte d'une moindre implication des entreprises (40 % des sommes allouées à la recherche française proviennent des pouvoirs publics), d'une absence de vision étatique à long terme entraînante, de bisbilles intra-européennes, d'une difficulté de passer de la recherche fondamentale à l'application commerciale et d'une structure industrielle pauvre dans les secteurs d'avenir (semi-conducteurs, instruments de précision, appareils électroniques grand public, robots, énergies renouvelables, matériaux composites, transports propres…). En moyenne, tous domaines confondus, les sociétés japonaises investissent l'équivalent de 3,1 % de leur chiffre d'affaires en R & D, un pourcentage moyen qui grimpe à 10 % dans la pharmacie, 7,7 % dans les outils de précision, 4,7 % dans l'électronique/électroménager, 4,5 % dans les transports, 4 % dans les machines-outils et robots ou la chimie et 3,3 % dans le développement de logiciels. Sous la moyenne nationale on ne trouve guère que l'agroalimentaire (1,3 %). « Je ne peux qu'envier mes pairs japonais quand je visite leurs laboratoires et jette un œil sur leurs équipements », soupirait en 2007 le scientifique français, prix Nobel de physique, Albert Fert, accueilli en grande pompe à Tokyo pour recevoir des mains de l'empereur japonais Akihito le Japan Prize, la plus prestigieuse distinction scientifique nippone, pour ses découvertes électroniques qui ont révolutionné le stockage de données informatiques. D'ailleurs, soulignait-il lui-même, « les plus avancés dans l'exploitation industrielle de mes travaux sont les Japonais », en l'occurrence Sony et Hitachi. Le constat d'écart de moyens est le même pour tout chercheur français qui visite les antres d'homologues nippons. Une délégation de la SNCF, venue au Japon en 2007, n'en revenait pas des ressources et du temps dont disposaient les équipes des compagnies privées nippones JR pour expérimenter différents revêtements de sièges et autres matériels destinés à équiper un prochain Shinkansen. La surprise des visiteurs étrangers de firmes japonaises vient aussi des domaines d'investigation parfois en apparence très éloignés du cœur d'activité des groupes qui les conduisent. Qui a mis au point un processus d'accélération de maturation d'un fumier qui ne dégage pas d'odeur nauséabonde ? Réponse : Toyota.

Qui a créé une matière plastique biologique maintes fois recyclable ? Réponse : Sharp. Qui a conçu une nouvelle encre électronique ? Bridgestone, le numéro un mondial des pneus, principal rival de Michelin.

Traduction de la continuité de l'investissement en recherche, y compris durant les années de crise : depuis 1997, les Japonais dépensent moins pour l'achat de brevets et de procédés technologiques à l'étranger qu'ils n'encaissent de recettes de la vente de licences d'exploitation de leurs propres innovations. Autrement dit, les groupes nippons, de plus en plus impliqués dans la recherche fondamentale, exportent davantage de savoir-faire qu'ils n'en importent. De 1998 à 2003, la valeur des revenus issus de découvertes a représenté plus du double des débours d'acquisition de technologies étrangères. Depuis 2003, c'est même plus du triple. De plus, entre 1990 et 2004, le montant des revenus tirés de la propriété intellectuelle a été multiplié par environ six, alors que celui des achats de brevets et technologies en provenance d'autres pays n'a pas doublé. Les ventes de droits d'usage d'inventions déposées concernent principalement l'industrie des transports (automobile en tête), l'informatique et les télécommunications, et les appareils médicaux, tandis que les importations relèvent de l'informatique, des télécommunications et des technologies intégrées dans des machines et des appareils électroniques. Les plus gros clients de savoir-faire protégés nippons sont les firmes et laboratoires d'Amérique du Nord (40 % du total), puis les Chinois et les Taïwanais à quasi égalité avec les Britanniques. Les Japonais achètent quant à eux des trouvailles majoritairement aux États-Unis puis en Europe. Les laboratoires de leurs voisins asiatiques ne constituent pas (pas encore ?) pour les Japonais une source d'innovations scientifiques ou technologiques.

L'État, patron de laboratoires avisé

L'État, qui trouve cependant que le Japon n'est pas encore suffisamment bon élève et qu'il devrait redoubler d'efforts pour gagner la guerre mondiale de la connaissance face aux États-Unis et à l'Europe, joue toujours un important rôle de locomotive, pas forcément en distribuant de l'argent, mais bien davantage en poussant la réflexion, en accélérant les recherches de brevets et procédures de dépôt ou encore en édictant des priorités. Un Conseil pour la politique de la science et des techniques (CSTP), présidé par le Premier ministre, définit ainsi des plans quinquennaux forçant les chercheurs à mettre l'accent sur tel ou tel domaine. Il s'agit d'une part de viabiliser et renforcer le tissu industriel et d'autre part d'apporter une réponse techno-scientifique aux défis sociaux et environnementaux. Pour la période d'avril 2006 à mars 2011, l'État avait prévu d'allouer près de 200 milliards d'euros pour quatre champs de recherches considérés comme prioritaires : les sciences de la vie, les technologies de l'information et de la communication, l'environnement, les nanotechnologies/nanomatériaux. D'autres domaines additionnels (énergie, systèmes et techniques de production, espace et océan) bénéficièrent également d'une partie de ces fonds. Les travaux de recherche fondamentale ne sont pas disjoints de ceux portant sur les applications. Ils sont menés en parallèle dans les puissants laboratoires des industriels, de façon autonome ou en lien avec les équipes des organismes publics. Les fonctionnaires des ministères de l'Économie, du Commerce et de l'Industrie (METI), des Sciences et Techniques, de l'Intérieur, des Télécommunications et de l'Aménagement du territoire (MLIT), ou de l'Environnement, sont de véritables vigies en permanence informées des avancées scientifiques et des évolutions en cours dans le reste du monde. Ils s'appuient sur ces données glanées tous azimuts pour alerter les entreprises sur les décrochages, identifier les secteurs à favoriser.

Ces commis de l'État travaillent en étroite concertation avec les industriels. La « Japan Inc. », qui fut à l'origine du redressement du pays après-guerre, existe donc encore. Entrepreneurs et fonctionnaires échafaudent ensemble des plans à long terme au sein de groupes de travail auxquels participent des universitaires, spécialistes des sujets abordés et capables d'apporter un éclairage distant, ainsi bien sûr que des ingénieurs qui ont les mains dans le cambouis tous les jours et savent exactement où sont les défis techniques et orientations prometteuses. Les consultants de cabinets internationaux qui font s'extasier ou se désespérer les décideurs devant des présentations fumeuses de courbes et chiffres n'ont pas leur place dans ces instances de planification. Il existe certes, ici comme ailleurs, des rapports mirobolants de soi-disant experts que personne ne lit, mais la plupart des documents émanant de ces réunions sont de véritables échéanciers de réalisation. Surtout, les financements promis sont effectivement distribués, au jour dit, *via* des organisations administratives spécialisées qui coordonnent les différents projets pluriannuels. L'État crée de la sorte, et parfois de façon dirigiste, une dynamique qui oblige les entreprises à mettre un temps leur concurrence sous le boisseau pour œuvrer en bonne intelligence dans un esprit constructif et collaboratif au service d'une ambition générale. La réforme des quelque 87 universités nationales en 2004 a en outre amorcé une nouvelle ère relationnelle entre le milieu académique et les industries, alors que ces dernières, abritant de gigantesques laboratoires, avaient auparavant tendance à effectuer seules leurs recherches fondamentales et appliquées. Devenues des entités indépendantes au fonctionnement proche de celui d'entreprises, les facultés nationales, auxquelles s'ajoutent la bagatelle de 650 universités privées ou municipales, disposent désormais d'une plus grande liberté de gestion. Les personnels n'ont plus le statut de fonctionnaires et les recrutements d'enseignants s'en trouvent élargis aux ingénieurs venus de l'industrie et aux scientifiques étrangers. Cette réforme majeure vise à instiller une nouvelle culture de transfert de technologies des paillasses d'université vers les centres de développement industriel.

Toutefois, dans l'approche japonaise, la recherche tournée vers les applications et le mode de financement dit « sur projet » ne signifient pas « obligation de résultats et objectifs à court terme ». Au contraire. Les entrepreneurs et l'État japonais définissent des programmes à horizon lointain avec des fonds de recherche immédiatement disponibles et assurés pour plusieurs années. Tous les grands groupes dessinent un tableau de leurs activités à longue échéance. Ils définissent des plans d'action précis et les mettent en œuvre. En bons Japonais prévoyants, ils ne naviguent pas à vue, au gré des fluctuations erratiques et des velléités de leur actionnariat. Dès le milieu des années 1990, le premier opérateur de télécommunications mobiles japonais NTT Docomo, alors dirigé par un ancien ingénieur, avait dressé sa vision 2010. Ce panorama a structuré ses travaux depuis et nombre des idées pourtant jugées utopistes à l'époque se sont déjà matérialisées. Cette colonne vertébrale n'empêche bien évidemment pas de s'adapter aux changements conjoncturels et d'ajuster le tir. L'État, qui considère les sciences et techniques comme une priorité nationale, agit de la même façon. Ainsi, les programmes financés pour les années 2006-2010 tout comme ceux des deux plans cadres précédents étaient-ils fondés sur une anticipation à l'horizon 2020 ou 2025. Y étaient spécifiés les produits et services qui devront à cette date avoir vu le jour, lesquels découlent de l'analyse d'une batterie d'études sociodémographiques, scientifiques, politiques et techniques. De ces ambitions très ancrées sur des problématiques concrètes présentes ou à venir sont déduits des axes de recherche et des calendriers prévisionnels d'avancement des développements technologiques qu'elles supposent. Les ingénieurs ont ainsi une idée claire de l'objectif à atteindre et une garantie de disposer de suffisamment de temps et de moyens pour y parvenir, sans pour autant écarter *a priori* tous les autres domaines annexes, les découvertes fortuites ni les pistes de recherche fondamentale sans but préconçu.

Chapitre XXII

LA SOCIÉTÉ JAPONAISE EN 2025

Le plan d'innovation à échéance 2025, concocté en 2007 par une mission gouvernementale, brosse ainsi le portrait de la société dont rêve l'État japonais et des moyens techniques qu'il somme l'industrie de développer pour préparer son avènement. Malgré la mise en scène utilisée pour décrire ce programme, il ne s'agit pas de science-fiction mais bel et bien de la traduction littérale des travaux en cours, à un stade parfois bien avancé, dans les laboratoires des entreprises et organismes publics. Petit détour dans le futur.

Nous sommes en 2025. Nous allons partager vingt-quatre heures de la vie d'un foyer japonais où cohabitent trois générations d'humains… et un robot. Bienvenue dans la famille Inobe, raccourci japonisé d'innovation. La journée commence tôt, à six heures. Papy passe aux toilettes pour récupérer une capsule d'analyses médicales avalée la veille au soir et réapparue par les voies naturelles. Ayant suivi le même parcours que les aliments, cette gélule électronique contient dans sa mémoire une palette d'informations sur les différents paramètres sanguins et organiques recueillis au passage. Ces éléments, transférés sur ordinateur, sont transmis sous forme codée par réseau sécurisé à très haut débit vers un centre médical habilité à détecter une éventuelle anomalie et à prendre le cas échéant les mesures idoines. Toute la famille se prête à ce même exercice, sans réticence. Échéance : aux alentours de 2015.

7 heures : préparation du petit déjeuner. Zut, à en croire l'écran en façade du réfrigérateur, la date de péremption des œufs est dépassée, et il ne reste plus qu'un pack de lait. Tous les aliments emmagasinés à l'intérieur comportent, en lieu et place des codes à barres, une puce sans contact (RFID) qui recense toutes les informations afférentes à chaque produit. Elles sont automatiquement lues par le réfrigérateur multifonctionnel, ce qui permet de garantir une meilleure hygiène nutritionnelle.

7 heures 30 : le père et le fiston rejoignent le reste de la famille à la vaste table bien garnie du repas matinal. Papy lit son journal en papier, ce qui lui vaut les moqueries de ses descendants passés depuis belle lurette à la version à encre électronique, laquelle leur délivre automatiquement une information actualisée et personnalisée. Bon, ce n'est pas le tout, il est temps d'aller au boulot. Planté devant l'arrêt de bus, le père sait précisément à quelle heure le véhicule va s'arrêter net devant ses pieds : c'est écrit sur l'écran de son mobile et mis à jour en temps réel. M. Inobe, chef d'entreprise, ne va plus au bureau qu'une fois ou deux par semaine, le reste du temps, il travaille en réseau, de chez lui ou d'ailleurs, accédant à ses documents *via* un système d'authentification biométrique prétendu infalsifiable et un dispositif de transmission cryptée réputé inviolable. Fini les « rushs », les métros bondés, les routes encombrées. Horaires flexibles, routes intelligentes, véhicules semi-automatiques, la ville est fluide, les esprits tranquilles. Dans le bus, il regarde un livre de photos sur les années 2000. Nostalgie ?

M. Inobe juge toutefois nécessaire de garder le contact réel avec ses équipes, histoire de motiver ses troupes bigarrées. « Ne t'en fais pas mon garçon, un tiers de la main-d'œuvre des entreprises nippones est désormais constituée d'étrangers comme toi, jeunes, qualifiés et talentueux », fait remarquer M. Inobe à l'un de ses employés, un Chinois, qui se sent un peu mal à l'aise d'occuper un poste de cadre alors que ses subordonnés pourraient être ses parents. Finie la progression hiérarchique à l'ancienneté. Les temps ont décidément bien changé.

10 heures : c'est au tour de papy de quitter le bercail, rassuré sur son état de santé après une consultation de son médecin par visiophonie. Il enjambe son vélo, casque sur la tête, sac sur le dos, pour filer direct à la *Monozukuri Sakura Gakuen*, faculté où il dispense des cours grâce à son expérience irremplaçable de vétéran retraité d'une grande entreprise manufacturière. Lui et ses pairs enseignent aux jeunes générations la beauté de la création et de la fabrication de produits. Les étudiants du monde entier, fascinés par les technologies japonaises, suivent sur place où par vidéoconférence leurs cours. Sur le chemin, papy a croisé une des premières voitures de tourisme à batterie à combustible, laquelle ne rejette que de l'eau. Il l'a prise en photo avec sa montre-bracelet multifonctions pour la présenter à ses disciples et leur expliquer les multiples avancées technologiques qu'elle renferme.

Pendant ce temps, maman télétravaille aussi et mamie s'apprête à retrouver une paire de copines dans une salle de leçon d'art floral. Elle revient de loin mamie. Frappée par la maladie d'Alzheimer dix ans auparavant, elle est désormais considérée comme guérie, grâce à un médicament parfaitement adapté à son cas, conçu sur la base de son profil génétique. La plupart des cancers sont de même curables et les interventions chirurgicales devenues rarissimes, se félicite mamie qui a décidément toute sa tête. Par précaution, sa fille lui entoure quand même le poignet d'un bracelet de localisation par satellite avec fonction d'appel des services d'urgence au cas où elle serait victime d'une brutale chute de tension. Eh oui, cela arrive encore, même en 2025. Conversant avec ses congénères septuagénaires, mamie est à peine surprise quand l'une d'elles lui annonce toute contente qu'elle s'est fait greffer une puce électronique sur la cheville, alimentée en énergie par induction du flux sanguin. Elle n'est pas peu fière la copine avec son circuit intégré en guise de bijou. D'ailleurs, elle aussi en est convaincue, la technique médicale, surtout nippone, c'est fantastique, la plupart des organes peuvent désormais être remplacés par des équivalents mécatroniques. Même les personnes qui souffrent de déficiences mentales ont leur place dans la société : peu importe qu'elles aient du mal à se souvenir des noms et des visages, ou à traduire en mots leur pensée (par paralysie musculaire ou autre difficulté), une sorte d'assistant numérique le fait pour elles. Cet objet lit dans le cerveau. Quant aux centres de rééducation, où œuvrent des équipes de robots trapus, ils sont aussi accueillants et agréables que des clubs de sport. Des aides médicaux robotiques aux petits soins sont là pour conduire aux WC les invalides aussi délicatement que le ferait un humain, sans risquer un tour de reins.

15 heures : le père quitte Tokyo en train à lévitation magnétique (Maglev) pour se rendre à proximité d'Osaka, à 550 kilomètres de là. Temps de trajet : moins d'une heure. Dieu qu'en moins de vingt ans les distances ont rapetissé : New York n'est plus qu'à quatre heures du centre de Tokyo en SST, le « nouveau *Concorde* » dont rêvent les Japonais, au risque de faire aujourd'hui sourire les champions aéronautiques européen Airbus et américain Boeing ! But du périple à l'autre bout du pays : la visite d'une nouvelle forme de ville, en marge des grandes cités. Nom de code : Compact City. Une mégapole en miniature en somme, c'est-à-dire une coquette petite cité disposant de tous les équipements, services, commerces et autres avantages d'un grand centre urbain sans ses inconvénients (promiscuité, surpopulation, manque de convivialité, etc.). Les jolis pavillons ont désormais une durée de vie de deux cents ans, moyennant seulement une cure de rafraîchissement à l'issue

du premier siècle. Les citoyens ne tremblent plus de frousse à chaque secousse sismique, confiants qu'ils sont dans les systèmes de prévention des mouvements telluriques et les techniques parasismiques calées sur des normes encore plus contraignantes que par le passé. Les craintes pour les centrales atomiques ont quasiment disparu. Qui aurait imaginé cela en 2007, alors que la frayeur de la population avait conduit à l'arrêt des sept réacteurs de la plus grande infrastructure nucléaire nippone, après un violent tremblement de terre mal encaissé. Les dispositifs d'alerte précoce des séismes sont désormais parfaitement au point, de sorte que les citoyens disposent de quelques dizaines de secondes pour prendre leurs précautions. Quant à la fiabilité des prévisions météorologiques, elle est devenue absolument irréprochable, selon la famille Inobe.

Sur les chantiers de ces villes compactes qui émergent partout sur l'archipel, s'affairent d'impressionnants engins pilotés à distance par des techniciens hautement qualifiés. Les hommes ne salissent plus leurs bottes dans la boue, ne suent plus sous leur casque. Les robots font à leur place toutes les tâches pénibles. Même chose dans les champs, dans les serres ou dans les usines. En 2025, le *Nippo sapiens* ne se crève plus à la tâche physique, il se contente de se creuser la cervelle. Il peut même se permettre d'avoir la tête enfouie dans ses réflexions lorsqu'il est au volant. Les routes et les voitures se parlent pour éviter les collisions.

16 heures : mamie a quitté ses copines. Elle flâne, un peu de chalandage, un détour par un musée tout numérique où elle admire la reproduction virtuelle tridimensionnelle d'œuvres d'art réellement exposées à des milliers de kilomètres de là. En chemin elle croise un déluré gamin qui lui raconte combien l'école est devenue « un lieu trop génial où l'on apprend des tas de trucs hyperchouettes parce que les programmes sont carrément faits pour nous, où j'te jure, mamie, tout le monde il est vraiment trop gentil ». Et *ijimé* ?

demande la grand-mère. Quoi ? répond le mouflet qui ne connaît pas ce mot. « Ah, les brimades entre élèves, le bizutage », finit-il par comprendre, « mais ça n'existe plus, oh, t'es plus dans le coup mamie. »

Un peu trop optimiste quand même le garçonnet, car tous les dangers n'ont pas disparu par la grâce des technologies. Il n'avait pas même tourné les baskets qu'il se faisait attaquer par un gars louche. Heureusement, les caméras et autres systèmes de surveillance des enfants ont bien fonctionné. Les bénévoles « anges gardiens » du quartier ont déboulé de toutes parts dans la minute pour ceinturer le brigand. Ah, comme dit mamie, toutes ces techniques, « ça pose peut-être un problème de respect des libertés individuelles, mais rien ne saurait remplacer la sécurité ». À peine remise de ses émotions, ne voilà-t-il pas qu'elle se fait à son tour alpaguer par un blondinet ! Diantre. Quelle langue barbare cause-t-il celui-là ? Peu importe, son traducteur instantané de poche va interpréter. Elle n'a qu'à s'exprimer en japonais, la fabuleuse machine répète tout en anglais par synthèse vocale à cet Américain paumé. Au passage elle l'enguirlande pour ne pas avoir lui-même sorti son assistant numérique de traduction. Mais quand il extirpe de son baluchon son modèle étranger, elle comprend qu'il ait des réticences à se servir de cet engin gros et pas franchement performant. Le sien est drôlement mieux, il est « *made in Japan, my dear* », fruit de longues recherches initiées au début des années 2000 par Sharp ou NEC, dans la lignée des encyclopédies électroniques que possédaient déjà à l'époque, et depuis longtemps, une majorité de Japonais.

Bon allez, mamie, il faut rentrer maintenant, le robot Inobe vient de sonner la fin de la récré. Il prévient qu'il part au supermarché du coin avec la maman faire les courses pour le dîner. Le menu sera chinois. Et c'est papy qui le préparera. Il est doué en cuisine le vétéran de la bagnole depuis qu'il a pris des cours de casseroles comme la plupart des hommes retraités redoutant de devoir un jour subvenir seuls à leurs besoins. Tout le monde est à l'heure pour partager le repas, sauf la fille, étudiante expatriée. Elle est néanmoins virtuellement autour de la table puisque son visage, entouré de ceux de ses camarades, apparaît soudain sur un mur d'images dans le spacieux salon/salle à manger. Un appel vidéo pour présenter ses potes à la famille. Ils sont extras ses copains, chinois, vietnamiens, mongols ou cambodgiens. Ils ne cessent de s'extasier sur les techniques japonaises et de louer les merveilles qu'elles ont permis dans leurs pays : il y a des oasis partout, la désertification n'est plus un problème, la pénurie d'eau est résorbée, la pollution s'est volatilisée, air pur au cœur des populeuses agglomérations chinoises. Des firmes nippones ont installé des minicentrales nucléaires dans les pays démunis, des machines déclenchent des précipitations artificielles pour irriguer les plantations, la déforestation n'inquiète plus, la terre et les fonds marins sont surveillés en permanence sous toutes les coutures par des satellites nippons, la station spatiale internationale joue le rôle majeur espéré, grâce au Japon. Autrement dit, en 2025, le pays du Soleil-Levant a enfin élevé son rôle de meneur international à la hauteur de son leadership économique, grâce à ses innovations techniques bienfaitrices sans égales, et le monde entier l'en remercie. La famille Inobe peut dormir sur ses deux oreilles et se féliciter de sa nationalité. Le robot ramasse les miettes, trie les ordures, éteint les lumières. Fin.

Sont-ils visionnaires ou fous ?

Cette fiction, élaborée par le gouvernement japonais, adaptée pour le grand public en *manga*, est entièrement fondée sur des travaux de recherche en cours et activement soutenus par les pouvoirs publics. Les prototypes, voire des préséries commerciales, de nombreux concepts existent d'ailleurs déjà et, chaque jour, des entreprises annoncent qu'un nouveau pas est franchi dans tel ou tel domaine concerné. Même si on trouve en Europe des programmes de recherches technologiques sur le papier en partie similaires, leurs probabilités d'aboutir aux échéances promises paraissent bien moindres que dans le cas nippon, du fait de l'avance prise par le Japon dans les secteurs clés pour l'avenir (électronique, télécommunications, nouveaux matériaux, nanotechnologies, biotechnologies, énergies renouvelables, robotique, automobile, optique, etc.) et de sa structure industrielle plus en phase que celle de l'Europe avec les ambitions affichées. La réalisation des infrastructures, appareils, services et concepts ici présentés ne rencontrera pas au Japon les mêmes barrières qu'en Europe, en raison des différences culturelles précédemment mises en exergue. Les Japonais, un peu hypnotisés par les technologies, sont impatients d'utiliser ces innovations futuristes, tandis que les Européens, paranoïaques face aux hypothétiques dangers qu'elles représentent, freineront peut-être l'alacrité et les travaux de leurs ingénieurs. Parvenus en quelques années à tirer leur pays d'affaire et à l'élever au rang de deuxième économie du monde grâce à leurs développements technologiques, les Japonais ont naturellement tendance à croire, à tort ou à raison, que leurs innovations actuelles et futures leur permettront aussi de combler les lacunes de leur pays et de panser les maux sociaux présents et à venir, comme au sortir de la guerre. Pour ne pas s'en tenir à un jugement critique négatif hâtif vis-à-vis des réactions enthousiastes que suscitent ces projets au Japon, il convient de garder à l'esprit ces divergences. Abstenons-nous surtout de condamner la vision nippone en faisant par trop abstraction de l'influence majeure du contexte historique, géographique, économique et social dans lequel elle a germé.

Ce scénario est en outre doublement instructif. Autant que les modes de vie et inventions fascinantes ou angoissantes qu'il décrit, il révèle en creux les défis que le pays sait devoir relever dans les deux prochaines décennies. Confrontée à d'innombrables problèmes d'ordre social, politique, démographique, identitaire, économique ou géostratégique, la société nippone n'est en effet pour l'heure pas encore celle, idéale, agréable, sûre, aimée, ouverte, protectrice, juste, conviviale qu'elle rêve justement de devenir en 2025.

Quatrième partie

UNE SOCIÉTÉ DÉSÉQUILIBRÉE

Chapitre XXIII

BIENTÔT TOUS VIEUX

Koreika shakai : société vieillissante. Cette expression barre les unes de la presse, se glisse dans tous les discours, nourrit moult débats, donne matière à des heures de reportages, sert de prétexte à la naissance de nouveaux produits et services et justifie des décisions politiques, entrepreneuriales ou administratives. Tous les pays développés traversent actuellement une phase de vieillissement de leur population. Las, celle qu'endure le Japon est particulièrement aiguë et durable. Le peuple japonais avance plus vite en âge que celui des nations occidentales. Il est déjà vieux et le restera longtemps. Et ce parce que l'archipel a connu il y a une soixantaine d'années un « baby-boom » qui, ne s'étant pas maintenu au même niveau par la suite, malgré une réplique ponctuelle dans les années 1970, quand ces baby-boomers ont à leur tour procréé, se traduit aujourd'hui par une surreprésentation des cinquante ans et plus, et dans une moindre mesure des trente à quarante ans, héritiers peu enclins à faire des enfants. Tel est le premier grave tourment de cette société, lequel en entraîne une cascade d'autres. Si les pessimistes prévisions actuelles se réalisent, en 2050, 40 % des habitants du pays du Soleil-Levant auront plus de soixante-cinq ans, 21 % plus de soixante-quinze et la population aura diminué de près de 30 millions d'individus, repassant sous la barre symbolique des 100 millions d'âmes. En 2007, les soixante-cinq ans et leurs aînés représentaient déjà plus d'un cinquième du total (21,5 %), soit plus de 27 millions de personnes dont plus de 7 millions de vieillards ayant vécu déjà plus de huit décennies. La barre des 30 000 centenaires a été franchie pour la première fois en 2007, celle des 20 000 l'avait été deux ans auparavant. À l'inverse, les moins de quinze ans ne représentaient alors déjà plus en 2010 que 13 % de la population japonaise contre 23,5 % en 1980. Le Japon est, de tous les pays industrialisés, celui où la proportion de personnes âgées est la plus élevée et où celle des enfants est la plus faible. Un déséquilibre accentué par le fait que les Japonais détiennent aussi le record mondial de longévité, et ce depuis plusieurs années. La réalité que transcrivent ces chiffres saute désormais aux yeux dans les lieux publics, où les silhouettes courbées de personnes âgées sont de plus en plus nombreuses et où les trognons petits écoliers en uniformes sont de moins en moins visibles. Les enfants étaient partout présents, sur les clichés d'après-guerre des ruelles de Tokyo. Époque révolue. L'indice de fécondité de la capitale, 1,01, est le plus bas du Japon où il se situait à 1,40 en 2010, contre 2,00 pour la France. Ni l'un ni l'autre ne suffisent au renouvellement des générations qui exigerait un ratio de 2,1 enfants par femme.

Tout repenser pour les vieux, même s'ils se croient encore jeunes

De nouveaux équipements apparaissent dans les transports, dans les immeubles ou sur les trottoirs pour faciliter la vie de ces gens qui n'ont plus vingt ans, même si la plupart se prétendent en pleine forme et s'acharnent à le prouver en faisant leurs courses à vélo, en courant hardiment autour du palais Impérial, Walkman dans un brassard, en voyageant au bout du monde ou en grimpant gaillardement jusqu'au cratère du mont Fuji à 3 776 mètres d'altitude. Les promoteurs immobiliers ciblent désormais les couples de retraités qui reviennent au cœur des mégapoles après avoir vécu dans un 2DK en banlieue. Prévoyants, ces derniers espèrent ainsi bénéficier en bas de chez eux de tous les services (transports, hôpitaux, commerces) qu'offrent les grandes villes. Portes et couloirs élargis aux dimensions des fauteuils roulants, suppression des marches, ajout de barres d'appui dans les toilettes, la salle de bains et la cuisine, l'architecture intérieure des maisons et appartements change de style. Les fabricants d'électroménager réduisent la taille des équipements de cuisine, redessinent les contours de leurs lave-linge pour que les ménagères de plus de cinquante ans ne tombent pas la tête la première dans le tambour ou n'aient pas à se contorsionner pour récupérer leurs chaussettes au fond de la machine. Sur tous les équipements, les boutons sont plus gros, les caractères agrandis et les alertes sonores plus fortes. La chaîne publique NHK ou Hitachi font plancher leurs chercheurs sur des télécommandes intelligentes, petits robots capables de comprendre des instructions vocales (« allume la télé », « monte le son », « change de chaîne », « quel est le programme à 20 heures »), d'autres songent à les supprimer, en dotant leurs télés de lecteurs de codes gestuels. Il suffira alors de gesticuler ou de taper des mains devant le poste pour qu'il s'allume, pour zapper ou encore ajuster le volume. Les constructeurs automobiles et les autorités imaginent des outils d'assistance à la conduite et de détection d'anomalies censés combler les pertes de réflexe et d'acuité des conducteurs ou des piétons séniles, de plus en plus souvent impliqués dans les accidents auxquels ils survivent moins bien que les jeunes. Des *konbini* pour vieux, avec larges allées, chariots, fauteuils de massage, apparaissent dans les quartiers résidentiels qui étaient jadis fréquentés par les trentenaires. Les rayons y sont plus bas, les étiquettes plus intelligibles. Les plats préparés adaptés aux goûts des anciens y sont vendus en miniportions, enrichis de minéraux et éléments pour éviter les carences auxquelles sont sujets les vieillards. Ces derniers bénéficient parfois de réductions sur les livraison à domicile. Des *konbini* ambulants sont également apparus en 2008 dans les zones où résident de nombreuses personnes âgées impotentes. Des écoles sont converties en maisons de repos. Les agences de voyage repensent leur prospectus et offres de séjours pour faire rêver les retraités, s'associant même aux universités pour proposer des cures de jouvence intellectuelle. Les promoteurs immobiliers font de même et conçoivent des résidences pour les personnes âgées. Outre les appartements privés, ces immeubles accueillent des salles collectives, dignes de salons d'hôtel, des espaces de jeux, des salles de cours ou de relaxation et autres lieux de convivialité. Y sont également offerts une gamme de services adaptés à ces locataires parfois handicapés (sécurité, surveillance médicale, ménage, repas, etc.). Comme le montrait en outre la fiction du gouvernement, le nombre de foyers nippons où cohabiteront trois générations, dont au moins un individu de plus de soixante-cinq ans, devrait croître d'ici 2025. D'où la grande mode actuelle des maisons et appartements dits *universal design* et *barrier free* (sans obstacles), adaptés à tous les âges et tous les degrés de validité. En 2011, environ 20 millions de foyers comptaient au moins un membre âgé de plus de 65 ans et plus de 4 millions de personnes âgées étaient considérées comme plus ou moins dépendantes de l'aide d'une personne ou de services compétents. Or les besoins ne vont pas aller en s'amenuisant.

Le vieillissement accéléré pose à plus long terme toute une série d'interrogations évidentes : qui va prendre soin de toutes ces personnes âgées ? D'où viendront leurs revenus ? Combien vont-elles coûter à la société en frais de santé ? De quoi vont-elles avoir besoin ? Comment vont-elles s'occuper ? À quoi vont-elles servir ? Qui va travailler pour leur fournir les produits et services souhaités ? Comment l'économie du pays va-t-elle évoluer en reposant sur une pyramide des âges aussi déformée ? *Quid* de la croissance ? Quel rôle le Japon pourra-t-il jouer sur la scène internationale en ayant subi un tel déclin démographique ? Comment relancer les naissances ? Bien hâbleur qui pourrait aujourd'hui affirmer connaître les réponses à ces questions. *De facto*, le scénario proposé par les experts mandatés par le gouvernement révèle en partie la façon dont le pays aborde ces problèmes. Il montre d'une part que les dirigeants savent qu'ils auront du mal à inverser la tendance, mais qu'ils cherchent à tout le moins à en limiter les conséquences négatives. Encore faudra-t-il convaincre l'opinion que les solutions avancées, pas forcément très populaires, sont les bonnes.

Chapitre XXIV

Immigration, une option ? Voire…

Des jeunes, y en a pourtant plein ailleurs

La dégringolade du nombre de jeunes productifs constitue l'une des plus préoccupantes conséquences du vieillissement rapide. La population active du Japon devrait en effet chuter de 6,1 millions de personnes d'ici 2020, dont 5,4 millions de moins de trente-cinq ans. Quand, dans la fiction à horizon 2025, M. Inobe se félicite du fait qu'un tiers de la main-d'œuvre est alors d'origine étrangère, cela signifie qu'il va falloir, en l'espace de moins de vingt ans, largement ouvrir les portes à des travailleurs d'autres contrées et faire davantage de place aux femmes pour éviter que les sombres projections qui font état d'une chute de 10 millions des actifs en 2030 par rapport à 2007 ne deviennent réalité. Actuellement, les étrangers en règle ne représentent que 0,6 % des salariés œuvrant sur le sol nippon, soit une proportion plus de dix fois inférieure à celle constatée en France, laquelle affiche d'ailleurs un pourcentage bien en deçà de ceux relevés aux États-Unis, au Canada ou en Grande-Bretagne. De surcroît, ces non-Japonais occupent le plus souvent des postes à faibles rétribution et niveau de qualification, emplois souvent éreintants effectués dans des conditions ingrates et sur lesquels les autochtones ne se précipitent guère. Même en admettant que les lois évoluent pour autoriser l'accueil en nombre d'immigrés qualifiés, il faudra une véritable révolution des mentalités pour arriver à une part aussi élevée que celle imaginée dans le scénario gouvernemental, lequel apparaît de fait, sur ce plan, au mieux hypervolontariste, au pire d'une candeur inquiétante. Structurellement et administrativement, le pays n'est pas adapté à une immigration de masse (établissements scolaires, systèmes d'assurance, etc.) et les Nippons ne sont tout bonnement en majorité pas prêts psychologiquement à un tel changement, n'étant nullement habitués à vivre aux côtés d'étrangers, si tant est qu'ils l'acceptent. Bien qu'éminemment polis et hospitaliers vis-à-vis des touristes, ils sont par nature plus méfiants à l'égard de ceux qui s'installent à demeure sur place. Tout dépend bien sûr de l'origine de ces nouveaux arrivants, de leurs compétences, de leur expérience, de leur comportement et du rôle qu'ils entendent jouer dans la société nippone. Mais l'*a priori* n'est pas toujours d'emblée positif. Les citoyens nippons reprochent souvent, à juste titre hélas, aux résidents étrangers des comportements hautains, vulgaires, irrespectueux des règles de vie en société, une forme d'insolence et un certain je-m'en-foutisme qui se concrétisent entre autres exemples, selon les municipalités, par une incapacité à bien trier leurs ordures ou, selon les citoyens, par une propension remarquable à gruger dans les files d'attente alors même qu'ils sont infichus d'être à l'heure à un rendez-vous. Attitudes incongrues doublées pour les plus culottés de la certitude qu'il leur revient d'éduquer les Japonais, et non l'inverse. Or, comme on l'a longuement expliqué précédemment, dans la culture et le contexte nippons, ces vilaines façons de faire importées n'ont rien de dérisoire. Elles obèrent vite la cohabitation harmonieuse. L'accumulation vérifiée de telles négligences de la part des non-Japonais ne plaide pas en leur faveur, d'autant que certains, notamment dans les milieux d'affaires, ne se privent pas de dénigrer ouvertement et injustement leurs hôtes. À rebours de la fiction gouvernementale, une récente parodie cinématographique intitulée *Tout est enseveli, sauf le Japon* décrit bien les inquiétudes que fait naître un hypothétique afflux d'étrangers. Dans cette comédie catastrophe tirée d'un livre qui se vend très bien, le Japon est contraint d'accueillir les réfugiés de tous les continents soudainement enfouis sous les eaux. Les immigrés y sont présentés comme de dangereux individus ingérables, semant la pagaille partout, incapables de s'exprimer correctement, pillant tout sur leur passage, dénués de bonnes manières. Bien sûr, il s'agit là d'une mise en scène satirique qui dénonce aussi bien les travers des Japonais que ceux des détenteurs de passeport étranger. Il n'empêche, la caricature s'appuie sur un fond de vérité, de peurs réelles attisées par un courant nationaliste qui tend depuis quelques années à s'amplifier. L'actualité récente a permis de mesurer la réticence des Nippons vis-à-vis des travailleurs immigrés à travers le débat sur l'accueil d'Indonésiennes et Philippines pour donner des soins aux personnes âgées. Les deux nations d'origine de ces aides-soignantes, qui souhaitent ardemment que le pays du Soleil-Levant leur ouvre les portes, ont dû forcer la main des négociateurs nippons en conditionnant en quelque sorte leurs ventes de ressources énergétiques au Japon à l'accueil de ces femmes. Bien que le Japon, qui manque déjà cruellement de médecins urgentistes ou spécialistes, souffre d'une crise aiguë des vocations, d'aucuns assurent que si les postes de personnels médicaux étaient mieux rétribués, il ne serait pas nécessaire d'aller chercher des volontaires ailleurs en Asie. Et d'ajouter que les médecins de l'armée peuvent suppléer les manques ponctuels aux urgences, ce que l'État prévoit d'ailleurs. Bref, selon ces extrémistes, le Japon peut se débrouiller seul, sans apport extérieur, et saisir l'occasion d'être le premier pays à rencontrer un tel phénomène de vieillissement rapide pour innover et profiter ensuite d'un marché mondial.

Ça marche comment un étranger ?

Le mur d'incompréhension demeure donc. Il exige, pour être démoli, des efforts tant de la part des *gaijin* – gens du dehors – que des autochtones. Que les premiers apprennent la langue locale, se conforment aux règles en vigueur et en rabattent un peu, cela va de soi. Que les Japonais prennent davantage conscience des carences d'assimilation de leur société et des difficultés pour un étranger de s'imprégner des mœurs, de comprendre rapidement les codes sociaux, est souhaitable. Qu'eux-mêmes maîtrisent mieux l'anglais (ce qui ne leur est pas facile) en intégrant l'enseignement de la langue de Shakespeare dans les programmes scolaires dès les classes primaires serait peut-être un plus, encore que la question fasse débat. Des intellectuels de droite s'y opposent, arguant que pour transmettre aux autres ce qui fait l'essence même de son propre pays et de ses valeurs morales, culturelles et civiques, l'essentiel n'est pas de jargonner la langue de l'autre, mais de connaître parfaitement la sienne et les fondements de la civilisation qui la sous-tend. La conception de polyglottes machines de traduction automatique est ainsi, comme le montre le scénario futuriste, un des moyens imaginés par les Japonais pour faciliter le dialogue international. Bien que les puces et logiciels puissent assurément faire office de traducteur d'appoint, on peut douter qu'ils constituent un substitut humainement souhaitable pour une profonde compréhension interculturelle et pour réellement faciliter la vie en commun. D'un autre côté, l'expression orale japonaise est si pleine de sous-entendus qu'il est presque impossible pour un étranger de parvenir à « lire l'ambiance » – *kuki yomeru* – comme disent les jeunes, c'est-à-dire à comprendre ce qui, pour un Nippon, va sans dire.

Quoi qu'il en soit, l'arrivée de renforts extérieurs est donc perçue chez certains comme une menace et les difficultés d'acculturation des immigrés comme une certitude menant tout droit à une dislocation de l'identité nationale. Ce sentiment est d'autant plus répandu que les Japonais ont devant les yeux des exemples qui ne les incitent guère à ouvrir grand les vannes. Lors des émeutes en novembre 2005 dans les banlieues françaises, les médias nippons ont lourdement insisté sur le fait que les populations des lieux concernés étaient majoritairement issues d'ailleurs et peu qualifiées. Ces images sont exhumées des archives dès que le sujet de l'accueil des étrangers en terre nippone est de nouveau abordé. On les a ainsi revues plus d'une fois en 2006, 2007 ou 2010 sur les chaînes japonaises, ces tristes scènes de la douce France. Les Nippons peinent en outre à comprendre l'octroi de la nationalité en fonction du pays de naissance et non de l'origine des parents, tant les modalités en vigueur au pays du Soleil-Levant sont sur ce point restrictives. Au final, beaucoup ont conclu des reportages sur les difficultés hexagonales que leur source résidait dans ce mélange et qu'ils auraient pour leur part tout intérêt à éviter de s'en inspirer, fût-ce pour freiner le déclin démographique de l'archipel. Il leur suffit au reste de feuilleter les pages de faits-divers dans les journaux pour se faire peur, tant y sont mis en exergue les délits commis sur leur sol par des non-Japonais, soldats américains notamment.

Malgré tout, le *gaijin* qui montre sa loyauté envers son pays d'exil et s'adapte modestement au contexte local singulier, bénéficie immédiatement de l'indulgence de ses hôtes, lesquels ne sont pas xénophobes mais ont avant tout besoin de temps pour comprendre « comment ça marche un étranger ».

Les Nippons attendent non seulement des immigrés qu'ils fassent preuve de retenue et discipline lorsqu'ils sont accueillis chez eux, mais aussi, voire surtout, qu'ils leur manifestent de l'extérieur une reconnaissance et un respect pour la richesse de leur culture populaire (*manga*, musique, gastronomie, mode) et pour les bienfaits universels de leurs technologies en matière de protection de l'environnement, de santé, de prévention des désastres ou de lutte contre la pauvreté. L'épisode de la fiction 2025 où des étudiants chinois, cambodgiens ou mongols saluent tant et plus la contribution des techniques japonaises au développement de leur pays en constitue la parfaite illustration.

Chapitre XXV

LES FEMMES ET LES ROBOTS D'ABORD

Alors que le débat fait rage sur l'immigration choisie, d'aucuns s'activent pour minimiser l'entrée d'ouvriers étrangers peu qualifiés, tout en promettant qu'ils seront accueillants avec les autres (diplômés et japonisants), puisqu'ils n'auront pas le choix. Plusieurs initiatives prises par le gouvernement en 2008, sous la pression des entreprises à la peine pour recruter, laissent cependant augurer quelques assouplissements pour l'accueil d'individus qui maîtrisent le japonais et affichent de brillantes aptitudes profession-nelles, même si interrogé sur ce point début 2008, un res-ponsable du ministère des Affaires étrangères tempérait nettement les espoirs. Selon lui, avant d'élargir l'embauche de non-Japonais, la priorité de l'État est de favoriser les dis-positions permettant aux femmes nippones qui arrêtent de travailler pour éduquer leurs enfants de reprendre rapide-ment une activité professionnelle. Pour le moment, leur vie active ressemble à un « M », dont le creux correspond à la période de mère au foyer. En effet, cinq années après avoir accouché, la moitié des mamans restent encore à la maison pour dorloter leurs petits et parmi celles qui travaillent de nouveau, une majorité œuvre partiellement. De plus, 42 % des femmes salariées effectuent un nombre d'heures inférieur à un plein-temps. Autant dire qu'il y a de la réserve à condition de donner aux femmes la possibilité, et surtout l'envie, de remplir une fonction à l'extérieur, sans culpabiliser vis-à-vis de leur progéniture ou entourage, et avec plaisir. Cela passe nécessairement par la création de structures d'accueil des enfants, mais pas seulement. Il faut aussi que les postes proposés à la gent féminine soient plus attirants et que les horaires et autres conditions de travail soient notablement améliorés. La balle est donc ainsi rejetée dans le camp des entreprises. Avant de réclamer des étrangers, qu'elles offrent donc une meilleure place aux Japonaises. Et si les patrons vont chercher des gens ailleurs, qu'ils sélectionnent en priorité les *nikkeijin*, autrement dit les descendants de Japonais exilés au Brésil ou ailleurs. Tel est le message.

Pour les visas, on avisera

L'incitation au travail des femmes et le développement des robots pour suppléer les hommes dans les usines de l'archipel a en tout cas pour conséquence, sinon pour but, de limiter le recours à la main-d'œuvre étrangère de bas niveau et de restreindre les besoins éventuels au recrutement de têtes bien pleines au lieu de bras très musclés. S'il paraît bien irréaliste de croire qu'en 2025 un tiers des salariés du Japon seront d'autres nationalités, il est en revanche certain qu'aura grimpé en flèche la proportion d'automates à l'œuvre à la place d'humains dans les usines, sur les chantiers, dans les champs, à domicile, voire dans les hôpitaux ou maisons de retraite. En 2008, sur un total d'environ un million de robots en activité dans le monde, 40 % œuvraient au Japon, 30 % en Europe de l'Ouest (3 % en France) et 15 % aux États-Unis. Jour après jour et depuis des décennies, les Japonais (Fanuc, Yaskawa, Denso, Nachi, Fujikoshi, etc.), pionniers du secteur, hissent les compétences de ces substituts de l'homme pour les exploiter à ses côtés en toute sécurité dans un champ d'activités de plus en plus vaste. Des androïdes mécatroniques destinés à servir de domestiques et assistants existent d'ailleurs déjà à titre expérimental.

Humanoïdes serviables et corvéables à merci
et prêts à affronter tous les dangers

Le majordome de la famille Inobe ou les bulldozers autonomes évoqués dans le projet gouvernemental ne relèvent pas de l'utopie. L'entreprise spécialisée dans les engins de chantier Fujita place déjà aux commandes de pelleteuses des semi-androïdes dont les gestes sont contrôlés à distance par un humain portant des lunettes vidéo sur lesquelles s'affiche l'image de la scène que filme le robot avec ses yeux caméras. Creuser des tranchées ainsi, c'est presque comme jouer à un jeu vidéo, se réjouit un des concepteurs du dispositif. Des jumeaux d'Asimo, le plus connu des êtres cybernétiques humanoïdes japonais développé par le deuxième géant automobile nippon, Honda, sont également souvent employés comme agents d'accueil au siège du groupe à Tokyo. Ils accompagnent les invités et leur servent un thé vert en respectant religieusement les gestes protocolaires auxquels se soumettent habituellement de jeunes demoiselles. Les sociétés nippones de services de sécurité Secom ou Alsok ont elles-mêmes aussi conçu des robots pour patrouiller sur les sites sensibles dont elles assurent la surveillance. Leurs créatures savent reconnaître automatiquement dans une foule une personne fichée ou recherchée par les autorités. Fin 2006, D1 d'Alsok est entré en service comme vigile dans les immeubles. Il était lui aussi proposé en location à 380 000 yens (3 500 euros) par mois. Dans un registre un peu différent, un grand magasin de Tokyo avait recruté pour les fêtes de fin d'année en 2006 une intérimaire robot dont la ressemblance avec une jeune femme était frappante, au point qu'elle fichait la trouille aux enfants. Le visage et les mains de ce robot, imaginé par un laboratoire universitaire spécialisé d'Osaka, étaient couverts d'une peau très réaliste. Ses mouvements (mains, lèvres, têtes, yeux) étaient fluides et très « naturels », presque trop. Sourire permanent aux lèvres, cette démonstratrice rabâchait du matin au soir un message publicitaire enregistré. Une première version de ce genre d'androïde avait déjà rempli le rôle d'hôtesse d'accueil lors de l'Exposition universelle d'Aichi (centre du Japon) en 2005, où étaient en service un régiment de plusieurs espèces robotiques, tous conçus avec les subsides de l'État nippon. Une autre variante sert de souffre-douleur pour les étudiants en dentisterie. Pas « robophobes » pour deux sous, les gourmets Japonais sont même prêts à accepter qu'un être artificiel les conseille pour assortir boissons vineuses et mets. Le groupe d'électronique, d'informatique et de télécommunications NEC et l'université de Mie ont ainsi métamorphosé un petit robot à tête de singe, Papero, en « sommelier ». Avec ses deux mains mécaniques intégrant un tentaculaire réseau de capteurs à infra-rouge, il analyse la constitution chimique des aliments et du vin pour accommoder au mieux plats et grands crus. Après avoir décomposé la nature du breuvage, le robot renifle dans sa base de données nutritionnelle et formule alors ses recommandations, en tenant en plus compte des goûts de son propriétaire. *Kanpai !* Toutefois, si les nouveaux robots humanoïdes japonais savent désormais répondre à des questions, donner des indications, se montrer affables, porter une collation aux hôtes et laver les tasses, il leur reste désormais à développer des dons intellectuels pour ajouter des acquis à leur innéité, c'est-à-dire se forger une individualité.

Cybernétique : de l'inné à l'acquis

Les chercheurs nippons étendent les capacités cérébrales des robots en leur donnant par exemple la faculté de consulter Internet pour y rechercher des informations et prendre des initiatives par eux-mêmes, non pas seulement en fonction de ce qu'ils ont appris par cœur, mais aussi par déduction. Ces robots s'adaptent ainsi aux attitudes et à l'humeur de leur maître, sachant globalement appréhender les gestes et les paroles des humains pour modifier en conséquence leur comportement et agir correctement. Toutefois, lesdits robots ne sont pas encore totalement capables de gérer tous les imprévus auxquels ils peuvent se heurter en effectuant leur tâche. Le plus difficile reste, selon des chercheurs nippons, de conférer aux robots le talent d'apprendre à tirer les leçons de leurs âneries pour ne pas les reproduire. Dans un registre voisin, les japonais œuvrent sur les technologies permettant à un robot d'assistance de comprendre réellement le sens de propos ambigus, sur la base d'une analyse multifactorielle pour établir la différence entre deux interprétations possibles d'une même phrase. Par exemple, si un robot demande en fin d'après-midi à un salarié : « Voulez-vous un café ? » et que ce dernier répond : « Si je bois un café, cela va me tenir éveillé », cette phrase peut être entendue comme un refus ou une acceptation. Si le salarié s'apprête à se farcir des heures supplémentaires, sa réponse signifie « oui », car il juge bon de ne pas s'assoupir, par souci d'efficacité. Si au contraire il est sur le départ, pressé de regagner son logis après une journée de dur labeur, le robot doit comprendre « non », la réponse sous-entendant alors qu'il craint que le café ne l'empêche de dormir. La capacité d'un être de pièces mécaniques, couvert de capteurs et régi par des logiciels et composants électroniques à bien percevoir la différence entre ces deux interprétations opposées est d'autant plus cruciale que les conversations en langue japonaise prêtent très souvent à confusion. Dans bien des cas, seuls des éléments autres que les mots (mimique, regard, diction, tonalité) permettent de saisir correctement le sens voulu des propos pleins de sous-entendus. Les cybernéticiens nippons espèrent donc que cette technologie permettra de donner naissance à des compagnons qui sauront communiquer de façon adéquate et naturelle avec les humains en prenant en compte le cadre de vie et les habitudes d'un interlocuteur particulier. La gestuelle accompagnant les paroles est aussi une des améliorations attendues. La plupart des robots bavards gigotent certes en papotant, mais le lien entre les mots et les attitudes est préconçu et pas toujours expressif. Les Japonais, qui voient dans les robots un moyen de s'occuper des vieux et des tout-petits, reconnaissent qu'il est de ce fait indispensable de rapprocher le plus possible la communication homme-robot de celle d'un dialogue humain. Il ne faudrait pas en effet que les enfants en bas âge partiellement éduqués par des robots prennent des mauvaises habitudes en imitant un être mécatronique qui se comporte et s'exprime de façon totalement désordonnée ou bien parle en restant bêtement au garde-à-vous.

Le développement de ces technologies, qui visent à transformer les robots en assistants de vie, constitue une des priorités de recherche et développement subventionnées par l'État. Le robot bébé phoque Paro, une des premières créatures abouties financées par les pouvoirs publics, réplique à vocation thérapeutique d'un adorable pinnipède, couvert de fourrure antibactérienne et de capteurs sensoriels, était déjà adopté fin 2007 par plus de sept cents institutions accueillant des personnes âgées. Les études ont prouvé qu'il pouvait effectivement réconforter les vieillards esseulés et contribuer à l'atténuation des troubles liés à la maladie neurodégénérative d'Alzheimer.

L'État et Toyota en pole position

« La population de notre pays vieillit rapidement, il est difficile de recruter des personnels aguerris, il devient donc urgent de concevoir des robots qui puissent remplir des fonctions que seuls les humains sont aujourd'hui à même de réaliser », soulignent de nombreux chercheurs. Le premier constructeur automobile japonais, Toyota, est également convaincu de la pertinence de telles assertions. À l'instar de son compatriote Honda et fort de ses avancées techniques, le groupe s'est activement engagé dans le développement de multiples technologies cybernétiques, persuadé lui aussi que les robots pourront à l'avenir jouer un rôle important dans la vieillissante société japonaise, et pas seulement dans ses futures usines 100 % automatiques. Les dirigeants de Toyota sont convaincus qu'il y a un marché à la clé. L'engagement de ce mastodonte visionnaire dans la robotique d'assistance prouve que ce champ est en train de passer de la recherche à l'industrialisation. Pour démontrer son savoir-faire en la matière, Toyota a déjà confié mi-2007 les clés de son musée, situé dans son fief au centre du Japon, à un de ses robots humanoïdes. Ce guide à l'allure féminine baptisé Robina se meut de façon autonome sur des roulettes, en évitant les obstacles. Intarissable sur les caractéristiques des automobiles du groupe, cette volubile « personne » instruit les visiteurs en suivant du regard celui auquel elle répond, l'appelant même par son nom inscrit sur un badge. Robina sait aussi tenir un stylo et signe volontiers des autographes. Toyota poursuit les recherches dans quatre directions : l'aide aux corvées ménagères, le soutien médical, l'assistance à la production industrielle et la mobilité individuelle. Des anciens chercheurs du géant de l'électronique Sony, spécialistes de l'intelligence artificielle et créateurs du chiot robot Aibo, ont rejoint les équipes du constructeur automobile, Sony ayant abandonné cet axe de développement. Toyota serait même devenu en 2006 le premier groupe japonais à déposer des demandes d'usage de brevets dans ce domaine. Le constructeur automobile, qui avait déjà fait sensation en 2005 avec un ballet de robots danseurs, disc-jockey et trompettiste, lors de l'Exposition universelle d'Aichi, a enclenché le turbo en 2007, considérant cette activité nouvelle comme stratégique pour l'avenir. Toyota ambitionne de faire des robots les partenaires des humains. Il estime en outre qu'il existe en la matière des synergies bidirectionnelles avec son cœur de métier, la conception et la fabrication de voitures. Ayant commencé à employer des robots industriels codéveloppés par ses soins dans ses usines dans les années 1980, Toyota détient un savoir-faire incontestable en la matière, avec des engins de plus en plus plurifonctionnels et perfectionnés. « Nous voulons désormais accélérer le développement de robots qui apportent une contribution à la société, sur la base de nos acquis et de nos innovations dans le domaine de la production automobile », expliquait, fin 2007, le P-DG du groupe soulignant que « les technologies utilisées pour enrichir les compétences des robots peuvent également permettre d'élever le niveau technique des automobiles ». Toyota dévoila pour l'occasion ses dernières créatures devant un public médusé par un humanoïde violoniste jouant sa partition sans fausse note. La précision des gestes (notamment des doigts) et l'incroyable justesse des postures révèlent des trésors techniques aux finalités multiples, le but n'étant bien sûr pas de créer un orchestre philharmonique. Le groupe nippon a également conçu des robots humanoïdes doués d'une surprenante aptitude à ne pas s'affaler par terre et à retrouver leur équilibre, même lorsqu'ils sont bousculés sans ménagement par un humain en colère.

Toutes ces dispositions physiques et intellectuelles exigent naturellement la combinaison de diverses technologies, dont la reconnaissance visuelle et vocale, la capacité de discernement, d'orientation ou la mobilité autonome. Ces dernières supposent le développement de capteurs, de micromoteurs, de circuits intégrés, de batteries, de logiciels, d'outils de simulation ou encore de systèmes de localisation en temps réel. Toyota, qui a déjà prouvé avec ses voitures hybrides lancées en 1997 qu'il pouvait être visionnaire, prévoit une utilisation expérimentale d'assistants robots au sein du groupe dès 2008, ainsi que des tests de « robots aides-soignants » dans les hôpitaux. Le géant automobile espère rallier à lui des partenaires fournisseurs de technologies, des institutions et des prestataires de services pour échafauder un modèle économique et une palette d'offres afin que les robots domestiques aides-ménagers et infirmières prennent leurs fonctions au cours de la décennie 2010. Il faudra au passage convaincre les sociétés d'assurance de couvrir les risques qui en découleront forcément, un des nombreux aspects qui exigent un engagement plurisectoriel et obligeront à la mise en place de nouvelles dispositions légales sur lesquelles se penchent dès à présent les autorités.

« En 2015, des robots se promèneront seuls dans les rues de Tokyo, et cela ne surprendra personne », prédit le professeur Ken Sakamura. Pour diverses raisons socioculturelles, les Nippons ne considèrent en effet pas comme une ineptie ni une terreur l'hypothèse de vivre aux côtés de ces compagnons artificiels, y compris les personnes âgées. Il n'est dès lors pas exagéré de dire que même si la plupart des Japonais estiment que l'accueil de davantage d'étrangers pour résorber le déficit de main-d'œuvre est une nécessité incontournable (« on ne pourra pas y échapper » concède une quasi-majorité), d'aucuns préféreraient une cohabitation avec des robots aux ordres, créés par eux-mêmes, à un partage de leur vie quotidienne avec des individus d'origine extraterritoriale qu'ils ont du mal à comprendre et au sujet desquels ils nourrissent parfois des doutes.

Chapitre XXVI

LES ENTREPRISES AU PIED DU MUR

Réduire la production locale au haut de gamme

Une autre piste est également souvent évoquée pour faire face au déclin démographique sans qu'il se transforme en catastrophe économique et sans que le recours à la main-d'œuvre étrangère s'impose, tout en amplifiant le rôle du Japon dans le monde : réduire la production de biens multifonctionnels de grande consommation pour la réorienter sur une fabrication en plus petites séries de produits spécialisés, haut de gamme, à forte valeur ajoutée, vendus plus chers, à l'attention d'une clientèle exigeante. Les entreprises nippones ne s'évertueraient plus alors à gagner sinon à préserver des parts de marché planétaires, mais se démèneraient pour offrir le *nec plus ultra* à des connaisseurs raffinés ayant les moyens de s'offrir des produits de qualité supérieure et fournir en matériaux, composants et équipements de grade élevé des sociétés étrangères. Cette théorie rejoint en partie le débat sur la croissance. Des voix dissonantes enjoignent en effet le Japon de se focaliser sur une amélioration de sa richesse par habitant plutôt que de s'escrimer à élever son produit intérieur brut (PIB). Le dénominateur (population) chutant, le numérateur n'a plus tant à croître pour que, mécaniquement, le PIB par tête de pipe évolue positivement.

L'intérêt de la stratégie de la concentration de la production de biens sur des catégories de haut niveau qualitatif est triple : *primo* elle permet de s'adapter au rétrécissement de la demande nationale du fait du déclin de la population ; *secundo*, elle confère une échappatoire par le haut aux entreprises pour se distinguer à l'échelle mondiale des compétiteurs et bradeurs, en offrant des services personnalisés et des marchandises de meilleure facture fondés sur un savoir-faire unique ; *tertio*, en réduisant la production et en la spécialisant, la quantité de personnes requise diminue au profit d'emplois ultraqualifiés, ce qui gomme en partie les effets du tarissement de la main-d'œuvre et minimise les besoins d'étrangers. Une telle ambition conduit toutefois à des choix drastiques. Pour la réaliser, le Japon devra se résigner à cesser de fabriquer de tout sur place, donc à importer plus de produits finis mais moins de matières premières. Les entreprises devront orienter leurs ressources sur une sélection de produits fondés sur les domaines d'excellence japonais, transférer à l'étranger des pans croissants de leurs savoir-faire et productions, former des ouvriers et techniciens hors du Japon et abandonner sans regrets les secteurs à faible rentabilité en proie à une concurrence étrangère imbattable en termes de coûts. Un tel recentrage, que certains groupes ont commencé à mettre en œuvre, impliquera nécessairement une forte restructuration du paysage industriel local. Ce bouleversement ne peut cependant s'opérer en l'espace de quelques années, sauf à accepter une avalanche de faillites de PME, le Japon étant un des rares pays au monde où il existe au moins une référence nationale dans chaque type de produits manufacturés. Qui veut en effet une éponge, du cirage, des détergents, des brosses à dents, des mouchoirs en papier ou tout autre article de base *made in Japan* trouve aisément son bonheur dans n'importe quel supermarché. Mais la viabilité de ce modèle est remise en cause par la pénurie de main-d'œuvre. En attendant, l'État et les acteurs économiques prennent diverses initiatives destinées à assurer les conversions de firmes et à maintenir les vieux en forme le plus longtemps possible pour prolonger leur vie active. Ce sursis doit permettre de préparer la relève sur place et à l'étranger, de former des hommes, de développer des technologies novatrices et des nouvelles industries afin d'éviter que la chute du nombre d'actifs japonais, la moindre efficacité des personnels âgés et la production dans des sites délocalisés ne se traduisent par une perte des connaissances et une dégradation des méthodes, le tout entraînant une chute de qualité et une augmentation des risques.

Cette politique de transmission de savoir a connu un essor réel en 2007, année qui devait en théorie marquer le début des départs massifs à la retraite des travailleurs nés dans l'immédiat après-guerre. En réalité, ce qui devait être le *2007 mondai* – le problème de 2007 –, c'est-à-dire la sortie de la vie active de quelque sept à huit millions de personnes, fut amplement atténué : il devint le problème de 2012. En effet, immédiatement après avoir atteint la limite d'âge, une forte proportion des salariés concernés furent réengagés par leur employeur sous une forme contractuelle plus adaptée à leur condition physique, ou bien recrutés par un autre, pour assumer des tâches de tuteur ou pour prendre des responsabilités difficiles à confier à des juniors. La quasi-intégralité des entreprises ont mis en place un plan pour permettre à leurs anciens de continuer à œuvrer au-delà de soixante ans, se conformant aux nouvelles lois simplifiant les modalités de réembauche. Plus d'un tiers des hommes japonais de plus de soixante-cinq ans sont de fait toujours salariés. Parmi eux figure même un nombre grandissant d'individus ayant déjà soufflé leurs soixante-quinze bougies.

Heureusement, les vieux sont prêts à trimer jusqu'au bout

Mais au fait, tous ces sexagénaires et une partie de leurs aînés, qui ont déjà trimé sans dételer pendant plus de quatre décennies, désirent-ils encore fréquenter les bureaux, usines, chantiers, commerces et ateliers ? Eh bien oui, en majorité, selon diverses enquêtes et chiffres publiés par l'État et les entreprises ayant adopté des programmes de poursuite d'activité sur la base du volontariat. Selon une étude ministérielle conduite en 2006, environ 57 % des salariés nippons qui devraient avoir soixante ans en 2007, 2008 ou 2009, affirmaient désirer continuer de travailler et 28 % indiquaient en avoir l'intention bien que n'en ayant pas forcément envie, soit un total de 85 %. Pourquoi ? Le plus souvent pour des raisons budgétaires et mentales. La principale hantise des personnes éligibles à la retraite est de manquer de ressources, même si ceux qui ont offert quarante ans de leur vie à un employeur partent généralement avec une coquette prime (de 10 à 30 millions de yens le plus souvent, soit 90 000 à 270 000 euros) et touchent ensuite une pension mensuelle. Sans compter que nombreux sont également ceux qui ont pris la précaution de mettre quelques centaines de milliers ou plusieurs millions de yens de côté. La deuxième crainte est celle de se sentir brutalement désœuvré, inutile, encombrant, et de s'enfoncer dans la déprime, alors que l'essentiel de leur agenda était auparavant rempli par le travail. Les salariés en âge de partir, qui sont à l'origine du redressement du pays, considèrent que rester actif est un moyen non seulement de conserver un rôle dans la société mais aussi d'entretenir leur santé et d'enrichir encore leurs connaissances. À l'inverse ceux qui ne veulent plus travailler après soixante ans réclament un peu de temps pour eux-mêmes et pour se rapprocher de leur famille, délaissée pendant des décennies. Une enquête réalisée en 2006 par le ministère de la Santé nippon, auprès de quelque 41 000 quinquagénaires, montrait également que les deux tiers de ceux qui s'apprêtent à rempiler pour quelques années se sentent d'attaque pour travailler « jusqu'à la limite du possible », c'est-à-dire, grossièrement, jusqu'à ce que leur médecin les supplie de cesser ou jusqu'à ce que mort s'ensuive. Cet état d'esprit, qui tranche assurément avec celui perceptible en France (« vivement ce soir, vivement demain, vivement samedi, vivement les vacances, vivement la retraite... vivement la fin ») prouve, s'il en était encore besoin, la valeur primordiale accordée à l'activité professionnelle par cette génération du baby-boom nippone, et notamment par les hommes. C'est qu'au Japon, pour le sexe masculin, le travail est un attribut consubstantiel à l'existence. L'adoption de textes législatifs allant dans le sens d'une extension de la vie active ne suscite aucune grève, aucun défilé dans les rues des villes japonaises, contrairement aux massifs mouvements qui ont bloqué les transports et services publics français en 1995 et 2007 lorsque le gouvernement eut l'outrecuidance de s'attaquer aux régimes spéciaux de retraite. Les touristes nippons en visite à Paris à l'époque n'en revenaient pas, et les télés japonaises se faisaient un malin plaisir, une fois de plus, de relater le calvaire des Parisiens dans les transports publics paralysés par des cheminots en rogne, dont certains, avec deux ans d'ancienneté, n'avaient pas même encore usé un fond de culotte sur le siège de conducteur.

Les générations suivantes se tâtent

Qu'en est-il justement des jeunes générations japonaises ? Partagent-elles le même état d'esprit que leurs ascendants ? Indubitablement, les choses changent. L'attachement des hommes et femmes à l'entreprise n'apparaît plus aussi fort, même s'il reste de loin supérieur à celui observé dans les pays occidentaux. Pour preuve : neuf jeunes Nippons sur dix affirmaient ainsi en 2003 qu'ils renonceraient à un rendez-vous avec leur amoureux (se) pour effectuer des heures supplémentaires si leur patron le leur demandait. Reste que, influencés par les exemples étrangers et échaudés par les charrettes de suppressions de postes dans les années 1990, les salariés actuels sont à première vue plus individualistes et carriéristes que leurs aînés, parce qu'ils ne perçoivent plus autant qu'autrefois leur entourage professionnel comme une deuxième famille. Cela ne veut pas dire pour autant que le modèle de l'entreprise paternaliste est voué à disparaître, au contraire, il tend à renaître pour contrebalancer l'attitude plus distante des salariés et pour rétablir une relation de confiance mutuelle, malmenée ces dernières années. C'est qu'à vrai dire, la plupart des jeunes en passe d'entrer dans la vie active ou leurs aînés aspirent à la stabilité. Ils espèrent trouver, du premier coup si possible, un employeur aux petits soins qui les aidera, eux et leurs proches, à s'épanouir durablement, tant dans le milieu de l'entreprise que sur le plan familial. Le fait qu'un tiers des nouveaux embauchés partent après moins de trois ans ne signifie pas que les jeunes sont des girouettes, mais montre seulement qu'ils ne s'imaginent hélas pas éternellement dans la société initialement choisie, bien qu'ils l'auraient souhaité. Une étude publiée mi-avril 2008 a en effet révélé un retour en force de l'appréciation positive portée par les Japonais sur le modèle de l'emploi à vie et de la progression salariale en fonction de l'ancienneté. Selon la quatrième édition de cette enquête, pas moins de 90 % des deux mille trois cents individus interrogés estiment qu'il est préférable de passer sa vie professionnelle auprès d'un seul et même employeur et de bénéficier d'une rétribution croissant au fil des ans. Une majorité pense qu'un tel modèle est le plus à même de rétablir l'égalité sociale. Ce que traduit ce sondage, c'est le désir profond de sûreté et les désillusions de la pseudoliberté du mouvement perpétuel ou de l'individualisme compétitif qui pollue l'environnement professionnel.

Les frais émoulus, rois du pétrole

Pour les frais diplômés ou ceux qui finissent leurs études, l'actuelle raréfaction de la main-d'œuvre constitue une aubaine. Ils ont envie de travailler et, par chance, depuis 2003, sont de nouveau courtisés par les recruteurs. Si leur niveau d'études correspond aux principaux besoins du moment, ils trouvent sans trop de peine un employeur, même si lors des périodes de mauvaise conjoncture les entretiens préalables sont plus difficiles à passer devant des responsables d'entreprises plus sélectifs. Il n'empêche, chaque année, la plupart des étudiants savent quelle entreprise les accueillera une fois leur cursus achevé, bien qu'ils aient encore un an à passer dans les salles de cours. La tradition des campagnes printanières d'embauche massive de jeunes diplômés en début d'année budgétaire perdure en effet, qui se traduit par l'arrivée simultanée dans chaque entreprise de dizaines, centaines, voire milliers de nouveaux venus. Ils étaient ainsi quelque 600 000 au printemps 2008 ces *shins-hakaijin*, faisant leur entrée dans la vie active. On les repère vite dans les trains matinaux, le 1er avril de chaque année, avec leur fière allure de jeune premier intimidé autant qu'ému, leur costume ou tailleur sombre tout neuf, leur chemise blanche impeccablement repassée, leurs cheveux fraîchement coupés, leurs gestes maladroits bridés par leur nouvel accoutrement. Certains prennent des cours dans des écoles privées pour séduire, n'avoir pas l'air trop cruche. Ils sont accueillis en grande pompe par le P-DG du groupe auquel ils s'apprêtent à offrir un pan de leur vie. Des officines se sont même spécialisées dans la « production » de ces cérémonies orchestrées comme un show TV pour d'emblée marquer les esprits, surtout lorsque le programme est copié sur une célébration de mariage. Les journalistes sont même parfois conviés à assister au discours emphatique du patron censé galvaniser les timides débutants que l'entreprise devra former durant des mois pour qu'ils deviennent opérationnels. Depuis quelques années, on croirait presque revenue la grande époque des décennies 1950 à 1980. Les firmes rivalisent de publicités dans les grandes écoles, dans les universités, dans les trains ou dans la presse pour racoler les meilleurs poulains. Elles participent aux gigantesques salons de recrutement où elles exaltent à qui mieux mieux leurs mérites. Les étudiants en *shushoku katsudo* – campagne de recherche d'emploi – en profitent pour évaluer chaque employeur potentiel à l'aune de critères nouveaux, avant de se lancer dans une interminable série d'entretiens pointilleux où ils se vendent en appliquant une méthode toute faite et parfois apprise le soir dans des écoles privées chargées de les déniaiser. Les aspirants issus des grandes universités s'offrent le luxe de collectionner plusieurs promesses d'embauche et de trancher au dernier moment. D'autres, moins bien estampillés, rament davantage, mais hors période calamiteuse tous ne sont pas prêts à accepter n'importe quel boulot. Outre le poste, le salaire et les avantages divers, qui constituent bien évidemment des facteurs décisifs, l'image de l'entreprise, sa marque et la responsabilité sociale qu'elle revendique sont mis en balance. Toyota, au summum de sa gloire en 2008 et dont les dirigeants font verbalement de l'humain la première richesse du groupe, reste très convoité, de même que Canon, au top de sa forme, ou la compagnie aérienne All Nippon Airways (ANA) dont le prestige tient à ses prestations jugées irréprochables. Les étudiants se laissent à nouveau fortement séduire par le secteur de la finance désormais dominé par des mégabanques (Mitsubishi UFJ, Mizuho, Sumitomo Mitsui) nées de la fusion des rescapées de la débâcle des années 1990. Un temps totalement discrédité et dédaigné, parce que ruiné et sali, ce milieu a recouvré son honneur, les mastodontes ayant de nouveau la capacité d'investir et de jouer leur rôle de serviteur des entreprises et des citoyens après avoir quasiment fini de rembourser les quelque 12 000 milliards de yens que l'État leur avait prêtés pour combler le trou laissé par des emprunteurs insolvables. Les filiales de sociétés étrangères, Google par exemple, bénéficient aussi d'une belle image auprès des jeunes qui imaginent que le climat y est plus « cool » que dans une boîte nippone.

N'ayant pas le même pouvoir d'attraction, les petites entreprises, *a fortiori* celles exerçant à distance des grandes conurbations de Tokyo, Nagoya ou Osaka, sont les premières à faire les frais de cette chasse aux cervelles et corps juvéniles, faute d'aligner les appointements promis sur ceux de grandes structures renommées. Leurs seuls atouts sont éventuellement de proposer un environnement de travail plus clément et de confier d'emblée aux jeunes des fonctions hiérarchiquement plus élevées. Ainsi peuvent-elles répondre à l'attente d'individus davantage que leurs aînés soucieux de l'équilibre entre vies professionnelle et privée. Les nouveaux aspirants s'intéressent en effet à des aspects autrefois négligés, surtout par les hommes, comme la possibilité d'aménager leurs horaires pour mieux profiter des enfants ou éviter les horribles heures de pointe matinale et nocturne dans les transports. Les employeurs sont *de facto* désormais astreints à modifier leurs pratiques pour conserver ces jeunes qui n'hésitent pas à les plaquer après quelques mois s'ils jugent que leur environnement de travail, leurs fonctions et leurs émoluments ne correspondent ni aux promesses énoncées ni à leurs compétences ou prétentions. Un tiers des nouveaux salariés quittent ainsi leur premier employeur au bout de trois ans, ce qui alarme bien sûr le patronat et interpelle l'État. Les chasseurs de têtes sont dès lors contraints de relever les salaires d'embauche des jeunes et d'offrir un cadre professionnel plus attirant. Les largesses pécuniaires rencontrent toutefois des limites, les entrepreneurs privilégiant encore, autant que faire se peut, les investissements consacrés à la recherche et au renouvellement des machines, elles aussi vieillissantes, dans le but de consolider leur avance technique et leur compétitivité. Les entreprises se montrent d'autant plus pusillanimes sur les rémunérations qu'elles craignent encore un retournement brutal de conjoncture dans une intrication de phénomènes mondiaux qu'elles ne peuvent ignorer. Les turbulences financières et économiques mondiales déclenchées en 2007 par la crise des prêts immobiliers hypothécaires à risque *subprime* aux États-Unis leur ont donné raison sur ce point, même si les gros groupes nippons ont les reins solides.

Les sacrifiés des années 1990

Les salariés recrutés au milieu des années 1990, en pleine période de dégraissage, sont pour leur part moins chanceux que les frais émoulus des campus, très courus. Parfois tenus d'accepter le premier poste venu, ils ont malgré eux perdu un temps précieux. Hormis ceux qui pouvaient alors se prévaloir d'une spécialisation élevée et recherchée, les nouveaux arrivants de l'époque ont connu et subissent souvent encore les affres du travail précaire ou à temps partiel. Les moins qualifiés de cette « génération sacrifiée » continuent de végéter dans des petits boulots sans bénéficier des avantages de titulaires de poste à temps plein sous contrat à durée indéterminée. D'autres, qui rêvaient de liberté et ne voulaient pas suivre le parcours fléché du salarié de base, sont à la peine, car dans la conformiste société japonaise, une attitude marginale condamne à une forme d'exclusion. Le déficit de candidats permet toutefois à quelques-uns de ces surnommés *freeters* et autres *hiseishain* – non-titulaires – défavorisés de se dégager de leur position bancale. Depuis 2006, les chaînes de distribution, magasins de vêtements, restaurants ou services de livraison et usines (secteurs qui font généralement un usage abusif des formules d'emploi sans engagement) sont contraints de sécuriser leur personnel. La chaîne de magasins de vêtements Uniqlo (groupe Fast Retailing) a par exemple transformé en 2006-2007 quelque cinq mille contrats à durée déterminée en postes fixes avec tous les droits et avantages (primes, assurance) associés. Ce cas ne constitue pas une exception, même si, en 2011, encore un tiers des salariés nippons (dont une grande proportion de femmes) ne bénéficiaient pas d'un contrat à temps plein à durée indéterminée. Bien que cela constitue pour certains un choix, une forte proportion endure encore les contrecoups persistants de la crise des années 1990 et de l'extension des possibilités d'emplois temporaires dans l'industrie. Cependant, l'initiative très récente de très gros groupes manufacturiers, comme Canon (électronique/informatique) ou Komatsu (engins de chantier), de ne plus du tout recourir à des intérimaires pour œuvrer dans leurs usines, donc d'embaucher directement les milliers d'individus concernés, marque assurément un tournant majeur lié à l'impérieuse nécessité de sécuriser la main-d'œuvre compétente en place.

Les trop bien payés impossibles à licencier mais prêts à partir

Outre les futurs retraités, les nouveaux arrivants, et ceux entrés dans la vie active au milieu de la décennie perdue, une grosse masse de la population salariée est constituée de quadragénaires, engagés durant la période de la bulle, à des conditions avantageuses pour eux-mêmes mais qui constituent aujourd'hui une charge financière presque handicapante pour leurs entreprises. Compte tenu de la difficulté à remplacer ces personnels par des jeunes, les firmes peuvent difficilement s'en passer dans l'unique but d'alléger leur fardeau. L'amélioration récente du marché de l'emploi place ces *salarymen* et leurs employeurs dans une situation inconfortable. En effet, ceux qui affichent les compétences les plus prisées sont tentés de profiter d'un marché de l'emploi plus favorable pour changer d'entreprise. Mais cela signifie qu'ils renoncent aux avantages liés à l'ancienneté. Pas simple. Toutefois, un nombre grandissant de ces salariés au milieu du gué dotés d'une riche expérience s'y hasardent, souvent encouragés par des cabinets de faiseurs de carrière ou incités à franchir le Rubicon par les innombrables livres et magazines sur la stratégie de gestion de parcours professionnel. D'autres, pourtant prêts à faire leur deuil du bénéfice des années accumulées, sont en revanche coincés, leur *curriculum vitæ* n'étant pas suffisamment affriolant et leur salaire actuel pas si mauvais pour pouvoir espérer mieux. Un dernier lot enfin est constitué d'individus pas franchement épanouis dans leurs fonctions mais qui n'envisagent pas pour autant de partir, par peur de l'aventure aléatoire.

La valeur travail résiste… et pourtant

Même si le travail occupe une place importante dans le cœur des Japonais, une majorité ne juge pas pleinement satisfaisantes les conditions dans lesquelles ils exercent leurs fonctions. Toutes les catégories d'employés, surtout les trentenaires, prétendent souffrir de plus en plus, moralement et nerveusement. Les salariés à temps partiel ou en contrat à durée déterminée se disent encore plus que les titulaires d'un poste à temps plein victimes d'un défaut d'intégration, voire d'ostracisme. Ils n'ont souvent pas de confident parmi leurs collègues ou supérieurs. D'une façon générale, qu'ils soient jeunes plus ou moins motivés ou à mi-parcours plus ou moins blasés, les travailleurs nippons se sentent angoissés. Exécrée incertitude des temps modernes. Ils ont peur que l'entreprise qui les emploie connaisse des déboires, aimeraient être mieux payés, se plaignent d'une charge trop lourde de travail, acceptent de moins en moins la pression subie pour tenir les échéances ou remplir un objectif, s'agacent de la lourdeur des procédures, subissent un surcroît de responsabilités, ne supportent plus la réunionnite, se désolent du déficit de communication interne et dénoncent même parfois une atmosphère pourrie. Ambiance. L'adoption de la progression salariale individuelle au mérite, et non plus selon le nombre d'années engrangées, est perçue comme la cause première de la détérioration des relations humaines au boulot. Assurément, les salariés nippons n'ont pas tort de considérer que l'environnement professionnel pourrait être un peu moins oppressant et un peu plus chaleureux, même si pour la plupart, ce n'est pas non plus le bagne. Mais sans nier la pression dont ils font l'objet, avec un peu de recul, on a vilainement tendance à penser que ces malheureux sont aussi responsables de leur névrose. Environ la moitié des salariés ne prennent pas toutes les vacances auxquelles ils ont droit, culpabilisant à l'idée de reporter la charge de travail sur leurs congénères ou par hantise de devoir faire face à une montagne de dossiers à boucler au retour. Ils hésitent à s'absenter pour buller, se ménageant une réserve de jours de congés au cas où un événement familial ou un petit pépin de santé leur interdirait d'œuvrer. Ainsi sur une moyenne d'environ dix-huit jours de repos payés par an (hors fêtes nationales), seulement huit ou neuf sont effectivement pris. L'État est obligé d'inventer des jours fériés supplémentaires sous des prétextes plus ou moins fallacieux pour multiplier les week-ends prolongés dans l'année. De surcroît, la plupart des travailleurs effectuent une quantité importante d'heures supplémentaires, de présence nuancent les mauvaises langues. Certains mettent un point d'honneur à arriver le premier, partir le dernier, juste pour ne pas passer pour un égoïste ou un fainéant aux yeux de leurs collaborateurs et supérieurs, même si leur productivité est *in fine* très basse. Du coup les autres alignent leurs horaires. Une vis sans fin qui force des entreprises à chasser leurs ouailles du bureau à coup de sifflet à 19 heures, à leur envoyer des e-mails de rappel les jours de *zangyo zero* – sans heure supp – pour éviter une explosion non maîtrisée de la masse salariale. Les surplus exagérés, qui aboutissent à des semaines de plus de soixante heures pour nombre de salariés, pourraient à vrai dire être fortement réduits par un assouplissement des procédures, une diminution du nombre de rendez-vous de pure forme, et une contraction du temps passé en réunions interminables pour obtenir un consensus sur des points de détail. Mais la crainte qu'un allègement des règles et qu'un abandon des vieilles habitudes n'induisent une perte de confiance entre clients et fournisseurs, une chute de vigilance ou un recul de la qualité des produits et services, bride les initiatives. Le gouvernement a ainsi dû remiser une mesure qui visait à limiter les durées de travail excessives. Il voulait étendre à tous les cols blancs, en plus des cadres dirigeants, la rétribution sur la base de fonctions et non du temps passé à l'accomplissement d'une tâche. L'État et les entrepreneurs espéraient ainsi une amélioration mécanique de rendement, chacun se débrouillant logiquement pour aller plus vite et gagner des minutes à défaut de yens supplémentaires. L'échéance de cette mesure est reportée, par crainte d'une dégringolade soudaine des salaires et du pouvoir d'achat des familles. Quand elles sont payées, ce qui est généralement le cas, les heures supplémentaires viennent en effet opportunément arrondir les fins de mois, alors que les rémunérations de base stagnent. Même si, comme le suggère la fiction 2025, l'État mise sur des mesures techniques, tel que le développement du télétravail, la suppression des heures de rabiot est d'autant plus ardue que la carence d'actifs disponibles s'aggrave.

Littérature pour chefs désemparés et salariés motivés ou blasés

Dans ce contexte, les cadres dirigeants se sentent un peu perdus. Ils ne savent plus comment parler aux équipes qui elles-mêmes peinent à interpréter les mots des supérieurs. Ce malaise dans la hiérarchie fournit un sujet parfait pour les éditeurs qui alignent des dizaines d'ouvrages sur ce thème, qui pour déculpabiliser les chefs, qui pour redonner courage aux « opprimés ». Et chacun de chercher des bonnes recettes dans les bréviaires de patrons ayant marqué l'histoire ou dans les conseils de ceux, en place, dont l'entreprise se porte à merveille. Dans ce registre les dirigeants de Toyota, Canon, tout comme les fondateurs de Sony ou Matsushita, restent des valeurs sûres. Carlos Ghosn, sauveur du constructeur d'automobiles Nissan avant de devenir également P-DG de Renault, eut lui aussi sa période de gloire médiatique et d'honneur dans le gotha économique nippon, en dépit d'une méthode au départ aux antipodes des pratiques locales. Le patron de l'entreprise conquérante Fast Retailing, propriétaire de la populaire marque de vêtements basiques Uniqlo, Tadashi Yanai, était l'une des figures-vedettes en 2010 et 2011. Les P-DG des chaînes de *konbini*, Seven Eleven ou Lawson en tête, et des florissantes sociétés de transport *takuhaibin* ont aussi leurs photos sur nombre de livres destinés aux aspirants *shacho* – directeur général. Les étagères des librairies ne sont pas seulement réservées aux hommes ou femmes qui tiennent le haut du pavé. Les petites mains aussi ont des choses à écrire pour motiver les jeunes du bas de l'échelle. Ainsi fut publié en 2006 un livre, sans grande prétention littéraire mais néanmoins instructif, d'une demoiselle de vingt-deux ans devenue la meilleure vendeuse de bières, *bento* et autres gourmandises dans les Shinkansen reliant Tokyo à Osaka. Où l'on découvre par le menu comment elle prend plaisir à effectuer plus de vingt fois par mois des allers-retours entre les deux mégacités, en dépit d'horaires irréguliers et de fortes contraintes, et comment son assiduité l'a menée du statut d'intérimaire à celui de titulaire. S'ils peuvent effectivement donner un petit coup de pouce aux uns et aux autres pour éviter la dépression, ces ouvrages ne remplaceront toutefois pas les souhaitables mesures structurelles pour aider chacun à trouver un sens à sa vie.

Le suicide est (enfin) devenu un drame

Depuis les années de crise de la décennie 1990 et jusqu'à 2011 inclus, le Japon a déploré plus de 30 000 suicides par an, dont une grande partie d'hommes dans la force de l'âge. Les autorités, les entreprises, les familles et le corps médical ne savent souvent pas comment aborder ce drame. Culturellement, les Japonais ont en effet du mal à voir dans la mort volontaire « un acte de désespoir » préjudiciable à la société, alors qu'elle était autrefois, et reste parfois, perçue comme un geste honorable. Les proches reconnaissent leur difficulté à détecter les signaux annonciateurs et, le cas échéant, à agir, la dépression étant minimisée ou ignorée et les structures d'aide ou de conseil insuffisantes. De nouvelles dispositions pour prévenir au lieu de gémir ont toutefois été prises en 2007 pour lutter contre ce qui est désormais considéré comme une plaie sociale. Le gouvernement s'est fixé pour mission de faire reculer le taux de 24,2 suicides pour 100 000 habitants en 2006 à 19,4 en 2016. De même, les autorités espèrent-elles resocialiser des jeunes égarés, les NEET, qui seuls, sans une aide et un accompagnement importants, sont incapables de recouvrer une place dans la société. Quel que soit leur statut (salariés ou non), les trentenaires, dont la moitié sont encore célibataires, se disent particulièrement touchés par les bobos à l'âme. Ils éprouvent du mal à trouver un équilibre dans une société mouvementée, sont déboussolés.

Là où Amélie Nothomb n'avait pas complètement tort…

On comprend aussi que les travailleurs se sentent surmenés, épuisés et qu'ils somnolent dans les trains la tête flanchant sur l'épaule du voisin, lorsqu'on observe leurs habitudes de vie. Le phénomène du *karoshi* – mort par excès de travail –, réduit à son acception littérale par les médias étrangers sensationnalistes, est aussi dû aux à-côtés auxquels peut conduire le stress professionnel. Tous les soirs, du lundi au vendredi, et parfois même le samedi, les bars et restaurants sont emplis de 18 heures à minuit de groupes de collègues qui ingurgitent bière sur bière, allument une cigarette avec la précédente, en grignotant quelques brochettes ou sushi. Cette tradition qu'on baptisait jadis « la nomunication » (contraction de *nomu*, boire, et communication) est parfois ressentie, à tort ou non, comme une obligation professionnelle. Elle est censée permettre une plus grande proximité entre collègues, offrir l'occasion d'un dialogue plus franc, faciliter les relations avec les clients et accessoirement servir de défouloir pour évacuer le stress. Toutefois, elle n'est pas nécessairement bien vécue. Le spectacle de ces agapes est au mieux drôle, au pire pitoyable. Le salarié exemplaire, tiré à quatre épingles, que l'on a croisé tôt le matin lors d'un rendez-vous d'affaires, se mue ainsi le soir même en pitre ridicule, zouave méconnaissable, dans un état d'ébriété consternant, puant l'alcool, ronflant debout dans le dernier métro, dépoitraillé, la cravate de travers, le pantalon en tire-bouchon. Il rentre à point d'heure et se lève dès potron-minet, à peine rétabli, avale une solution anti-gueule de bois puis une autre pour le tonus, achetées au *konbini* en bas du bureau, et repart ainsi pour un tour. Les *office ladies* aussi sortent le soir entre collègues, ne crachant pas non plus sur la bière ou autres boissons plus ou moins alcoolisées, qu'elles ne digèrent d'ailleurs pas mieux que la gent masculine. « Une convention bizarre permet à l'être humain normal de se dépouiller de sa dignité lorsqu'il boit », remarquait Mishima, dans les années 1960. Rien n'a vraiment changé depuis. Haute croissance, crises pétrolières, bulle immobilière, déflation persistante, reprise chancelante et nouvel essor, nul événement n'a déraciné cette tradition : les Nippons se soûlent, quelle que soit la conjoncture, bonne ou mauvaise, à l'alcool ils carburent. Alors le soir, tard, le vendredi, surtout, gare. Il faut se faufiler sur les trottoirs et les quais entre ces grappes d'ombres titubantes ou carrément affalées. On force un peu le trait, parce qu'on est souvent chagriné, ne sachant pas s'ils boivent par plaisir et convivialité ou pour contrebalancer le poids des contraintes professionnelles et sociales. Le fait est, par ailleurs, que la consommation d'alcool n'est pas taboue ni cachée au Japon, les publicités sont autorisées et partout affichées. Les *konbini* ouverts 24 heures sur 24 placent en devanture des *kanban* – panneaux – lumineux portant le kanji *sake* – alcool –, visibles à plusieurs dizaines de mètres, pour signaler qu'ils vendent toutes sortes de breuvages alcoolisés. Le goût du saké est un des thèmes préférés des vedettes du petit écran et de leurs invités dont certains, même des demoiselles, se targuent de boire aussi du champagne le dimanche matin en été dans des bars spécialisés. Les magazines d'actualité économique font régulièrement état du marché des bières et boissons assimilées. Ils diffusent des reportages sur le lancement de nouvelles variantes destinées à entretenir les ventes. Les médias s'étonnent même du fait que les jeunots rechignent plus que leurs aînés à lever le coude. Boire ensemble est considéré comme une preuve de fraternité, de solidarité, d'appartenance au groupe. Ceux qui restent à l'eau ou au thé glacé lors de ces soirées sont mal vus : « Ils ne sont pas des nôtres, ils n'ont pas bu leur verre comme les autres. » Alors, que cela plaise ou non, il faut en être, pas tous les soirs, fort heureusement, mais aux grandes occasions au moins. Le fait que les salariés à temps partiel soient moins souvent de la partie tendrait à démontrer qu'ils ne sont pas pleinement intégrés. Fait nouveau toutefois, les dernières éditions de manuels de bonne conduite au travail conseillent désormais aux jeunes recrues de faire semblant, de juste tremper les lèvres au moment du *kanpai* – à la vôtre – et de s'excuser ensuite de troquer une pinte de bière ou un ballon de vin contre un verre de « soft drink ».

Les firmes ne sont en outre pas indifférentes à l'hygiène de vie, à la santé et au bien-être de leurs salariés. Nombreuses sont celles qui amplifient le suivi médical et psychologique de leurs ouailles, retrouvant ainsi leur rôle protecteur un peu mis à mal dans les années 1990. La question archi-médiatisée de l'équilibre entre vie professionnelle et vie privée est en outre devenue primordiale alors que les jeunes sont moins que leurs ascendants prêts à bousiller leur santé, leur bien-être personnel et leur vie de famille pour leur entreprise. La mise en place de vastes programmes de télé-travail, par des groupes comme Matsushita/Panasonic, NEC ou Sony, reflète cette prise de conscience, de même que l'aménagement personnalisé des horaires, la création de salles de sport au sein de l'entreprise, le suivi diététique automa-tique dans les cantines, l'élaboration de programmes indivi-duels de lutte contre les mauvaises habitudes de vie et la prévention des maladies physiques et mentales qu'elles entraînent.

Chapitre XXVII

ÉDUQUER DES ENFANTS :
COMMENT, POURQUOI ?

L'État espère que la prise en considération par les entreprises des aspirations des nouveaux salariés redonnera par ailleurs aux couples l'envie et les moyens de faire des enfants avec l'assurance de pouvoir les élever correctement tout en autorisant la mère comme le père à poursuivre chacun leur carrière.

La galère des mères

L'un des plus gros freins à la maternité réside en effet dans la quasi-obligation morale dont se sentent investies les femmes d'abandonner leur travail pour s'occuper de leur enfant. Les impératifs d'éducation sont tels que, *de facto*, les mères quittent leur emploi, si ce n'est au premier enfant, au deuxième pour se consacrer pleinement à leurs protégés, laissant aux pères le soin d'alimenter le compte en banque. Ce qu'ils font généralement, de bon cœur, en échange d'une inéquitable répartition des tâches ménagères et de la bienveillance de leur épouse pour leur absence du foyer. Toutefois, les Nippones d'aujourd'hui, plus libérées que ne l'étaient leurs mères, désirent aussi s'épanouir professionnellement.

Des Japonaises en âge de procréer y renoncent de crainte de ne pouvoir assumer comme il se doit le rôle de mère. La création d'une famille n'est plus synonyme de belle destinée, de bonheur assuré. Faute de se sentir à même de tenir les deux bouts de la corde, de nombreuses trentenaires repoussent leur désir maternel si tant est qu'elles l'éprouvent. Le Japon fait face à un redoutable dilemme. Il déplore l'absence lamentable des femmes aux responsabilités dans les entreprises et institutions, mais ne peut s'empêcher de conclure que le bon niveau général d'éducation des enfants n'est pas étranger à la disponibilité des mères. Si la délinquance juvénile reste si basse au Japon, par comparaison avec les autres nations industrielles, cela tient d'abord au fait que la plupart des petits Nippons bénéficient en permanence de l'attention maternelle, même si tous ne sont bien sûr pas des anges. En revanche, si les deux parents travaillent, qui va veiller sur la marmaille ? Dans la culture japonaise, et alors que les structures sont notoirement déficientes pour l'accueil des tout-petits, la mère est davantage que le père censée oublier ses ambitions carriéristes. La société considère encore que le devoir premier de la femme est de s'occuper de sa famille et celui de l'homme de travailler à l'extérieur, même si d'aucuns affirment que cette division des tâches est désormais désuète. Selon une étude réalisée en 2007 auprès de 9 000 personnes de vingt à cinquante-neuf ans, 53 % des hommes et 58 % des Japonaises jugent qu'une femme doit quitter son travail soit après le mariage, soit après le premier bébé, et qu'elle peut éventuellement reprendre une activité une fois les enfants éduqués. Cette opinion se retrouve dans des proportions voisines dans toutes les tranches d'âge. Un ministre n'a-t-il pas aussi osé déclarer en 2007 que les femmes étaient des « machines à faire des enfants » ? Certes, cette expression scandaleuse a heureusement soulevé de véhémentes protestations, mais le malotru n'a-t-il pas dit crûment et effrontément ce que pensent une majorité d'hommes, fût-ce de façon moins grossière et plus respectueuse de la gent féminine ? Selon la même enquête, plus de la moitié des messieurs japonais (53 %) et même 48 % des dames considèrent encore que la place des mères est à la maison, une opinion plus fréquente au sein des classes élevées conservatrices. Dans les entreprises, les femmes enceintes se sentent souvent incomprises, voire culpabilisées, alors qu'elles devraient bénéficier d'une attention et d'une indulgence particulières. Selon une étude diligentée en 2006 par les services de l'État, un quart des pères avouaient ne quasiment pas croiser leurs enfants les jours ouvrés, 15 % les entrevoir un quart d'heure au plus, 22 % les côtoyer moins de trente minutes par jour et 24 % une heure au mieux. Pis, les deux tiers confiaient ignorer les difficultés rencontrées par leurs enfants, lesquels n'en parlent souvent qu'à leur mère, et encore. Prime cause avouée de ce déplorable constat : le travail et les à-côtés professionnels. De fait, sans la présence maternelle, les gamins en question risqueraient d'être bien souvent seuls et de pâtir de ce handicap. Trouver le point médian entre rôle des mères et statut des femmes dans les entreprises et autres instances constitue de fait un défi majeur pour une société qui refuse de voir ses enfants livrés à eux-mêmes. Il serait toutefois inexact de considérer que les femmes qui s'écartent en tout ou partie de la vie professionnelle pour éduquer leurs chérubins en souffrent forcément, il s'agit pour beaucoup d'un souhait. Elles ne se sentent pas malheureuses de profiter à plein de leurs enfants. D'ailleurs, toujours selon le sondage mené en 2007, au moment où elles sont entrées dans la vie active, seulement une fille sur quatre s'imaginait encore œuvrer à temps plein une fois atteints quarante ans. Quant à celles qui désirent privilégier leur carrière, elles assument aujourd'hui le renoncement à la maternité, ce qui n'était pas le cas auparavant. Les femmes japonaises des précédentes générations se mariaient, faisaient des enfants, se pliaient aux dogmes sociaux, quitte à souffrir en silence, parce qu'elles ne s'autorisaient pas un autre destin. Une partie de leurs descendantes se sentent plus fortes pour résister aux pressions des proches qui les somment de trouver un époux et de devenir maman. Toutefois, même si une plus grande proportion de filles assument de ne pas suivre cette voie habituelle de la mère au foyer, la recherche d'un mari reste une préoccupation majeure pour les jeunes femmes de plus de 25 ans, quitte à convoler à la va-vite avec quelqu'un dont elles ne sont pas sûres d'être amoureuses. Certes, du quotidien marital elles n'ont pas nécessairement une bonne image, ne se voient pas vivre comme leurs parents. Mais passée la trentaine, au Japon, une fille non mariée est vite perçue comme une marginale. Elles sont nombreuses ces jeunes Nippones qui, n'ayant pas trouvé le bon parti, logent encore chez leurs parents et le supportent de moins en moins. Dégoter un appartement quand on est seule et que le salaire est trop maigre relève presque de l'exploit. La solitude, elles n'aiment pas, puis elles rêvent d'un enfant, ce qui, au pays du Soleil-Levant, ne se conçoit que si l'on a la bague au doigt. Or la société japonaise ne favorise pas nécessairement les rencontres. Dans les restaurants, il est fréquent que des tables ne soient occupées que par des hommes ou uniquement par des femmes, parce que des promotions spéciales leurs sont offertes. Des hôtels et autres lieux de prestations font aussi des offres particulières aux bandes de copines. Même dans les librairies, existent des rayons réservés aux femmes, de même que les romans écrits par des femmes sont classés à part. Dans ces circonstances plus ou moins choisies de mixité réduite, le malaise de millions de filles seules n'a pas échappé aux opportunistes agences matrimoniales. Dans les wagons des métros tokyoïtes réservés à la gent féminine aux heures de pointe ont fleuri les publicités « konkatsu », néologisme issu de l'expression *kekkon katsudo* qui signifie : « campagne de mariage. » L'une des plus actives firmes entremetteuses, Onet, revendiquait en 2010 quelque 40 000 membres. « Votre train-train quotidien limite les rencontres, gagnez du temps, confiez-vous à nos spécialistes. Soyez rassurées, tous nos adhérents sont sélectionnés après entretien de visu, etc. », expliquait alors Onet qui affirmait avoir marié plus de 80 000 personnes en 20 ans. Week-end au golf, soirées arrosées et autres occasions de rencontre sont proposées moyennant quelques centaines ou milliers d'euros. D'autres bonnes âmes marchandes se contentent d'organiser des fêtes à thème, des dîners selects (les prétendants doivent avoir un salaire minimum annuel élevé) et des rencontres à deux. Reste que les demoiselles sont de plus en plus exigeantes. Leur rêve étant souvent de devenir maman au foyer, elles désirent un homme au poste et émoluments garantis, qui assure durablement les besoins de la maisonnée. Le « pouvoir économique » du prétendant ressort comme le premier critère de décision des filles. Le sentiment amoureux ne vient qu'après. Las, le spécimen qui a le répondant financier suffisant est de plus en plus difficile à dénicher, sauf à accepter un mari quadra ou quinquagénaire en milieu de carrière, lequel ne sera ni le plus fertile ni celui qui siéra aux parents de la demoiselle, une condition essentielle. « Résultat de ma campagne : zéro », se lamentait ainsi régulièrement sur son blog une trentenaire, sous le pseudonyme « happy life ».

Dans la difficulté ou la réticence des femmes à faire des enfants il faut en outre voir une conscience responsable de l'engagement de long terme que signifie la maternité et une appréhension face au poids économique subséquent, surtout lorsque la probabilité de séparation du couple apparaît de plus en plus haute. Élever un rejeton à Tokyo ou dans une autre grande ville nippone, là où se concentrent la population et les emplois, n'est pas chose aisée, surtout pour les mères se retrouvant parfois seules. Non que les immenses cités soient invivables pour les bambins, au contraire : la sécurité y règne, l'hygiène y est irréprochable, l'air y est de plus en plus sain, contrairement aux idées reçues datant des décennies antérieures. Mais à quel prix ?

Le coût de la vie dans la capitale nippone est exorbitant, d'où l'importance du critère économique dans le choix du mari pour qu'il puisse devenir père. Le superflu y est de plus en plus accessible, mais parallèlement, les produits et services vitaux, l'alimentation, le logis, les transports y sont de plus en plus onéreux, subissant les effets de l'augmentation mondiale du cours des matières premières et la dépendance du Japon à cet égard. Les tarifs des téléviseurs à écran plat, des ordinateurs, des télécommunications mobiles et autres articles high-tech ne cessent de chuter quand ceux des fruits et légumes frais, des céréales et des produits laitiers essentiels à l'équilibre nutritionnel requièrent un budget disproportionné pour qui veut suivre scrupuleusement les recommandations diététiques et renâcle à avaler uniquement des aliments importés, certes moins chers que la production locale, mais aussi perçus comme moins bons et surtout moins sûrs. Or, au Japon, les pommes, pêches, poires ou mandarines sont comme les melons ou les ananas, vendus à l'unité. Aussi goûteux que coûteux, leur prix au kilogramme n'est pas même affiché, pour ne pas effrayer le client. Une pomme venue de la préfecture d'Aomori, région du nord réputée en la matière, coûte de un à trois euros… pièce. Un melon peut se monnayer jusqu'à quarante euros en pleine saison. Nourrir sainement à satiété une famille de trois, quatre bouches n'est pas à la portée de toutes les bourses. Les parents doivent en outre dépenser des fortunes pour hisser leurs gosses au sommet des classements scolaires sur fond de ruineuse compétition entre écoles, se saignant pour les placer dans les meilleurs établissements et leur payer en sus des cours particuliers. Le tout dans l'espoir de leur assurer un brillant avenir social. Les professeurs sont tenus de leur en donner pour leur argent. Pressurisés par les parents, ils sont de plus en plus nombreux à s'effondrer, victimes de surmenage.

Les budgets publics consacrés aux personnes âgées dépassent, et de loin, les allocations aux parents et l'aide aux tout-petits. Cette politique, pour l'heure inéquitable, décourage les jeunes couples, incertains sur leur propre devenir matériel, d'autant qu'ils se préparent aussi mentalement sinon matériellement à soutenir, voire à héberger, leurs ascendants. Le Japon est donc pris dans un cercle vicieux, l'État, surendetté, bichonnant trop les vieux au détriment des bébés, et les régions n'étant pas toutes assez fortes pour prendre le relais. Les jeunes actifs ne procréent plus par peur du lendemain, tout en sachant que si ce phénomène délétère se perpétue, il n'y aura plus en 2050 qu'un peu moins d'un travailleur et demi pour soutenir un retraité, *via* le système actuel de répartition, contre 3,3 pour un en 2007. Le serpent se mord la queue, et les gouvernants se rongent les ongles, étudiant attentivement l'exemple français où les femmes parviennent apparemment plus aisément à être sur les deux fronts à la fois, ce qui se traduit par une meilleure représentation féminine dans les hautes sphères (encore que) et par une progression des naissances. En revanche, la proportion d'enfants insuffisamment encadrés et en situation d'échec scolaire y est plus élevée qu'au Japon, de même que le taux de chômage, prouvant que le modèle français n'est pas la panacée. L'État nippon voudrait néanmoins s'inspirer des mesures hexagonales et comprendre où se situent les forces et faiblesses du système français pour n'en retenir que le meilleur et l'adapter à son propre environnement. La tâche est éléphantesque. Et même si de nouvelles dispositions et structures se mettent en place progressivement (crèches d'entreprise, aides municipales, création de services à la personne), dans tous les cas, le taux de fécondité ne remontera pas à un niveau tel qu'il puisse provoquer une envolée massive du nombre de bébés pour remettre rapidement à l'endroit la pyramide des âges.

Les Japonaises et la société dans son ensemble ont en outre ouvert les yeux relativement récemment sur des faits autrefois enfouis, souvent grâce à des ouvrages présentant crûment à travers des faits-divers tragiques les difficultés d'être mère, les désillusions de la vie de couple, le comportement peu coopératif des pères, le harcèlement moral et sexuel dans les lieux publics et les entreprises, ou les cas de maltraitance et de violence conjugale. Des filles ont eu l'audace de lever le voile sur leurs frustrations sexuelles, décrivant avec une certaine férocité et sans ambages l'attitude du jeune fiancé modèle, aux petits soins avec sa dulcinée, qui, après le mariage, néglige superbement son épouse. Près de la moitié des femmes mariées japonaises confient avoir déjà songé au divorce. « Si mon compagnon connaissait aussi bien le corps des femmes que les caractéristiques des matériels audiovisuels, ce serait un bonheur », se désolait une jeune fille citée dans un ouvrage intitulé *Le Livre blanc de notre sexualité*, un brûlot où les hommes en prennent sérieusement pour leur grade.

Chapitre XXVIII

LE SEXE. UN JEU À DEUX OU UNE PRATIQUE INDIVIDUELLE ?

Fantasmes bousculés

Ah, les Japonaises ! Combien de fois l'auteur de ces lignes a-t-elle en effet entendu ses compatriotes masculins français s'exclamer ainsi à l'évocation des habitantes du pays du Soleil-Levant ? La femme asiatique, la Nippone en particulier, est à la fois un mystère et un fantasme pour les Occidentaux. L'inverse est en partie vrai, les Japonaises prêtant aux mâles français un romantisme et une galanterie qui, selon elles, font désespérément défaut à leurs congénères. Certaines succombent au charme d'un blondinet, se marient, d'autres se contentent de quelques amourettes avec un étranger et jettent finalement leur dévolu sur un compatriote. Quitte dans les deux cas à déchanter. Car si nombre d'hommes étrangers débarquent au Japon dans le prime espoir de coucher avec au moins une Japonaise, mais sans volonté de convoler, les Nippons ne sont pour leur part pas des champions du devoir conjugal. Selon l'étude internationale conduite régulièrement par le fabricant de préservatifs Durex, les Japonais (hommes et femmes) sont chaque année bons derniers dans le classement des plus actifs sur ce plan. Ils ne revendiquaient que 48 relations sexuelles par an en 2007 (trois de plus qu'en 2005 quand même), contre 120 pour les Français et un peu plus de cent en moyenne. Comme cette étude est fondée sur les dires des uns et des autres, et non sur un suivi réel, bien difficile à effectuer au demeurant, il n'est pas exclu que les Nippons, moins vantards, soient plus sincères que les Occidentaux. Une autre enquête, diligentée par le ministère de la Santé japonais, accrédite les résultats de Durex. Selon ce sondage, réalisé fin 2006 auprès de quelque 1 409 personnes de seize à quarante-neuf ans ayant bien voulu répondre (3 000 ayant été en réalité contactées), 35 % des couples japonais mariés, tous âges confondus, et 46 % des plus de quarante-cinq ans avouaient une activité plus que réduite, une proportion qui tend à grimper par rapport aux précédentes études similaires. Ces hommes et femmes se classaient d'eux-mêmes dans la catégorie « vie sexuelle nulle », laquelle signifie qu'au moment de l'enquête, ils n'avaient pas fait l'amour ensemble depuis un mois ou plus. Près d'un couple marié sur cinq indiquait même ne pas avoir eu de relations sexuelles pendant plus d'une année. Cette inactivité tend même à s'aggraver du fait du vieillissement de la population mariée. En 2007, un quart des couples n'ont pas fait l'amour, ce qui évidemment n'aide pas à faire des enfants. Par ailleurs, 40 % de l'ensemble des sondés, mariés ou non, confiaient ne pas avoir eu de rapports sexuels dans le mois précédent, 15 % être passés à l'acte une fois, 12 % à deux reprises et 16 % trois ou quatre fois. Les demoiselles trentenaires qui autrefois se seraient senties honteuses de ne pas encore avoir dégoté un mari se vantent aujourd'hui d'être *sex off*, une formulation préférée à *sex less* – sans vie sexuelle – parce qu'elle exprime, selon elles, un acte maîtrisé et non une situation subie ; qu'on se le tienne pour dit.

Pas le temps de coucher

Le déficit de communication, lié au peu de temps passé en amoureux, serait la principale cause de cette faible fréquence des relations sexuelles conjugales. Hommes et femmes, occupés par leurs activités professionnelles ou leurs loisirs divergents, partagent trop peu de moments intimes. Ils n'osent en outre pas faire part à leur conjoint(e) de leurs désirs physiques, car parler de sa vie sexuelle ouvertement n'est pas chose facile au Japon, par timidité le plus souvent, et pour certaines femmes, par égard pour leurs maris qui rentrent souvent tard du travail, exténués. Selon une étude du magazine *Nikkei Woman* conduite en 2006 auprès d'un échantillon représentatif de la population féminine nippone âgée en moyenne de trente ans, englobant des célibataires et épouses, l'épanouissement n'est donc pas au rendez-vous, même si certaines revendiquent une vie sexuelle intense, notamment les célibataires d'une vingtaine d'années intérieurement très demandeuses. Parmi les jeunes femmes interrogées par *Nikkei Woman*, celles qui ont des relations suivies avec un partenaire trouvent certes en grande majorité (70 %) que cela se passe « à peu près bien », mais celles qui ne sont pas dans ce cas se taisent, ce qui les différencie de leurs homologues des autres contrées, si l'on en croit l'enquête comparative de Durex menée dans vingt-six pays en 2007. Selon cette dernière, hommes et femmes confondus, quatre Japonais sur cinq estiment que leurs désirs sexuels ne sont pas comblés par leur partenaire, et pour cause, il ou elle n'est pas forcément devin. Dans nombre de situations au Japon, l'on considère que l'attitude suffit à véhiculer le message, les mots étant superflus. Dans la relation sexuelle, la même approche n'est peut être pas valable. Résultat, le taux de satisfaction sexuelle des Japonais plafonne à 24 %, soit le plus faible du monde, contre 44 % en moyenne pour l'ensemble des nations étudiées et 38 % pour les Français. Seul un Japonais sur dix considère qu'il a une vie sexuelle excitante, alors que les habitants de tous les autres pays sont au moins trois fois plus nombreux, dans le pire des cas ! De plus, si les gars du pays du Soleil-Levant font état de leurs expériences avec leurs amis (ou de façon anonyme sur les forums Internet), il n'est en revanche pas très fréquent que les bonnes copines japonaises discutent entre elles de leurs pratiques sexuelles, se bornant à évoquer *kare* – lui – ou à confier quelques pans limités de leur vie amoureuse sans s'attarder sur le lit conjugal.

Même si les Nippones s'interrogent, et c'est bien légitime, sur leurs relations intimes et sur l'art et la manière de mieux profiter de ce que la nature leur a donné avant qu'elle ne le leur reprenne (la faculté de jouir), il est plutôt exceptionnel que des magazines féminins abordent de front le sujet en brisant des tabous comme le fait parfois l'hebdomadaire *Anan* destiné aux jeunes femmes d'une vingtaine d'années. Ce dernier consacre fréquemment une large partie de sa pagination au « pouvoir sexuel féminin », n'hésitant pas à expliquer à ses lectrices comment s'entraîner seules, avec des vibromasseurs et autres gadgets spéciaux. Ce périodique est parfois agrémenté d'un DVD des plus pédagogiques. Il faut oser dans un pays où la masturbation féminine est généralement vécue comme une honte, bien que très largement pratiquée, d'ailleurs de façon un peu trop empirique voire dangereuse, puisque non enseignée. Toutefois, les jeunes filles qui témoignent dans *Anan* le font sous couvert d'anonymat, révélant une réelle difficulté à assumer. Inversement, les hommes, à commencer par les animateurs d'émissions de télé nocturnes racoleuses destinées à la gent masculine, n'hésitent pas à se féliciter de leurs exploits en solo… et à remercier pour leur aide morale les pin-up qui s'affichent dénudées dans les magazines et sur le petit écran. Dans un numéro d'*Anan* de février 2008, on apprenait cependant que les trois quarts des filles de quinze à trente ans aiment les relations sexuelles, que 25 % d'entre elles ont envie de faire l'amour chaque fois qu'elles voient leur copain, ou juste avant d'avoir leurs règles, 15 % quand elles sont un peu pompettes (ce qui n'est pas si rare) ou encore 8 % lorsqu'elles regardent un film ou un feuilleton comportant des scènes érotiques. Une sur cinq affirmait avoir des relations sexuelles deux fois au moins par semaine, 15 % de façon hebdomadaire, 30 % à deux ou trois reprises dans le mois et un quart ne quasiment pas en avoir. L'échantillon de l'enquête, limité à quelques centaines de femmes, était sans doute trop faible pour qu'on puisse en extrapoler les enseignements à l'ensemble de la population féminine nippone. Toutefois, le succès, ces dernières années, de livres de conseils pour une sexualité réussie et un plaisir augmenté tend à montrer une réelle attente de la part des Japonaises, alors que leurs conjoints auraient tendance à être moins enthousiastes.

À en croire les chercheurs spécialisés dans l'érotisme, les ancêtres des Japonaises du XXIe siècle, les femmes de l'ère Edo, étaient sexuellement plus épanouies que nos contemporaines. Ces dernières, bien que s'habillant de façon affriolante et se donnant des airs de filles dévergondées, n'osent pas, ou ne savent pas, aller au bout de leurs envies. La source du problème (qui n'est pas forcément vécu comme tel par les intéressées) provient aussi, selon les sexologues, d'une dépréciation de l'image que les femmes de plus de trente ans ont d'elles-mêmes. Car les médias, entre autres, n'ont souvent pour modèles que des minettes au physique parfait, plus jeunes et aguicheuses. Du coup, celles qui ne correspondent pas à ces canons esthétiques et sexuels manquent de repères, perdent confiance en elles-mêmes et ne savent plus comment apprécier leur corps. De surcroît, les Japonais ne croient pas que la sexualité soit une condition *sine qua non* pour entretenir l'amour, une façon de penser qui, affirment-ils, les distingue des Occidentaux en général et des Français en particulier. L'enquête de Durex corrobore ce point, seulement 39 % des Japonais considérant le sexe comme quelque chose d'important, contre 57 % des Français. Selon l'enquête du ministère, les couples qui avouent une vie sexuelle frôlant la nullité justifient leur perte de désir par le fait que faire l'amour est tout bonnement « lassant », ce qui ne les empêche pas de vivre ensemble et d'éprouver des sentiments l'un envers l'autre. Ce découplage entre sexe et amour offre un bel alibi pour tromper charnellement sans avoir le sentiment d'être infidèle.

Coincé à la maison, mais petit cochon ?

Les mâles nippons, tout autant pétrifiés que leurs compagnes lorsqu'il s'agit de s'exprimer ouvertement, ne se privent ainsi pas d'assouvir par d'autres moyens leurs besoins physiques. Ils se rincent l'œil en secret sur des photos pornographiques largement diffusées, fréquentent des prostituées en plus forte proportion que dans le reste du monde, matent les collégiennes en minijupes dans les trains. Certains vont même jusqu'à profiter de la promiscuité dans les transports pour caresser les fesses d'une passagère. Ce phénomène assez répandu dit du *chikan*, dû paraît-il à l'excitation masculine résultant naturellement du stress professionnel, a d'ailleurs poussé les compagnies de métro et de train à aménager des wagons réservés aux femmes aux heures de pointe. Pour se relaxer, les messieurs n'ont pourtant pas besoin de commettre ce type de délits sévèrement réprimés lorsqu'ils sont dénoncés. Il leur suffit en effet d'avoir en poche quelques centaines ou milliers de yens (dizaines d'euros) pour s'acheter du sexe, il est en vente libre partout. Tous les jours on ramasse ainsi dans sa boîte aux lettres des prospectus pour des services de massage sans confusion possible, et des centres de « livraison de femmes à domicile ou dans un hôtel », avec photos de nymphettes sexy en string et soutien-gorge dans des poses plus que suggestives. Les journaux sportifs glissent dans leurs pages des images du même acabit. Les *manga* pour adultes présentent à qui mieux mieux des scènes plus ou moins hard, ingrédient indispensable pour le lectorat masculin en particulier. Sur les sites de vente de livres numérisés et bandes dessinées, une des catégories les plus populaires est celle des *gravia* – terme dérivé de gravure –, catalogues de photos de jeunes Nippones plus ou moins connues, des « idoles », aux seins démesurés et cambrure hors normes, cadrées au grand angle dans leur salle de bains, agenouillées par terre, vautrées sur un lit ou les jambes en l'air sur un canapé. Même si les lois nippones interdisent la représentation des organes génitaux, l'iconographie sexuelle s'en accommode par divers subterfuges et dans aucun autre pays au monde elle n'est aussi massivement visible. Les talk-show télévisés exploitent le même filon, avec des reportages vidéo qui ailleurs seraient censurés. Des animateurs égrillards y rivalisent de railleries machistes à l'égard de filles objets qui font presque pitié à se plier à des jeux plus ou moins « trash » dévalorisants. Des quartiers nocturnes de Tokyo, comme le Kabukicho de Shinjuku, les abords des gares d'Ikebukuro ou d'Ueno, ou les rues de Roppongi, font commerce du sexe, les rabatteurs attrapant par le bras des *salarymen* pour les entraîner dans des bars à hôtesses.

Le Japon compte aussi un nombre impressionnant de boutiques de location de films pornographiques, et de magasins où l'on peut dégoter des accoutrements et objets pour accompagner tous les fantasmes y compris les plus inavouables. Les sites Internet ne sont bien sûr pas en reste. Ceux qui abordent sérieusement la sexualité emploient les termes idoines, médicaux presque, comme *seikoï* – actes sexuels –, alors que ceux qui font du sexe « hard » leur fonds de commerce usent de néologismes codés connus de tous comme *echi*, transcription en syllabaire katakana de la lettre H, initiale de *hentai* qui signifie perversions sexuelles. Des magasins du quartier d'Akihabara, paradis des produits high-tech, des *manga* et de l'animation, autrement dit des produits fétiches des *otaku*, proposent à la clientèle des hommes trop timorés ou carrément asociaux une panoplie troublante de vagins en matières plastiques de différentes tailles, textures et qualité, de poupées gonflables, de créatures en kit ou prêtes à l'emploi, grandeur nature, qui trouvent preneurs en dépit de leurs prix exorbitants (plusieurs milliers d'euros pour les plus réalistes, articulées, souples). Les médias relatent parfois aux heures tardives des cas extrêmes d'obsédés par ces fausses compagnes, jeunes adultes ou quadragénaires dont certains collectionnent plusieurs dizaines de ces androïdes inanimées, chacune étant affublée d'un petit nom. Il en est même qui considèrent l'une d'entre elles comme leur épouse, lui offrent des vêtements, fêtent son supposé anniversaire, la baladent le dimanche en voiture, l'emmènent à la plage, la font prier au temple et se prennent en photo avec elle à chacune de ces occasions. Fort heureusement, ces cas maladifs relèvent de l'exception, mais ils n'en sont pas moins inquiétants et révélateurs. L'ampleur du marché des jeux vidéo érotiques dont le scénario est conçu pour simuler des rapports sexuels entre le joueur et un personnage virtuel féminin idéal intrigue tout autant. Il suffit de se rendre dans une des nombreuses boutiques de *manga*, animation et jeux d'Akihabara pour y constater le défilé d'hommes de toutes générations qui se rendent directement au sous-sol, interdit aux moins de dix-huit ans, où sont exposées ces productions connues sous le nom de *bishojo* – belles jeunes filles.

Las, tout cet attirail pornographique, auquel se prêtent hélas des jeunes filles naïves, n'a pour seul objet, selon des chercheurs, que de répondre aux désirs masculins, ce qui n'était pas le cas des estampes érotiques d'antan. Les femmes s'en plaignent d'ailleurs, qui considèrent que les films X ont tendance à avoir une sale influence sur les pratiques de ces messieurs, et ce même si les productions pornographiques nippones seraient parmi les mieux réalisées du monde.

Love Hotels : *désir ou délire ?*

Le paradoxe entre l'évocation sexuelle omniprésente et les difficultés relationnelles d'un nombre important de couples laisse parfois penser que la chose n'est pas prise au sérieux, qu'elle est en quelque sorte galvaudée, tournée en dérision et finit par être perçue comme un divertissement, ni plus ni moins. Voilà qui fait en tout cas l'affaire des Love Hotels, temples du loisir intime, parfois de très mauvais goût. Ces lieux « de cinq à sept à la japonaise » aux noms exotiques ne sont pas conçus pour dormir, sont érigés pour le plaisir, pour quelques minutes de soupirs ou plusieurs heures de délire. Pas de concierge, pas de valises, un hall désert et des balises. Veuillez choisir votre confort, sur les photos, votre décor. Vues futuristes, design ancien, c'est sur la liste, lit baldaquin, écran plasma, draps de satin, chaîne stéréo et un grand bain. Dans la machine sur le côté, veuillez insérer vos billets, n'oubliez pas votre monnaie, retirez par ici la clé, soyez discrets et bons baisers. La chambre est comme sur la photo, aux fenêtres pendent des rideaux, l'intimité est assurée, préservatifs déjà prêts. Pratiques pour les jeunes qui vivent encore chez leurs parents, pour les hommes qui trompent leur femme (ou l'inverse), pour ceux ou celles qui habitent trop loin pour amener leur copine ou petit ami à la maison, implantés partout (au cœur des mégapoles, dans les banlieues, aux abords des autoroutes), hypervoyants, totalement hallucinants, bien entretenus, proposant des chambres on ne peut plus variées et suréquipées, les quelque 27 000 *Love Hotels* japonais constituent une industrie à haut rendement qui pèse annuellement 2 000 milliards de yens (environ 18 milliards d'euros), soit plus que le secteur des cosmétiques. Souvent situés côte à côte, ils affichent un taux de remplissage de 300 %, chaque chambre étant occupée plusieurs fois par jour, par une large clientèle. Fréquenter un *Love Hotel* n'est pas honteux, même si tout est généralement fait pour que les allées et venues

passent inaperçues. Tous les couples plus ou moins légitimes qui s'y rendent font-ils effectivement l'amour ? Pas si
sûr. Certains y vont tout simplement pour passer un
moment ludique intime en profitant d'espaces et équipements incroyables : baignoires géantes, home cinéma
à grand spectacle, pièces dans le plus pur style japonais ou
dignes d'une chambre royale, appareillage de salle de sport
ou de karaoké avec spots et tout le toutim, on en passe et
des plus étonnants voire épouvantables. Il y a des chambres
absolument pour tous les goûts, toutes les envies, toutes les
perversions. Souvent administrés par des petits gérants, les
Love Hotels, qui se remodèlent fréquemment pour suivre
toutes les tendances, affichent une rentabilité qu'aucun
autre secteur n'égale et que les crises économiques ne
mettent nullement en péril, au contraire. À tel point que des
fonds d'investissement ont créé des produits financiers spécifiques adossés à ces structures immobilières, placements
proposés aux particuliers, avec un taux d'intérêt annuel de
plus de 8 %.

Tout montrer mais ne rien dire

Bien que le commerce du sexe soit un phénomène mondial, la façon ambivalente dont la société japonaise aborde
ces questions, avec d'un côté des blocages et non-dits qui ne
devraient pas exister en couple, et de l'autre une exploitation commerciale massive des fantasmes (surtout masculins), n'aide sans doute pas les jeunes à se faire une idée juste
des liens entre l'amour physique et les relations amoureuses.
Plutôt que de courir le risque de ne pas répondre aux attentes
d'une vraie femme, de peur de ne pas être à la hauteur, des
hommes de tous âges fuient le lit conjugal et préfèrent satisfaire leurs envies avec des prostituées ou des ersatz artificiels, ce qui n'engage en rien. Hommes et femmes divergent
en outre sur le rôle de l'acte sexuel, les premiers y voyant
un moyen de se détendre, d'éliminer le stress ou de faire

un enfant, tandis que pour les filles, quel qu'en soit le but, l'acte doit être entouré de tendresse, d'attention à l'autre, de bonheur partagé. Le plus souvent, ce sont elles qui pâtissent de ce hiatus, se berçant d'illusions en lisant des romans et *manga* à l'eau de rose où l'amour est sublimé mais reste à l'état de fiction, tandis que les hommes ont moins de complexes à recourir à des pis-aller pour assouvir leurs pulsions sexuelles attisées par des revues et autres produits excitants qu'ils consomment à haute dose. Quant à la cause la plus souvent avancée, le déficit de communication, il est d'autant plus difficile à combler que, là encore, les gents féminine et masculine n'accordent pas à la discussion la même valeur : pour les Japonaises, parler « permet de construire des relations interpersonnelles », mais pour leurs compagnons, qui ont décidément une vision très fonctionnelle des facultés humaines, « cela sert uniquement à transmettre une information ». Signalons enfin que l'homosexualité reste au Japon un réel tabou, en dépit de nets changements ces dernières années. Elle est rarement évoquée dans les médias (sauf dans des émissions de divertissement où des « gays » paradent pour se distinguer) et le penchant pour le même sexe est mal vécu par les personnes concernées. Beaucoup souffrent de ne pouvoir afficher leur inclinaison, un fait encore considéré par de nombreux Japonais comme une anomalie dégoûtante, en dépit des efforts d'associations appelant de leurs vœux un débat serein, ou implorant le législateur de s'inspirer de mesures étrangères tel que le Pacte civil de solidarité (Pacs) français. Quant aux publications spécialisées (*Samson*, *Dave*, *Badi*), indisponibles dans la majeure partie des points de presse, compte tenu de leur contenu très « hard », elles ne plaident guère pour la cause des homosexuels auprès du grand public. Désertés, et on comprend pourquoi, par les annonceurs, ces magazines confidentiels affichent des prix très supérieurs à la moyenne des publications régulières. Las, de mensuels réellement informatifs destinés en priorité, mais pas seulement, aux gays et lesbiennes, à l'image de *Têtu* en France, il n'est point. L'existence de bandes dessinées plus ou moins présentables pour ces publics ne contribue pas davantage à améliorer la situation des homosexuels dans la société. Même des rassemblements déjantés de *cosplayers* (jeunes costumés à la façon des héros de *manga*) refusent les hommes déguisés en filles, lesquels sont en revanche très visibles dans les environs de Shinjuku ou sur certains plateaux de télévision, parce qu'ils ont fait d'eux-mêmes un sujet de dérision.

Quand les Japonaises perverses préfèrent les gays

On ignore par ailleurs quelles conséquences, négatives ou positives, peut avoir sur l'opinion publique la catégorie de *manga* pour filles, dite des BL (*boys love*), souvent écrits par des femmes et qui mettent en images les relations homosexuelles dans des milieux masculins plus ou moins cloisonnés (écoles non mixtes, professions libérales, institutions politiques, classes dirigeantes). Réponse du berger à la bergère, l'inverse, des histoires de lesbiennes pour un lectorat masculin, existent également, mais en moins grand nombre. Le troublant succès croissant auprès de lectrices de vingt-cinq à quarante ans des BL apparus dans le milieu des années 1990 pose d'ailleurs aux sociologues une vaste série de questions sur les raisons pour lesquelles des minettes se délectent à écrire ou à lire ces histoires parsemées de scènes pornographiques entre hommes, d'autant que toutes ne sont pas, loin s'en faut, des nymphomanes frustrées. Ces femmes, parfois qualifiées de « déviantes », disent trouver là matière à se divertir en glissant l'œil par le trou de la serrure pour observer des milieux et mœurs auxquels elles n'ont pas réellement accès. Ces dessins n'ont, selon elles, aucun rôle aphrodisiaque, puisque en tant que lectrices, elles ne s'identifient à aucun des personnages principaux de sexe masculin. Soit.

Cinquième partie

INÉGALITÉS ET RÉFORMES,
IDENTITÉ NATIONALE ET MONDIALISATION

Chapitre XXIX

FRACTURES

Depuis les années Koizumi (2001-2006), on ne compte plus le nombre d'ouvrages, articles ou études sur la fracture sociale qui s'élargit, sur l'accroissement des inégalités entraîné par la politique libérale menée par ce personnage iconoclaste. La mise en compétition (entre régions, universités, entreprises, individus), dont M. Koizumi s'est fait le chantre, aurait cassé en deux la société nippone, entre *kachigumi* – gagnants – et *makegumi* – perdants. La population soudée et égalitaire japonaise s'est fissurée sous les coups de boutoir de ce Premier ministre national-populiste, affirment ses détracteurs. Pis, le phénomène s'amplifierait. Il est vrai que la société de très large classe moyenne des années 1960-1980 tend à se délayer. En comparant ces décennies passées aux premières années du XXIe siècle, assurément, les différences de ressources sont désormais plus accentuées, les riches sont plus nombreux, et les pauvres aussi. Pourtant, à bien y regarder, cette cassure date de la période de l'éclatement de la bulle immobilière, bien avant l'ère Koizumi.

L'évolution des structures des ménages vers une augmentation des foyers unipersonnels entraîne une baisse des revenus moyens par maisonnée, de même que la croissance du nombre de vieux inactifs. La classe des travailleurs pauvres, ceux qui gagnent juste de quoi payer le minimum vital, s'est élargie. La reprise économique et la baisse du taux de chômage depuis 2002 n'ont pas profité à tous les nécessiteux. Le Japon déplorait encore en janvier 2008 quelque 16 000 sans domicile fixe (SDF). C'est certes 2 500 de moins que deux ans auparavant, grâce aux mesures prises par les pouvoirs publics, et nettement moins qu'en France (100 000 SDF pour une population deux fois moindre), mais trop et choquant pour les citoyens japonais. Aiguillonné par les médias, l'État a découvert en 2007 que, bien que travaillant pour la plupart, quelque 5 000 individus, souvent jeunes, en étaient réduits à dormir dans les Internet cafés, ouverts 24 heures sur 24, où ils trouvent un semblant de confort (propreté, chaleur, douches, divertissements, boissons chaudes à volonté, four à micro-ondes), faute de revenus suffisants pour remplir les conditions dingues de location d'un appartement, fût-ce l'équivalent d'un placard. Heureusement que les établissements en question les accueillent pour leur permettre de rester présentables, ce qui, soit dit en passant, ne serait peut-être pas le cas ailleurs. Beaucoup de ces indigents (des hommes en très grande majorité) se retrouvent en réalité dans cette situation affligeante parce qu'ils n'osent pas remettre les pieds chez leurs parents avec lesquels ils sont fâchés. En dépit de ces cas extrêmes, auxquels s'ajoutent hélas les vieillards esseulés et désocialisés perdus au fin fond de villages dépeuplés, il serait toutefois malhonnête d'affirmer que le Japon est en voie de paupérisation. Au contraire, le pic a peut-être été atteint et le recul amorcé. Pour autant, il est indéniable que le creusement des inégalités (de situations, de chances, de revenus) se poursuit. Il est effectivement une conséquence de l'esprit de compétition individualiste instillé par la politique d'inspiration américaine menée par Koizumi, au détriment d'une saine émulation. Dans les années 1950 à 1970, de nombreux nouveaux entrants sur le marché du travail rejoignaient comme un seul homme une firme pour la vie, devenant *salarymen*. Ils se considéraient en majorité comme appartenant à la classe moyenne et œuvraient en équipe. Cela reste vrai pour la plupart des tout juste diplômés de haut rang recrutés à temps complet dès la fin de leurs études dans les plus prestigieux établissements.

La liberté se paye au prix fort

Toutefois, aujourd'hui, davantage de jeunes rêvent de monter leur boîte et optent pour des études et métiers plus attrayants, plus créatifs, plus individuels où ils sont plus libres (le design, la musique, la mode, le dessin, les services Internet) mais où, corollaire de l'autonomie, la précarité est plus élevée et où les avantages (primes, mutuelle, formation continue) ne sont pas les mêmes que pour ceux suivant la voie « normale » pour être embauchés à temps plein dans un groupe comme Toyota, Canon ou Mitsubishi. De fait, les aventuriers qui ont la chance d'avoir une idée révolutionnaire et de mener leur projet à bien parviennent à s'élever dans la classe moyenne supérieure, voire dans celle des nouveaux riches. Ce fut le cas d'une poignée de petits gars du Net, devenus les idoles des jeunes et les symboles des années Koizumi. Mais ceux qui ne réussissent qu'à moitié ou échouent complètement constituent en partie les rangs des « travailleurs pauvres » aux côtés de salariés à temps partiel et d'intérimaires ballottés ici et là, au jour le jour.

Internet et les nouveaux outils de communication et de création multimédia (ordinateurs, appareils photo numériques, caméras, logiciels grand public de montage vidéo et composition musicale, etc.) ont certes offert la possibilité à davantage de jeunes de lancer leur propre activité et de choisir un statut moins astreignant que celui de salarié type, mais cette sortie de route balisée, cette prise de risques a dans le même temps concouru à la coupure entre *kachikumi* et *makegumi*. Le triptyque « plus de liberté, plus de compétitivité, plus d'individualité » dessiné par Koizumi est apparu aux yeux du peuple comme « moins d'égalité, moins de sécurité, moins de solidarité », un revers inséparable, donc inévitable, auquel la société japonaise n'était pas préparée et que les successeurs de Koizumi promettent de corriger.

La division ne tombe pas rond

Il serait cependant erroné de restreindre le clan des *kachikumi* aux détenteurs d'un poste fixe bien rétribué et celui des *makegumi* à ceux qui enchaînent les *arbeito* – jobs – ou autre maigre gagne-pain. La différence se joue aussi sur le degré de satisfaction perçu dans l'un et l'autre cas, et sur les marges de manœuvre dont chacun dispose pour mener sa barque. Certains se satisfont de leur sort, s'éclatent dans leur boulot pourtant peu rémunérateur (jeune *mangaka* ou assistant, technicien d'animation, serveur d'un établissement renommé, marmiton chez un grand chef, tenancier de boutique) et échafaudent des projets avec confiance malgré un statut parfois précaire, quand d'autres (fonctionnaire, commercial, cadre dirigeant) se languissent dans leurs fonctions répétitives, malgré un bon salaire garanti et des primes, et ce parce qu'ils ont perdu la volonté de bouger, ou n'en ont pas les moyens matériels, physiques ou intellectuels. Lorsque l'éphémère Premier ministre Shinzo Abe (septembre 2006 à septembre 2007) parlait de « nouveau *challenge* » et de deuxième chance donnée à tous, il pointait du doigt cet écart entre, d'une part, ceux qui veulent et peuvent et, d'autre part, ceux qui soit ne veulent plus parce qu'ils n'ont pas pu, soit ne peuvent plus et pensent qu'ils ne pourront plus, soit peuvent mais ne veulent plus, soit veulent encore mais ne peuvent plus. Concrètement, la possibilité de bifurquer et de s'extraire d'une situation qui ne convient pas n'est bien sûr pas totalement indépendante des conditions financières. Toutefois, elle tient tout autant à des barrières physiques, régionales, culturelles et morales. L'égalité des chances a disparu parce que les structures et schémas de pensée ne se sont pas suffisamment adaptés aux évolutions sociales. Ainsi, bien que les divorces aient augmenté, la plupart des services sont pensés pour des familles biparentales. Une mère qui se sépare de son mari tout en gardant les enfants risque de s'enfoncer. Elle aura du mal à travailler si elle n'a ni expérience professionnelle, ni solution pour l'aider à élever sa progéniture. Un salaire ne suffit pas. Le budget familial consacré à l'éducation s'en ressent, ce qui dans le cas japonais se traduit immédiatement par un déclassement, les grandes écoles étant inaccessibles à ceux qui n'en ont pas les moyens financiers.

De même, ceux qui, jeunes, ont choisi la liberté du travail à leur compte et se sont égarés en sortant des sentiers battus n'ont pas forcément la possibilité de faire demi-tour pour emprunter une autre voie. Leur échec ne plaide pas en leur faveur. Et plus les années passent, plus il est difficile de se convertir. D'autant qu'entrer dans une entreprise au fonctionnement rigide après avoir connu l'autonomie et l'absence de patron n'est pas chose facile, surtout au Japon. *Idem* pour un jeune arrivé sur le marché du travail au milieu des années 1990 qui navigue depuis de petit boulot en petit boulot. Il risque de vivoter ainsi jusqu'à la retraite si rien ni personne ne lui donne l'envie et la perspective de s'échapper de ce dédale. Or, tant que les besoins de personnel n'obligent pas les entreprises à s'intéresser à ces malchanceux, pourtant pas toujours sans qualifications, elles les ignorent et continuent de faire la chasse aux frais et futurs diplômés sur les campus pour en attraper un maximum dans leurs larges filets tendus un ou deux ans avant la fin des cursus.

La pénurie de main-d'œuvre qui s'étend aide certes des *freeters* et intérimaires à changer de statut, mais l'entrée dans une société d'un secteur autre que celui dans lequel ils ont évolué (distribution, restauration, usines) demeure difficile, sauf, peut-être, pour ceux qui savent s'armer d'une volonté de fer et ont su entretenir ou enrichir leurs connaissances et compétences initiales, ce qui exige une force morale que la société ne favorise pas forcément. La plupart se contenteront sans doute d'être titularisés à un poste qu'ils occupaient auparavant comme intérimaire. Les quelque 600 000 NEET (sortis des structures scolaires, sans emploi ni stage de formation) et 1,85 million de *freeters* disparaîtront peut-être un jour mécaniquement des statistiques, du fait des besoins grandissants de main-d'œuvre jeune et de la nécessité de pérenniser les postes, mais la division entre *makegumi* et *kuchigumi* ne sera pas colmatée pour autant.

Chapitre XXX

Réformes

Comment recoller un territoire déchiré ?

La plus importante tâche des autorités est donc aujourd'hui de rétablir un environnement moins assujettissant, où la condition des parents ne prédétermine pas tant celle de leurs enfants (ce qui appelle des changements dans le monde de l'éducation) et où la route n'est pas à sens unique pour ceux qui se sont enlisés dans une venelle sans issue. D'où la nécessaire résorption des disparités économiques et éducationnelles territoriales et le rééquilibrage des aides au profit des plus fragiles. Les Tokyoïtes, les résidents de Nagoya (fief de Toyota) ou ceux d'Osaka (pôle industriel où flottent les drapeaux de Matsushita/Panasonic, Sharp ou Sanyo) sont assurément mieux lotis que les habitants de la froide île septentrionale de Hokkaido moins hospitalière. En dépit d'atouts propres, d'universités, de PME innovantes, les régions du Japon distantes des grandes mégapoles paient aujourd'hui le prix des délocalisations d'usines d'assemblage de grands groupes à l'étranger dans les années 1980-1990, les conséquences de la réduction des dépenses publiques, les répercussions de l'ouverture partielle du marché aux produits agricoles moins chers et l'impact du départ des diplômés dans les grandes villes.

De tout cela, l'État a récemment pris conscience, constatant que la reprise de 2002 à 2008 n'était pas homogène. L'hypothèse du regroupement des quarante-sept préfectures (ou circonscriptions assimilées) en une dizaine de grandes régions est sur la table, ce nouveau découpage administratif pouvant, selon ses défenseurs, rétablir une forme d'équilibre national, chaque grande entité comprenant des zones riches et pauvres.

De leur côté, les autorités locales se battent à présent pour redonner du souffle à leur région et surtout pour aspirer des jeunes, condition *sine qua non* pour insuffler un nouveau dynamisme. De fait, la concentration des moyens sur une agriculture à forte valeur ajoutée, la valorisation d'un patrimoine touristique un temps délaissé, la relance de la fabrication de spécialités, la réimplantation de manufactures ou encore la création de pôles de compétitivité commencent dans certaines zones à donner des résultats. La généralisation des modes de télécommunications fixes et mobiles à haut débit et la démocratisation d'Internet facilitent en outre la promotion d'activités, le travail à distance et le commerce. Les cabinets de recrutement installent de nouvelles antennes en province voyant poindre et accompagnant un phénomène de *U-turn tenshoku* – mutation en U. Cette expression traduit le retour dans les régions rurales de personnes qui ont acquis une expérience dans les grands centres urbains et souhaitent regagner leurs terres natales, auprès de leurs parents âgés, en profitant de nouvelles implantations d'industries qui elles-mêmes bénéficient de la modernisation des aménagements territoriaux, des aides régionales et des progrès techniques.

Par ailleurs, des petits producteurs agricoles qui croyaient il y a dix ans leurs dernières heures venues vivent aujourd'hui de nouveau de la vente directe du fruit de leurs champs aux consommateurs, *via* un espace commercial en ligne. Il convient néanmoins de souligner, une fois de plus, que cela n'est possible que parce qu'existent, du fait des initiatives publiques et privées, des infrastructures de transport et de communication modernes et fiables, des services de livraison rapide de porte à porte (*takuhaibin*), une culture d'entraide et de partenariat avec des tiers de confiance pour les encaissements (*konbini* et *takuhaibin*). Facteurs essentiels auxquels s'ajoutent une garantie de qualité de la part du producteur et une recherche de haut de gamme rassurant de la part du client sans lesquelles ce type de commerce ne pourrait se développer.

Heureusement d'ailleurs que les évolutions techniques et les services mis en place par divers prestataires privés élargissent l'horizon des régions, car les politiques dispendieuses de travaux publics ne sont plus comme hier la solution miracle pour réduire les écarts structurels et économiques, tant l'État et les collectivités locales sont déjà endettés. Avec un fardeau d'engagements à peu près égal à 200 % du produit intérieur brut (PIB), le Japon, montré du doigt par tous les économistes du monde, ne peut plus s'offrir le luxe d'une politique keynésienne. Il est sommé de ramener sa dette à un niveau plus admissible (dans l'Union européenne, la barre est fixée à 60 % du PIB). Le Japon doit donc commencer par cesser d'alourdir chaque année son encours en arrêtant de dépenser plus d'argent qu'il n'en entre dans les caisses. De fait, outre celle des inégalités, la question de l'équilibre budgétaire et de la politique fiscale est également l'une de celles qui reviennent le plus souvent à la une. Sur un budget annuel d'environ 95 000 milliards de yens ces dernières années, l'État nippon ne récolte que moins de 50 000 milliards de recettes d'impôts et taxes par an. Le reste provient de l'émission d'obligations, autrement dit d'emprunts. Depuis 2003, le gouvernement propose même des titres obligataires spéciaux directement vendus aux particuliers, offres qui font l'objet de nombreux spots publicitaires et rencontrent un certain succès. Le recours à l'endettement pour couvrir le déficit public n'est en réalité pas autorisé, mais une loi spéciale est chaque année votée, qui permet de contourner cet interdit. Il n'empêche. La méthode jugée la plus efficace pour parvenir à un équilibre consiste d'abord à réduire de façon radicale et durable les dépenses publiques. Cela passe par l'élimination des gaspillages administratifs, assurément massifs, par une poursuite de la décentralisation et du transfert au secteur privé de fonctions actuellement aux mains de l'État. La privatisation des autoroutes, de la poste ou des aéroports, la vente des actifs encore détenus dans les compagnies ferroviaires JR ou dans l'opérateur de télécommunications historique NTT, de même que l'autonomie donnée aux universités s'inscrivent dans cette logique de délestage.

En japonais, « privatisation » n'est pas un gros mot

Par chance, le mot privatisation n'est pas au Japon un terme « épouvantail », même si d'aucuns craignent à chaque fois pour leur emploi ou redoutent la disparition de services essentiels mais non rentables. L'expérience a cependant montré que la gestion d'un ex-mammouth public par des businessmen ne se traduisait pas, au Japon, par des désastres industriels et humains, la notion de service étant profondément ancrée dans les esprits, tant elle conditionne ici le succès en affaires.

Le cas des chemins de fer est sur ce plan révélateur. Alors que la compagnie nationale croulait sous les dettes, accumulant des pertes de plus en plus astronomiques d'année en année, sa privatisation en 1987 pour donner naissance aux sociétés Japan Railways (JR) se traduisit par un retour rapide aux bénéfices, au-delà des espérances des dirigeants. Lorsque, en France, un imprudent ose parler de « privatisation du rail », il suscite immédiatement une *bronca*. « Confier la SNCF aux mains du privé, mais vous n'y songez pas, c'est la mort du service assurée », et les protestataires, prompts à se mettre en grève dès que le gros mot est prononcé, de citer en exemple la privatisation catastrophique des chemins de fer britanniques. Référence de bonne guerre, mais argumentaire partial. Les Nippons sont en effet ravis d'emprunter chaque jour les trains de leurs compagnies privatisées, ils ne cessent de louer la qualité du service. Le cas japonais démontre que l'échec n'est pas une fatalité. Où se trouve la clé de la réussite ? Dans la méthode mise en œuvre pour garantir la rentabilité de l'entreprise. Dans un premier temps, les compagnies privées JR nées de la division du géant public ont certes suscité quelques grincements de dents lorsqu'elles augmentèrent les prix et décidèrent de fermer une partie des lignes à faible rendement. Les choses se sont vite calmées. D'abord parce que les quelques collectivités locales concernées ont trouvé un compromis avec JR, soit pour maintenir un service, soit pour exploiter les équipements avec un autre acteur, *via* par exemple la création d'une structure locale semi-publique. Les solidarités ont aussi joué entre citoyens qui ont parfois mis en place des navettes de bus plus adaptées à la demande et gérées par des associations de quartier. En revanche, la plupart des autres initiatives de JR ont été saluées par la foule. C'est que la qualité de service a bondi d'un coup, grâce à l'augmentation de la fréquence des rames, à une meilleure ponctualité, à la propreté, à la fiabilité redoublée et à de nouvelles prestations progressivement offertes dans les wagons et surtout dans les gares, lieux de transit d'une considérable importance. Privatisation ne rime donc pas au Japon avec dégradation, la fin (la rentabilité) n'y justifie pas tous les moyens. La rationalisation budgétaire, la quête de profits ne se sont pas faites sur le dos du client, plutôt à son avantage. Les bénéfices sont nés d'abord d'une progression du chiffre d'affaires, elle-même consécutive à la satisfaction donnée aux voyageurs, de plus en plus nombreux à utiliser les trains, et par la diversification des sources de revenus, le tout sous la pression des concurrents. Les compagnies JR exploitent à merveille leur patrimoine immobilier, la location d'emplacements pour les commerces et autres activités dans les gares, ainsi que la commercialisation d'espaces publicitaires ou la vente de collations dans les rames et sur les quais. La présence au cœur des gares de magasins, restaurants, clubs de sport, crèches, coiffeurs, imprimeurs, maisons de presse ou librairies, parfois accessibles uniquement aux voyageurs, incite les citoyens à emprunter les transports publics et à utiliser ces espaces multiservices. La fidélisation est renforcée par le couplage du passe multi-trajets Suica avec un porte-monnaie électronique qui permet de profiter de réductions. Si bien que les sociétés JR et leurs usagers gagnent sur les deux tableaux : plus de sources de revenus d'un côté, plus de services de l'autre. Le cas japonais, aux antipodes du très mauvais exemple britannique, démontre en fait une chose : le service rendu au public n'est pas une affaire de statut mais d'état d'esprit. Les prestataires japonais ont pour priorité de satisfaire la clientèle, sans qu'ils y soient statutairement forcés. Les cheminots nippons travaillent dans des conditions peut-être encore plus contraignantes que leurs homologues français, devant se plier à des règlements et procédures pointilleux, mais ils ne font pas grève. Interrompre le service et « causer du tracas à des millions de voyageurs » sont pour eux des méthodes qui nuisent plus à l'entreprise qu'elles ne permettent de résoudre les problèmes. L'arrêt de travail constitue ainsi pour le personnel des compagnies le dernier mode de revendication à mettre en œuvre une fois épuisés tous les autres moyens. Les compagnies ne cessent par ailleurs de vouloir renforcer la qualité de leurs prestations. Bien que privées, elles n'hésitent pas à utiliser les profits pour préparer l'avenir, soutenues par un actionnariat qui raisonne à très long terme. La compagnie centrale JR Tokai, qui exploite les Shinkansen entre Tokyo et Osaka, est si déterminée à gagner la guerre face au transport aérien sur ce trajet de 550 kilomètres, qu'elle a décidé de ne pas attendre le bon vouloir ni l'argent des pouvoirs publics pour investir quelque 5 100 milliards de yens (48 milliards d'euros) dans une ligne à très très grande vitesse, à sustentation électro-magnétique (Maglev). Cette somme monumentale permettra d'équiper dans un premier temps une nouvelle ligne entre Tokyo et Nagoya (environ 290 kilomètres), mégapoles déjà reliées depuis 1964 par le Shinkansen. JR Tokai, dont le patron promet une nouvelle révolution du rail deux siècles après son apparition, prévoit d'utiliser les trois quarts de la trésorerie dégagée chaque année pendant dix-sept exercices pour financer intégralement ces grands travaux. Les représentants des actionnaires de JR Tokai, intéressés par les dividendes comme tous les autres, ont néanmoins estimé que le saut qualitatif proposé aux passagers par ce nouveau mode de locomotion ultrarapide ne mettrait nullement en péril la profitabilité actuelle de l'entreprise, en dépit des importants efforts financiers à consentir dans un premier temps. Nulle voix ne s'est érigée contre ce projet au sein du conseil d'administration. JR Tokai escompte une hausse de 5 % de ses revenus après une année d'exploitation dudit Maglev (soit en 2028) et 10 % au bout de dix ans. La prévision repose sur le seul fait que les clients ne résisteront pas à payer pour un service meilleur. Peut-être n'est-ce pas vrai partout, mais au Japon, le calcul est fondé.

La poste privatisée, un vrai service public

La privatisation de la poste japonaise, la plus importante institution financière du monde, a certes aussi fait jaser et constitué pour les partis d'opposition un motif pour mettre en difficulté la coalition au pouvoir. Mais il s'agissait surtout pour les opposants de faire tanguer le libéral Junichiro Koizumi, lequel avait fait de la désétatisation de la poste le symbole et l'un des principaux objectifs de son mandat. Bien que certains médias aient laissé croire que l'opinion n'approuvait pas cette privatisation, en réalité, les électeurs ont envoyé le signal contraire. Ils ont offert en 2005 à Koizumi une majorité historique écrasante à la Chambre basse, dissoute par ce dernier dans le but de provoquer une sorte de référendum pour ou contre le transfert de la poste au secteur privé. Une fois la loi de privatisation entérinée et jusqu'à ce qu'elle entre en application le 1er octobre 2007, on n'entendit plus guère de débat. Le jour venu, tous les journaux et télévisions saluèrent la naissance d'un nouveau géant privé, avec un énorme trésor de guerre (350 000 milliards de yens, plus de 3 000 milliards d'euros), 270 000 travailleurs et un réseau de 24 000 bureaux. En une nuit, du 30 septembre au 1er octobre 2007, les enseignes rouges de la poste publique furent remplacées par des bannières orange de JP, société privée, les comptoirs rhabillés aux nouvelles couleurs pour chacune des entités créées (guichets postaux, banque, assurance), les bordereaux anciens disparurent des présentoirs au profit de nouveaux imprimés. Tout changea du jour au lendemain, sauf la serviabilité et la rapidité des guichetiers portant uniformes et cravates décorés du nouveau logo JP. Comme lorsqu'elles étaient publiques, les postes centrales de chaque ville et arrondissement des grandes agglomérations sont toujours ouvertes 24 heures sur 24 même les dimanches et jours fériés. À peine le ruban rouge était-il coupé pour officialiser la privatisation, devant le gratin du monde politique et des milieux d'affaires, que de nouveaux services apparurent. Des bureaux de poste commencèrent immédiatement à accueillir des *konbini*, des consignes de dépôt pour les teintureries, des guichets d'impression de photos numériques et autres commodités que le statut public interdisait. Deux jours plus tard, la nouvelle poste annonçait un partenariat avec un transporteur, Nippon Express, pour dynamiser le service de prise en charge et la remise de plis et colis de porte à porte, un rapprochement enfin devenu possible et nécessaire pour affronter les inventifs *takuhaibin* Yamato et Sagawa. Des navettes sont prévues pour conduire à la poste la plus proche les vieillards lorsque le bureau de leur village est liquidé faute d'activité suffisante, du fait de l'obligation de maintien du service universel. Chacun attend désormais de voir si la poste suivra le même chemin que JR en appliquant la formule gagnante du créateur de Yamato Takkyubin : « Le client et les prestations d'abord, les bénéfices s'ensuivront. » Il y a en tout cas fort à parier que les tarifs postaux vont globalement baisser et que des partenariats ainsi que des prestations inédites et surprenantes vont naître d'une concurrence devenue plus féroce, comme cela s'est passé pour le rail, au profit du consommateur. Le transfert au privé d'activités gérées par l'État va quant à lui se poursuivre dans le but d'alléger le fardeau que représente la masse salariale des fonctionnaires, même si l'archipel n'est pas le pays qui en compte la plus importante proportion.

La réduction des dépenses publiques ne saurait toutefois à elle seule garantir un retour à l'équilibre budgétaire, d'où la nécessité d'une révision de la politique fiscale. Selon les économistes, le Japon ne pourra faire l'économie d'une hausse de la taxe sur la consommation (TVA). Décidé en 1988 au taux de 3 % et entré en vigueur l'année suivante, cet impopulaire impôt indirect ne fut modestement haussé qu'une seule fois, en 1997, pour passer à 5 %. Sans forte augmentation de cette taxe, le régime des retraites ne résistera pas, assurent des politiciens pour faire passer la pilule. Car le sujet est sensible, qui touche au porte-monnaie des consommateurs. Junichiro Koizumi avait juré que le taux ne bougerait pas tant qu'il serait au pouvoir, jusqu'au terme de son mandat en septembre 2006. Son fugitif successeur, Shinzo Abe, s'est montré couard sur cette question, bottant en touche et repoussant sans cesse l'échéance pour complaire à l'opinion. Cela ne l'a pas empêché de connaître une descente aux enfers dans les sondages pour diverses autres raisons et de donner sa démission moins d'un an après avoir été intronisé président du Parti libéral démocrate et Premier ministre. Son successeur, le taciturne Yasuo Fukuda, un vétéran modéré du même parti, a promis de parvenir à un budget à l'équilibre en quelques années, ce qui de fait était censé l'obliger à s'attaquer à la refonte du régime fiscal. Il a démissionné au bout d'un an. Et les autres, oseront-ils ? Qui vivra verra, mais la question n'est déjà plus de savoir si la taxe sur la consommation sera augmentée, mais de décider quand, de combien et à quelles fins précises.

Chapitre XXXI

MONDIALISATION

Entrepreneurs et investisseurs, bienvenue au Japon,
mais taisez-vous !

Le vieillissement de la population et son cortège de conséquences suffiraient à saturer l'emploi du temps des représentants de l'État, des régions ou des municipalités comme celui des fonctionnaires des services sociaux ou des directeurs des ressources humaines. Hélas, il s'accompagne d'autres défis, tout aussi préoccupants. L'archipel est, comme tout pays, entraîné dans le tourbillon de la mondialisation, dont les aspects positifs n'ont d'égal que les effets négatifs.

Le Japon est ainsi pris en étau entre son désir d'être bien vu, en donnant des gages d'ouverture, et la nécessité de se protéger pour éviter d'être la cible d'attaques économiques. Il redoute par-dessus tout que ses fleurons technologiques, piliers du pays, ne tombent *nolens volens* dans l'escarcelle de groupes non japonais. Mêmement, les entreprises entendent d'un côté profiter des bienfaits du libéralisme international en accédant aux marchés étrangers armés de leurs produits à la pointe, mais craignent de voir leurs consommateurs locaux se détourner d'elles au profit de concurrents venus d'ailleurs dans les secteurs dans lesquels elles ne sont pas les meilleurs offreurs. Elles ont peur de devoir affronter une ruée d'envahisseurs gloutons attirés par leurs technologies.

Jusqu'à présent, en dépit d'une explosion mondiale des opérations de fusions et acquisitions forcées, les industriels nippons ne s'en tirent pas trop mal, le patriotisme économique étant une réalité indiscutable sur l'archipel. Cette solidarité s'est manifestée récemment à plusieurs reprises, inspirant les scénaristes de séries TV palpitantes. Symptomatique est la saga, bien réelle, de Steel Partners, un fonds américain qui essaie en vain depuis des années de dévorer des sociétés japonaises de l'industrie agroalimentaire. À chaque tentative, ce vautour est, jusqu'en 2008, toujours tombé sur un os et s'est fracassé le bec. Mais il n'en démordit pas pour autant, car, s'il y a perdu en partie la face, cet entêté n'a pas forcément laissé de plumes dans ses offensives rocambolesques étouffées. La stratégie maligne de ce genre de chasseur consiste à s'introduire dans le capital d'une entreprise. Une fois atteint un certain niveau de participation, il lance une offre publique d'achat (OPA) sur la majorité des titres de la proie visée, ce qui fait grimper le cours de l'action, les spéculateurs étant bien sûr à l'affût. La société attaquée est astreinte à réagir et la solidarité nationale de clan se met alors en branle. Dans le cas typique des sauces nippones Bull-Dog que le fonds Steel Partners voulait avaler d'une traite, une augmentation de capital par l'émission de nouveaux titres réservés à des investisseurs japonais a permis de diluer la part de ce dernier et de faire tourner en eau de boudin le festin financier qu'il mijotait. Quelques mois auparavant, Steel Partners s'était ébouillanté en tentant de ne faire qu'une bouchée des nouilles instantanées Myojo, sauvées *in extremis* de son gosier par le géant nippon du secteur, Nissin. Ces deux exemples prouvent que les Japonais ne tolèrent pas les méthodes péjorativement qualifiées d'américaines que symbolise la tactique de Steel Partners. L'entraide nippo-nippone joue immédiatement lorsqu'il s'agit de contrer les offensives d'étrangers surtout lorsqu'ils usent de procédés pernicieux. Sûr de son bon droit et volontiers donneur de leçons de morale des affaires, le frondeur Steel Partners se fend régulièrement de courriers incendiaires aux patrons des firmes dans lesquelles il s'est infiltré pour les sommer de modifier leur stratégie « nulle » et, selon lui, pour dégager des bénéfices plus volumineux. Il en a même appelé à la justice pour faire annuler les moyens de défense adoptés par les entreprises cibles de ses assauts. En pure perte. Les tribunaux nippons l'ont promptement renvoyé dans ses cuisines, attendu que ses actions étaient uniquement motivées par l'appât du gain financier, sans l'ombre d'un projet industriel. Une commission spéciale d'experts se réunit dans la foulée pour étudier les parades et combler les lacunes juridiques. Un haut représentant du ministère de l'Industrie a par la suite prévenu le patron de Steel Partners qu'il risquait de violents coups de griffe s'il continuait de se comporter en rapace. Le message vaut pour lui et tous les autres, ce qui n'a pas empêché ledit vautour d'envoyer des lettres ouvertes aux administrateurs du brasseur Sapporo pour leur expliquer que, décidément, ils ne comprenaient rien à sa proposition de rachat du groupe et qu'ils feraient bien de ne pas se fier à des conseillers extérieurs totalement incompétents en matière de fusion et acquisition. L'injonction gouvernementale fut encore plus sévère à l'égard d'un autre fonds, britannique, qui s'était mis en tête d'augmenter sa part dans le capital d'une compagnie d'électricité privatisée (« mal, la preuve », selon les détracteurs). Dans un pays aussi dépourvu de ressources que le Japon, le *money game* ne saurait s'appliquer aux secteurs décrétés stratégiques, au premier rang desquels figure la fourniture d'énergie aux côtés de technologies classées sensibles.

Le monozukuri

D'une façon plus large, les Japonais, très attachés à la valeur manufacturière – *monozukuri* –, condamnent les pratiques des experts en « Meccano » financiers qui n'ont jamais visité un atelier et font mine d'ignorer les règles de bienséance en vigueur sur l'archipel. La plupart des dirigeants japonais sont allergiques aux raids boursiers qu'ils jugent contraires à la morale et aux traditions locales fondées sur le consensus et le respect d'autrui, fût-il un adversaire. Sur une centaine d'OPA lancées en 2007 au Japon, seules cinq étaient de nature hostile et quatre ont échoué. Il fallut attendre le 13 décembre 2007 pour y voir aboutir la première offre publique d'achat contestée par la firme cible alors que de tels cas se produisent régulièrement en Occident sur de gros poissons. Auparavant, qu'elles émanent d'un acteur nippon ou étranger, toutes les tentatives de prise de contrôle d'une entreprise contre l'avis de ses dirigeants ont été tuées dans l'œuf. Le premier businessman local a avoir tenté *manu militari* de s'emparer d'une société contre son gré, un certain Takafumi Horie, a subi un véritable lynchage politico-médiatique pour avoir osé s'attaquer à un groupe dont les patrons auraient pu être ses parents ou grands-parents, au mépris total des codes locaux. Ce jeune loup de la nouvelle économie voulait faire main basse sur une chaîne de télévision sous prétexte d'accélérer la convergence Internet-TV, une motivation après tout pas si idiote. Il n'y mit pas les formes séantes, mal lui en prit. Le trublion, patron fondateur du portail Internet *Livedoor*, que les médias encensaient quelques semaines auparavant pour sa réussite fulgurante et ses ambitions plus ou moins farfelues (se faire élire parlementaire, développer le tourisme spatial), finit en prison. La justice s'est en effet soudainement intéressée de près à ce benjamin insolent. Après des perquisitions orchestrées devant les caméras, les enquêteurs découvrirent opportunément que les comptes de ses multiples sociétés n'étaient pas d'une irréprochable clarté. Or, il n'est pas certain que les gendarmes de la finance auraient plongé leur nez dans la gestion bizarre de son groupe si ce pourfendeur des us japonais, sans costume ni cravate, avait fait preuve de davantage de discrétion et n'avait pas employé des méthodes sauvages de Yankee, autant dire de bandit. Une série télévisée intitulée *Hagetaka*, coproduite et diffusée par la chaîne publique NHK en 2006, quelques mois après cette histoire, a remarquablement confirmé que le Japon était certes convaincu de la pertinence de l'économie de marché, mais qu'il n'adhérait pas à la thèse de la domination de la finance sur la valeur industrielle, sur la création. Cette série faisait l'apologie du *monozukuri*, du métier, à protéger *mordicus* des pattes de prédateurs américains présentés comme des fauves, qui, dépourvus de savoir-faire industriels essentiels à leur volonté de régir le monde, utilisent la méthode du « rentre-dedans » pour s'approprier des technologies et marchés étrangers, nippons en l'occurrence. Le tout en prétendant, qui plus est, inculquer aux Japonais les bonnes manières du business international. Même si les gros groupes ont pris conscience du danger et n'hésitent pas à racheter leurs propres actions par centaines de millions pour se mettre à l'abri, la myriade de petites entreprises détentrices de techniques uniques n'a cependant pas atteint ce niveau de maturité. Elles ne disposent pas nécessairement des moyens humains ou financiers pour se blinder, en dépit des nombreuses incitations de l'État. La fiction *Hagetaka* illustrait parfaitement cette vulnérabilité, à travers le cas d'une PME attaquée par un fonds spéculatif américain dont le seul but était de s'accaparer la technologie optique qu'elle seule maîtrisait. Cette haletante série montrait surtout que le défi de la protection des industries n'est pas seulement matériel, il est aussi humain. La proie du fonds spéculatif était aussi un vétéran de ladite petite firme, un homme à l'œil et au doigté hors pair pour façonner des lentilles d'objectifs, bien utiles dans les systèmes militaires et satellites d'observation.

Les moyens stratégiques, économiques ou juridiques pour défendre les innovations contre l'espionnage, le pillage ou les attaques boursières ne sauraient donc suffire. La préservation des compétences humaines est bien plus complexe encore qui exige des salariés loyaux (donc satisfaits de leur sort), des actionnaires fidèles (se contentant au mieux de dividendes), capables de résister aux sirènes de l'argent promis à court terme, l'arme suprême des agioteurs et chasseurs de têtes, pour les soudoyer. Hélas, même lorsqu'elles font des efforts pour promouvoir des étrangers dans leurs instances dirigeantes, les entreprises nippones s'en mordent parfois les doigts. Toyota, qui taillade depuis des années la domination des groupes automobiles américains sur leurs terres, en a fait l'amère expérience en 2007. Il s'est fait avoir en beauté. Le constructeur avait, par reconnaissance de mérite, invité pour la première fois un non-Japonais à siéger à son conseil d'administration. En guise de remerciements, l'intéressé, un Américain du nom de Jim Press, qui dirigeait la filiale de Toyota aux États-Unis, s'est fait la malle chez le concurrent Chrysler, emportant avec lui les secrets acquis durant près de quatre décennies passées au service du groupe nippon. Pis, quelques semaines plus tard, un autre Américain, haut placé chez Toyota, acceptait le poste de directeur de la communication et du marketing de Ford. Décourageant, écœurant, forcément. Mais la revanche arrivera, car on ne fait pas impunément perdre la face à un Japonais pour qui ces pratiques sont atterrantes, inadmissibles. Cette absence de loyauté et le déni de confiance induit étaient d'ailleurs déjà vigoureusement regrettés par le fondateur de Sony, Akio Morita, dans un long chapitre de son livre *Made in Japan* consacré aux différences entre l'environnement des affaires au Japon et aux États-Unis. Sans s'entourer d'une armée d'avocats, aucun business n'était selon lui garanti au pays des Yankees.

Mais même dans le cas idéal où nul ne trahit, le problème de la pérennisation des activités et de la préservation des brevets et autres ressources intellectuelles japonaises, qui se posait déjà à l'époque et *a fortiori* aujourd'hui, ne sera pas réglé pour autant à long terme. En effet, en raison des départs massifs à la retraite des chercheurs, ingénieurs, entrepreneurs et techniciens expérimentés nippons sur fond de vieillissement de la population, des connaissances et savoir-faire risquent naturellement de disparaître. Les patrons sont conscients que, dans un monde où les frontières marchandes tendent à s'estomper, ils doivent prendre de nouvelles dispositions. Ainsi observe-t-on de vastes mouvements de consolidation dans divers secteurs. Les entreprises nippones s'allient, se regroupent, par consentement mutuel, pour atteindre une taille critique qui leur permette d'exister à l'échelle mondiale et d'avoir une assise assez solide pour investir. Elles s'associent aussi pour être plus compétitives sur les marchés étrangers et, pour celles qui ne s'adressent qu'aux clients nippons, comme les groupes de grands magasins, pour éviter la déroute quand la consommation marque le pas et se donner les moyens d'une expansion en Asie. Les opérations de fusions/acquisitions entre sociétés japonaises se multiplient ainsi ces derniers temps, afin de minimiser les risques d'être prises pour cibles et/ou maximiser leur potentiel de croissance. Plus de deux mille mariages entre firmes nippones ont eu lieu en 2005 et autant en 2006, soit plus de quatre fois le nombre de rachats d'une entreprise japonaise par une société étrangère ou l'inverse. La préservation des intérêts nationaux et la pertinence industrielle priment souvent sur les considérations financières. Le géant de l'électronique Matsushita/Panasonic, qui souhaitait se défaire de sa filiale déficitaire JVC, grand nom des techniques audio, avait le choix entre un fonds américain et la firme japonaise de matériel audio-visuel Kenwood. L'offre de la société financière d'outre-Pacifique était plus alléchante, mais péchait sur le volet industriel et la question de la propriété intellectuelle, ce qui a conduit Matsushita à finalement lui préférer celle de Kenwood, moins généreuse, mais plus sûre et plus proche des valeurs entrepreneuriales défendues par le créateur de Matsushita. La préférence nationale n'interdit toutefois pas des partenariats, qui ne vont pas jusqu'à des fusions, avec des acteurs étrangers. Cela s'est vu par exemple dans le secteur stratégique de l'énergie nucléaire. Hitachi s'est associé à l'américain General Electric (GE), Toshiba a racheté le compatriote de ce dernier, Westinghouse, et Mitsubishi Heavy Industries (MHI) a fait cause commune avec le numéro un mondial du secteur, le français Areva. Et ce dans le but de préserver leurs forces et compétences *via* un accès à des marchés et ressources extérieurs en offrant comme dot leurs technologies. Ces alliances reposent toutefois sur un donnant-donnant en matière d'apport industriel et sur une relation de confiance bien établie, ce qui ne se décrète pas du jour au lendemain, mais se construit patiemment en plusieurs années. Outre Areva, le géant de la pharmacie Sanofi-Aventis ou le groupe gazier Air Liquide ont eux aussi très bien compris qu'au Japon, il fallait se comporter comme les Japonais, se donner du temps et avoir réellement des atouts à faire valoir, qui plus est, modestement et sans déprécier les concurrents. Ces champions français sont respectés au pays du Soleil-Levant où ils ont véritablement développé d'importantes activités. En d'autres termes, il est illusoire de débarquer un beau matin sur l'archipel mal rasé, le bec enfariné, en jean, et de vouloir y tailler des croupières aux firmes locales sous prétexte qu'on détient l'invention du siècle ou qu'on est prêt à poser des valises de dollars sur la table. Vous souriez peut-être en lisant ces lignes, mais elles retranscrivent pourtant une réalité hélas trop fréquemment observable.

Même si tôt ou tard, de plus en plus d'entreprises japonaises devront pactiser avec des firmes d'autres horizons et transférer volontairement une partie de leurs savoir-faire et technologies à l'étranger, elles refusent de se marier avec un revolver pointé sur la tempe. Elles exigent de plus en retour, et c'est bien le moins, une rectitude morale et un respect de leur nom, de leur personnel et de leur patrimoine industriel.

La paille dans l'œil du voisin

Les groupes et fonds étrangers qui forcent les portes ont-ils vraiment tous les torts ? À vrai dire, non. Car l'archipel reste une citadelle difficile à pénétrer, même par la méthode douce. Aucune voiture de marque étrangère n'est fabriquée au Japon et c'est à peu près pareil dans de nombreux secteurs. Il existe *de facto* un protectionnisme très fort qui tient certes en grande partie aux normes drastiques imposées par les autorités, pour des raisons de sécurité, et aux critères propres aux consommateurs locaux qui préfèrent acheter japonais pour les mêmes motifs. À l'inverse, les entreprises nippones ne se privent pas de faire leurs emplettes à l'étranger, d'y assembler leurs produits et d'y vendre leurs marchandises. La difficulté que rencontrent les sociétés étrangères pour s'implanter sur l'archipel résulte aussi d'accords commerciaux et industriels entre sociétés japonaises pour défendre et se partager le territoire inexpugnable. Comment expliquer autrement que des géants mondiaux qui se sont imposés honnêtement partout ailleurs, comme le fabricant de mobiles finlandais Nokia, l'avionneur européen Airbus ou les mastodontes de l'électronique grand public sud-coréens Samsung Electronics et LG Electronics, soient des minus au Japon, quand ils n'ont pas déjà abandonné la partie ? Le gouvernement est conscient que le cloisonnement du pays constitue un handicap dans son jeu diplomatique et dans les négociations commerciales multilatérales, mais il ne sait où placer le curseur entre défense de l'industrie nationale et place faite aux firmes étrangères. Une plus grande ouverture permettrait en effet de stimuler la concurrence, en théorie profitable au consommateur, et d'atténuer les dissensions commerciales. Rien n'est moins simple. Ainsi, lorsque le législateur a voulu assouplir les modalités de rachat d'une société japonaise par un groupe étranger, les entrepreneurs se sont mobilisés vent debout, craignant d'être dépecés. Ils sont parvenus à retarder l'échéance d'un an et ont astucieusement mis à profit ce sursis pour faire pression sur les parlementaires afin que soit voté un amendement qui limite fortement la portée du texte finalement adopté.

Les décideurs japonais délateurs des méthodes incongrues des requins de la finance ne sont en outre pas pour autant tous des parangons de vertu. Les arrestations de chefs d'entreprise ou de fonctionnaires, convaincus d'ententes illicites ou responsables de transactions illégales, sont relativement fréquentes. Les révélations de cas de corruption et autres petits arrangements malhonnêtes entre amis dans les hautes sphères font aussi régulièrement la une de l'actualité. Le pire a été atteint au temps de la bulle financière. La flambée des prix de l'immobilier et du cours des actions attisait alors la soif insatiable d'argent et de pouvoir. Depuis les choses se sont certes tassées, du fait de règles de plus en plus sévères compatibles avec les lois du commerce international et d'une plus grande vigilance des autorités. Pour autant, la transparence et la loyauté ne sont pas toujours de mise dans la façon dont se négocie l'attribution de contrats. Après la période des scandales politico-économiques Lockheed, Sagawa ou Recruit, ces dernières années ont été marquées par la découverte d'obscurs choix d'équipements militaires en échange de cadeaux, ainsi que par divers cas de cartel d'entreprises qui s'étaient entendues sur les tarifs pour établir des devis dans le cadre d'importants contrats de travaux publics.

Chapitre XXXII

Collusion

Corruption et collusions, yakusa et autres malfrats

La découverte d'arrosage d'élus et de fonctionnaires par des entreprises ou groupes de pression pour faciliter l'obtention d'avantages quelconques continue ainsi de jeter le discrédit sur la classe politique. Les liens étroits entre entreprises et administrations découlant de pratiques autrefois tolérées, ou d'habitudes héritées des traditions passées, et l'absence de véritables garde-fous sont souvent à l'origine des dérives. L'État vient tout juste de s'attaquer à la question de l'embauche par des sociétés privées d'ex-fonctionnaires précédemment chargés de leur secteur d'activité. Cette pratique, traditionnellement appelée *amakudari* – descente du ciel –, une forme de « pantouflage », était si peu encadrée que nombre de sociétés en ont largement profité pour simplifier leurs démarches administratives. Les relations plus ou moins opaques se nouent d'autant plus aisément que le clientélisme est largement répandu.

Par ailleurs, les bandes de yakusa – *boryokudan* –, personnages de cinéma archiexploités, existent bel et bien toujours dans la réalité. La police dénombre environ 80 000 individus liés à la pègre, dont la moitié sont des membres actifs appartenant en très grande majorité aux trois plus importants gangs. Il n'est pas nécessaire d'être expert du grand banditisme pour repérer dans certains quartiers chauds de Tokyo des sosies des yakusa, héros des films d'un des maîtres du genre, Takeshi Kitano. Identifiables à mille lieues par leurs rutilantes berlines noires ou blanc écru garées devant un hôtel près de Shinjuku ou Ikebukuro, entourés de sbires, cheveux gominés en arrière, costume noir et chaussures pointues. Ces syndicats du crime vivent d'abord de leurs activités « traditionnelles », salles de jeux, restaurants, bars, clubs de karaoké, prostitution, racket. Toutefois, comme toute organisation à but lucratif, ces structures s'adaptent aussi aux évolutions du monde des affaires. Elles diversifient leurs sources de revenus et utilisent un large éventail de moyens alambiqués pour masquer leurs pratiques, rendant la tâche des policiers de plus en plus complexe. Outre le fait que les yakusa sont, de notoriété publique, impliqués dans le blanchiment d'argent, les autorités les soupçonnent aussi d'utiliser diverses techniques boursières pour empocher des gains indus en bénéficiant d'informations soutirées par la force auprès des compagnies de courtage. Ils obligent aussi des petits commerçants à signer des contrats léonins pour la vente d'articles bidon, ou les forcent à payer chaque mois une quote-part ronde-lette faute de quoi leur boutique est régulièrement visitée par des malappris qui ennuient les clients et mettent tout sens dessus dessous. Les *boryokudan* continuent aussi de faire pression sur des élus ou dirigeants de groupes pour servir leurs intérêts. Durant les années bénies de la bulle, ils ont pris l'habitude de s'immiscer dans les circuits financiers et de manipuler les grands projets de travaux publics. Leur rôle ? Arranger l'obtention d'un contrat pour telle entreprise en persécutant des décisionnaires, en échange d'une commission sur le montant encaissé par la firme sélectionnée grâce à eux. Autre méthode employée, menacer les groupes de BTP de perturber leurs chantiers s'ils refusent de verser leur dîme au clan. Selon une étude conduite en 2007 par les services de police auprès des entreprises du secteur de la construction, un tiers des quelque deux mille sociétés consultées avouent avoir entendu dire que telle ou telle firme partenaire ou concurrente, avait des relations avec un clan de yakusa. Les autorités savent ces derniers par ailleurs très actifs dans les milieux de la pêche. Plus récemment, la police suppute leur présence dans des activités potentiellement rémunératrices comme les entreprises de recyclage de déchets industriels, les sociétés de gestion de travailleurs intérimaires, les compagnies privées de gardiennage, c'est-à-dire dans des secteurs de services où se négocient d'importants et juteux contrats. Des officines plus ou moins recommandables de crédits à la consommation, qui ont pris le relais des banques très mal en point dans les années 1990, n'hésitent pas à user de méthodes musclées face aux mauvais payeurs, sans doute contraintes, et le cas échéant aidées par ces caïds de l'intimidation. Des entreprises renommées sont encore parfois harcelées par les yakusa. Chaque été réapparaissent dans les journaux les trois kanji composant le terme *sokaiya*, lequel désigne une espèce de mafieux, certes en voie de disparition mais dont quelques spécimens continuent de pourrir la vie de dirigeants de grandes firmes. Leur spécialité : le chantage. Très actifs dans les années 1980 où on en répertoriait environ six mille, ils ne seraient plus aujourd'hui que deux cents à sévir dans les assemblées générales annuelles d'actionnaires (AG), en juin et juillet. Ce nombre résiduel est toutefois suffisant pour troubler quelques réunions de porteurs de titres de sociétés réputées, comme ce fut le cas fin juin 2007 lors de celle de la première compagnie aérienne japonaise, Japan Airlines (JAL). Le mode opératoire des *sokaiya* consiste à s'incruster dans le capital d'une entreprise en acquérant quelques actions, lesquelles constituent un ticket d'entrée aux AG. Peu avant ces mégaréunions où les présidents des groupes sont directement confrontés à leurs détenteurs de titres, ces malfrats, liés ou non à des gangs connus, jouent les maîtres chanteurs, exigeant le versement de rançons, sans quoi ils menacent de divulguer des pans peu reluisants de la vie privée des dirigeants, de poser publiquement des questions dérangeantes ou tordues, de gâcher la séance et de la faire durer des heures et des heures pour rien. On les vit ainsi en 2007 bombarder le P-DG de JAL de boulettes de papier, l'exhorter à démissionner et déambuler dans les travées en déblatérant des insanités. Les patrons qui cèdent à ce harcèlement et monnayent le silence de ces crapules sont susceptibles de poursuites. Les Japonais se souviennent encore des révélations mettant en cause les instances dirigeantes de Mitsubishi Motors en 1997, de JAL, déjà, en 1998, ou encore en 2001 de la compagnie ferroviaire Seibu Railway. Par peur des représailles, les trois sociétés, ainsi que de nombreuses autres tout aussi connues (Toyota, Hitachi, Nissan, Toshiba), avaient accepté les exigences de ces escrocs et les montages financiers qu'elles supposaient pour planquer dans leurs comptes ces procédés illégaux. JAL avait loué pendant des mois à des truands *sokaiya* des plantes en plastique pour un prix dément dans l'espoir de faire taire ces imprévisibles et indésirables actionnaires. Depuis plusieurs années, afin d'éviter que quelques dizaines de *sokaiya* survivants fassent leur cirque partout, près de deux mille sociétés tiennent leur AG exactement le même jour à la même heure. Les activités de ces voyous sont également rendues plus difficiles du fait de la volonté plus forte de transparence des entreprises. Ces dernières ont compris qu'il était davantage dans leur intérêt de verser des dividendes pour fidéliser les actionnaires honnêtes que d'acheter le silence de *sokaiya*, ce qui sous-entend qu'elles doivent être totalement intègres par ailleurs.

Le scandale politique au coin de la rue

Si le problème des *sokaiya* est presque résolu, la pègre continue de sévir et les liens étroits entre milieux politiques et monde des affaires de polluer l'actualité, qu'il s'agisse de règlements de compte, de suicides déguisés, ou de la mise au jour de faits de corruption et autres forfaitures plus ou moins récents. Des businessmen, hommes politiques ou fonctionnaires encore en poste aujourd'hui ont pu tremper dans des affaires louches susceptibles de les rattraper. D'autant que les médias, surtout les magazines hebdomadaires, guettent ces scandales que d'aucuns leurs livrent parfois tout rôtis.

Nul besoin de remonter très loin dans le calendrier pour en trouver plusieurs traces. Le 18 avril 2007, le maire de Nagasaki Iccho Ito, un pacifiste, n'avait pas survécu aux deux balles reçues la veille au soir, en pleine rue, tirées par un membre du plus important gang de yakusa, la Yamaguchi-gumi. Cette importante organisation, qui concentre la moitié des yakusa recensés, règne sur la partie ouest du Japon. Toutefois, son emprise s'étend progressivement à l'est, sur fond d'affrontements sanglants pour s'emparer de quartiers tenus par les autres syndicats du crime. Dans le cas présent, la Yamaguchi aurait voulu solder violemment une affaire de marchés publics qui l'opposait à la mairie de Nagasaki. Peu de temps après, le 28 mai 2007, le ministre de l'Agriculture nippon, Toshikatsu Matsuoka, était découvert par un de ses collaborateurs, en pyjama, pendu par une laisse à la porte de son salon, dans un immeuble sinistre abritant les parlementaires à Tokyo. Matsuoka était depuis plusieurs semaines, à longueur de colonnes et reportages, traité de pourri par la presse, laquelle se faisait l'écho de membres de l'opposition. Toshikatsu Matsuoka était un bureaucrate pur jus, un fonctionnaire à 100 %, agronome de formation, soi-disant arrosé par de puissants lobbies. Deux de ses comités de soutien électoraux auraient encaissé plusieurs millions de yens provenant de firmes du secteur de la construction en échange de contrats remportés lors d'appels d'offres publics. Le suicide de Matsuoka n'a nullement calmé ni la hargne des opposants ni les investigations des médias. Son successeur, immédiatement soupçonné d'avoir cautionné des fausses factures, a pour sa part été limogé par le Premier ministre, alors en chute libre dans les enquêtes de popularité. Le suivant a également dû se résigner à abandonner son portefeuille en raison là encore de présomptions de perception illégale de fonds de la part d'une association de pêcheurs. Tous pourris alors ? Non bien sûr, mais la machine infernale était en marche et le gouvernement totalement incapable de se défendre tant il était discrédité et tant il y avait eu d'affaires graves dans le passé. Si bien qu'à aucun moment, jusqu'à la démission soudaine du chef du gouvernement plombé par ces esclandres à répétition, un individu lucide n'a osé taper du poing sur la table pour faire cesser ce jeu de massacre presque indécent, les médias et ténors de l'opposition enragés parvenant par leur ramdam à transformer des broutilles (quelques centaines d'euros dans certains cas) en affaires d'État. En 2011, moins de deux ans après la prise de pouvoir du Parti démocrate du Japon (PDJ), et alors que le gouvernement avait déjà dû être remanié à plusieurs reprises, le ministre des Affaires étrangères d'alors, Seiji Maehara, fut poussé vers la sortie à cause de dons reçus d'un étranger. Cette pratique, interdite par la loi, a aussi failli coûter son poste au Premier ministre d'alors, Naoto Kan. Il s'apprêtait sans doute à partir quand est survenu le séisme du 11 mars, une catastrophe qui obligea les médias à laisser un peu de côté les sales affaires. *Seiji to kane no mondai* : le problème de l'argent et de la politique, titraille récurrente, empêche toute prise de recul pour démêler sereinement le vrai du faux, le comportement blâmable du péché pardonnable, le tout sans qu'on s'interroge plus avant sur les motivations des délateurs. Cela finit par ressembler à une vaste conspiration écœurante destinée à faire chuter le cabinet en place. Soit. On aimerait toutefois que d'aucuns aient eu la lucidité d'exiger que les gouvernants se remettent au travail pour traiter des sujets urgents, et qu'ils prennent conscience de la pitoyable image que ces pièces de kabuki de mauvais goût projettent à l'étranger, alors que le Japon recherche désespérément à prendre toute sa place dans la gestion des affaires du monde.

Le rôle des médias de masse

Les trop fréquents scandales politico-fianciers, la façon affligeante dont ils sont gérés, la valse incessante des têtes dans l'exécutif et plusieurs autres faits conduisent à souligner aussi le rôle des médias. D'une influence écrasante au Japon, toujours sur les dents, metteurs en scène talentueux d'intrigues dramatiques et de tragicomédies, les surnommés *mass-komi* sont aussi en partie responsables de l'enchaînement terrible des événements très vite montés en épingle parfois sur la foi de tuyaux fournis en sous-main par des informateurs qui ne s'épanchent généralement pas avec un complet désintéressement.

Le traitement de l'information par les journaux généralistes nippons est en majeure partie factuel et les titres de unes sont souvent assez peu différents d'un quotidien à l'autre, quand ils ne sont pas littéralement identiques. Les photos qui les accompagnent offrent fréquemment le même point de vue. L'orientation politique des uns et des autres apparaît en revanche clairement dans les éditoriaux. On saluerait sans barguigner cette stricte distinction entre faits et commentaires si elle ne s'accompagnait pas d'autres aspects moins appréciables. Quand toute la presse affiche la même titraille, le « balivage » est tel que le public peine à établir sa propre hiérarchie d'informations fondée sur une diversité d'approches. Il en a d'autant moins la possibilité que les télévisions, les radios abordent les mêmes thèmes dans le même ordre, sous le même angle, puisque les grands journaux sont affiliés aux mêmes pharaoniques conglomérats multimédia (Fuji TV est lié au *Sankei*, NTV au *Yomiuri*, TV Asahi à l'*Asahi Shimbun*, TV Tokyo au *Nikkei*). La concurrence et la cadence de plus en plus rapide poussent en outre les uns à réagir immédiatement aux informations publiées par les autres, en surenchérissant. Cette mécanique implacable à effet démultiplicateur ne s'arrête jamais, elle s'emballe parfois. Montent ainsi en une des nouvelles qui, tout bien réfléchi, ne mériteraient que deux lignes dans la colonne de brèves en dixième page, transformant ainsi des faits insignifiants en événements, des cas marginaux en phénomènes de société et des bricoles en affaires d'État. La presse étrangère embraye parfois sans même venir enquêter sur place et confère à son insu une résonance internationale à des informations originellement sans grande importance relative. Les dirigeants d'une société épinglée pour des vétilles, ou les représentants de l'État, pris dans cette spirale infernale, paniqués, réagissent parfois dans la précipitation pour rassurer l'opinion et tenter avec plus ou moins d'habileté de calmer le jeu. Ils convoquent la presse, font acte de contrition, démissionnent sur-le-champ et prennent des mesures radicales : arrêt d'usines ou autres sites, interdiction d'exercer, rappels massifs de produits, durcissement draconien des normes, demandes de rapports et études exigeant un travail et des moyens titanesques, le tout sans évaluer plus avant les conséquences parfois catastrophiques de leurs gestes. Combien d'hommes politiques et sociétés, non préparés à une crise, non rompus à ce type de communication particulière, se retrouvent ainsi embringués dans un enchaînement d'erreurs stratégiques ravageuses après la découverte d'un menu fretin, faute de réaction initiale appropriée, et de discernement pour remettre les faits en perspective et couper court à ce terrible engrenage. Ce phénomène récurrent provient aussi du fait que la presse japonaise profite de ressources humaines en abondance, ce qui l'autorise à être sur tous les fronts à la fois.

« Kisha clubs » *et vrais-faux scoops à la une*

Chaque grand média dispose en outre d'équipes détachées dans les organismes publics ou privés dont il couvre en permanence l'actualité, grâce au système peu ordinaire des « *kisha clubs* ». Ces groupuscules de journalistes n'ont rien à voir avec des associations de scribouillards se réunissant pour défendre leur statut et leurs droits. Il s'agit de structures initialement créées par les milieux parlementaires à la fin du XIXe siècle pour pouvoir improviser des conférences de presse et communiquer instantanément. Ces organisations, estimées à un millier, comptent chacune quelques dizaines de membres représentant les plus grands médias. Le bureau du Premier ministre, tous les ministères, les collectivités locales, la police, la Banque du Japon, la Bourse, les autorités locales, les diverses institutions publiques, les organisations professionnelles et une partie des grandes entreprises ont leur propre « *kisha club* » ou font appel en cas de besoin à celui de leur ministère de tutelle ou d'un organisme du même secteur. Les « *kisha clubs* » disposent d'un espace dédié dans les locaux mêmes des organisations afférentes, bureaux où sont en permanence présents des journalistes patentés chargés de récupérer la bonne parole et de la transmettre sur-le-champ à leur rédaction. En dépit des évolutions techniques qui permettent désormais à tout organisme d'adresser instantanément un communiqué de presse par fax ou courrier électronique à qui de droit, ou de le poster sur un site Internet, le système des « *kisha clubs* » perdure. L'intention est louable, qui permet effectivement encore aujourd'hui aux médias de faire moisson de citations d'hommes politiques et autres décideurs au moindre événement, et de ne pas s'en tenir aux seuls éléments indiqués dans les communiqués de presse. Jusque-là, on pourrait dire qu'après tout, les choses sont plutôt bien organisées, comme souvent au Japon. Mais là où le bât blesse, c'est que les « *kisha clubs* » s'apparentent à des structures fermées dont les membres sont sélectionnés en fonction de leur affiliation à tel ou tel média, de la ligne éditoriale de ce dernier, de la personnalité même du journaliste candidat à l'entrée et de divers autres critères plus ou moins transparents. La somme des cotisations à verser pour que ces clubs assurent leurs besoins matériels dépasse les petits moyens des journalistes indépendants, voire de certains médias qui, par les temps qui courent, ne roulent pas sur l'or. Si bien que les pigistes japonais et les correspondants étrangers n'y accèdent pas si facilement que veulent bien le dire les zélateurs de ce modèle. La liberté de la presse au Japon n'est donc pas autant respectée qu'elle le devrait dans un pays qui se veut pourtant une démocratie à part entière. Même si quelques progrès ont été réalisés ces dernières années, la presse étrangère est désavantagée par ce système qui favorise les grands groupes de médias locaux, comme les quotidiens *Yomiuri Shinbun*, *Mainichi Shinbun* ou *Nihon Keizai Shinbun*, ainsi que les radios d'information et télévisions (groupe public NHK en tête) ou les agences de presse nippones Kyodo et Jiji. Les journalistes de ces médias japonais bénéficient ainsi d'informations avant tous les autres et de tuyaux divers livrés en *off* par les fonctionnaires des ministères ou des autres institutions qu'ils croisent sans cesse dans les couloirs.

Des entreprises réservent aussi aux adhérents des « *kisha clubs* » la primeur de certaines annonces, notamment lorsqu'il s'agit d'édulcorer un incident ou autre fait négatif. Pour les présentations de nouveaux produits destinés à envahir les boutiques du monde, en revanche, toute la presse est évidemment bienvenue. Le système des « *kisha clubs* » n'empêche certes pas les journalistes étrangers de travailler et de rendre compte de l'actualité japonaise. Toutefois, ils ont parfois plus de mal que leurs collègues nippons à établir des contacts et à être informés des conférences organisées par telle ou telle institution. Faute d'accès direct aux sources, les représentants des médias étrangers sont ainsi bien souvent obligés de s'en référer aux « institutions » locales que constituent les TV, agences et journaux nationaux.

Par ailleurs, le système des « *kisha clubs* » entrave aussi plus insidieusement la liberté de la presse par le fait que certaines informations dérangeantes sont volontairement confinées dans l'enceinte du cercle par leurs membres, d'un commun accord avec ceux qui les leur fournissent. Le journaliste qui trahit en faisant état publiquement de ces données secrètes risque d'être mis au ban du groupe par des mesures disciplinaires internes et/ou de perdre la confiance de ses informateurs et pairs.

L'existence des « *kisha clubs* » n'est toutefois pas le seul ni même le principal responsable d'un fonctionnement de la presse qui restreint l'exercice journalistique. Les journaux nippons bénéficient en dehors des « *kisha clubs* » d'importantes fuites et ne sont pas à l'abri de manipulations difficiles à déceler. On ne compte pas le nombre d'articles citant des « anonymes proches du dossier ». Certes cela existe dans tous les pays, et la protection des sources est un droit absolument essentiel. Toutefois, la fréquence de tels faits et surtout la façon dont ils sont gérés au Japon sont pour le moins surprenantes. Il ne se passe pas une semaine sans que le *Nikkei* ne dévoile au moins un plan stratégique d'une entreprise, un projet étatique encore secret ou toute autre information politico-économique non sourcée. Le plus souvent, à la parution de ces révélations, les entreprises interrogées par les autres journalistes démentent dans un premier temps, jurent leurs grands dieux que « le scoop à la une » est infondé, que ce ne sont là que de simples spéculations mensongères. Elles diffusent même largement de brefs communiqués pour démentir : « Certains médias ont aujourd'hui affirmé que... Cette information ne provient pas de nous... À l'heure actuelle, même si nous réfléchissons... Rien de tel n'a été décidé… Si quelque chose devait être entériné et annoncé, nous le ferions en temps et en heure. » Bien. Mais quelques instants ou jours plus tard, les mêmes, qui avaient tout contredit en bloc, convoquent soudainement tous les journalistes à une conférence de presse pour… confirmer ce qu'elles ont promptement nié peu avant, et qui figurait précédemment noir sur blanc dans le *Nikkei* ou un autre puissant quotidien. Comprenne qui pourra. Que cela se produise de temps à autre, et nul ne serait porté à s'inquiéter, mais la récurrence de ces exclusivités est telle qu'il est difficile de réfréner la tentation du soupçon de collusion. Ce fut le cas par exemple pour l'annonce de la fusion entre les mégabanques Tokyo Mitsubishi et UFJ, annoncée en fanfare par le *Nikkei*, immédiatement réfutée par les intéressés puis actée dans la foulée. Même chose encore pour la construction d'une usine ultramoderne de dalles d'écran pour TV plasma par Matsushita/Panasonic, soi-disant pas décidée, puis entérinée et finalement mise en chantier, ou pour celles de Toshiba. Rebelote pour la vente de l'activité des télécommunications mobiles de Sanyo à son concurrent et compatriote Kyocera et pour l'abandon par Toshiba de son format de DVD de grande capacité HD-DVD terrassé par la norme concurrente Blu-Ray de Sony. Et c'est ainsi, tout aussi abracadabrant et troublant, pour bien d'autres affaires industrielles ou pour des faits politiques et économiques de plus grande importance encore. La NHK avait par exemple annoncé avant l'heure que la Banque du Japon avait décidé de mettre un terme à sa politique de taux d'intérêt à zéro en juillet 2006, une décision historique dans le contexte japonais du moment, alors même que la réunion du comité de politique monétaire de l'institution centrale n'était pas terminée. Le *Nikkei* s'amuse par ailleurs chaque trimestre à déflorer les résultats financiers des entreprises, plusieurs jours avant leur annonce officielle. De tels faits, s'ils se produisaient en Europe ou aux États-Unis, déclencheraient immédiatement une enquête des autorités de contrôle des marchés financiers. Mais au Japon, nul responsable ne s'en offusque publiquement. Une nouvelle législation sur les comptes des entreprises, entrée en vigueur en avril 2008, est censée éviter que les états financiers sortent dans la presse avant leur publication officielle. Soyons clairs : notre interrogation sur l'organisation de ces fuites ne vise pas à condamner les journalistes, qui, après tout, ne font que leur travail de prospection, mais porte sur l'attitude étrange des protagonistes des faits eux-mêmes, qui, éhontés, nient devant les uns ce qu'ils ont laissé transpirer au bénéfice des autres par intérêt personnel, accointances, manipulation, sale habitude, faiblesse ou ingénuité. Même si les mastodontes industriels ne détiennent pas directement des groupes de médias, les doutes sur l'indépendance réelle de ces derniers, faiseurs d'opinion, vis-à-vis des milieux économiques et du pouvoir politique ne semblent en tout cas guère chagriner le peuple, pas plus d'ailleurs que les injonctions de l'État à l'égard des chaînes de télé et radio publiques. Selon un sondage, la moitié des Japonais avaient en effet trouvé normal que le Premier ministre libéral et un brin nationaliste Shinzo Abe ordonne littéralement et officiellement en novembre 2006 au groupe public audiovisuel NHK de relater davantage le problème des Japonais kidnappés dans les années 1970-1980 par les nord-Coréens. Que le chef du gouvernement s'offre des spots sur les chaînes privées et de pleines pages de publicité dans la presse pour enfoncer le clou ne choquait pas plus. Pourtant, en dépit des indiscutables bizarreries gênantes du microcosme médiatique nippon et malgré ses collusions avec les milieux politiques et les entreprises, les journaux japonais ne sont pas, loin s'en faut, des ramassis de sottises. Leurs articles factuels sont rigoureusement écrits et très bien documentés. L'exactitude est particulièrement remarquable dans les colonnes traitant de sujets économiques ou techniques. Le *Nikkei*, qui consacre un large pan de sa volumineuse pagination aux entreprises et aux technologies, ne fait manifestement pas appel à des profanes en la matière. Les articles de ce type sont donc le plus souvent très fiables. Ils ne sont pas truffés d'approximations ou de réelles aberrations scientifiques. On y détecte très peu d'erreurs, qu'il s'agisse des chiffres ou autres données. Les journalistes du *Nikkei* disposent, il est vrai, d'une montagne de bases de données et documents de référence, concoctés et entretenus par les instituts d'études et rédactions spécialisées appartenant au même conglomérat. Si par ailleurs une faute se glisse dans un commentaire de reportage TV, le journaliste en plateau la corrigera immédiatement après qu'elle aura été signalée, et demandera pardon en s'inclinant devant la caméra pour cette bévue. Lorsqu'il est prouvé qu'un producteur a volontairement bidouillé un reportage, l'affaire tourne au scandale et sert de rappel aux collègues.

Par ailleurs, on apprécie aussi la répugnance des grands quotidiens à étaler la vie privée des célébrités. Autant les scoops touchant les fonctions professionnelles de tel ou tel sont recherchés et disséqués, autant les révélations liées aux mœurs sont évitées par les grands journaux, du moins tant qu'il n'y a pas d'intérêt à les sortir. Les frasques de l'excentrique femme de l'ex-Premier ministre Shinzo Abe, qui appréciait fortement les soirées mondaines bien arrosées, ou autres affaires de famille sont peu relatées, hormis lorsqu'elles ont des conséquences politiques. La famille impériale est de même immensément révérée, et les difficultés que peuvent affronter certains de ses membres (la dépressive femme du prince héritier ou le frère alcoolique de l'empereur Akihito, par exemple) sont évoquées avec une extrême circonspection, sauf par quelques journalistes étrangers. Les unes voyeuristes sur les « *people* » sont *de facto* presque la chasse gardée de magazines (hebdomadaires ou mensuels) et d'émissions de télé de mauvais goût, au demeurant fort nombreuses, qui, pour se frayer un créneau, se sont dès l'origine spécialisés dans ce registre délaissé par la presse quotidienne.

Opinion manipulée ?

L'ascendant des médias sur l'opinion publique est d'autant plus décisif que les Japonais sont pour beaucoup d'avides lecteurs qui mettent un point d'honneur à consacrer chaque matin une vingtaine de minutes à parcourir un journal, par curiosité personnelle, habitude prise à l'université ou nécessité professionnelle d'être au courant de l'actualité. On débat en revanche peu entre amis, en famille ou entre collègues des thèmes d'actualité, ou de façon non engagée. Si les citoyens se proclament intéressés par les débats politiques, les informations économiques ou sociales, les relations internationales ou les questions de défense, ces sujets n'alimentent toutefois pas tant les conversations que la gastronomie, la mode, la retraite ou la high-tech. Les ouvrages qui traitent des affaires et du devenir de la nation dans un environnement mondial chamboulé arrivent cependant souvent en très bonne position dans les meilleures ventes en librairie. Les éditeurs démontrent, il est vrai, une surprenante réactivité qui leur permet de sortir une collection de livres d'analyse bien sentis dès qu'une nouvelle problématique envahit les médias. Les faits de société (inégalités, brimades dans les écoles, suicide, vieillissement, paupérisation), les vicissitudes économiques (financement des retraites, mondialisation, fusions/acquisitions, placements, investissement en Bourse), la diplomatie, les enjeux environnementaux, la préservation de l'identité nationale sont autant de thèmes qui, à en juger par le nombre de titres à succès qu'ils génèrent, semblent passionner les foules. Les médias et dirigeants savent en outre user de formules-chocs, reprises partout, qui, par leur côté souvent anxiogène, créent un effet boule de neige immédiat. *2007 mondai* – problème de 2007 – pour qualifier les départs massifs à la retraite de la génération du baby-boom, *karyu shakai* – société des classes déclinantes –, *ubiquitous shakai* – société des réseaux de télécommunications omniprésents –, *shoshiko-reika shakai* – société vieillissante – sont autant d'expressions génériques, qui, utilisées dans la titraille d'un ouvrage, lui garantissent à coup sûr une belle exposition dans les vitrines des libraires. Pour autant, les Japonais ne s'enflamment pas comme les Français pour les scrutins électoraux, avouent ne pas chercher à orienter le vote de leurs proches, ne descendent pas dans la rue pour se révolter contre la perte avouée en 2006 de cinquante millions d'enregistrements de déclarations de cotisations de retraite à cause d'erreurs de saisie et de cafouillages informatiques, ni pour s'opposer à une décision politique impopulaire. Les manifestations de grande ampleur sont rarissimes, pour ne pas dire inexistantes, depuis les historiques mouvements des années 1960-1970. Une vaste étude menée dans tout le pays par l'université de Waseda fin 2005 indiquait que même si le Parlement proposait une loi qu'ils considèrent personnellement comme dangereuse, plus des neuf dixièmes du peuple ne se lèveraient pas contre, par quelque moyen que ce soit, estimant que cela n'aurait guère d'effet. Parmi les quelque 1 500 personnes interrogées, plus des quatre cinquièmes avouaient n'avoir jamais pris part à aucune manifestation. En revanche, 90 % avaient déjà glissé à maintes reprises un bulletin dans une urne, prouvant par là même qu'ils considèrent que le vote est un devoir et qu'il constitue le premier moyen d'expression des citoyens. Ils sont aussi une majorité à affirmer assister à des assemblées locales. Si les élections, les partis et le Parlement sont à leurs yeux capitaux pour refléter l'opinion publique, chacun pense dans le même temps que sa voix personnelle n'influence pas outre mesure la conduite des affaires du pays. Cette ambivalence vis-à-vis du pouvoir démocratique est peut-être une résultante du fait que le peuple ne choisit pas directement le chef du gouvernement.

Politique : va comprendre !

Le Premier ministre est désigné par le parti qui obtient la majorité à la Chambre des députés, lesquels sont certes élus par les citoyens, mais sur des considérations plutôt locales tout comme les sénateurs et édiles. Les électeurs reconduisent parfois le cacique qui n'a pas forcément démérité dans son fief, même si le parti auquel il appartient n'a pas tenu ses promesses au sommet de l'État. Les habitants de Tokyo, ville propre et sûre, ont confié en 2003, 2007 et 2011 un nouveau mandat à Shintaro Ishihara, soutenu par le PLD, bien que dans le même temps ils disaient ne plus accorder leur confiance audit parti sur le plan national. Chacun voyant midi à sa porte, et les jeunes étant prêts à s'emporter pour une figure médiatique, l'alternance ne se produit que rarement, très rarement. Le Parti libéral démocrate (PLD), né en 1955, a régné en maître pendant plus de cinquante ans, jusqu'à 2009. L'opposition n'a eu droit qu'à un interlude de quelques mois entre 1993 et 1994. Le renversement de la majorité au Sénat intervenu en 1989 ou en 2007 au profit du camp adverse a davantage bloqué les décisions et paralysé le pays qu'il n'a permis d'infléchir l'ordre des priorités dans un sens plus social. Face à ce « Parlement bancal » – *nejire kokkai* –, le gouvernement Fukuda fut contraint en 2008 de saborder sa popularité pour faire passer en force au Parlement des lois que l'opposition rejetait, *via* la seule arme dont il disposait : les alinéas 2 et 3 de l'article 59 de la Constitution, un « 49-3 » version japonaise. Au pays du consensus, autant dire que ce mode d'action est loin de plaire. Le principal groupe du camp adverse au PLD, le Parti démocrate du Japon (PDJ) plus centriste, qui avait en tête de provoquer une dissolution de la Chambre basse et des élections générales anticipées, y parvint finalement mi-2009, aidé par les difficultés dans lesquelles était plongé le gouvernement de Taro Aso à cause de la récession économique internationale. Il remporta une immense victoire au scrutin du 30 août, avec 308 sièges sur les 480 que compte la Chambre basse du parlement nippon, s'imposant comme la première formation du pays, très loin devant le conservateur PLD qui ne sauva que 119 fauteuils sur les 300 qu'il possédait auparavant.

Emmené par son fondateur, Yukio Hatoyama, descendant d'une lignée d'hommes politiques et petit-fils du bâtisseur du groupe de pneumatiques Bridgestone (numéro un mondial du secteur, au coude-à-coude avec le français Michelin), le PDJ a fait campagne sur les thèmes porteurs de la déliquescence du « système PLD » et du retour de l'État providence. Les slogans étaient à l'avenant : « alternance », « votez pour une vraie démocratie », « le pouvoir aux hommes politiques », « mettons fin à la bureaucratie », « finissons-en avec les gaspillages », « halte au pantouflage », « élus au service de la vie du peuple ». Face à des candidats PLD âgés, au discours discrédité par la situation économique dégradée, la perte d'acquis sociaux, la montée du taux chômage à un niveau inédit (5,7 % de la population active fin août 2009) et la hantise du lendemain, le PDJ a présenté de juvéniles hommes et femmes souriants et dynamiques, symboles de renouveau. Masquant ses divisions internes, ce jeune parti mosaïque, classé au centre, a semblé percevoir les souffrances de la population imputées à la politique ultra-libérale conduite par le Premier ministre PLD Junichiro Koizumi entre 2001 et 2006. S'inscrivant en faux, le PDJ a promis une économie du bien-être social, une réforme des institutions politiques au service des citoyens et une plus grande indépendance diplomatique du Japon sur la scène internationale. Ces serments l'obligeaient, mais étaient-ils réalistes ?

Le PDJ entendait tout d'abord inverser la chaîne de commandement au sein de la machine administrative, dénonçant le pouvoir excessif des hauts-fonctionnaires au détriment des élus. Objectif : redonner aux décideurs politiques la maîtrise intégrale du budget, clef de voûte des promesses axées sur la redistribution de la richesse nationale. Le nouveau gouvernement garantissait un relèvement et une unification du salaire minimum pour le porter graduellement à 1 000 yens par heure (9 euros/heure), ainsi qu'une pension de retraite minimale de 70 000 yens (650 euros) par mois. Il répondait ainsi aux principales préoccupations des citoyens. Face à la dénatalité, en partie due aux incertitudes économiques, il s'engageait à porter la prime à la naissance à 550 000 yens (5 000 euros), puis à offrir une allocation mensuelle de 26 000 yens (environ 230 euros) à chaque enfant jusqu'à sa sortie du collège. Ces aides devaient être assorties de diverses autres mesures, dont la gratuité des lycées publics, pour un coût annuel total équivalent à 1 % du produit intérieur brut (PIB), supérieur au budget de la défense. Le cabinet Hatoyama prévoyait en outre de supprimer d'impopulaires dispositions touchant les dépenses de santé des personnes de plus de 75 ans. Aux petites et moyennes entreprises, victimes en bout de chaîne de la chute des exportations et du déclin de la consommation intérieure, il offrit une réduction du taux d'imposition de 18 % à 11 % et des aides au maintien de l'emploi et à la formation. Les agriculteurs, fâchés contre le PLD, devaient bénéficier de nouvelles subventions (complément de revenus pour les cultivateurs indépendants). L'emploi d'intérimaires corvéables dans les usines devait être interdit, les autoroutes devenir progressivement gratuites et l'essence moins taxée. Tous ces aménagements combinés visaient à fortifier l'économie intérieure anémiée, en redonnant confiance à des citoyens anxieux pour l'avenir, précautionneux et ébranlés par des années de fluctuations conjoncturelles erratiques. Le PLD menait une politique de relance par l'offre en favorisant la création de nouveaux produits et services, par le truchement de plans industriels d'ampleur, des programmes de recherche, la construction d'infrastructures publiques. Le PDJ jugeait ces méthodes éculées et inopérantes sur le malaise social du moment qui s'auto-entretenait. Las, il n'eut pas les moyens de ses altruistes ambitions.

Le nouveau gouvernement affirmait pouvoir dégager les sommes nécessaires à ce programme généreux en contrôlant plus sévèrement les actions des fonctionnaires, en supprimant les échelons administratifs inutiles, en réduisant la masse salariale publique, en vendant des biens et en éliminant les dépenses injustifiées (construction de barrages, location de bâtiments trop onéreux, sommes indûment versées à des organismes intermédiaires, etc.). Il comptait à terme aussi sur la progression mécanique des recettes issues de la taxe assise sur la consommation intérieure favorisée par ses mesures de soutien, sans en relever le taux (5 %).

Le cercle vertueux auquel croyait le PDJ ne convainquit cependant pas les économistes ni les milieux d'affaires qui s'inquiétaient pour les finances publiques. Alors que la dette de l'État atteignait quelque 200 % du produit intérieur brut (PIB), le coût de l'ensemble des dispositions envisagées devait l'élever en bout de mandat, en 2013, à près de 16 800 milliards de yens (quelque 160 milliards d'euros) par an. Si, selon une étude de la banque Mizuho, le Japon était censé profiter en 2010 d'un surcroît de croissance de 1 % grâce à la conjonction des différents dispositifs pré-cités, un reflux de 0,5 % et de 0,1 % était redouté les deux années suivantes. Autre gros motif de réserve : l'absence de chiffrage du coût pour les entreprises et foyers de l'objectif ambitieux d'une diminution de 25 % des émissions de gaz à effet de serre entre 1990 et 2020 (ce qui revenait à une baisse de 30 % entre 2005 et 2020). Bien que se disant concernés par la lutte contre le réchauffement climatique, les entrepreneurs y voyaient un obstacle à l'expansion de leur activité. D'autant que le PDJ n'a ajouté qu'au dernier moment dans sa stratégie le soutien au développement de technologies essentielles pour parvenir à ce but et combler des lacunes manifestes de vision industrielle dans son programme. Il n'avait en outre bien entendu pas envisagé l'hypothèse du séisme, du tsunami et de l'accident nucléaire de 2011.

Sur le volet diplomatique, le nouveau pouvoir prétendait « construire une relation de confiance » avec les États-Unis, allié incontournable, sans être pour autant aveuglément sui-viste, ce qu'il reprochait au PLD. Reste que la sécurité du Japon est tributaire des systèmes américains (le dispositif de détection des tirs de missiles nord-coréens en est un exemple) et que 47 000 soldats US étaient toujours station-nés au Japon. Un compromis devait être étudié sur les « territoires du nord » (îles Kouriles) annexés par la Russie et dont le Japon réclame la restitution. Une stratégie devait être mise en œuvre vis-à-vis de la Corée du Nord, dont le dirigeant s'ingénie à diviser les pays censés négocier avec lui. Maintes autres questions étaient posées. Jusqu'où iront les discussions en vue d'un accord de libre-échange commer-cial Japon/USA ? Comment l'archipel envisage-t-il enfin de répondre à la montée en puissance de la Chine, pour conserver une place de figure de proue en Asie. À tous ces problèmes pendants, le PDJ s'était engagé à répondre diffé-remment de ses prédécesseurs, ce qui était déjà osé. Restait à donner corps à cette volonté louable à laquelle ne croient cependant guère les observateurs.

Sur le plan intérieur comme vis-à-vis de l'extérieur, le nouveau gouvernement Hatoyama qui, le lendemain de sa constitution était auréolé d'un taux d'appréciation popu-laire de quelque 75 % selon plusieurs sondages, devait avoir à cœur, au moins jusqu'aux élections sénatoriales de juillet 2010, de donner des gages immédiats à l'opinion. Il pensa le faire en prenant des décisions radicales en quelques

heures (ordres de suspension de chantiers publics, abroga-
tion de lois jugées inéquitables) et au risque d'affronter verbalement, si ce n'est dans les faits, des pouvoirs établis
(banques, grand patronat, hauts-fonctionnaires, etc.). Il ne
put cependant pas passer en force, car de tous il avait
besoin. De fait, bien que le PDJ ait assis son triomphe sur
l'élection de jeunes néophytes, l'équipe dirigeante était
constituée de parlementaires expérimentés au fait de leurs
dossiers et connaisseurs des arcanes.

De plus, le PDJ n'était pas encore totalement libre de ses
mouvements. Ne disposant pas à lui seul de la majorité
absolue au Sénat, il dut s'allier à deux petits partis d'une
mouvance plus anti-libérale (Shakaiminshuto, Parti social-
démocrate, et Kokuminshinto, Nouveau parti du Peuple).
Or ces derniers, qui ne totalisaient pourtant que 10 sièges
à la chambre basse, ont âprement négocié leur soutien, en
échange d'un flou entretenu sur les sujets qui fâchaient
(présence des soldats américains dans l'archipel, poursuite
de missions militaires à l'étranger, poids de la composante
nucléaire dans le panier énergétique, etc.). Cette coalition
tactique ne réjouit pas forcément les électeurs. On décela en
outre dans le cabinet Hatoyama une attention au dosage
entre les différentes factions du PDJ où se retrouvaient
d'ex-PLD, des syndicalistes, des socialistes et des nouveaux
venus, ce qui dégénéra inévitablement en batailles intestines
sur plusieurs enjeux majeurs, et notamment sur les questions de politique étrangère et de sécurité. Quant aux
femmes, qui ont servi de faire-valoir pendant la campagne,
elles furent *in fine* peu représentées, n'obtenant que les
portefeuilles des affaires sociales et de la justice.

Autre point noir, le rôle d'Ichiro Ozawa, stratège du PDJ.
Ce personnage imprévisible, déstabilisé en début d'année
2009 par une affaire politico-financière, avait dû céder la
place de tête d'affiche à Yukio Hatoyama, devenu Premier
ministre. Nommé secrétaire général du PDJ et supposé

s'occuper des affaires du parti, et non de celles du pays, M. Ozawa conserva cependant un fort pouvoir d'influence au Parlement, d'autant que les jeunes élus députés, choisis par ce mentor, lui devaient reconnaissance. Or le public se méfiait de ce manipulateur de l'ombre dont les objectifs n'étaient pas clairement formulés. « L'arrivée au pouvoir du PDJ n'est que la première étape de ma grande ambition », avait-il déclaré quelques jours après la victoire, laissant entière l'énigme sur ses ultimes intentions.

Quant à M. Hatoyama il se mit rapidement à dos les médias en interdisant à certains hauts-fonctionnaires de tenir des conférences de presse, ce qui n'augurait rien de bon. « Le contrôle de l'information a commencé », écrivit dès le départ le quotidien de droite Sankei Shimbun. Et le puissant Yomiuri Shimbun d'ajouter : « cela va à l'encontre de la promesse de transparence du nouveau gouvernement même si cela est justifié par sa volonté de redonner le pouvoir aux décideurs politiques élus, responsables devant le peuple. » Or les électeurs, vite désorientés, ont changé d'avis. La victoire du PDJ était un plébiscite par défaut, la marque d'un fort mécontentement à l'égard du système PLD. Il ne s'agissait nullement d'une adhésion pleine et entière au programme énoncé, contrairement à ce qu'a pu écrire la presse étrangère titrant « Le Japon bascule à gauche ». Il n'en était rien et il ne fallut guère de temps pour s'en rendre compte. En quelques mois, le Premier ministre Hatoyama a dû avouer le renoncement à certaines de ses promesses les plus emblématiques (dont le déménagement d'une base militaire américaine de l'île d'Okinawa), se fâchant au passage avec les États-Unis. Résultat, M. Hatoyama, surnommé l'Extra-terrestre à cause de sa coupe de cheveux bouffante et de ses yeux exorbités, jeta l'éponge en juin 2010, neuf mois après son arrivée, par manque criant de compétences et casseroles financières. Son maître, Ichiro Ozawa, fut dans le même temps prié de renoncer à ses fonctions de numéro deux du parti. Un scrutin interne au PDJ désigna Naoto Kan comme nouveau président du PDJ et Premier ministre. Ce dernier avait alors trois priorités pour apaiser les tensions : « Un : l'emploi. Deux, l'emploi. Trois, l'emploi. » Mais il commit une bourde juste avant les élections de la moitié des membres de la Chambre haute en juillet suivant, quelques semaines après son arrivée, et perdit ainsi le soutien du Sénat au profit de l'opposition conduite par le PLD. Placé en quelque sorte en situation de cohabitation, Naoto Kan n'a guère eu les moyens de ses ambitions, puisque seules quelques lois peuvent être votées même si les Sénateurs les rejettent. Dans tous les cas les délais sont allongés. M. Kan, dont toute la verve, tout le répondant, toutes les capacités de tribun pugnace semblèrent annihilées par la prise de pouvoir, était pour ainsi dire en sursis lorsque se produisit le séisme du 11 mars 2011 et l'accident nucléaire, le pire drame enduré par le Japon depuis la fin de la Seconde guerre mondiale. Placé dans une situation d'une gravité exceptionnelle et sans expérience de gestion de crise, il fit du mieux qu'il put, mais finit par être contraint à la démission en août, non sans avoir posé comme condition le vote de trois lois censées accélérer la reconstruction, sans doute histoire de partir avec le sentiment du devoir un peu accompli. Profondément touché par le désastre de Fukushima, il ne recouvrit hélas son franc-parler en prônant l'abandon de l'énergie nucléaire que lorsqu'il fit part de son intention de laisser son poste. Il fut à la vérité acculé au départ sur l'insistance croissante de l'opposition, de son propre camp, des médias mais pas nécessairement des citoyens qui trouvaient finalement le moment assez mal choisi pour abandonner son poste. Nommé fin août 2011, son successeur, Yoshihiko Noda, le sixième Premier ministre en cinq ans, se posa tout de suite en homme résolu mais pas nécessairement charismatique, se qualifiant lui même de « loche ». M. Noda était ministre des Finances du gouvernement de Naoto Kan, un poste qui lui permit de se distinguer en ordonnant une intervention directe et unilatérale des autorités nippones sur le marché des changes en septembre 2010 afin de faire baisser la valeur de la monnaie japonaise qui avait atteint un cours jugé exécrable vis-à-vis du dollar, lequel ne cotait plus que quelque 83 yens. Il s'agissait de la première opération de ce type depuis mars 2004. Par la suite, M. Noda provoqua deux achats massifs de dollars, le 17 mars 2011, une semaine après le tsunami, en coordination avec les pays du G7, le 4 août et le 31 octobre alors que le billet vert était tombé à 75,32 yens. Dans tous les cas, le yen n'a que faiblement reculé mais M. Noda s'est taillé la réputation d'un homme déterminé. Reste que le mode de fonctionnement du PDJ et des institutions nippones ne lui offrait pas, plus qu'à ses prédécesseurs, de perspectives de long mandat à la tête du pays, lequel avait pourtant grand besoin d'un meneur pour diriger la reconstruction et la relance économique.

Dans un tel contexte instable et sur lequel ils ne pensent pas avoir prise, les électeurs ont tendance à penser que, quel que soit leur vote, la politique conduite ne sera pas vraiment différente et que les évolutions sont de plus en plus dépendantes de facteurs sur lesquels les politiques ont de moins en moins prise. Le fait est que les imprévisibles péripéties des élites dirigeantes brouillent le paysage. Tout semble se jouer dans les coulisses d'appareils divisés en clans qui se chamaillent et se réconcilient au gré des circonstances. Les médias sont ravis tant les coups de théâtre permanents et les psychodrames incessants (démissions-surprises, dissolution soudaine de la Chambre basse, affaires de corruption, suicides, etc.) donnent matière à noircir des pages. Les campagnes électorales ressemblent quant à elles à des événements promotionnels pour des candidats pantins manipulés par leur parti. Comédiens trimbalés dans des voitures bariolées qu'on croirait échappées de la caravane du Tour de France, ils hurlent leur nom au micro, agitent leurs bras à la fenêtre, disent bonjour à tout le monde, espérant ainsi engranger un maximum de suffrages. Ils sont de toutes les kermesses. Des béotiens en politique mais riches starlettes médiatiques servent d'aspirateurs à voix, hissés sur des podiums au pied des gares ou sur les places publiques les plus fréquentées, hélant les passants un temps séduits par une posture ou une figure, plus que convaincus par de solides argumentaires mobilisateurs. Le PLD de Koizumi n'avait ainsi pas hésité en 2005 à enrôler la jeune vedette de l'Internet, Takafumi Horie, alors au sommet de sa gloire passagère, pour sa fougue et sa capacité à faire rêver les jeunes, avant qu'il ne soit envoyé en prison pour malversations financières. De fait, d'aucuns déplorent qu'aucun nom d'homme politique nippon depuis 1945 ne côtoie dans les annales mondiales ceux de Kennedy, de Gaulle, Gorbatchev ou Mitterrand. Nulle phrase prononcée par un Premier ministre japonais depuis la fin de la Seconde Guerre mondiale n'est devenue une citation de référence largement reprise à l'étranger. Cela peut sembler d'autant plus surprenant que le Japon a par ailleurs su faire émerger une belle lignée de capitaines d'industrie enviés à l'extérieur, comme le fondateur de Sony, Akio Morita, celui de Matsushita, Konosuke Matsushita, « le dieu des patrons », de Honda, Soichiro Honda, ou ceux de Toyota. La reconstruction du pays est d'ailleurs davantage à mettre au compte des entreprises de ces derniers qu'à celui de l'enfilade de Premiers ministres. Ainsi a émergé sur le devant de la scène au moment de la crise de Fukushima le patron et fondateur du groupe de télécomunications Softbank, Masayoshi Son. Vent debout contre l'énergie nucléaire, ce milliardaire investit ses deniers personnels pour favoriser l'usage des ressources naturelles renouvelables tout en attirant à lui les élus locaux. La poignée d'intellectuels et artistes engagés (Kenzaburo Oe, Ryuichi Sakamoto), n'ont hélas pas souvent voix au chapitre, même s'ils jouissent d'une certaine aura. Quant aux analystes et autres experts commentateurs que l'on voit, lit et entend partout, ils finissent par faire tellement partie du paysage médiatique local que leurs mots ne surprennent pas, ne détonnent pas, bref, tombent à plat.

La crise de 2008-2009, ainsi que l'orientation plus sociale promise par le gouvernement de centre-gauche élu mi-2009 resteront-elles dans les annales comme deux tournants majeurs de l'histoire politico-économique japonnaise ? Il faudra plusieurs années avant de répondre à cette question, tant les retournements peuvent être rapides et faire apparaître avec le recul relativement mineurs ou fugitifs des événements qui sur le coup ont suscité un profond émoi national et un intérêt mondial.

Chapitre XXXIII

DIPLOMATIE

À part le général Tojo, vous connaissez qui ?

Qui connaît le nom de l'actuel Premier ministre nippon, chef de l'exécutif ? Abe, Fukuda, ces patronymes vous disent-ils quelque chose ? Et Hideki Tojo ? Bingo ! Le général qui commanda l'armée impériale durant la Seconde Guerre mondiale, son empreinte est restée, n'est-ce pas ? Criminel de guerre jugé par le tribunal de Tokyo et pendu en 1948, l'homme, surnommé *kamisori* – rasoir –, s'est taillé une solide réputation mondiale... hélas. Tel est le drame de l'introvertie politique nippone depuis plus de six décennies. Seuls les faits, gestes et mots scandaleux, voire monstrueux, sont connus du monde, le reste, incompréhensible, inexplicable, fade, insignifiant ou pitoyable, sans grande portée, ne méritant pas même une brève en bas de page, du moins selon les rédacteurs en chef de publications étrangères.

La faiblesse des hommes politiques nippons à atteindre la stature de personnalités mondiales depuis 1945, à quelques rares exceptions (Nakasone, Koizumi), est une conséquence d'un système qui fait alterner au sommet de la hiérarchie du pays des individus fabriqués par une machine bureaucratique ou népotique et où les petits arrangements assurent une rotation des fonctions pour éviter l'implosion de partis aux multiples familles de pensée. Le PLD a ainsi réussi le tour de force de se maintenir au pouvoir plus d'un demi-siècle durant, et ce, alors même que plusieurs des Premiers ministres issus de ses rangs se sont heurtés à une défiance quasi totale de la population, ont baigné dans de sombres affaires, flirtant pour certains avec les 10 % de popularité. Cette absence d'alternance démocratique résulte de deux facteurs majeurs. *Primo*, l'opposition n'est jamais parvenue à se structurer durablement autour d'une même formation dominante et soudée capable d'adresser à l'opinion un message clair qui ne se confonde pas dans les esprits avec celui des rivaux. La création du Parti démocrate du Japon (PDJ), qui constituait en 2008 la deuxième force du pays, ne date que de 1996 et sa courte histoire a connu de nombreux rebondissements qui ont étriqué sa capacité de nuisance face au PLD, d'autant que le fond politique sur lequel le PDJ repose sème le trouble. *Secundo*, le PLD, malgré ses querelles intestines et les scandales multiples auxquels il s'est frotté depuis 1955, a maintenu les piliers sur lesquels il s'appuie à chaque élection majeure, les trois *ban* : *kanban*, *jiban* et *kaban*, la notoriété de ses élus locaux, le clientélisme et les financements.

Lorsqu'un parlementaire bien ancré dans sa région, trop vieux pour rempiler ou décédé subitement, quitte la scène, tout est mis en œuvre pour que sa popularité ne tombe pas soudainement en désuétude. Les partisans forcent presque un de ses descendants à prendre sitôt la relève. Le nom ne change pas sur l'affiche, seul le prénom, ce qui facilite grandement la construction d'une renommée, surtout si l'ancêtre a bien gratifié ses électeurs (*jiban*). Sur le plan du financement, le *kaban*, le PLD a pu compter sur le soutien continu des puissantes fédérations d'entrepreneurs et sur de grosses associations de militants actifs qui n'hésitent pas à conduire aux urnes des électeurs récalcitrants. « Le nerf de la guerre en politique au Japon, c'est l'argent », déplorent des politologues. Cela est sans doute vrai partout, mais davantage encore au pays du Soleil-Levant. Bien que bénéficiant de fonds alloués par l'État en proportion de leur nombre d'élus, et de versements de la part d'entreprises, d'organisations diverses ou de particuliers, les partis ont besoin de plus d'argent pour fonctionner, surtout en période électorale. Les parlementaires, qui doivent rétribuer leurs assistants, ne peuvent le faire avec leurs seuls émoluments. Du coup, chacun se débrouille. Les innombrables « soirées » organisées par des associations de soutien dans les salles de banquet de grands hôtels ne sont que des méthodes détournées de collecte de fonds dont les partis politiques se sont fait une spécialité. Des centaines d'invitations sont chèrement vendues à des entreprises et autres organismes qui envoient quelques individus faire de la figuration. Pour un ticket à 30 000 yens (environ 280 euros), la part réellement consacrée au paiement de la soirée plafonnant à 5 000 yens, le reste est tout bénéfice pour l'association, donc pour le parti ou la faction dont elle n'est qu'un bras financier. Et même si, de mèche, seulement un tiers des personnes disposant d'une invitation se déplacent ou envoient à leur place un jeunot naïf, mieux vaut arriver dans les premières minutes pour avoir quelque nourriture à coincer entre les baguettes. Moins il y a à manger, moins ça coûte et plus les tiroirs-caisses se remplissent.

Fonctionnaires émancipés ou « fils de » ayant grandi dans un milieu aristocratique, fortes têtes issues d'une circonscription locale où ils ont construit leur notoriété ou hérité de celle de leur aîné, les élus nippons gravissent ainsi un à un les échelons, dans le sillage de leur ancêtre ou d'un mentor, avec ou sans faits d'armes mémorables. Ils vont et viennent dans les instances décisionnaires, un jour portés par un courant, le lendemain débarqués au profit d'un autre, plus roublard, plus riche, plus télégénique, plus généreux, plus rassembleur, plus pugnace, plus à la mode, plus charismatique, plus fortuné ou simplement parce que c'est son tour.

L'ex-chef du gouvernement, Shinzo Abe, fils d'un ministre, petit-fils du Premier ministre Nobusuke Kishi (de 1957 à 1960) et petit-neveu d'un autre (Eisaku Sato), illustre ce fonctionnement clanique. Abe fils, qui a d'abord hérité du mandat local paternel, a ensuite poussé à bout la logique dynastique jusqu'à se donner pour mission de mener à terme la tâche inachevée de ses aïeux conservateurs nationalistes (Kishi et Abe père) qui ont plutôt terni l'histoire. Il fit ainsi de la « sortie du régime d'après-guerre », de la réforme de l'éducation, de l'amour de la patrie, du projet de révision de la Constitution pacifiste, l'*alpha* et l'*oméga* de ses discours et les thèmes centraux de son ouvrage *Utsukushii kuni he* (*Vers un joli pays*) publié peu avant son accession au pouvoir. Las, les bourdes commises par lui-même et ses amis promus ministres, les révélations en chaîne d'affaires de mœurs, de forfaitures, de corruption et autres scandales éclaboussant ses proches, ainsi que d'affreuses colites ulcéreuses chroniques, l'ont forcé à abdiquer après moins d'un an à la tête du pays, au grand dam de la droite dure qui le regrette et promet son retour. Les autres l'ont lynché. « Le rôle d'un Premier ministre n'est pas de faire ce qu'il veut, mais ce qu'il doit pour assurer l'avenir de son pays », ont alors vitupéré ses détracteurs immédiatement après sa démission, qualifiant dans la foulée M. Abe d'irresponsable. D'autant qu'il avait affirmé deux jours auparavant devant le Parlement qu'il tiendrait bon face aux coups et excluait de jeter l'éponge. Son successeur, Yasuo Fukuda, fils d'un autre Premier ministre, fut quant à lui critiqué par l'aile droitière pro-Abe pour son côté par trop sinophile, son manque criant d'autorité, son air décontenancé de chien battu au moindre couac et ses prises de position si modérées qu'elles sonnaient creux. Ils lui ont même reproché, sans gêne, de n'être venu à la politique que sur le tard par filiation plus que par vocation. Tout aussi déstabilisant et désolant est le spectacle donné par l'opposition, ou la pseudo-opposition disent les plus lucides. Le dimanche, le leader, sur lequel tous les mécontents du pouvoir en place misent, annonce brutalement qu'il renonce à son poste, déplorant l'absence de soutien dans les rangs du parti pour appuyer ses démarches. Au suivant. Non, trois jours plus tard, il revient, faute de remplaçant crédible. « De tels actes seraient inadmissibles dans le milieu des entreprises », rit jaune un éditorialiste. Va comprendre Charles. « Bah, justement, c'est possible parce que c'est le monde politique », se console une Japonaise désabusée. Et plus personne ne s'étonne dans ce contexte un rien burlesque lorsque, fin 2007, le ministre de la Défense se demande sérieusement devant les journalistes hilares si la Constitution actuelle autorise le Japon à répondre à une hypothétique attaque du pays par des extraterrestres débarquant en soucoupe volante !

Crédibilité internationale mise à mal

Du fait des changements incessants d'hommes, des scandales, des rancœurs intérieures, des atermoiements sur des questions-clés, des décisions radicales prises à la hâte sur des sujets émotionnels, de la « théâtralisation » du pouvoir amplifiée par les médias, de semblants de débats, le fonctionnement politique japonais est bien difficile à déchiffrer. Les deux conférences de presse quotidiennes du secrétaire général du cabinet, plus proche collaborateur du Premier ministre censé expliquer les décisions, n'y change rien. Cette étrange démocratie conduit les citoyens à ne plus accorder un crédit durable à aucun, et, plus grave, handicape en partie le Japon dans les instances internationales. Comment la voix de Tokyo pouvait-elle par exemple être audible et crédible quand trois ministres de l'Agriculture soupçonnés de prévarications se sont succédé en moins d'un an alors que se déroulaient d'importantes négociations sur le volet agricole au sein de l'Organisation mondiale du commerce

(OMC) ? Comment le Japon pouvait-il prétendre s'investir sérieusement dans le règlement de la crise financière début 2008 lorsque sa banque centrale s'est soudainement retrouvée privée de gouverneur, faute d'entente entre le pouvoir et l'opposition sur un candidat pour remplacer celui dont le mandat de cinq ans s'achevait, en dépit de la panique sur les places boursières et de l'urgence de la situation. Et ce à quelques jours d'une cruciale réunion des grands argentiers du G7 et à quatre mois du sommet du G8 sur l'archipel, événement dont Tokyo entendait faire un point d'orgue de sa diplomatie. « Mais quelle honte ! » pestaient les observateurs abasourdis.

Les dirigeants nippons ont en outre la fâcheuse tendance à privilégier l'opinion intérieure, quand ce n'est pas leur propre ambition, quitte à fâcher leurs interlocuteurs étrangers et à se tirer des balles dans le pied. En restant inflexible sur la question sensible des Japonais enlevés dans les années 1970-1980 par des nord-Coréens (pour enseigner la langue nippone à des espions à la solde du régime communiste de Pyongyang), le Japon n'a pu influencer autant qu'il aurait dû le jeu des négociations multipartites pour obliger la Corée du Nord à stopper ses activités nucléaires. Après les tirs de missiles balistiques nord-coréens dirigés vers l'archipel en 1998 et 2006, et alors que Pyongyang affirmait détenir l'arme atomique, procédant même à un test souterrain, le problème des kidnappés aurait peut-être dû être relégué au second plan, ont souligné des commentateurs. Mais Tokyo ne s'est pas départi de son indéfectible volonté de connaître le destin réel de ces dix-sept Japonais (treize selon Pyongyang), dont seulement cinq étaient alors rentrés au pays, grâce à Koizumi. Les huit autres étaient prétendus morts par la Corée du Nord qui n'a pas su ou pas voulu en apporter la preuve formelle, et a même tenté de berner les Nippons avec des faux justificatifs génétiques. Pour les familles concernées et une partie du peuple nippon, la mauvaise foi supposée des nord-Coréens a constitué une pierre d'achoppement à toute évolution positive des relations entre les deux pays, en dépit des avancées sur la question de l'arrêt du programme nucléaire de Pyongyang, grâce aux Chinois, aux Sud-Coréens et aux négociateurs américains. La résolution du litige lié aux victimes de rapt japonaises ne constituait pas aux yeux de Washington une condition *sine qua non* pour effacer ou non la Corée du Nord de la liste des pays de l'« axe du mal » soutenant le terrorisme. Pour son fidèle allié nippon en revanche, et surtout pour les courants nationalistes, ce différend bloquait tout. Des intellectuels ont eu beau plaider pour traiter dans un second temps le contentieux sur les disparus, jugeant que ce problème bilatéral et d'ordre affectif ne pourrait être raisonnablement réglé que si le Japon s'attelait aux côtés des autres pays à la dénucléarisation de la Corée du Nord, la voix de ces sages n'a pas été entendue. Du coup, les intraitables diplomates japonais sont apparus comme des seconds couteaux se focalisant sur des aspects qui n'étaient pas prioritaires pour les quatre autres pays (États-Unis, Russie, Corée du Sud, Chine) discutant avec Pyongyang. D'autant que le régime nord-coréen est passé maître dans l'art de diviser ses interlocuteurs pour obtenir des concessions des uns et humilier les autres. La fermeté des dirigeants japonais pour soulager la douleur des familles des kidnappés et répondre à l'émotion des citoyens pouvait être également interprétée comme une forme d'égoïsme populiste, tandis que le fait que Kim Jong-il joue avec l'atome concerne la sécurité du monde.

Cette attitude *uchimuki* – tournée vers l'intérieur – du Japon, que l'on constate sur d'autres dossiers internationaux, inquiète des politologues et géostratèges qui craignent qu'elle soit de plus en plus dommageable aux intérêts du peuple nippon et laisse un boulevard diplomatique à la Chine pour imposer ses vues. D'autant que cette dernière détient un siège permanent au Conseil de sécurité des

Nations unies, un honneur qui constitue le grand rêve diplomatique du Japon. En vain jusqu'à présent, du fait justement de l'opposition de la Chine qui lui dispute de plus en plus le rang de première puissance asiatique. La preuve : le Japon n'est plus guère la destination de chefs d'État ou Premiers ministres, hormis lorsqu'ils ont le temps de faire un crochet au détour d'un voyage officiel en Chine ou dans un autre pays de la région. Le président de la République française Nicolas Sarkozy ne s'est déplacé que deux fois au Japon durant son mandat de 2007 à 2012 : la première pour le Sommet du G8 sur l'île de Hokkaido (il n'a pas même daigné passer une demi-journée à Tokyo), et la seconde après le séisme du 11 mars 2011. Officiellement, il fit le déplacement pour apporter le soutien de la France aux Japonais meurtris, mais la vérité est qu'il vint surtout pousser le Japon à accepter l'aide du groupe Areva afin de résoudre la crise nucléaire de Fukushima dans le but d'en minimiser les répercussions dommageables sur l'ensemble de la filière. Sans ce drame, il n'est pas du tout certain que le plus haut représentant de la France aurait consenti au voyage, pour la même raison que ses homologues d'autres nations : le Premier ministre et le gouvernement japonais « changent au rythme des portes tournantes », selon la métaphore d'un quotidien américain.

L'archipel est ainsi en permanence sur le fil du rasoir, entre envie de participer davantage aux affaires du monde et peur d'y perdre son âme. Obligé et désireux de maintenir une relation étroite avec les États-Unis, censés le protéger, il peine à se défaire d'une image de subordonné de Washington. Dans le même temps, il se veut un modèle, une puissance souveraine, pleinement libre de ses mouvements, un meneur capable de canaliser les ambitions de la Chine sans compromettre son développement ni l'accès au gisement de main-d'œuvre et de clients qu'elle représente. Mais pour le moment, s'il est effectivement à l'avant-garde sur les plans industriel ou technologique et économiquement dynamique, le Japon reste politiquement perclus, du fait non seulement de ses maladresses diplomatiques mais aussi de nombreuses querelles pendantes (territoriales, historiques, commerciales, militaires et culturelles) avec les voisins chinois, coréen ou russe qui restreignent son champ de manœuvre.

L'indépendance face à la méfiance

Chaque initiative de Tokyo pour tenter de marquer son indépendance et sa force diplomatique attise dans la région les craintes d'un retour de la tentation impérialiste nippone de triste mémoire. Il est vrai que les tenants d'un Japon fort n'hésitent parfois pas à emprunter un vocabulaire aux relents nationalistes qui ne contribue pas à dépassionner les relations. Tokyo soupçonne ouvertement la Chine d'instiller un sentiment antijaponais dans la tête de ses jeunes et de dépenser bien plus qu'avoué en équipements militaires. À l'instar des Américains, les Japonais craignent par ailleurs que Pékin ait en tête une reprise en main musclée de Taïwan en cas de proclamation unilatérale d'indépendance, la Chine englobant l'île dans son territoire en dépit d'une séparation *de facto*. Le Japon et l'empire du Milieu se disputent ainsi le minuscule atoll d'Okinotori, revendiqué par Tokyo mais convoité par Pékin, car il serait stratégique en cas de conflit avec Taipei. Les deux pays continuent de même de se chamailler à propos d'un gisement de gaz naturel en mer de Chine orientale. Même s'ils sont convenus d'une exploitation partagée de cette précieuse ressource énergétique, ils se déchirent sur les contours de l'espace à forer et sur le tracé de la zone économique exclusive du Japon. Pour ne rien arranger à l'affaire, Tokyo prétend que la Chine siphonne clandestinement les fonds marins situés dans son périmètre. À chaque visite sur l'archipel d'un haut dirigeant chinois, rares au cours de la décennie de 1998 à 2008, les Japonais assurent qu'une solution peut se dessiner et que les deux pays sont résolus à parvenir rapidement à un accord, se gardant toutefois bien d'évoquer une quelconque échéance, pour enterrer ces démélés, partiellement solutionnés mi-2008. Le gouvernement nippon émet aussi de vives protestations et dépêche ses garde-côtes quand des militants Chinois font des incursions inopinées dans les eaux entourant les îles désertes Senkaku, sous souveraineté nippone depuis leur restitution par les forces américaines en 1972. Un incident dans cette région aboutissant à l'arraisonement d'un chalutier chinois et à l'arrestation de son capitaine en 2010 a valu au Japon de vilaines représailles de la part des autorités de Pékin. Les contacts de haut niveau ont été suspendus et, tout en le niant, le gouvernement chinois a imposé un embargo sur les exportations vers le Japon de minéraux dits « terres rares » dont la Chine a quasiment monopolisé la production et qui sont essentiels à l'industrie japonaise de l'automobile ou de l'électronique. Le problème fut solutionné par la relaxe du capitaine incriminé, mais ce fut davantage une décision politique que juridique, comme l'a d'ailleurs avoué le magistrat chargé de l'affaire. En clair, le Japon a cédé.

Le pays du Soleil-levant, qui déploie depuis 1999 un bouclier antimissiles avec les États-Unis, a aussi maille à partir avec la Russie. Les deux pays n'ont pas signé de traité de paix à la fin de la Seconde Guerre mondiale et ne le feront pas tant que n'aura pas été réglé le différend portant sur les quatre îles Kouriles du Sud, saisies au terme du conflit par Moscou. Pour étendre ses secteurs de pêche, l'archipel voudrait voir revenir dans son giron ces « territoires du Nord » désormais uniquement peuplés de Russes. « *Niet* », répondent ces derniers qui s'en prennent fréquemment à des pêcheurs nippons accusés de venir braconner au large de leurs terres. Tokyo a aussi dû lâcher prise sur le cas du vaste site d'extraction de gaz naturel dit Sakhaline 2, à l'Extrême-Orient russe. Ce projet pharaonique, initialement conduit par la compagnie pétrolière anglo-néerlandaise Shell et les maisons de commerce japonaises Mitsui et Mitsubishi Corporation, a pour but l'exploitation et l'exportation par bateau pendant une vingtaine d'années de gaz naturel, liquéfié, destiné aux grandes compagnies nippones d'électricité et de gaz. Las, en avril 2007, le géant gazier russe Gazprom en a pris le contrôle au détriment des investisseurs étrangers, après des mois de bataille, le pouvoir russe ayant argué d'un non-respect par ces derniers des clauses environnementales. De ce fait, et en dépit des assurances russes, le Japon craint de ne pas recevoir les quantités de gaz promises, tant Moscou utilise le robinet énergétique comme une nouvelle arme de négociations envers ses clients et interlocuteurs étrangers. Prévues en 2008, les premières livraisons n'ont finalement commencé qu'en 2009, du fait de difficultés dans la construction d'un gazoduc de 800 kilomètres sur le parcours duquel se trouvent une vingtaine de failles sismiques.

Les tensions ne sont pas non plus apaisées avec la Corée du Sud, qui aimerait une repentance sincère, voire des dédommagements financiers, de la part des Japonais pour les exactions commises par les troupes nippones lors de la colonisation de la péninsule. Séoul et Tokyo s'affrontent aussi sur la possession d'une petite île, chaque camp exhumant des documents historiques censés matérialiser son droit de propriété.

De surcroît, la présence de quelque 40 000 soldats américains sur le territoire japonais, notamment sur l'île du sud d'Okinawa, continue de susciter des débats sur les coûts de ce stationnement et d'alimenter la colère des riverains, d'autant que des militaires américains, qui bénéficient d'un régime exceptionnel de plus en plus contesté, se sont rendus coupables de délits (viols, consommation de drogue…) qui compliquent la tâche des hommes politiques nippons pour légitimer leur maintien. Ces derniers sont tenus de compatir aux malheurs de leurs citoyens mais redoutent en même temps l'ire de l'Oncle Sam.

La sécurité, une priorité entravée

Dans toutes ces crises non résolues, l'attitude ferme du Japon, soutenue avec plus ou moins de finesse diplomatique, s'explique d'une part par la nécessité de garantir ses approvisionnements énergétiques et alimentaires, et d'autre part par une volonté de résistance aux pressions extérieures pour garantir sa souveraineté et se poser comme leader incontestable en Asie, tout en ayant à cœur de ne pas froisser Washington. La création récente d'un portefeuille ministériel pour la politique de la mer afin de garantir la sécurité des voies maritimes s'inscrit dans cette tactique géostratégique. Idem pour le lancement de recherches spatiales militaires. De même, face à la diversification des menaces (terrorisme, espionnage, invasion partielle du territoire, incursions dans la zone maritime nippone, missiles, litiges régionaux, actions de la Corée du Nord, risques aux pourtours de la Chine, etc.) et pour mieux contribuer à la sécurité du monde aux côtés de l'allié américain dans le cadre des accords entre les deux pays, le gouvernement japonais a proposé et obtenu en 2006 la transformation subtile de l'Agence de défense – *Boeicho* – créée en 1954, en ministère de la Défense – *Boeisho*. Cette mesure symbolique qui se transcrit par le changement d'un kanji, fut approuvée par les neuf dixièmes du Parlement fin 2006. Elle est effective depuis le 1er janvier 2007 et poursuit trois objectifs majeurs avec en toile de fond un renforcement des accords nippo-américains, selon le rapport dudit ministère édité la même année : primo améliorer le pouvoir de définir et mettre en œuvre les objectifs des forces armées ainsi qu'établir et gérer leur budget ; deuxio renforcer la capacité de réaction de ces dernières face à des situations de crise par une rationalisation de la chaîne de commandement et par une plus forte habilité à recueillir et gérer les informations ; tertio clarifier la perception du rôle de cette structure à l'étranger pour parler d'égal à égal. Le terme d'Agence de défense était en effet vu comme de rang inférieur à un ministère de plein exercice, même si dans les faits elle en assumait un rôle quasi équivalent. Le budget de la défense du Japon représentait pour l'année 2008 un peu moins de 1 % du PIB, un seuil qu'il a toutefois franchi à quelques reprises depuis 1954. Tournant aux alentours de 5 000 milliards de yens par an pour la période quinquennale d'avril 2005 à mars 2010, ce budget est consacré à hauteur de 36 % à l'armée de terre, 24 % à la marine et 23 % aux forces aériennes, l'ensemble totalisant quelque 240 000 hommes dotés d'équipements modernes et pour partie conçus à partir de technologies américaines.

Malgré cela, la droite extrême considère que les ambitions de Tokyo dans le jeu mondial sont bridées par la Constitution japonaise, particulièrement par son article 9, qui, pris au pied de la lettre, interdit au Japon la détention d'un arsenal militaire ainsi que le recours aux armes pour solutionner un différend international. Ces clauses insupportent la droite nationaliste qui juge qu'elles sont une entrave à la souveraineté pleine et entière de la nation. Le Japon est le seul pays à devoir se soumettre à de telles restrictions, s'énervent les partisans de leur suppression dont certains vont même jusqu'à souhaiter que l'archipel devienne une puissance nucléaire. Ils doutent que le parapluie américain soit une protection fiable, arguant qu'en cas de menaces fortes sur les intérêts nippons, les considérants de Washington ne rejoindront pas systématiquement ceux de Tokyo. Depuis 1954 cependant, le pouvoir politique est parvenu à contourner l'article 9 en suivant l'interprétation initiale de Yoshida : « La Constitution n'empêche pas le pays de se doter de moyens minimaux pour défendre son territoire. » De plus, par le biais de diverses lois qui n'ont pas été jugées anticonstitutionnelles, le Japon a pu participer à de nombreuses opérations de secours et missions à l'étranger pour la surveillance d'élections. Ses militaires peuvent aussi intervenir pour le maintien de la paix dans le cadre de résolutions des Nations unies sous cinq conditions : qu'il existe un cessez-le-feu entre les forces en présence, que les pays concernés aient approuvé l'envoi de soldats de l'ONU et la participation des Japonais, que la mission soit impartiale et ne favorise pas l'un des camps, que le Japon puisse se retirer si l'une de ces obligations n'est pas respectée, et enfin que l'usage des armes soit strictement limité au minimum nécessaire pour sauver des vies humaines. Le Japon est même allé au-delà grâce à des lois temporaires reconductibles exploitant les ambiguïtés du texte constitutionnel. Ainsi a-t-il envoyé en Irak en 2004 quelque 600 soldats en mission d'assistance et de reconstruction, ce qui constituait une première depuis 1945. De même, sous couvert de lutte antiterroriste, les navires japonais ont-ils ravitaillé en carburant durant des mois les forces alliées déployées en Afghanistan.

Si un large pan de l'opinion admet que, jamais amendée, la Charte fondamentale nécessite sans doute un toilettage compte tenu des changements intervenus dans les soixante ans passés, une majorité estime néanmoins que l'article 9, symbole de pacifisme, doit être conservé en l'état. Quoi qu'il arrive, et même si le Premier ministre Shinzo Abe (2006-2007) a réussi à faire passer une loi qui définit les modalités de la révision constitutionnelle par référendum, il n'est pas dit que cette partie du texte sera modifiée. Dans tous les cas, le processus sera long, laborieux. Le Japon ne peut de toute façon à court terme s'appuyer sur cette hypothèse pour renforcer son rôle international. Au contraire, assurent les fervents partisans de ce texte. C'est en défendant ardemment l'article 9 que l'archipel saura prouver son non-alignement automatique sur les États-Unis, s'émanciper et révéler sa force. Aujourd'hui plus encore qu'hier, parce que la guerre est finalement une solution de facilité pour les pays dotés d'un arsenal massif, c'est au contraire en œuvrant par tous les moyens diplomatiques pour résoudre un conflit, sans recourir aux armes, qu'un pays peut affirmer sa différence et gagner une légitimité universelle. L'article 9 est peut-être une vue de l'esprit, soulignent quelques intellectuels, mais il n'en est pas moins un socle théorique sur lequel doit s'appuyer la politique nationale. Et en ce sens, son maintien en l'état ne serait-il pas la plus belle marque d'un indestructible pacifisme, questionnent-ils ? Biffer de la loi fondamentale la phrase qui contraint le Japon à renoncer à la guerre serait à l'inverse la triste reconnaissance du fait que, finalement, toute option autre que les tirs de canon ou la possession de l'arme atomique est par avance jugée vaine.

Occupez-vous de vos affaires !

Mal à l'aise sur les questions diplomatiques, tantôt timoré et suiviste vis-à-vis des États-Unis, tantôt arrogant et intransigeant, parfois gaffeur ou incohérent, le Japon reste en outre souvent perçu de l'extérieur comme une démocratie de façade, une nation xénophobe, conservatrice, fermée, où les droits et libertés individuelles ne sont pas assurés quand ils ne sont pas purement et simplement bafoués. Un pays qui se proclame défenseur des valeurs humaines, qui est devenu en 2007 le premier contributeur financier de la Cour pénale internationale (CPI) pour juger les crimes de guerre et génocides, qui prétend être exemplaire et se veut un modèle de société pour l'Asie, voire au-delà, peut-il en effet continuer de soutenir *mordicus* la légitimité de la peine de mort, fût-elle plébiscitée par les quatre cinquièmes de l'opinion, s'énervent des défenseurs des droits de l'homme ? En permanence, une centaine de condamnés, certes jugés pour d'effroyables meurtres et autres délits majeurs, croupissent des années durant dans les prisons, attendant dans l'ombre l'aube où l'on viendra les chercher pour les conduire à la potence, en catimini, lorsque les fonctionnaires jugent leur nombre un peu trop élevé. Le pays du

Soleil-Levant est ainsi, avec les États-Unis, la seule grande puissance à procéder à des exécutions sommaires. Est-ce par pure provocation, pitoyable démonstration d'autorité, attristante naïveté politique, manque de tact, ou froide décision bureaucratique que, le 25 décembre 2006, quatre d'entre eux, des vieillards, ont été pendus ? Nul ne le sait, mais le pouvoir japonais n'a manifestement pas mesuré combien un tel acte, perpétré le jour de Noël, pouvait être préjudiciable à l'image de l'archipel. Et le même fait troublant de se reproduire en avril 2008 selon un schéma identique le matin de l'arrivée au Japon du Premier ministre français, visite officielle ardemment désirée par Tokyo et très attendue sur l'archipel.

Par ailleurs, la réputation du peuple japonais pâtit de l'attitude de certains de ses dirigeants et de décisions arbitraires qui provoquent régulièrement des crises avec les voisins asiatiques, victimes de la conduite atroce des forces nippones durant les années de conflit armé. Le Japon a mal à son passé. Il a ainsi connu un demi-siècle de controverses, non totalement éteintes, sur la pertinence d'avoir conservé l'hymne *Kimi ga yo – À votre règne*, une ode à l'empereur – et le drapeau *Hi no maru* – le rond rouge du lever du jour – comme emblèmes de la nation, alors même qu'ils représentent aux yeux des populations asiatiques les symboles de la colonisation. Ces derniers, absents de la Constitution, ont été officialisés par une loi votée en 1999. Il y eut bien auparavant quelques velléités pour remplacer ces deux marques du Japon impérialiste par un étendard et un chant qui reflètent davantage l'esprit de la Charte nationale pacifiste de 1946, mais jamais, comme le regrettent des intellectuels de gauche, les citoyens n'ont été invités à débattre profondément de cette question qui divise. Les gouvernants les plus conservateurs parmi ceux qui se sont relayés à la tête de l'État ont renforcé année après année la valeur de ces *kokka* – hymne – et *kokki* – drapeau – en les imposant lors des cérémonies officielles dans les écoles primaires et collèges publics. « Le temps est venu de reconnaître officiellement par une loi *Kimi ga yo* et *Hi no maru* comme emblèmes d'État », avait notamment déclaré en 1974 le Premier ministre Tanaka. Il fallut un quart de siècle de plus avant que cela advînt. Entre-temps cependant, les deux symboles officieux du Japon ont continué de s'imposer. De souhaitables à partir de 1958, le lever de drapeau et l'écoute de l'hymne lors des cérémonies scolaires dans les écoles publiques sont progressivement devenus quasi obligatoires à compter de 1989 par le biais de directives du ministère de l'Éducation, relayées sur le terrain par les gouverneurs des préfectures. Les directeurs d'établissement qui ont refusé, au nom de la liberté individuelle d'opinion et d'expression, de se plier à ces oukases renforcés en 1977, 1985 et 1989 furent parfois lourdement sanctionnés. Comme en atteste la collection de livres sur « le problème *Hi no maru* et *Kimi ga yo* » édités en 1999, la polémique a fortement rebondi cette année-là, dès avant le vote de la loi officialisant ces emblèmes, à la suite du suicide d'un directeur d'école d'Hiroshima déstabilisé par le dilemme posé par les directives ministérielles et par les contrôles sur place effectués par les agents préfectoraux. Le passage à la tête de l'État en 2006-2007 de Shinzo Abe, petit-fils de Kishi, initiateur des premières directives en 1958, a apporté son nouveau lot de mesures patriotiques : depuis 2010, les élèves doivent non seulement écouter l'hymne lors des solennités scolaires, mais aussi en connaître les paroles. Cette nouvelle règle découle de la réforme de la loi sur l'éducation de 2006, laquelle a aussi suscité une vague de protestations du fait de son caractère nationaliste.

Par ailleurs, les visites répétées d'hommes politiques nippons de premier rang au sanctuaire patriotique Yasukuni de Tokyo, où sont honorés quatorze des vingt-cinq criminels de guerre condamnés par le tribunal de Tokyo en 1948, rallument régulièrement les braises et ravivent les tensions avec Pékin et Séoul. Ces pèlerinages, qui empoisonnent aussi le débat politique intérieur, sont même jugés par certains Japonais comme non conformes à la Constitution, cette dernière stipulant dans son article 20 que « l'État et ses organes ne doivent pas participer à l'éducation religieuse ni à toute autre activité de cette nature ». Les concernés réfutent la thèse de l'anticonstitutionnalité en affirmant agir à titre personnel.

L'État joue également sur les mots pour ne pas reconnaître le rôle coercitif de l'armée vis-à-vis des « femmes de réconfort » asiatiques offertes aux soldats nippons dans des bordels pendant la Seconde Guerre mondiale. Les Japonais voudraient que leurs voisins chinois cessent de protester quand les manuels scolaires d'histoire nippons sont arbitrairement révisés pour dédouaner le pays du Soleil-Levant. Certes, des Premiers ministres japonais ont à plusieurs reprises présenté des excuses, la Chine et le Japon ont même convenu de travaux conjoints pour formuler une version objective et équilibrée de leur passé commun. Cependant, la sincérité des Japonais demeure sujette à caution aux yeux de leurs voisins, du fait de la persistance d'un courant profondément nationaliste qui continue de parcourir les allées du pouvoir à Tokyo, à l'image des camions noirs de mouvements d'extrême droite, surmontés de haut-parleurs crachant à tue-tête des chants à la gloire du pays, qui circulent dans les rues de la capitale. Au nom de la liberté d'expression, ils vocifèrent librement mais empêchent la réciproque. Ils sont ainsi parvenus par leurs menaces, début 2008, à limiter à quelques projections, sous protection policière, du documentaire *Yasukuni*, présentant une autre version de l'histoire de ce sanctuaire patriotique qu'ils vénèrent. On sursaute autant en les écoutant brailler à la sortie des gares qu'à la lecture des thèses révisionnistes distillées par des revues bien en vue dans les maisons de presse sous la plume d'indécrottables thuriféraires de l'idéologie d'une droite dure.

Néanmoins, face aux difficultés qu'il éprouve à assumer son passé et aux accès de colère de ses voisins, le Japon aimerait pouvoir tourner la page, apaiser les rancœurs en s'attirant les faveurs des jeunes générations étrangères. D'où une nouvelle stratégie diplomatique qui vise à montrer la face aimable du Japon, pour redorer son blason et renforcer son attrait, à travers la promotion et la diffusion de ses technologies ou de sa « culture populaire », laquelle jouit d'un prestige grandissant à l'extérieur. Qu'elle soit une nouvelle forme de pacifisme universel ou une variante douce d'un désir de domination, cette tactique d'influence dite du *soft power*, théorisée par un professeur de l'université américaine d'Harvard, Joseph Nye, est censée remplacer, ou à tout le moins compléter, le *hard power* (forces armées, statut dans les instances internationales, aide directe au développement) pour aider un pays à prendre toute sa place dans le concert des nations en enrôlant des peuples étrangers.

Chapitre XXXIV

LA « POP CULTURE » NIPPONE, DES ARTS MARCHANDISÉS AU SERVICE DE LA « BELLE NATION »

Japonisme moderne

Nihonryiu boom, nippomania en Corée du Sud, *idem* en Chine où les syllabaires japonais sont à la mode, à Taïwan où les *konbini* envahissent les villes, en Indonésie où l'on concocte des copies éhontées de *bento* nippons et où les produits sont rebaptisés de noms aux consonances japonaises, en Malaisie, aux Philippines, aux États-Unis, en Europe, etc. La « pop culture japonaise » galvanise les étrangers et les attire au Japon. N'eut été la crise financière internationale de 2008-2009, le cap des dix millions de visiteurs attendus sur l'archipel en 2010, essentiellement en provenance d'Asie, le double du total enregistré en 2001, était en passe d'être atteint, grâce à l'attrait culturel revigoré du pays du Soleil-Levant.

Les arts populaires japonais (romans, *manga*, animations, jeux vidéo, musique, gastronomie), qui représentent un énorme marché national, entretenu par un mercantilisme opportuniste sans complexes, déferlent sur l'Asie, et se projettent jusqu'en Occident. Tous ces modes d'expression, ubiquistes, multisupports, s'entrechoquent et entrent en résonance, donnant une image renouvelée du Japon. La bande dessinée est impossible à dissocier de l'animation qui en découle ou lui donne naissance. Ladite animation se nourrit du jeu vidéo ou l'alimente. Forme imagée de narration, le *manga* (ou la *manga*) étend son emprise sur l'offre musicale, déteint sur les tenues vestimentaires, restructure la réalisation des films, se devine dans la mise en page des magazines de presse écrite, remodèle la production des shows télévisés, et *vice versa*. Les héros de *manga* inspirent les ingénieurs des firmes de haute technologie qui développent des concepts fondés sur les fantasmes de créateurs d'œuvres de fiction dont l'imaginaire est réciproquement attisé par les avancées de la science. Cette « pop culture » polymorphe, où monde réel et univers virtuel se télescopent, est omniprésente dans la vie japonaise dont elle accompagne et copilote l'évolution. La mise en scène fictive annihile des peurs (face aux robots par exemple) en même temps qu'elle génère des phobies. Elle exacerbe ou éteint des pulsions latentes. Déclinée sous une palette infinie d'objets tangibles (produits dérivés de toutes sortes) ou immatériels (contenus audio et vidéo, jeux, textes et images vendus en ligne), la pop culture titille tous les sens. *Nolens volens*, tout habitant du Japon se frotte quotidiennement dans ses activités personnelles, sociales, scolaires ou professionnelles à ce mélange bouillonnant, tantôt divertissant, tantôt instructif, amusant parfois, scandaleux dans certains cas, angoissant de temps en temps, exutoire pour certains, motivant ou décomplexant pour d'autres.

Le manga, un art populaire majeur

Dans l'univers culturel populaire nippon, la bande dessinée occupe une place à part, tant par son histoire que par sa richesse éditoriale et l'étendue de son lectorat. Bien que le *manga* sous sa forme actuelle, que l'on ne peut au demeurant réduire à un seul genre, ne soit apparu que durant les années d'après-guerre, avec les œuvres phares du prolifique Osamu Tezuka, à commencer par *Tetsuwan Atomu* (*Astroboy* ou *Astro le petit robot*), L'Oiseau de Feu ou *Black Jack*, la tradition de la narration en dessins puise ses fondements des siècles auparavant, dans les rouleaux peints du Moyen Âge – *emakimono* –, dans les suites d'estampes (les *Trente-Six Vues du mont Fuji* de Katsushika Hokusai, les *Cinquante-Trois Étapes sur la route Tokaido* d'Ando Hiroshige), dans les dessins de presse de l'ère Meiji, ou encore dans les premiers magazines de bandes dessinées apparus au début du XXe siècle, inspirés par les comics américains ou des œuvres de Walt Disney. L'écriture nippone elle-même, composée de kanji, concaténations d'images simplifiées importées de Chine, contribue à la sensibilité des Japonais à la représentation d'une idée par l'assemblage de figures. Le *manga* se distingue de la bande dessinée occidentale, et notamment franco-belge, non seulement pas son sens de lecture (de droite à gauche) mais aussi par le style narratif adopté, le découpage des scènes, les cadrages multiples, la place occupée par l'image hyperexpressive au détriment du texte, réduit au minimum.

Les enfants d'après-guerre ont biberonné du *manga*. On les voit dans les années 1950 plantés devant les échoppes de presse, adossés à une poutre, les yeux plongés dans la lecture d'une bande dessinée, s'adonnant ainsi déjà à un des sports favoris des Japonais, le *tachiyomi* – littéralement la lecture debout. On les surprend dans les rues se prenant volontiers pour les héros de leurs séries favorites, tout comme les *cosplayers* d'aujourd'hui, déguisés en astronautes, sauveurs de l'humanité, champions d'arts martiaux et autres personnages vedettes des *manga* de l'époque, version japonaise du gendarme et du voleur. « Jeu dangereux » protestaient des adultes bien-pensants. « Bah, ils ne sont pas méchants, puis ils n'ont guère d'autres divertissements », répliquaient les parents indulgents. À l'époque, les gamins n'avaient en outre guère les moyens de s'offrir la collection grandissante d'hebdomadaires ou mensuels spécialisés nés au même moment. L'un achetait *Shukan shonen magazine*, l'autre *Shukan shonen sunday* et les deux se les échangeaient une fois ces recueils de séries lus. Les librairies de prêt faisaient recette. Le nombre de publications régulières enfla dans les années suivantes, de même que la quantité d'histoires véhiculées par chacune. Initialement destinés aux gamins, des *manga* fleuves pour filles firent progressivement leur apparition, avec par exemple la création en 1963 de revues comme *Shukan joshi friend*. Les mères au foyer rêvaient déjà en découvrant le mode de vie moderne de l'américaine *Blondie*, laquelle influença leur consommation et leurs envies. Elles se régalaient aussi à la lecture des saynètes de la vie de leur congénère Sazae-san distillées en format *yon koma* – quatre vignettes – dans différents journaux à partir de 1946. Cette peinture ironique des vicissitudes du quotidien d'une famille durant l'ère Showa dont Sazae, la mère, est le personnage central, reste toujours autant prisée, y compris par les hommes qui se reconnaissent plus ou moins dans son mari. L'adaptation en série animée en 1969 de cette œuvre d'une femme, Machiko Hasegawa, par la chaîne privée Fuji-TV était encore diffusée en 2011 par cette dernière. Elle caracolait même toujours en tête des audiences de dessins animés toutes chaînes confondues.

Les *manga*, qui ne cessent depuis de se diversifier, reflètent les beautés et les malheurs du monde, illustrent les passions et drames de la vie personnelle, mettent en images les rêves et cauchemars pour dérouler des histoires qui font mouliner les cervelles, vibrer les cœurs, donnent la chair de poule, excitent, assouvissent les désirs, expurgent les esprits ou divertissent les foules. Après-guerre, de nombreux scénarios ont exploité les traumatismes laissés par la défaite du Japon pour dénoncer les destructions vaines et l'aveuglement des adultes, dessinant alors un nouveau monde construit par la jeunesse et valorisant l'entraide ou l'esprit d'équipe combatif, une vertu notamment mise en scène dans les *manga* sportifs. Les adolescents étaient alors des héros aidés par des robots luttant contre des envahisseurs étrangers, exprimant ainsi la volonté du peuple japonais de gagner par l'innovation technologique la guerre que les générations antérieures avaient perdue par des moyens militaires. Ce ressort caractéristique se retrouvait également dans les aventures scientifiques, un genre à part entière. À partir des années 1950 se développa une forme de *manga* pour adultes, le *gekiga* – images dures, dramatiques –, néologisme créé par le dessinateur scénariste Yoshihiro Tatsumi. Graphiquement plus réalistes, les *gekiga* s'inspirèrent de thèmes de société (violence, sexe, urbanisation, restructuration familiale) et de débats idéologiques (responsabilité du Japon durant la guerre, identité nationale). Ils ont ainsi accompagné les étudiants lors des violentes manifestations des années 1960. Les dessinateurs attisaient l'état d'esprit révolté et libertaire de ce nouveau lectorat plus mature, avec des fictions où tout était permis puisque les auteurs ne s'interdisaient rien, quitte à en choquer plus d'un. Les effets secondaires de la période de haute croissance donnèrent naissance à une vague d'histoires dans lesquelles chacun pouvait se retrouver, notamment le salarié pressurisé, représenté par des antihéros de séries fleuves dans lesquelles était dépeinte, dramatisée ou tournée en dérision la vie de bureau des employés, surtout ses mauvais côtés et la perversité des chefs fiers de l'être. La bulle et les années de marasme économique qui s'ensuivirent inspirèrent de nouveaux types de fictions, empreints de délires et d'exubérance d'abord, puis de désespoir ou de violence. La mère au foyer délaissée pouvait combler ses frustrations sexuelles en lisant des *ladies comics*, *manga* érotiques pour femmes comme il en existait déjà, et de plus « hard » encore, pour la gent masculine, ouvrages où tous les fantasmes (homosexualité, sadomasochisme, pédophilie, nécrophilie, zoophilie) sont mis en scène de façon très crue, au point parfois de braver l'interdiction de représenter les organes génitaux et les poils pubiens.

Tout se mangaïse

Bien que l'univers du *manga* ne cesse de s'enrichir, aucun genre passé ne semble avoir disparu. Les mêmes canons qui ont fait leurs preuves sont toujours employés dans des variantes adaptées à l'époque, mettant en relief les préoccupations de la société, s'inspirant des soubresauts du monde et de la condition mouvementée de l'*Homo japonicus*, divertissant le lecteur en parodiant son quotidien, en le baladant dans un univers de rêve à travers des contes de fées, en le plongeant dans un milieu fantasmagorique, en lui faisant revivre de grands moments historiques romancés, en l'entraînant dans le futur, en lui procurant les plaisirs que la nature lui refuse ou en lui donnant des conseils de façon très accessible. Le lien entre fiction et réalité (pour rapprocher les deux ou s'affranchir de la seconde) et les exigences d'un public versatile expliquent la cadence frénétique de renouvellement de l'offre, ce qui n'empêche pas des séries et personnages comme le chat venu du futur *Doraemon*, le meurtrier à gage *Golgo 13*, le *Détective Conan*, *Akira*, *Dragon Ball*, le supersalarié devenu patron *Kosaku Shima* ou les robots *Gundam* de traverser les décennies sans être tués par des héros modernes. Simultanément, les éditeurs n'hésitent pas à jouer sur la nostalgie des baby-boomers qui constituaient le lectorat adolescent des années 1950-1960 en leur réservant des histoires qui ressuscitent les héros et émotions de l'époque, une orientation d'autant plus cruciale que les jeunes Japonais sont de moins en moins nombreux pour entretenir le marché local. Aujourd'hui, les magazines de *manga* réguliers, dont chaque volume est tiré par centaines de milliers ou millions vendus en kiosques, dans les *konbini* ou maisons de presse, reste le premier lieu de publication. Viennent ensuite les livres de bandes dessinées au format de poche, en majeure partie tirés de séries publiées en feuilleton. Le tout occupe une place prépondérante dans l'offre littéraire japonaise. Sur le milliard et demi d'exemplaires d'ouvrages en tous genres imprimés chaque année, plus de la moitié sont des *manga*. Le marché intérieur de cette forme narrative, livres et magazines confondus, représente annuellement quelque 400 milliards de yens (3,7 milliards d'euros). Bien que confrontées à une diversification des loisirs, notamment à la consultation croissante de contenus sur téléphone mobile, les revues de *manga*, pavés aux couvertures tape-à-l'œil de cent ou deux cents pages, imprimés en noir et blanc sur papier bon marché, concentrent encore près d'un tiers du total des magazines achetés, tous types compris, et un cinquième en valeur commerciale. Ils passent en outre, de main en main, abandonnés dans les trains, disponibles dans les salles d'attente ou amassés dans les locaux à ordures des immeubles. Les bandes dessinées reliées, compilations des différents épisodes d'une série, s'arrogent pour leur part un quart des ventes de livres de toutes natures.

S'il n'est désormais plus possible de lire cette production foisonnante dans les rayons, puisque les bandes dessinées y sont emballées sous plastique, la location est autorisée depuis début 2007 dans des boutiques spécialisées qui complètent ainsi leur offre de CD et DVD, grâce à un accord équitable enfin trouvé entre les ayants droit et les loueurs. Le marché du livre d'occasion, très développé, tire également profit de cette manne énorme. Des cafés Internet, ouverts 24 heures sur 24 et fréquentés par les jeunes, ont aussi des rayons bien garnis de *manga* et de DVD d'animation. Certains sont même avant tout des « *manga* cafés » au décor raccord avec leur menu littéraire. On recensait 2 700 *manga* cafés en 2005. Leur nombre devrait croître à plus de 5 000 en 2015, selon les prévisions du secteur. Depuis 2001-2002 se sont également développés les *maid kissa* – cafés –, les salles de jeux et clubs de karaoké, situés à proximité des librairies et magasins de produits dérivés de BD et dessins animés, où les préposés déguisés ressemblent aux héroïnes des *manga* préférés des jeunes hommes.

La folie du téléphone mobile et des *sumaho* (smartphone), l'arrivée sur le marché en 2009 de tablettes numériques de type iPad et les progrès techniques afférents (réseaux cellulaires à haut débit, écrans de mieux en mieux définis) offrent un nouveau canal de vente aux *manga* et aux animations, sous forme de fichiers payants à télécharger que l'on lit ou regarde n'importe où et n'importe quand. On recensait déjà début 2008 quelque 80 sites de téléchargement de *manga* référencés sur le portail Internet mobile du deuxième opérateur de télécommunications cellulaires japonais, KDDI, et un nombre voisin sur celui de son concurrent NTT DoCoMo. Par la suite, ces librairies virtuelles se sont élargies à d'autres terminaux et ont été rejointes par des grosses maisons des secteurs de l'édition et de l'impression. Certaines de ces librairies virtuelles revendiquaient plus de 10 000 titres de séries déclinées en plusieurs épisodes et autant de fichiers. Le mobilaute peut y télécharger un extrait gratuit pour se faire une idée du genre, une fonctionnalité qui remplace le *tachiyomi*, essentielle pour doper les ventes. Deux clics suffisent pour acheter chacun des différents tomes. Contre toute attente, la lecture sur un téléphone est des plus agréables, même si la sensation est différente de celle d'un ouvrage sur papier. La démarche, de la lecture de l'extrait gratuit à l'achat, est si facile que l'on télécharge sans compter d'autant que ces boutiques sont disponibles 24 heures sur 24 et toujours à portée de main.

Dans les rayons des librairies ayant pignon sur rue comme dans leurs équivalents en ligne, les ouvrages sont classés en une vingtaine de catégories, par genre, par tranche de public, par thème central, ou par type de héros. On y trouve des *seinen manga* pour jeunes hommes, des *shonen manga* pour garçonnets, des *shojo manga* pour adolescentes, des *business manga*, récits se déroulant dans les entreprises ou les milieux politico-économiques destinés aux salariés. Dans cette catégorie pour hommes, impossible de ne pas citer celui qui, portraituré par Kenshi Hirokane, est devenu le « super-*salaryman* » nippon, archétype du salarié japonais entré dans la vie active dans les années 1970 : Kosaku Shima. Apparu pour la première fois en 1983 en feuilleton dans le mensuel *Comic Morning* (devenu hebdomadaire en 1989), à l'époque *kacho*, patron de section d'une entreprise nippone typique, Shima poursuit depuis sa carrière de bon salarié à vie en grimpant pas à pas dans la hiérarchie au fil des années, sans prendre trop de rides, jusqu'à devenir PDG. Les quelque 7 à 8 millions de *salarymen* japonais nés en même temps que ce personnage de fiction, dans les années 1947 à 1949, la fameuse *dankai no sedai*, se reconnaissent dans Shima ou se projettent en lui, *kachigumi*, gagnant et battant par procuration. Le parcours de Shima, « le plus célèbre des *salarymen* », dans le groupe fictif Hatsushiba, dont le fondateur est une copie du capitaine d'industrie exemplaire Kinosuke Matsushita, décrit autant chaque période de l'évolution de l'économie nippone que le cheminement de ses acteurs. Shima, un drogué de boulot, a connu les mêmes joies et affres que les baby-boomers : les manifestations d'étudiants, les désillusions, la rentrée dans le rang au service d'un groupe industriel, le mariage, un enfant, *my home*, les postes à l'étranger, les tâches ingrates, des chefs Pygmalion, d'autres carriéristes cyclothymiques, la montée en puissance des firmes nippones sur la scène internationale, les diversifications hasardeuses, les errances bullières, les folies financières, la famille délaissée, l'infidélité conjugale, la débandade, la sale besogne des restructurations, les délocalisations à tout-va, les regains de vigueur incertains, les bons et mauvais côtés de la mondialisation (flambée du yen, course aux matières premières, divergences culturelles, concurrence de la Corée du Sud). Bref, une vie de salarié nippon des temps modernes en vingt-sept volumes reliés, une fresque historique inachevée en vignettes et bulles illustrant le parcours d'un personnage de *manga* qui n'avait rien d'un héros, mais dont la vie banale est tellement proche de celle de nombreux hommes japonais qu'il est devenu l'un des plus incontournables. Du coup, à l'instar des « caractères », Shima est incarné au cinéma, dans des séries TV. Sa figure apparaît sur des cravates et chaussettes, il sert de faire-valoir pour des manuels de bonnes manières et fait office de coach pour les programmes ludiques sur console de jeux vidéo pour doper les aptitudes professionnelles des juniors ambitieux. *Yoshhh*. Courage !

Pour les étudiants, les *mangaka* – dessinateurs – déroulent des *gakuen manga* dont la trame se passe au sein d'établissements scolaires ou universitaires, des *rekishi manga*, récits historiques, des *mecha*, sagas de robots combattants, dans le style de *Gundam* ou *Goldorak*, des *manga* fantastiques ou des *manga* sportifs pour leur enseigner l'esprit d'équipe et la compétition loyale. On trouve aussi aisément en rayon des *manga* gourmets, truffés de conseils gastronomiques, des *manga* sur l'œnologie comme les séries pédago-énigmatique *Les Gouttes de Dieu* ou romantico-vulgarisatrice *La Sommelière*, des *manga* animaliers peuplés de bébêtes plus ou moins sympathiques, des *manga* sur la vie quotidienne (dure, trop dure), des *manga* philosophiques, des *manga* humoristiques et, bien sûr, des *manga* violents et pornographiques. Dans ce registre majeur, mention particulière aux BL ou *boys love*, *manga* érotiques d'amours de garçons qui font craquer les jeunes femmes qualifiées de « dépravées ». En version plus « hard », ces histoires homosexuelles sont souvent baptisées *yaoi*, un acronyme qui dénote de leur côté purement récréatif puisqu'il signifie : « sans rebondissement, sans creux, insensé » – *Yama nashi,*

Ochi nashi, Imi nashi. Les *yaoi* sont une composante dure des BL. En marge de toutes ces superproductions commerciales qui constituent la plus grosse partie de l'offre, quelques *mangaka* défendent une forme plus élaborée de récit, « le *manga* d'auteur », sorte de mixage entre les techniques du *manga* et celles de la BD franco-belge. Le dessinateur français Frédéric Boilet, installé au Japon, distingue ces créations du lot commun en l'appelant « LA *manga* », un genre qu'il contribue grandement à faire connaître en Occident.

Enfin, bien que l'offre de *manga* proposés par les grandes maisons d'édition soit immensément large, des boutiques fréquentées par les inconditionnels de la rareté se sont spécialisées dans les *dojinshi*, des œuvres autoproduites par des particuliers ou des « cercles de *mangaka* » plus ou moins amateurs. Ces *manga* alternatifs, disponibles chacun en très petit nombre, constituent aussi le principal facteur d'attrait des rassemblements massifs de férus du genre tel que le biannuel Comic Market à Tokyo, un événement de plus en plus couru qui, en trois jours, peut accueillir plus d'un demi-million de visiteurs également attirés par les *cosplayers*.

Les frontières entre toutes les catégories de *manga* ne sont cependant pas étanches, les éditeurs importants ayant l'œil sur le phénomène *dojinshi*. Des *mangaka* qui ont atteint une haute renommée *via* des séries en feuilleton se tournent aussi vers le *manga* d'auteur. De plus, de nombreux livres se « mangaïsent », s'inspirant de cette forme de récit imagée pour faciliter la lecture de guides de restaurants, livres d'histoire, essais économiques ou manuels de bonne conduite et ouvrages pédagogiques. Le gouvernement a par exemple publié en 2007 un *manga* en deux volumes pour expliquer les tenants et aboutissants de la mise en place des jurys populaires à partir de 2009, et d'autres ouvrages du même type pour vulgariser sa politique d'innovation technologique ou expliquer sa stratégie en matière de défense.

Mangaworld : un univers tentaculaire impitoyable

Si le *manga* est un genre majeur, l'âge d'or des revues qui ont permis son émergence semble cependant appartenir au passé. Concurrencées par des publications gratuites ou par des *dojinshi*, les magazines historiques de *manga* (*Shonen Jump* et consorts) voient leurs ventes baisser et sont contraints de trouver de nouvelles recettes. Ils s'associent même parfois et ressortent des placards des séries archipopulaires achevées. Ces revues éditent ainsi des numéros hors série et enrôlent des marchands de vêtements et produits pour accompagner ces opérations marketing afin de faire revenir ceux qui, autrefois, étaient fidèles mais sont désormais sortis du lectorat « parce qu'ils ne pigent rien aux nouvelles histoires trop alambiquées », *dixit* un nostalgique de la première génération tout décontenancé. Les rédacteurs en chef sont *de facto* de plus en plus impitoyables avec leurs auteurs, assis sur un siège éjectable. Sur les quelque 4 000 *mangaka* et 20 000 assistants que le secteur revendique, une minorité mène grand train, sans pour autant se reposer sur ses lauriers. Débutants prometteurs ou professionnels vénérés, ils sont soumis à des rythmes de publication infernaux et surtout au jugement sévère des lecteurs qui décident du sort d'une histoire. Les éditeurs ne soutiennent pas une œuvre si le public la rejette. Si bien qu'une série mal notée lors des enquêtes régulières auprès du lectorat peut s'interrompre sans sommation, l'auteur étant prié du jour au lendemain de conclure l'histoire, de remballer ses crayons ou de bâtir fissa un autre scénario béton s'il veut conserver une place dans la pagination certes imposante, mais limitée. Les mieux cotés sont tenus de livrer une vingtaine de pages toutes les semaines ou tous les mois, de trouver des idées pour prolonger l'aventure tant qu'elle semble plaire, ce qui les oblige à faire appel à des assistants, tant est harassante la charge de travail. Certains, tel le créateur du long polar *Monster* (dix-huit volumes) et de la magnifique série *20ᵗʰ Century Boys*, Naoki Urasawa, se fusillent le dos à passer quotidiennement des heures durant des années devant leur planche à dessin. Même si ce dernier se dit soutenu par le « dieu des *manga* » qui lui tient la main pour l'aider à peaufiner une attitude ou une expression, son kinésithérapeute lui a fait remarquer que les pouvoirs de la divinité supposée n'avaient guère d'effet sur sa colonne vertébrale déformée.

Quand une série cartonne, du fait notamment d'un bouche à oreille désormais avivé par la circulation des informations sur Internet, les ventes grimpent à des niveaux qu'aucun autre genre littéraire ne parvient à égaler. Il n'est ainsi pas rare qu'une série à succès dans un magazine, éditée ensuite en volumes reliés, se vende à plusieurs dizaines de millions d'exemplaires uniquement au Japon, avant de connaître pour certaines un destin international, lequel restera toutefois de moindre ampleur que sur l'insensé marché nippon. Les chiffres donnent le vertige : *Golgo 13*, sorte de James Bond japonais procédurier, aux règles intérieures rigides et inviolables, qui trucide sur contrat à tour de bras depuis 1968, totalise un butin de 100 millions d'exemplaires vendus sur l'archipel. Plus sympathique et bon enfant, l'indémodable chat bleu du futur *Doraemon* en a accumulé autant depuis 1969. *Dragon Ball* table à plus de 150 millions, talonné par *Slam Dunk* du brillant Takehiko Inoue ou *Détective Conan*. Impossible de dresser la liste de tous les best-sellers du genre, tant ils sont nombreux. Bien que les phénomènes de masse touchent surtout les *manga* destinés au public masculin, des séries initialement pensées pour les filles et écrites par une femme peuvent aussi se targuer d'avoir battu des records. Les 21 tomes de *Nana* dessinés par Ai Yazawa et publiés entre 2000 et 2011 se sont déjà écoulés à plus de 50 millions d'exemplaires au Japon.

Les tribulations que conte la série *Nana*, une peinture du quotidien de deux jeunes filles, dans un décor tokyoïte réaliste rompant avec le style féerique habituel du *shojo manga*, vont continuer de trouver des lecteurs et lectrices longtemps encore. C'est que *Nana* est le parfait exemple, mais pas le seul, du *manga* commercialement surexploité. Cette histoire de deux copines prénommées Nana et de leurs potes, dans le milieu du show-biz, a séduit un producteur de la chaîne de télévision Nippon TV, laquelle a adapté *Nana* en série animée. Diffusée la nuit à 23 heures à partir de 2006, cette fiction a élargi son public aux adultes des deux sexes qui n'étaient pas tous des fans du *manga* originel mais le sont devenus. « La principale difficulté de l'exercice réside dans le fait que ce *manga* était très populaire. De fait, les lecteurs avaient déjà des images très fortement présentes à l'esprit, références qu'il ne faut surtout pas heurter », témoigne le réalisateur de la série, Morio Asaka. La création de chaque épisode a nécessité plus de trois mois de travail et mobilisé plusieurs centaines de personnes. Le public nippon est en effet intransigeant sur la qualité de la production où tout compte : la qualité du dessin, la fluidité de l'animation, la bande originale, les voix des acteurs qui doublent les personnages. Les chaînes nippones se battent pour arracher les droits des *manga* les plus appréciés, emploient des moyens techniques dignes de superproductions hollywoodiennes aux tarifs exorbitants et offrent des cachets faramineux à des stars pour qu'elles prêtent leurs voix aux héros. Rien n'est laissé au hasard. Pour éviter l'afflux de fanatiques curieux, la réalisation a lieu dans des studios dont la localisation est tenue secrète. Dans le cas de *Nana*, où la musique joue un rôle majeur, les chansons sont interprétées par des professionnels, et non par les acteurs qui doublent les dialogues des personnages. *Manga* devenu animation, *Nana*, dont la série animée est diffusée dans plusieurs pays, a également constitué la matière première de deux films, avec acteurs en chair et en os, qui ont totalisé des millions d'entrées en salle avant d'être édités en DVD. Les musiques sont les tubes d'une chanteuse de rock, Anna Tsuchiya, qui remplit les salles de concert et s'exporte grâce à *Nana*, puisqu'elle donne sa voix à l'une des deux Nana de la série. Ce *manga* fut aussi décliné en jeux vidéo pour diverses consoles, notamment pour le fameux modèle portable DS de Nintendo que possèdent autant de jeunes filles que de garçons. Comme pour toutes les séries de *manga* qu'elle adapte, Nippon TV a en outre créé une ample ligne de produits dérivés qu'elle vend dans sa boutique spécialisée au pied de sa tour au cœur de Tokyo, et que l'on trouve aussi à la pelle dans les magasins « d'animé » qui ont envahi le quartier de l'électronique tokyoïte, Akihabara. Les *Nana* y côtoient des figurines de *Gundam*, de *Goldorak* ou de reproductions des héros d'autres innombrables animations cultes. Matière première de l'animation ou de fictions incarnées par des acteurs, le *manga* peut aussi parfois constituer la source de spectacles vivants. Le meilleur exemple en est *La Rose de Versailles*, le *shojo manga* sans doute le plus vendu au Japon, bien que les chiffres ne soient pas disponibles. Ce conte dessiné par Riyoko Ikeda, édité au Japon à partir de 1972, se déroule en France à la fin du XVIIIe siècle, sur fond de révolution. On y croise Marie-Antoinette et sa cour. Le *manga* d'où fut tirée une animation, connue sous le titre *Lady Oscar* en France, inspira également Jacques Demy qui réalisa en 1978 un long-métrage de production japonaise. Une troupe théâtrale de filles, Takarazuka-dan, l'a monté en pièce musicale jouée à des milliers de reprises depuis 1979 au Japon et faisant salle comble à chaque fois. Filmée en très haute définition, cette comédie musicale fut même projetée aux États-Unis dans le cadre d'expérimentation de « cinéma numérique ». Même les fameux *pachinko* – billards verticaux nippons – sur le déclin car concurrencés par les jeux vidéo retrouvent parfois du tonus et les faveurs du public grâce à des décors extraits de *manga* et animations. En 2007, on dénombrait quelque 13 500 salles de *pachinko* dans tout le pays, dont 1 600 à Tokyo, gérées par près de 4 500 sociétés, parfois en lien avec les gangs de yakusa. Le secteur affiche un chiffre d'affaires annuel de 27 500 milliards de yens (plus de 250 milliards d'euros). Quelque 13 % des Japonais, soit plus de 16,5 millions d'individus, fréquentent ces salles de jeux une trentaine de fois par an en moyenne. Ils y dépensent chacun environ près de 1 000 euros par an. La plupart de ces lieux assourdissants alignent plus de 500 machines, fréquemment renouvelées pour enjôler les jeunes. Les fabricants, Sega-Sammy entre autres, écoulent environ 5,5 millions d'exemplaires de nouveaux *pachinko* et *pachinslo* (autre variante) par an pour entretenir la fréquentation.

Tous les *manga* fleuves à succès sont ainsi exploités à l'extrême sans vergogne, tant par les éditeurs que par les chaînes de télévision, les créateurs de jeux vidéo ou encore les firmes de jouets, voire par des industriels n'ayant *a priori* aucun lien avec ce milieu (fabricants de PC, de vêtements, de linge de maison, de téléphones portables, de bijoux, etc). Il existe même des plats typiques nippons vendus en canettes au design *manga* dans des distributeurs automatiques des rues d'Akihabara et du papier toilette où sont déroulées les histoires de *Tetsuwan Atom* et de *Black Jack*, les deux œuvres majeures du père du *manga* actuel, Osamu Tezuka. Même les municipalités désertées par les jeunes s'offrent un héros de *manga* populaire en guise de porte-étendard publicitaire pour rajeunir leur image et leur population.

Bien que prisé par tous les publics (du garçonnet au retraité, de l'adolescente à la mère de famille) et reconnu comme un art qui s'expose dans des musées et fait l'objet de nombreuses recherches, le *manga* et la lignée de produits qui s'ensuit ne comptent pas que des défenseurs. Certains s'interrogent en effet sur les conséquences psychiques de dessins ultraviolents, de la mise en scène de comportements sexuels discutables, ou de l'exploitation commerciale des perversions de tous ordres.

D'autres redoutent plus prosaïquement les conséquences d'une « mangaïsation » généralisée sur le niveau d'éducation, la culture et les aptitudes des jeunes Japonais. Ils s'inquiètent que de plus en plus d'adolescents, habitués à des textes très courts et à une abondance d'onomatopées, se détournent d'autres lectures plus denses et qu'ils peinent à comprendre des textes plus ardus. Les détracteurs craignent également que cette forme de narration figurative n'atrophie la capacité d'abstraction, puisque tout y est déjà imagé. Ces peurs attisées ont toutefois le mérite d'alimenter parallèlement un autre marché qui vient en contrepoint, celui des livres de vocabulaire, d'expression, de rhétorique, ouvrages pédagogiques qui se déclinent aussi… en jeux vidéo ludoéducatifs.

Si un *manga* phare peut donc devenir une animation puis un jeu vidéo et une collection d'objets, comme dans le cas de *Nana* ou de *Death Note*, les combinaisons inverses existent aussi, comme le prouvent les *Pocket Monsters*, *Final Fantasy* ou *Shinseiki Evangelion*. Pikachu et sa clique d'insectes Pokemon dotés de divers pouvoirs, apparus sous forme de jeu pour Game Boy en 1995 au Japon, ont fait un tel tabac commercial national puis mondial auprès des gamins qu'ils ont envahi ensuite les écrans de TV, les rayons des maisons de presse, ceux des libraires, puis les salles de cinéma et enfin les commerces de figurines et autres objets. Ils se sont même offert un parc à thème à Nagoya et des magasins, les Pokemon Center, qui ne désemplissent pas, dont un égaye un des quartiers les plus chers du cœur de Tokyo. *Final Fantasy*, saga interminable de jeu de rôle à grand spectacle qui exploite toutes les caractéristiques de ce genre archiprisé par les Japonais (science-fiction, combats, créatures surhumaines, mythologie), est également apparu sur console en 1987, avant d'être décliné en animation.

Quant à *Shinseiki Evangelion*, ce fut d'abord une série avant de devenir un *manga* et une ligne de jeux vidéo. Dans cette complexe histoire qui se déroule au milieu d'un univers postapocalyptique, à l'orée d'un nouveau siècle – *shinseiki* –, l'humain, aidé de ses technologies sophistiquées, contrôle la nature. *Shinseiki Evangelion*, série d'Hideaki Anno en vingt-six épisodes d'une grande qualité, fut d'abord diffusé en 1995-1996 par la chaîne de télévision TV Tokyo. Le thème central est celui du « nouveau siècle », un recommencement, une renaissance après la chute d'un astéroïde en 2000, un cataclysme qui a ravagé une grande partie de la planète. Quinze ans plus tard, alors que l'humanité pense avoir surmonté cette catastrophe et s'est dotée de moyens de faire face à une éventuelle réplique, de mystérieuses créatures, des « Anges » maléfiques, apparaissent qui veulent détruire Tokyo-3, la nouvelle capitale fortifiée du Japon. Pour combattre les « Anges », l'organisation secrète NERV emploie un robot géant, l'EVA, figure androïde pilotée par des hommes ordinaires. Cette aventure, qui exploite tous les codes chers aux *otaku* (robots, sexe, violence, fantastique), porte aussi un message philosophique que ne perçoivent pas forcément ses fans, lesquels restent au premier niveau de perception de l'univers mis en images et dans lequel ils se sont pour certains réfugiés. Ancien *otaku* lui-même, l'auteur avait pourtant tenté, en vain, de dénoncer les travers de l'enfermement dans un monde imaginaire. Le succès de *Shinseiki Evangelion* provient sans doute aussi du fait que cette épopée, qui suscite la réflexion sur le rapport de l'homme à son environnement, à la divinité et à la religion, fut mise à l'antenne précisément au moment où les Japonais, secoués par les effets de l'éclatement de la bulle financière, venaient de subir les traumatismes du séisme de Kobe et de l'attentat au gaz sarin dans le métro de Tokyo par la secte Aum Vérité suprême.

Tous ces exemples illustrent le lien commercialement essentiel entre la bande dessinée, ancrée dans les préoccupations du monde réel, l'animation, qui a besoin de s'appuyer sur des scénarios solides pour capter une audience, et le jeu vidéo, qui ne peut plus s'offrir le luxe de prendre trop de risques financiers en créant *ex nihilo* des produits impossibles à rentabiliser s'ils ne trouvent pas des débouchés sur plusieurs supports. Après la crise du secteur du jeu traversée au début des années 2000, les développeurs tendent aussi à minimiser la complexité de leurs divertissements, à revenir à des concepts simples (quiz, simulations sportives, etc.) et à s'appuyer sur des personnages connus internationalement (Mario, les Pokemon, Zelda, etc.).

Le cinéma nippon résiste, grâce à l'animation

Issus ou non de *manga*, les films d'animation occupent pour leur part une place majeure dans la production cinématographique nippone abondante, comme l'illustrent les emblématiques créations d'Hayao Miyazaki, le maître incontesté de ce genre à part. La sortie de chacune de ses œuvres est un événement incroyable au Japon depuis le succès inespéré de *Tonari no Totoro – Mon Voisin Totoro –* présenté au public en 1988. Personnage symbole des studios Ghibli de Miyazaki, indépassable comme Mickey pour la maison Disney, Totoro reste une figure adorée de tous les enfants japonais, de même que le « chat bus », autre vedette de ce long métrage. La consécration de Miyazaki à l'étranger n'est venue qu'avec *Princesse Mononoke*, sorti en 1997 au Japon, et surtout avec *Le Voyage de Chihiro – Sen to Chihiro no Kamikakushi –*, ours d'or du meilleur film au festival de Berlin en 2002 et oscar du meilleur long-métrage d'animation en 2003. Les mystérieuses créatures animales de Miyazaki, également déclinées en peluches et autres objets, habitent les rêveries des petits et des grands, des filles et des garçons. Tous, avec divers degrés de lecture, différents niveaux de compréhension, se retrouvent un peu dans chacun des personnages « miyazakiens », souvent des enfants, des adolescents et des femmes, figures universelles toujours émouvantes aux larmes.

Attendues par des millions de Japonais et entourées du plus grand mystère, les créations de Miyazaki exigent des années de travail et une centaine de dessinateurs/animateurs pour seconder le grand manitou, perfectionniste et pétri de doutes lorsqu'il s'assied à sa table de dessin. Pour son dixième film, *Ponyo sur la falaise – Gake no ue no Ponyo –*, seules des bribes de scénario, des notes de musique et quelques dessins au pastel, une nouveauté pour Miyazaki, ont été déflorés dans les mois précédant sa sortie au Japon, à l'été 2008. Le maître, tête de proue de l'animation japonaise portée à son plus haut degré de perfection, est de ces créateurs un peu lunatiques qui s'enferment à l'abri des regards, se retirent du monde en solitaire, souffrent pour expectorer leur art avant d'en jouir. Miyazaki, parfois un peu ours, supporte difficilement les objectifs des caméras et la curiosité des fans tant qu'il n'a pas mené son travail au bout, tant que ne s'impose pas la tournée des plateaux pour promouvoir ses réalisations, une fois celles-ci achevées et offertes au public. Après chaque œuvre, celui qui, né en 1941, ne veut pas être surnommé le Disney japonais, pense qu'il n'aura pas le courage de rempiler pour une autre. Qui vivra verra.

Moins souvent cités à l'étranger, hormis chez les connaisseurs, d'autres réalisateurs de longs-métrages d'animation sont à l'origine d'œuvres magistrales dans une veine voisine. C'est notamment le cas d'Isao Takahata, aîné de six ans et compère de Miyazaki. Takahata est entre autres le réalisateur du *Tombeau des lucioles* (1988), un film intense devant lequel tout le monde fond, tant cette histoire d'enfants orphelins après la guerre est poignante. On doit aussi à Takahata *Pompoko, Heisei tanuki kassen Pompoko*, le combat de blaireaux pour préserver leurs terres convoitées par les promoteurs pour construire des villes nouvelles lors de la période de haute croissance. Takahata nous a également

offert dans un genre graphiquement très différent le réjouis-
sant *Mes Voisins les Yamada*, qui rappelle les saynètes des
yon koma humoristiques de Sazae-san.

Bien que la majeure partie des films en tous genres produits au Japon ne sortent pas des frontières du pays et ne
tiennent pas longtemps l'affiche, ils n'en sont pas moins des
succès locaux qui se prolongent avec la sortie des DVD enrichis de bonus, souvent grâce à une promotion tapageuse et
à des scénarios cousus de fil blanc pour des publics catégori-
sés auxquels sont servis tous les clichés attendus. Lorsqu'un
film marche, il connaît souvent une suite et génère dans son
sillage des productions abordant un thème voisin jusqu'à ce
que le public finisse par se lasser. Ainsi en fut-il d'« *Always
san chome yuhi* », et d'« *Always zoku san chome no yuhi* »,
deux longs-métrages avec acteurs réels inspirés d'un *manga*
publié en feuilleton à partir de 1974 et compilé en cin-
quante-quatre volumes. Le tout raconte la vie d'un quartier
populaire de Tokyo dans les années 1950, montre les trans-
formations de la ville, vante le courage des habitants qui
triment dur pour s'équiper de la télé, du réfrigérateur et de
la voiture, les symboles de la renaissance de l'archipel.
Histoire parfaite pour cultiver la nostalgie de la *dankai no
seidai*, génération du baby-boom. Ces longs-métrages
entraînèrent la sortie de nombreux livres relatant cette
période, dopèrent les ventes du *manga* original, déjà adapté
en animation TV, et conduisirent les chaînes de télévision
et maisons de production à ressortir de leurs archives des
documents d'époque rassemblés sur DVD qui voisinent
dans les rayons avec ceux du film. Les jeunes générations
qui, à l'instar du réalisateur de ces longs-métrages attendris-
sants, Takashi Yamazaki, n'ont rien connu de cette période,
sont tout autant que leurs aînés émus par les scènes de
bonheur convivial qui marquaient cette époque, en dépit du
dénuement matériel des familles.

Les films de science-fiction angoissants à haute tension
comme *Kairo*, *Cure* et *Charisma* de Kiyoshi Kurosawa,

d'épouvante comme *Ring*, *Chaos* ou *Gurasu no nou* (littéralement *Les Neurones du verre*) d'Hideo Nakata, ou les scénarios horrifiants *Audition* et *Yokai daisenso* de Takeshi Miike drainent également un large public, de même que les comédies (*Bubble he go* – *En route vers la bulle* –, Nihon igai zenbu chinbotsu – *Tout est enseveli sauf le Japon*), les histoires policières et de yakusa, les drames sentimentaux (*Tokyo Tower*), les fictions romantiques ou les reconstitutions historiques à grand spectacle comme *Yamato : la dernière bataille* de Junya Sato. Ce film violent et larmoyant, qui a bénéficié du plus gros budget pour une production nippone, attise le réveil patriotique du pays du Soleil-Levant, théâtralisant à grand renfort d'effets spéciaux l'agonie incroyable du cuirassé *Yamato*, symbole monumental de la puissance militaire impériale, coulé à la fin de la guerre du Pacifique lors d'une mission suicide contre l'US Navy au large de l'île d'Okinawa.

Les réalisations éclectiques de Takeshi Kitano, qui jouit depuis *Hanabi* d'une renommée immense à l'étranger, ne sont pas nécessairement les plus courues au Japon. Ce spécialiste des scènes de violence inopinées, qui rappellent le théâtre kabuki, n'est en effet pas tant perçu par le grand public japonais comme un acteur et metteur en scène hors pair que comme un pitre de talk-show télévisés où il se complaît dans son rôle de « Beat Takeshi » pour amuser la galerie. Ses films profitent néanmoins de sa notoriété de bête de plateau de TV à l'humour caustique, et de la promotion tous azimuts qui accompagne la sortie de chaque nouvelle œuvre.

Dans un environnement où l'étendue croissante des modes de divertissement ronge l'attrait pour les salles obscures et où les bulldozers américains rasent tout sur leur passage, les producteurs japonais minimisent les prises de risque. Ils s'appuient de plus en plus sur des valeurs sûres, tels les best-sellers en librairies, lesquels ne sont pas forcément des ouvrages de grande qualité littéraire, tant s'en faut. Pour preuve le film *Densha no otoko* – *Le Garçon du train*, tiré d'un livre qui n'est autre que la retranscription littérale des dialogues des participants à un forum sur Internet. Il s'agit d'une histoire vraie d'un *otaku* qui se resocialise en tombant amoureux d'une chic demoiselle, surnommée « Hermès », croisée dans un train. Ne sachant quelle conduite adopter, il est conseillé quotidiennement par les internautes attendris par ce timide et maladroit garçon. Le succès insensé de *Densha no otoko*, également monté en feuilleton TV, en entraîna d'autres du même acabit, dont *Koizora* (*Ciel d'amour*), un long métrage de Natsuki Imai, adapté d'un roman écrit sur un téléphone portable, publié sur un site Internet mobile spécialisé, plébiscité par les collégiennes voraces lectrices de ce genre de nouvelles romantiques, vendu à plus de deux millions d'exemplaires en version imprimée et porté à l'écran où il a généré plusieurs milliards de yens (millions d'euros) de recettes ainsi qu'une collection d'objets dérivés porte-bonheur. Des séries TV à forte audience, comme *HERO*, sont également écourtées et transformées en un ou plusieurs longs-métrages servis par un casting de choc. *HERO* est le film japonais qui a le plus rapporté en 2007. Notons toutefois que les films avec acteurs en chair et en os tirés de *manga*, comme *Nana* ou *Death Note*, ou les réalisations cinématographiques issues de séries TV comme *HERO*, ne sont pas les plus mauvaises productions de ces dernières années au Japon. Au contraire. La solidité du scénario étant une clé du succès des bandes dessinées ou des fictions télévisées, les films bâtis sur la même trame surpassent sans mal les innombrables histoires soporifiques inconsistantes à l'eau de rose pour nymphettes, les films d'action où des brutes démolissent tout sur leur passage ou les comédies vulgaires tous publics, autant de navets qui occupent souvent les grands écrans. Bien que des productions spectaculaires, dans lesquelles sont englouties des sommes astronomiques, remplissent plus les salles que les films plus subtils, ces derniers n'ont toutefois pas totalement disparu des écrans nippons grâce à une nouvelle génération de réalisateurs talentueux et opiniâtres. En témoigne le grand prix du festival de Cannes, plus haute distinction après la palme d'or, décerné en 2007 à la réalisatrice Naomi Kawase pour *La Forêt de Mogari* (*Mogari no mori*), un film mélancolique sans financement mirobolant qui raconte l'histoire d'un vieil homme et de son aide-soignante se soutenant mutuellement pour apprendre à revivre après avoir chacun enduré un deuil douloureux. Cette histoire dénonce en creux le matérialisme et la consommation de masse, montrant que le réconfort dans la tristesse naît « des sentiments humains, de la lumière, du vent, ou de l'ombre de quelqu'un qui vient de mourir », et non du fric ou de l'accumulation de biens matériels de peu de secours dans lesquels la société a tendance à se réfugier par défaut, selon les mots de l'auteur elle-même. Naomi Kawase, née à Nara, une cité de l'ouest du Japon qui a gardé son charme d'antan, avait déjà remporté la caméra d'or à Cannes pour *Suzaku* (*Moe no suzaku* en version originale), son premier long-métrage. Cette réalisatrice s'inscrit dans la lignée des cinéastes exigeants qui trouvent grâce aux yeux des étrangers, professionnels et cinéphiles, à l'instar des monuments que furent les légendaires Akira Kurosawa, Nagisa Oshima ou feu Shohei Imamura, la tête de la « Nouvelle Vague japonaise », ancien assistant du géant Yasujiro Ozu et double palme d'or à Cannes pour *La Ballade de Narayama* en 1983, puis pour *L'Anguille* en 1997.

D'autres réalisateurs nippons de haute volée ont continué ou commencé de faire parler d'eux à domicile et au-delà depuis le début des années 2000. C'est notamment le cas de Kohei Oguri avec *La Forêt oubliée* en 2005, cinquième long-métrage en vingt-cinq ans dirigé par ce réalisateur qui a obtenu le grand prix à Cannes en 1990 pour *L'Aiguillon de la mort* (*Shi no tage*). Oguri est également connu pour sa *Rivière de boue*, un film en noir et blanc sur l'amitié de deux enfants dans le Japon d'après-guerre où plane le spectre de la défaite et l'amertume des adultes, tout comme dans *Femmes en miroir* de Yoshishige (Kijû) Yoshida qui, après Shohei Imamura (*Pluie noire*), Akira Kurosawa (*Rhapsodie en août*) ou Nobuhiro Suwa (*H Story*), se penche dramatiquement sur l'incompréhensible atomisation d'Hiroshima. Masahiro Kobayashi a pour sa part mis en scène dans *Harcèlement* (2005) le calvaire des ex-otages japonais lorsqu'ils recouvrent la liberté et regagnent leur pays où ils doivent s'excuser d'avoir attiré l'attention sur eux et d'avoir causé des tracas diplomatiques aux autorités. Ce film, qui retranscrit hélas la réalité, raconte le difficile retour à la liberté et au Japon de Yuko, enlevée en Irak, victime d'ostracisme de la part de ses compatriotes une fois rentrée au pays. Elle y est alors insultée dans la rue, reçoit des coups de téléphone anonymes et se fait même tabasser. Licenciée par son employeur, elle se noie dans le désespoir et en vient à envisager de retourner en Irak. Fan de François Truffaut dont il aurait aimé devenir l'assistant, Kobayashi est aussi le réalisateur de *La Route des petits voyous* (1998), *L'homme qui marche sur la neige* (2001) et *Un flic* (2004). *Harcèlement*, film dénonciateur n'est pas sans rappeler celui de Masayuki Suo, *Soredemo boku ha yattenai* (*Et pourtant, ce n'est pas moi qui l'ai fait*), sur les dysfonctionnements de la justice nippone où la relaxe relève de l'exception. Dans un registre voisin, citons aussi celui qu'on pourrait surnommer le Costa-Gavras japonais, Masato Harada, metteur en scène d'histoires politico-financières sacrément bien ficelées, reconstitutions de faits d'actualité tels que dans *Le Choix d'Hercule*, l'affaire des chalets Asama sanso en 1972, ou de fictions librement inspirées d'événements qui ont marqué l'histoire récente, dont la corruption dans les milieux bancaires (*Kinyu Fushoku Retto, jubaku*). Autre figure remarquée, y compris à l'étranger, Ryuichi Hiroki, un réalisateur prolifique venu du cinéma érotique, agile avec des caméras vidéo légères, à qui l'on doit *Tokyo Trash Baby*, ou *Yawarakai seikatsu* (littéralement *Une vie moelleuse*) sorti à l'étranger sous le titre *It's only Talk*.

Grâce à sa diversité, et surtout à une puissante machine commerciale au service de quelques films archipopulaires, le cinéma japonais résiste. Quelque quatre cents longs-métrages sont produits en tout ou partie par les Japonais chaque année, les télévisions jouant un rôle majeur dans cette activité. En 2006, pour la première fois en vingt ans, les recettes totalisées par des productions nippones au Japon ont supplanté celles issues des blockbusters hollywoodiens, un exploit sans précédent depuis 1985, l'année de la sortie des méga-hits yankees *Ghostbusters* et *Gremlins*. La part totale des recettes des productions japonaises pour l'ensemble de 2006 a ainsi largement dépassé les 50 %, alors qu'elle était tombée à 27,1 % en 2002. Le Japon forme le deuxième marché du cinéma mondial, derrière les États-Unis, avec des recettes annuelles tournant autour de 200 milliards de yens (1,8 milliard d'euros). Toutefois, même si au total elles ont rapporté moins en 2006, les réalisations américaines, portées par un battage médiatique implacable et parfois présentées en avant-première mondiale sur l'archipel, se sont quand même arrogé la même année les trois premières places du box-office, grâce à *Harry Potter*, à *Pirates des Caraïbes, la Malédiction du Black Pearl*, avec Johnny Depp, et à l'incontournable *Da Vinci Code*. Le film japonais qui, en 2006, a totalisé le plus d'entrées n'était autre que *Gedo Senki*, premier long-métrage du fils d'Hayao Miyazaki, Goro, lequel n'a cependant pas bénéficié du soutien de son père. Ce dernier n'a en effet guère apprécié la façon dont son garçon aîné a utilisé l'art de l'animation pour véhiculer ses rancœurs personnelles. N'en déplaise au maître, cette œuvre inaugurale adaptée du *Sorcier de Terremer* de l'Américaine Ursula Le Guin (sortie en France en 2007 sous le titre *Les Contes de Terremer*) a bel et bien permis en 2006 aux productions japonaises de mettre au tapis le cinéma américain. Effet fugitif hélas qui n'a pas résisté face à la déferlante de mégafilms d'outre-Pacifique en 2007, en l'absence d'un nouveau Miyazaki père ou fils à l'affiche pour maintenir l'équilibre.

J-Pop et autres musiques

Si le cinéma japonais peine à affronter la diversification des modes de distraction et à lutter contre les importations américaines, la production musicale nippone, la J-Pop, qui regroupe du rock, du hip-hop, de la variété insipide, du disco, de l'électro ou un mélange du tout, parvient sans mal à dominer le marché local du disque. Bien que les Japonais soient très éclectiques, les artistes locaux restent, et de loin, leurs chouchous, et la J-Pop demeure la catégorie la plus lucrative pour les éditeurs. Les CD des chanteurs et musiciens japonais se targuent même de résister au piratage des titres sur Internet, grâce à des jaquettes léchées, des morceaux en bonus et autres tactiques commerciales qui entretiennent le fétichisme des fans. Le public japonais, qui compte pourtant nombre de mélomanes amateurs de jazz ou d'œuvres classiques, apprécie aussi étonnamment une J-Pop formatée, sans aucune subtilité, construite pour se fixer dans les cerveaux. Les maisons de disques alignent un impressionnant catalogue de jeunes chanteuses aux traits parfaits, de « boys band » craquants et autres « idoles » fabriquées, emballées, étiquetées, mises en rayon le temps d'une chanson. Tout juste si les albums et leurs interprètes ne portent pas une date de péremption. La plupart des artistes arrivés au top dans ces conditions ne restent pas longtemps dans les *charts*. Leur répertoire, plus ou moins bien inspiré de morceaux cultes de vedettes internationales, se limite le plus souvent à deux opus, tant leur registre limité finit vite par lasser, immédiatement remplacé par un nouveau genre tout autant fugitif. Les Def-Tech ou Do as Infinity que l'on entendait partout en 2004 ne sont déjà plus là, tout comme des dizaines d'autres. Le rythme est infernal qui fait ainsi tourner la machine à cash. Il suffit qu'un titre soit sélectionné comme thème d'une publicité télévisée ou d'une série TV, ou bien qu'une radio musicale lui offre une rotation pluriquotidienne pour le propulser au sommet des hit-parades de vente. Parmi les dizaines de groupes et chanteurs nippons actifs en 2008, l'immense majorité est entrée en scène dans les six années précédentes. Toutefois, la J-Pop englobant presque tous les genres, certains chanteurs et musiciens, dotés d'un vrai style personnel et sachant se renouveler, voguent au-dessus de la mêlée et continuent après des années de susciter des moments d'hystérie collective. Ainsi en est-il de Joe Hisaishi, compositeur des musiques qui accompagnent majestueusement les œuvres majeures d'Hayao Miyazaki, dont *Mon Voisin Totoro*, *Princesse Mononoke*, *Le Voyage de Chihiro* et *Ponyo*, ou celles de Takeshi Kitano (*Sonatine*, *L'Été de Kikujiro*). Autre sommité, Ryuichi Sakamoto, un musicien touche-à-tout, admirateur de Vivaldi. Aussi à l'aise avec le clavier d'un piano à queue qu'avec celui d'un Mac, l'écolo et citoyen du monde Sakamoto compose et interprète tantôt des mélodies classiques, tantôt des morceaux synthétiques proches de la variété ou encore des plages et boucles électroniques aux sonorités irréelles plus ou moins improvisées. Les très nombreux et variés albums de cette immense star, qui parcourt la planète et évolue en solo depuis la dissolution du légendaire trio Yellow Magic Orchestra (YMO pour les intimes), sont eux aussi classés dans la catégorie J-Pop, bien qu'ils surpassent le gros du lot. Compositeur de nombreuses bandes originales de film, de musiques événementielles, de thèmes publicitaires ou de génériques, Sakamoto est adoré par au moins trois générations de Japonais qui se précipitent à ses concerts presque annuels au Japon, tantôt « piano solo », tantôt « électro ». Pygmalion, il s'entoure parfois de jeunes artistes japonais et étrangers à la pointe de la musique électro-acoustique dont il fut un pionnier. Lorsqu'en juillet 2007, Sakamoto a retrouvé ses deux ex-compères d'YMO, Hosano et Takahashi, pour un unique show dans un temple de Kyoto, tous les quinquagénaires fans de la première heure du trio étaient là, parfois avec leurs enfants. Ils ne sont pas nombreux les artistes de la J-Pop à pouvoir se targuer d'un tel parcours dans le tourbillon commercial qui régit le secteur en permanence en quête de nouvelles têtes. Quelques autres chanteurs et groupes nippons populaires semblent toutefois s'inscrire dans la durée, bien que n'ayant pas l'envergure de Sakamoto ou, dans une moindre mesure, du duo Chage and Aska. Citons notamment le chanteur de charme Hidaki Tokunaga, le rocker Kyosuke Himuro, un Johnny Hallyday japonais, et surtout le « boys band » SMAP né en 1991 et toujours aussi idolâtré. L'une des vedettes de ce groupe mythique, le beau gosse et gendre idéal Takuya Kimura, est par ailleurs une tête d'affiche de publicités et surtout un acteur de cinéma (*HERO*) et de séries TV. On l'a vu brillantissime dans un drame en six épisodes, *Karei naru ichi zoku* (*Une famille magnifique*), sorte de *Dallas* de haut vol, tiré d'un roman relatant les conflits d'intérêt au sein d'une riche famille aristocratique dans le Japon d'après-guerre. Dans cette saga, Kimura tenait le beau et très difficile rôle tragique du fils prodige philanthrope à la tête d'une grosse entreprise sidérurgique humilié par un père macho, diabolique banquier assoiffé d'argent et de pouvoir. Plus récemment il se glissa, avec un peu moins de crédibilité, compte tenu de sa bobine de jeunot, mais tout autant de talent, dans le costume strict d'un Premier ministre, propre et intègre, pour les besoins d'une série TV au titre révélateur : *Change*, accompagné d'un slogan en forme d'appel à la jeunesse « grâce à toi, les choses vont peut-être bouger ». Quelle Japonaise de vingt à quarante-cinq ans ne se ruerait pas aux urnes pour voter Kimura ou exiger la majorité à seize ou dix-huit ans ? Elles sont toutes amoureuses de cette star touche-à-tout trop *kakko ii*.

Les groupes The Gospellers, B'z, Chemistry, Zard, Loudness, Dreams come True, MrChidren, Sould' Out ou

Glay cumulent également quelques années de route et foules de fans. Les chanteuses semblent quant à elles avoir plus de difficulté à tenir l'affiche, à quelques exceptions près comme BoA ou Hikaru Utada, la plupart des artistes féminines étant recrutées pour le look davantage que pour leur talent musical. La J-Pop est essentiellement écoutée par les jeunes générations. Quant au public de plus de cinquante ans, il préfère généralement la chansonnette *enka*, variété du dimanche après-midi, sur les thèmes récurrents et universels de l'amour, de la nature, de l'enfance, qui font couler une larme sur les joues de grand-maman.

La large diffusion de la J-Pop et du *enka* entraîne un autre marché massif dont l'écho résonne également à l'étranger, notamment en Asie, celui du *karaoke* (orchestre vide, sans voix). Divertissement intergénérationnel convivial adoré des Japonais depuis les années d'après-guerre, il s'adapte aux évolutions techniques permanentes pour entretenir sa popularité. Le Japon compte quelque 205 000 discothèques, bars, pubs, restaurants, proposant à leurs convives de se produire sur scène, une activité annexe lucrative qui représente près de 9 % de leurs revenus, sans compter 9 400 *ryokan* (auberges traditionnelles) et hôtels ou 8 000 salles de mariage, 25 000 bus touristiques également équipés ou 31 000 maisons de repos, cantines ou bateaux de croisière. S'y ajoutent près de 9 500 lieux spécialisés divisés en minisalons privés (« *karaoke box* ») insonorisés où l'on vient entre amis et collègues passer une ou deux heures à boire et chanter à tour de rôle. Ces buildings pour chanteurs amateurs, comme la chaîne Big Echo, présents dans la plupart des quartiers de commerces, bars et restaurants, à proximité des gares ou centres commerciaux, totalisent plus de 130 000 « *karaoke box* », petits espaces cossus de quelques mètres carrés avec canapés, spots, boules à paillettes et une machinerie audiovisuelle high-tech reliée à un serveur où sont emmagasinés des milliers de titres, dont quelques grands standards du folk, du country ou du rock américain, de la pop britannique ou les morceaux incontournables des monuments de la chanson francophone (Yves Montand, Charles Trenet, Juliette Gréco, Sylvie Vartan, Jacques Brel, Charles Aznavour, Barbara, Gainsbourg, Nana Mouskouri, Mireille Mathieu, Georges Brassens ou Salvatore Adamo). Chacun choisit le titre qu'il souhaite interpréter sur une télécommande à grand écran tactile en sélectionnant dans la banque de données par genre ou en tapant le code correspondant qui figure dans de gros catalogues. Immédiatement, l'écran télé affiche une sorte de clip où s'inscrivent les paroles synchronisées pendant que les haut-parleurs crachent la musique et que les éclairages s'animent en cadence. Les Japonais aiment clore ainsi une soirée arrosée qui se solde généralement par une note salée, la facture cumulant un droit d'entrée par individu et le temps passé à s'époumoner. Chaque « *karaoke box* » génère un chiffre d'affaires mensuel de près de 280 000 yens (2 600 euros au cours de 2008), ce qui donne la mesure de ce business en partie aux mains des bandes de yakusa. Tout compris, le marché du karaoké est évalué à 740 milliards de yens (7 milliards d'euros). De nombreuses familles possèdent également leur propre équipement, un des musts du téléachat. Il s'agit généralement d'un microphone à mémoire, fixe ou amovible, contenant des centaines de chansons populaires, à connecter sur un téléviseur pour afficher les textes et faire résonner la musique. Plus récemment, les téléphones mobiles sont aussi devenus des « karaokés de poche », que l'on utilise de façon autonome ou que l'on raccorde à une télévision de salon ou bien, plus surprenant encore, à un autoradio/GPS à grand écran pour transformer sa voiture en « *karaoke box* », une façon comme une autre de passer le temps dans les bouchons du dimanche soir.

En marge de la variété commerciale, quelques jeunes artistes enfin se distinguent de tous ces genres en mêlant intelligemment les sons et les époques, tel le virtuose du shamisen Hiromitsu Agatsuma qui joue à contre-emploi de cet instrument à trois cordes, très présent notamment dans le théâtre kabuki, pour rythmer des musiques pop-rock. Des jeunes aux cheveux mi-longs en pétards aux allures de loubards, comme le trio Mugen, surprennent également avec des compositions inventives de *wadaiko*, gros tambours japonais. Les rythmiques et tessitures vocales ou instrumentales incomparables du vaste répertoire folklorique, qui accompagnent tous les *matsuri* (festivités locales), mériteraient assurément d'être entendues à l'étranger. Les morceaux scandés par les *sanshin* (guitares à trois cordes de l'île d'Okinawa) ou les chants de la préfecture d'Aomori, à l'autre bout de l'archipel, sont particulièrement représentatifs de cette musique unique. S'il n'est pas aisé de promener à l'étranger les fêtes nippones et autres spectacles vivants, les nouvelles technologies permettront peut-être à ces formes d'expression artistiques encore cantonnées à l'archipel de traverser le monde, au risque toutefois de les dénaturer.

Nouvelles technologies au service du kabuki

Le kabuki, théâtre multiséculaire qui n'existe qu'au pays du Soleil-Levant, devient ainsi « Cinema-Kabuki », un projet avant-gardiste conduit par la société de production et de distribution Shochiku. L'objectif de cette initiative lancée en 2003 est de donner accès au plus grand nombre à cet art spectaculaire dont tous les rôles, y compris féminins, sont tenus par des hommes le cas échéant travestis (*onnagata*). Or, tous les théâtres du Japon et *a fortiori* ceux du monde ne sont pas adaptés au kabuki, lequel exige des aménagements spéciaux, avec un *hanamichi* (pont reliant la scène au fond de la salle du côté gauche) et un mécanisme scénique à engrenages ahurissant avec moult trappes et autres particularités. Parmi les lieux de représentation les plus réputés figurent le fameux Kabukiza (démoli en 2010 pour être reconstruit sous une forme différente et de nouveau inauguré en 2014) ou le Théâtre national à Tokyo. L'accès au kabuki est également restreint en raison du prix élevé d'une bonne place (aux alentours de 150 à 250 euros), et du fait que les fauteuils sont pris d'assaut quand s'y produisent pour quelques jours de grands acteurs appartenant aux guildes renommées. Pour que tous les Japonais puissent néanmoins apprécier dans toute son ampleur cette forme de spectacle sans équivalent, Shochiku ambitionne de le diffuser dans des salles de cinéma, en format vidéo très haute définition, accompagné d'un signal audio multicanal. « Notre but est de parvenir à recréer l'ambiance et les sensations directement ressenties lors de la représentation d'une pièce », explique Masaki Tsuchida, producteur de Shochiku maître d'œuvre de ce projet. Qui a déjà mis les pieds au Kabukiza imagine aisément la difficulté de la tâche. Car au kabuki, le jeu de scène, la subtilité des voix des acteurs, leur gestuelle, le transformisme auquel ils se prêtent, la musique, les changements de décor effectués en un tournemain, les perspectives, les contrastes dans les couleurs, l'amplitude et la tessiture des sons, les attitudes et réactions vocales des spectateurs, tout participe à créer une atmosphère singulière indicible, laquelle requiert une forme totalement nouvelle de captation vidéo et audio. Bref, il faut inventer une nouvelle esthétique, avec des techniques empruntées au cinéma, tout en restituant un look vidéo pour donner la sensation du *live*. Pas question donc d'employer les moyens techniques habituels. Il faut aussi former les techniciens pour qu'ils conçoivent et maîtrisent des techniques de prise de vue inusitées, spécifiquement adaptées, et qu'ils ne ratent pas les moments-clés furtifs très nombreux comme les *mie* (brèves attitudes figées des acteurs dont la beauté subtile se niche dans un regard, une plissure du visage, les lèvres ou une main), ou les hallucinants *roppo* (sorties rocambolesques de scène par les airs, des trappes ou *via* le *hanamichi)*. Le pari du « Cinema-Kabuki » est osé et peut-être risqué s'il ne recrée pas aussi le spectacle de la salle indissociable de celui qui se joue sur scène. Et cela vaut aussi pour le nô, le sumo, et tous les arts vivants qui ne se comprennent vraiment que dans leur contexte originel.

Le « soft power », ou la culture populaire comme nouvelle arme diplomatique, à double tranchant

Ayant pris conscience relativement récemment du potentiel mondial de sa culture populaire, le Japon tente donc désormais d'en faire un nouvel outil diplomatique. Tous les *karakuta* (personnages de *manga* ou de dessins animés), les acteurs et metteurs en scène, les cuisiniers, les musiciens, les designers, les créateurs de mode, les architectes ou encore les sportifs nippons sont ainsi depuis quelques années considérés par le gouvernement japonais comme autant de missionnaires au service de la grandeur du pays. Le ministre des Affaires étrangères japonais a officiellement remis le 19 mars 2008 une lettre de mission au célèbre chat du futur Doraemon, héros de *manga* et d'animation, nommé la semaine précédente « ambassadeur du dessin animé japonais » pour promouvoir la culture nippone. Doraemon est le personnage malin et érudit d'un *manga* pour enfants de Fujiko F. Fujio (pseudonyme de Hiroshi Fujimoto), publié en feuilleton dans des revues à partir de 1969, avant d'être adapté en animation (série télévisée puis longs-métrages). « Doraemon, à travers la présentation de l'animation japonaise, je vous demande d'œuvrer pour approfondir la connaissance de la culture et de la société japonaises dans le monde, afin qu'augmente le nombre des amis du Japon », a déclamé le ministre des Affaires étrangères d'alors, Masahiko Komura, lors d'une cérémonie protocolaire au ministère. « Je vais faire de mon mieux pour expliquer aux étrangers ce que pensent les Japonais, comment ils vivent et de quelle façon ils envisagent l'avenir », a répondu solennellement, déguisé en Doraemon, l'acteur qui double la voix du personnage dans le dessin animé. Doraemon devait par la suite apparaître dans des vidéos promotionnelles pour présenter à l'étranger les différentes facettes de la vie et de la culture nippones, notamment lors des missions officielles de diplomates japonais. Héros bienfaisant aux traits indémodables, Doraemon sort sans arrêt de la panade Nobita-kun, un jeune adolescent en crise, lui fournissant une incroyable panoplie de mystérieux gadgets futuristes. Doraemon est connu de tous les Japonais. Il est aussi extrêmement populaire en Asie et fait partie des héros adorés des fans de *manga* occidentaux. D'où le fait qu'il a été choisi sur recommandation d'un comité d'experts pour occuper en premier cette nouvelle fonction. On ne plaisante pas.

Cette conception que d'aucuns jugeront peut-être ridicule du rôle de ces populaires célébrités virtuelles ou incarnées est au Japon partagée par nombre de dirigeants d'entreprise, d'universitaires, de créateurs eux-mêmes, de journalistes ou de simples citoyens.

Selon les promoteurs de ce « soft power », l'engouement que suscitent à l'étranger les innovations techniques et la culture populaire japonaises au sens large (*manga*, jeux vidéo, animation, gastronomie, robots, cinéma, design, mode, technologies, etc.) doit être exploité pour faire résonner la voix du Japon à travers le monde et renforcer le pouvoir politique de l'archipel au niveau mondial et surtout en Asie. Les Pokemon, Hello Kitty, Doraemon, Yugi Oh !, Mario et autres emblématiques figurines nippones sont ainsi propulsées par le gouvernement et une partie des élites nippones au rang de diplomates. Il en va de même pour le maître de l'animation Hayao Miyazaki, pour les développeurs des héros de jeux vidéo, pour les *talento* et autres « idoles » de la J-Pop, ou encore pour l'acteur/animateur/metteur en scène Takeshi Kitano, le créateur de vêtements Issey Miyake, ou l'architecte Tadao Ando. Même si les arts traditionnels japonais (estampes, arts martiaux, ikebana, théâtres nô, bunraku et kabuki) ont depuis l'époque Meiji connu un succès et une influence continus en Occident, ils n'étaient pas originellement exploités comme des moyens diplomatiques annexes, les Japonais ne les percevant pas comme tels. La différence avec le japonisme passé tient au fait que la nouvelle culture nippone touche aujourd'hui toutes les couches des populations étrangères, notamment les jeunes, et pas seulement les élites. « Le gouvernement doit désormais créer des structures et un système politique qui puissent utiliser la force de la culture japonaise pour prospérer », proclament les tenants du « soft power ». « La perception conventionnelle du Japon a été celle d'une nation belliqueuse avant la Seconde Guerre mondiale et d'un pays industriel après. Mais depuis les années 1990, sa réputation est devenue celle d'un pays "cool" doté d'un nouveau rayonnement culturel, un filon à exploiter », ajoutent ces derniers, convaincus que « ce que la diplomatie classique n'a jusqu'à présent pas réussi à conférer au Japon, la place qu'il mérite au plan politique compte tenu de son poids économique, la force de sa culture, de ses technologies et de ses savoir-faire [*monozukuri*] lui en offrent désormais le pouvoir ». « Je vais faire tout mon possible pour construire une nation culturellement et artistiquement florissante en favorisant la diffusion de l'animation et des films et en élargissant les zones de présence de ses marques et de sa gastronomie », avait pour sa part promis l'ex-mémorable Premier ministre Koizumi dans un discours de politique générale. La « puissance douce » a le mérite de satisfaire à la fois l'ego du Japon et son envie de reconnaissance extérieure, sans pour autant défier frontalement la suprématie de l'allié américain, ni ressusciter le spectre de son passé colonialiste. Elle trouve donc des avocats dans tous les courants de pensée. Toutefois, tous les partisans du « soft power » ne se rejoignent pas forcément sur la finalité de cette diplomatie parallèle.

Les plus à gauche y voient un véhicule pour diffuser un message pacifiste transnational. Ils prônent une approche divergente de la théorie du « soft power » appliquée par les États-Unis. Il s'agit selon eux non pas de donner naissance à de nouveaux « fans du Japon » par-delà les frontières, mais de faire en sorte que les valeurs nippones mondialement reconnues (de respect, de courage, d'innovation, d'ordre, de paix) soient transmises au monde par la « pop culture » sans pour autant que leur nationalité soit explicitement mise en avant, c'est-à-dire de façon politiquement désintéressée mais humainement universelle, à travers des figures apatrides comme le chaton rose Hello Kitty. Les plus à droite désirent au contraire surtout valoriser le Japon, renforcer son identité et sa fierté nationale et contrer les mouvements antijaponais, dans le but avoué d'asseoir sa suprématie sur le monde asiatique. Que le chef de file de ce « soft power offensif » soit un des ténors nationalistes du PLD, Taro Aso devenu Premier ministre fin 2008 et par ailleurs lecteur boulimique de *manga*, illustre cette seconde approche. « Le Japon est désormais aux yeux des citoyens étrangers un pays cool, aimable, et ce grâce aux *manga* et à la pop culture, ce qui facilite les discussions diplomatiques », se réjouissait M. Aso dans un discours prononcé en 2007 dans le quartier de l'animation et de la high-tech de Tokyo, Akihabara. « De plus en plus, l'opinion publique influence l'approche diplomatique des dirigeants. Nous devons profiter de cet état de fait et de ce pouvoir nouveau que nous confère la culture populaire. La marque Japon n'est pas faible, c'est même la plus forte d'Asie selon une enquête de la BBC, et la septième du monde. Secteur privé et pouvoirs publics doivent travailler la main dans la main, le ministère des Affaires étrangères est la plus importante entreprise implantée à l'étranger, présente dans cent seize pays » poursuivait-il avec des élans de fierté patriotique. Et le même de rappeler à l'envi que les importations culturelles américaines ont notablement influencé les comportements des hommes et femmes japonais après-guerre. *Popeye* aurait selon M. Aso donné du courage et de la force aux hommes, tandis que les histoires de *Blondie* auraient attisé l'envie des mères de famille nippones de disposer d'un pavillon en banlieue avec tout le confort matériel représentatif de l'*American way of life* dont bénéficiait leur héroïne. Si la réalité du « soft power » ne fait dans l'absolu aucun doute (Hollywood l'a aussi montré), la capacité du Japon à s'en servir adroitement alimente les débats. Il ne suffit pas de remplacer le drapeau japonais Hi no maru sur les chars envoyés en Irak par une représentation du populaire héros de *manga* Captain Tsubasa pour que le Japon apparaisse aux yeux des populations étrangères et de l'opinion publique nationale comme une puissance indépendante, courageuse, capable de jouer un rôle majeur dans la résolution des conflits mondiaux. Le lien de cause à effet entre la passion qu'expriment les jeunes étrangers pour les créations nippones et la réalité de leur « nippophilie » comme adhésion aux modes de vie et de pensée japonais à partir d'une bonne compréhension de ces derniers n'est pas encore démontré. De même n'est-il pas interdit de penser que les créateurs et les entreprises n'aient que faire de vanter l'image et les valeurs de l'archipel au-delà de ses frontières, leur ambition s'arrêtant peut-être à des aspects purement mercantiles. Les Pikachu, Mario, Akira, Nana ou Naruto ne sont-ils pas davantage d'efficaces représentants de commerce que des ambassadeurs ? Les Japonais se mettent-ils vraiment en valeur lorsqu'ils tentent de s'incarner dans des *karakuta* aux figures animales ? De fait, deux opinions s'opposent actuellement au Japon à propos des effets réels et supposés du « soft power » nippon. Certains prétendent que le pays du Soleil-Levant a déjà gagné de l'ascendant grâce à sa « pop culture » et qu'il peut s'en féliciter. D'autres jugent au contraire que l'engouement actuel pour ces disciplines populaires, auxquelles se raccrochent les arts traditionnels (théâtres nô, bunraku et kabuki, tambours *wadaiko*, etc.) qui profitent de cette dynamique, est fragile. Bien que les fans étrangers de Jap'anime et de *manga* nippons se recrutent par millions dans le monde, il s'agit d'un ensemble de niches de publics et non d'un mouvement de masse, soulignent plusieurs éditeurs de sites spécialisés et organismes d'exportation de ces biens culturels. Si le pouvoir d'influence du pays du Soleil-Levant par ce biais existe potentiellement, il n'a selon les sceptiques pas encore prouvé son efficacité diplomatique.

Autrement dit, tout le problème est aujourd'hui d'évaluer objectivement dans quelle mesure la voix de Tokyo pèse davantage sur les affaires du monde grâce à la diffusion mondiale de ses technologies, *manga*, vêtements, traditions culinaires, films, spectacles vivants ou jeux vidéo, et jusqu'à quel point, grâce à cela, les Nippons sont désormais mieux perçus et compris à l'extérieur. Si les rassemblements à l'étranger de *cosplayers* (jeunes déguisés en héros de fictions), sur le modèle des attroupements bon enfant et inoffensifs des quartiers de Harajuku ou Akihabara à Tokyo, détournent effectivement des adolescents de conduites répréhensibles, si les gouvernements et institutions étrangers s'inspirent de leurs homologues japonais qui éditent des *manga* pour décrypter les lois, enseigner les bases du civisme, vulgariser les mathématiques, expliquer les phénomènes physiques ou diffuser les valeurs morales, alors oui le « soft power » à la japonaise aura réussi en partie sa mission culturelle et la transmission de ses valeurs. Lors du séisme et du tsunami du 11 mars, l'élan de solidarité des jeunes étrangers vis-à-vis du Japon provint sans nul doute en partie de cette affection pour la culture populaire japonaise, ce qui est à saluer. À l'inverse, faut-il se réjouir comme d'aucuns à Tokyo que s'internationalise la figure de l'*otaku*, terme désormais synonyme de lucratif collectionneur invétéré de *manga*, jeux vidéo, jouets, appareils électroniques, vêtements ou accessoires de marque. À l'évidence, si la capacité des Japonais à se passionner pour une discipline est un trait de caractère digne d'estime, en ce sens qu'il démontre une grande curiosité et une forte persévérance, lorsqu'il est poussé à l'extrême et devient maladif (ce qui est manifeste pour les vrais *otaku*), il n'est guère appréciable que cette perversion soit valorisée et exploitée sans scrupules à des fins exclusivement marchandes. On éprouve un réel malaise à observer l'attitude étrange de vrais *otaku* et de certains *cosplayers* un après-midi durant dans les rues et boutiques d'Akihabara ou d'Ikebukuro (repaire de filles déviantes). Non, ils ne sont pas normaux, non ils ne sont pas un modèle. Ils vivent ailleurs, dans un univers imaginaire qui les obsède et qu'ils promènent autour d'eux telle une bulle infrangible. Sincèrement, ils font peine et peur à voir. Ces cas extrêmes, qui se comptent hélas par milliers, relèvent de la psychiatrie. Ils ont d'autant moins de chance de se ressaisir que la société en sourit ou ferme les yeux quand elle n'en fait pas des héros. Il serait dès lors souhaitable que les médias et décideurs cessent d'employer l'expression *otaku bunka* (culture *otaku*) qui dessert la cause du Japon et de son peuple plus qu'elle ne la renforce lorsqu'on en dissèque les ressorts. De même serait-il préférable de ne pas confondre dans le même terme *otaku* les jeunes qui se divertissent, se cultivent ou s'instruisent grâce aux *manga* ou aux jeux vidéo de façon mesurée, et les marginaux profonds que ces mondes de fiction obnubilent au point de les désocialiser. Quant aux cohortes de robots et figurines de jeux, *manga* et dessins animés, sont-ils en outre vraiment tous les meilleurs porte-parole pour transmettre les valeurs du Japon et de son peuple à l'étranger ? Souvenons-nous qu'au cours des années 1980 et 1990, les bien-pensants disaient pis que pendre des dessins animés japonais (expression alors péjorative) diffusés sur les chaînes commerciales françaises (TF1, La Cinq), lesquelles se faisaient d'ailleurs tancer par les autorités. « Leur audience grimpe, mais à quel prix ! Des dessins animés japonais et des séries américaines », lisait-on alors dans les articles de

presse critiques. Il est vrai qu'à l'époque, le Japon effrayait :
il rachetait le monde et le bombardait de produits high-tech.
Il n'empêche, une question essentielle aujourd'hui demeure :
l'attrait actuel pour la culture populaire japonaise ne
serait-il pas qu'un effet de mode et de génération ? Est-il
vraiment sous-tendu par un intérêt réel et profond pour la
société japonaise ? Rien n'est moins sûr. Oh bien entendu,
les œuvres de Miyazaki et de ses disciples, celles de Tezuka et
les *manga* d'auteur défendus par des éditeurs étrangers
pugnaces et bien conseillés, des jeux vidéo de haute volée
resteront très populaires et c'est tant mieux. Mais le reste,
le tout-venant purement commercial ne risque-t-il pas de
s'effacer progressivement au profit d'un autre mouvement,
nouveau, plus puissant, venu d'ailleurs ? La Chine et la
Corée du Sud l'ont bien compris dont les gouvernements
poussent et financent la création de bandes dessinées et
séries animées. Simultanément, Pékin a décidé en 2006 de
limiter la diffusion télévisée de productions étrangères
(japonaises notamment) aux heures de grande écoute sur
les chaînes nationales. Les Chinois sont en outre jugés plus
malins et meilleurs stratèges dans les négociations sur les
cessions de droits pour l'exploitation commerciale à l'étranger de leurs créations originales. Les rivalités dans la région
se jouent aussi sur ce terrain culturel. La preuve : avant
1998, J-Pop, *manga*, séries TV, étaient bannies en Corée du
Sud. Et en 2001, en plein boom Pokemon, Séoul avait temporairement gelé les échanges culturels avec le Japon pour
protester contre la révision des manuels scolaires historiques
nippons dans un sens favorable à l'archipel.

Conclusion

LA NÉCESSAIRE MESURE DU RISQUE

En ce début de XXIe siècle, le Japon arrive à un nouveau tournant de son histoire. Saura-t-il rester la figure de proue d'une Asie appelée à devenir la place forte du monde ? Il le souhaite ardemment et compte pour cela sur ses moyens techniques et culturels pour renforcer son action diplomatique déficiente. Dépourvu de ressources naturelles, insuffisamment puissant dans les instances internationales et de moins en moins peuplé, il n'a, il est vrai, guère d'autres options. Il dispose incontestablement de valeurs, de connaissances, expériences ou savoir-faire uniques susceptibles de lui donner un rôle international important pour contribuer à améliorer la vie de l'humain sur Terre, réduire les inégalités, lutter contre les fléaux et préserver la planète. Néanmoins, le passé l'a montré, le Japon a souvent péché par excès de confiance et trébuché à cause de l'usage intempérant de ses forces, militaires avant la Seconde Guerre mondiale, financières après le redressement. Où se situe aujourd'hui le risque ? Le lecteur l'aura remarqué : face aux difficultés auxquelles l'archipel est aujourd'hui confronté (tracas démographiques, problèmes d'approvisionnement énergétique et alimentaire, pénurie de main-d'œuvre, effets de la mondialisation, pressions extérieures, dématérialisation des biens, pillage des connaissances, menaces terroristes, conflits territoriaux latents, regain de nationalisme, réchauffement climatique, etc.), les solutions avancées s'appuient souvent sur les progrès technologiques : des robots pour s'occuper des enfants et personnes âgées, des puces pour surveiller le corps humain et le guérir, des automates pour décharger l'homme des tâches tuantes, dangereuses, ingrates ou répétitives, des satellites pour suivre les personnes à la trace (afin de les protéger, de les guider et de les rassurer), des logiciels et circuits intégrés pour aider les Japonais à communiquer entre eux et avec les étrangers, des étiquettes électroniques pour garantir l'hygiène alimentaire, des voitures intelligentes pour éviter les accidents, des capteurs et microprocesseurs pour seconder les cinq sens humains, etc. Or, c'est peut-être dans les grands espoirs placés dans cette ubiquité matérielle que germe le danger. Parce qu'ils ont réussi à se tirer d'affaire après la défaite de 1945 essentiellement grâce à leurs innovations techniques, les Japonais ont peut-être aujourd'hui tendance à trop miser sur elles et leurs développements, au risque de leur confier aveuglément un rôle par trop important, parfois au détriment de la réflexion individuelle, de l'intelligence humaine, de la vigilance collective et des relations interpersonnelles.

Enfin, ayons conscience que si toutes ces innovations médicales, environnementales, sécuritaires ou autres, imaginées par les chercheurs nippons, partent généralement d'un bon sentiment philanthropique, elles ne sont pas *ipso facto* synonymes de progrès humains et ne seront de ce fait pas forcément bien accueillies à l'étranger, pour des raisons de différences socioculturelles qui demeurent essentielles. Elles ne sont pas non plus à l'abri de dévoiement par des individus moins bien intentionnés que le sont les Japonais, lesquels vont devoir à tout prix mieux comprendre les attentes et modes de pensée des étrangers. L'accident nucléaire de Fukushima les a sur ce plan mis au pied du mur. Malheureusement, ils ont en grande partie échoué à garder la confiance de leurs interlocuteurs et des populations d'autres nationalités. Lorsque le ministère nippon des Affaires étrangères assurait en juin 2011 à Paris que « le Japon est un pays sûr, que sa nourriture, même provenant de la préfecture de Fukushima, était propre à la consommation », nul ne le croyait. Non, le Japon n'est pas un pays sûr, aucun ne l'est d'ailleurs, pour diverses raisons. Lui, est à la merci des catastrophes naturelles. Mais face à cette menace, il est mieux armé que tout autre et, le cas échéant, met de gros moyens en œuvre pour se prémunir et se rétablir, voilà ce qu'il fallait peut-être dire. De la tragédie du 11 mars 2011, le Japon peut tirer de nombreux enseignements valables pour le monde entier.

Quelques conseils pour compléter

BENHAMOU, Hervé, et SIARY, Gérard, *Médecine et société au Japon*, L'Harmattan, coll. « Recherches asiatiques », 2001.

BOUVIER, Nicolas, *Le Japon*, Hoebeke, 2002.

BUISSON, Dominique, *Tout à fait Japon*, Philippe Picquier, 2007.

CAILLET, Laurence, *Fêtes et rites des quatre saisons au Japon*, POF, coll. « Bibliothèque japonaise », 2002.

CALZA, Gian Carlo, *Style Japon*, Phaidon, 2007.

CLIFF, Stafford, ROZENSZTROCH, Daniel, et SLESIN, Suzanne, *L'Art de vivre au Japon*, Flammarion, coll. « Art de vivre », 2002.

DEMOULE, Jean-Paul, et SOUYRI, Pierre-François, *Archéologie et patrimoine au Japon*, Maison des Sciences de l'homme, 2008.

DESAINT, Nilsy, *Mort du père et place de la femme au Japon*, L'Harmattan, coll. « Points sur l'Asie », 2007.

L'Essentiel d'un marché : Japon, Ubifrance, coll. « Essentiel d'un marché », 2007.

GUILLAIN, Robert, *Aventure Japon*, Arlea, coll. « Arlea Poche », 2003.

HISANORI, Murata, et SEIZELET, Éric, *Justice et magistrature au Japon*, PUF, coll. « Droit et Justice », 2002.

LANDY, Pierre, *Musique du Japon*, Buchet-Chastel, 1996.

LOUIS, Frédéric, *Le Japon. Dictionnaire de la civilisation japonaise*, Robert Laffont, coll. « Bouquins », 1999.

MARUYAMA, Masao, *Essai sur l'histoire de la pensée politique au Japon*, PUF, 1998.

MISHIMA, Yukio, *Le Japon moderne et l'éthique samouraï*, Gallimard, coll. « Arcades », 2001.

MURASE, Miyeko (dir.), *L'Art du Japon*, trad. Pierre-Emmanuel Dauzat, LGF, coll. « Pochothèque encyclopédie aujourd'hui », 1996.

NIQUET, Valérie, *Chine-Japon*, Perrin, coll. « Asies », 2006.

NITOBE, Inazo, *Bushido, l'âme du Japon*, trad. Emmanuel Charlot, éd. Budo l'Éveil, 2000.

ORIGAS, Jean-Jacques, *Dictionnaire de la littérature japonaise*, PUF, coll. « Quadrige », 2000.

PEZEU-MASSABUAU, Jacques, *Géographie du Japon*, PUF, coll. « Que sais-je ? », 1996.

PINGUET, Maurice, *La Mort volontaire au Japon*, Gallimard, 1990.

PONS, Philippe, *Misère et crime au Japon*, Gallimard, coll. « Bibliothèque des sciences humaines », 1999.

RICO NOSE, Michiko, *Le Design au Japon*, Octopus, 2004.

ROTERMUND, Hartmut O., *Religions, croyances et traditions populaires du Japon*, Maisonneuve et Larose, coll. « Références », 2000.

ROTERMUND, Hartmut O., *Images des Occidentaux dans le Japon de l'ère Meiji*, Maisonneuve et Larose, hors coll., 2006.

ROULLIÈRE, Claire, *La Mémoire de la Seconde Guerre mondiale au Japon*, L'Harmattan, coll. « Points sur l'Asie », 2004.

SABOURET, Jean-François (dir.), *L'Empire de l'intelligence, politique scientifique et technologique*, ouvrage collectif, CNRS, 2007.

SIEFFERT, René, *Théâtre classique du Japon*, POF, coll. « Arts du Japon », 1997.

TAMBA, Akira, *La Musique classique du Japon*, POF, coll. « Bibliothèque japonaise », 2001.

TESSIER, Max, *Le Cinéma japonais*, Armand Colin, coll. « 128 », 2008.

VERCOUTTER, Annie, *À l'école au Japon : rigueur et indulgence*, PUF, coll. « Pédagogie d'aujourd'hui », 1998.

VIE, Michel, *Histoire du Japon, des origines à Meiji*, PUF, coll. « Que sais-je ? », 2002.

YAMANAKA, Keiko, *Le Japon au double visage*, Denoël, coll. « Document d'actualité », 1997.

Pour les adultes

BOILET, Frédéric (dir.), *Japon*, manga collectif pour adultes, Casterman, coll. « Écritures », 2006.

DACHY, Marc, *Dada au Japon*, PUF, coll. « Perspectives critiques », 2002.

GIARD, Agnès, *L'Imaginaire érotique du Japon*, Albin Michel, 2006.

MARGERIE, Diane de, *Bestiaire insolite du Japon*, Albin Michel, 2000.

SLOCOMBE, Romain, *Carnets du Japon*, PUF, coll. « Perspectives critiques », 2003.

Pour les plus jeunes

HANAWA, Kazuichi, *Contes du Japon d'autrefois*, Kana, coll. « Sensei », 2008.

MESSAGER, Alexandre (textes), et DUFFET, Sophie (illustrations), *Le Japon*, coll. « Enfants d'ailleurs », Document jeunesse, La Martinière, 2006.

MITCHELL, David, *Origami, l'art du pliage au Japon*, Flammarion, coll. « Boîtes et coffrets », 2006.

WATANABE, Etsuko, *Petit Imagier du Japon*, Sorbier, coll. « Album Jeunesse », 2007.

Liens sur Internet pour rester informé

Ministère de l'Économie, du Commerce et de l'Industrie (Meti) : www.meti.go.jp (en japonais et partiellement en anglais)

Ministère de l'Éducation, de la Culture, des Sciences et des Sports : www.mext.go.jp (en japonais et partiellement en anglais)

Ministère des Affaires intérieures, des Médias et des Télécommunications : www.soumu.go.jp (en japonais et partiellement en anglais)

Ministère de la Santé et du Bien-Être : www.mhlw.go.jp (en japonais et partiellement en anglais)

Ministère des Finances : www.mof.go.jp (en japonais et partiellement en anglais)

Ministère des Affaires étrangères : www.mofa.go.jp (en japonais et partiellement en anglais)

Revue trimestrielle *France-Japon ECO* : www.francejaponeco.com

Portail de recherches sur l'Asie, CNRS : www.reseau-asie.com

Ambassade de France au Japon : www.ambafrance-jp.org

Ambassade du Japon en France : www.fr.emb-japan.go.jp

Portail d'actualité généraliste, nourri des reportages de correspondants au Japon et de dépêches d'agences francophones « Aujourd'hui le Japon » : www.aujourd-huilejapon.com

Portail commun des trois grands journaux japonais (*Nikkei, Yomiuri Shimbun, Asahi Shimbun*) : http://allatanys.jp (en japonais)

NHK World Radio Japan : www.nhk.or.jp/nhkworld/english/radio/program/index.html (journaux audio d'actualité japonaise quotidienne, disponibles en une vingtaine de langues dont le français)

Matei CAZACU, *Dracula*

Boni DE CASTELLANE, *L'Art d'être pauvre*, précédé de *Comment j'ai découvert l'Amérique*

Pierre CHAINE, *Mémoires d'un rat*

Eddie CHAPMAN, *Ma Fantastique Histoire*

Kellow CHESNEY, *Les Bas-Fonds de Londres. Crime et prostitution sous le règne de Victoria*

Winston CHURCHILL, *Discours de guerre*. Édition bilingue

Winston CHURCHILL, *Journal politique, 1936-1939*

Winston CHURCHILL, *Mes jeunes années*

Winston CHURCHILL, *Mon voyage en Afrique*

Winston CHURCHILL, *Réflexions et Aventures*

Marthe COHN, *Derrière les lignes ennemies*

Bernard COTTRET, *Histoire de l'Angleterre*

Pierre DAIX, *Aragon avant Elsa*

Franck DANINOS, *CIA. Une histoire politique, 1947-2007*

Amable DE FOURNOUX, *La Venise des Doges*

Philippe DELORME, *Aliénor d'Aquitaine*

Arthur DEMAREST, *Les Mayas. Grandeur et chute d'une civilisation*

Sophie DEROISIN, *Le Prince de Ligne*

Moses I. FINLEY, *L'Héritage de la Grèce antique*

Janet FLANNER, *Chroniques d'une Américaine à Paris*

Robert FLEURY, *Marie de Régnier*

Michael R.D. FOOT & J.-L. CREMIEUX-BRILHAC, *Des Anglais dans la Résistance. Le SOE en France, 1940-1944*

Philippe FRANCHINI, *Les Guerres d'Indochine. De la conquête française à 1949*

Philippe FRANCHINI, *Les Guerres d'Indochine. De 1949 à la chute de Saïgon*

Max GALLO, *Rosa Luxemburg*

Max GALLO, *La Nuit des longs couteaux*

Max GALLO, *L'Italie de Mussolini*

Murray GORDON, *L'Esclavage dans le monde arabe*

Zalmen GRADOWSKI, *Au cœur de l'enfer*

Michael GRANT et John HAZEL, *Dictionnaire de la mythologie*

Mogens Herman HANSEN, *La Démocratie athénienne*

Victor HANSON, *Le Modèle occidental de la guerre*

Gilles HENRY, *Petit dictionnaire des mots qui ont une histoire*

John HERSEY, *Hiroshima*

Daniel MORNET, *Les Origines intellectuelles de la Révolution française*

Donald M. NICOL, *Les Derniers Siècles de Byzance*

George D. PAINTER, *Marcel Proust*

Jacques-Henry PARADIS, *Le Journal du siège de Paris*. Texte annoté et présenté par Alain Fillion

Jean-Christian PETITFILS, *Le Véritable d'Artagnan*

Jean-Robert PITTE, *Histoire du paysage français*

Christophe PROCHASSON, *14-18. Retours d'expérience*

Salomon REINACH, *Sidonie ou Le Français sans peine*

Yves RENOUARD, *Les Hommes d'affaires italiens au Moyen Âge*

Jean-François REVEL, *Un festin en paroles. Histoire littéraire de la sensibilité gastronomique de l'Antiquité à nos jours*

Jacqueline DE ROMILLY, *Alcibiade*

Steven RUNCIMAN, *La Chute de Constantinople : 1453*

Cornelius RYAN, *La Dernière Bataille : 2 mai 1945*

Cornelius RYAN, *Le Jour le plus long*

Heinrich SCHLIEMANN, *La Fabuleuse Découverte des ruines de Troie*

Comte Philippe de SÉGUR, *Un aide de camp de Napoléon. De 1800 à 1812*

Comte Philippe de SÉGUR, *La Campagne de Russie, 1812*

Comte Philippe de SÉGUR, *Du Rhin à Fontainebleau, 1812-1815*

William L. SHIRER, *Les Années du cauchemar, 1934-1945*

La Baronne STAFFE, *Usages du monde. Règles du savoir-vivre dans la société moderne*

Robert VAN GULIK, *Affaires résolues à l'ombre du poirier. Un manuel chinois de jurisprudence et d'investigation policière du XIIIe siècle*

Paul VEYNE, *Sénèque. Une introduction*

Alexander WERTH, *La Russie en guerre. La patrie en danger, 1941-1942*

Alexander WERTH, *La Russie en guerre. De Stalingrad à Berlin, 1943-1945*

Edith WHARTON, *Villas et jardins d'Italie*

Arthur YOUNG, *Voyages en France*

Natalie ZEMON DAVIS, *Le Retour de Martin Guerre*

« Le plus sobre et le meilleur des récits qui ont été écrits à propos de la plus spectaculaire explosion de l'ère humaine. »

The New York Times Book Review

À travers le témoignage de six survivants d'Hiroshima, John Hersey donne à voir les instants qui ont précédés et suivis l'explosion de la première bombe atomique. Paru dans le *New Yorker*, ce récit magistral connut un énorme retentissement aux États-Unis. C'est notamment grâce au reportage de Hersey que les Américains prirent conscience de l'ampleur de la tragédie que subirent les Japonais.

205 pages – 8 €

Depuis deux siècles, le mystère archéologique de la civilisation maya fascine. La découverte des palais de pierre, des
temples et autres monuments dissimulés sous la végétation
dense de la jungle, mais aussi l'astrologie, la cosmologie et le
calendrier des Mayas ne cessent de captiver savants et amateurs. Arthur Demarest ressuscite ici cette civilisation
perdue. Grâce aux acquis récents de l'archéologie, de la
paléoécologie et de l'épigraphie, il met en lumière l'extraordinaire adaptation des Mayas à la forêt subtropicale
humide, qui explique l'épanouissement de leur brillante
civilisation dans un milieu à la fois hostile et fragile. En
explorant les sociétés complexes des cités-États des Mayas et
leur histoire versatile, l'auteur nous livre les clefs du prétendu « effondrement » maya.

414 pages – 10,50 €

Achevé d'imprimer en mai 2012
dans les ateliers de Normandie Roto Impression s.a.s.
61250 Lonrai
N° d'imprimeur : 121900
N° d'éditeur : 3487
Dépôt légal : février 2012
ISBN : 978-2-84734-858-3

Imprimé en France